百年漢學論集

鄭良樹著

臺灣 學生書局 印行

序

周勛初

　　時至晚清，中國處於存亡絕續之交。其時的一些年輕學者，出於愛國熱忱，向外尋求新的視角與理論，用以研討本國的傳統文化，遂使這一領域呈現出與前迴異的面貌。這一過程中，學術界出現了很多成就卓異的學者，他們的業績，已經成為今人研究的熱點。由此可覘中國傳統文化生命力之健旺，每隨國運的轉變而生生不息。後起者隨著時代的發展，不斷吸收新材料，形成新觀點，產生新成果。他們的成就，也已成了可供探討的熱點。

　　中國本地的學者以及港臺地區的學者，是這一研究隊伍中的主力；海外的華人學者，隊伍龐大，成績突出，亦應重視。其中馬來西亞籍的華人學者，不但人數多，而且水平也高，幾十年來碩果累累。其中鄭百年（良樹）教授的著作，已成整個漢學界的一份財富。私意以為，他的業績也已成了可供探討的物件。

　　百年教授著作多，方面廣，初學者似難把握。閱讀這一新著《百年漢學論集》，則可進窺其治學的心路歷程。

　　全書分四部分，其中有對顧頡剛、錢賓四、王叔岷三教授的專題研究論文多篇。竊以為，百年教授的研究工作曾受三人巨大的影響，但他能夠隨著時代的發展，利用新的材料，培養新的思路，進

行新的開拓，從而取得嶄新的成就。

民國初年，隨著啟蒙思潮的崛起，胡適之先生引入了實證主義思想，對中國的傳統學術形成巨大的衝擊。顧頡剛先生在多種學術領域內從事考辨，對古史記載進行全面清算，確對古籍中的混亂情況有所澄清。錢賓四先生之治子學，著力于文本的細讀與史料的辨證，綜覽全局，構建新的體系。王叔岷先生以校證細密享譽學林，又在南洋一帶盡力培養國學種子。他們的研究方向，所開闢的道路，以及取得的成果，都對百年教授有所啟示。但正如俗語所云，長江後浪推前浪，百年教授已在新的歷史條件下作出了嶄新的貢獻。

隨著近幾十年來地下資料大量的出土，顧氏等人光著眼於在傳世文獻中找破綻的工作已嫌不足，因此學術界有了走出疑古時代的要求。百年教授自上世紀七十年代起，即隨考古工作的進展不斷推出新的研究成果，早在八十年代，就有《竹簡帛書論文集》問世。王國維曰：「古來新學問之起，大都由於新發現。」由此新路而取得新成就者，代不乏人，百年教授成果迭出，自當名列新學問的前端。

《古史辨》派是從辨偽工作入手的。從顧氏校點《古今偽書考》始，到張心澂的編纂《偽書通考》，一脈相承，不斷清理夾雜在古籍中的雜質。但他們似僅盡心於具體問題的考辨，而未能具備學科意識。百年教授除了編有《續偽書通考》外，尚有《古籍辨偽學》一書問世，對辨偽工作的意義、源流以及研究方法作了全面的探討，且多舉範例以說明之。由此可見，百年教授利用新出土的文獻，破一味疑古者之拘執，但他並不否定辨偽工作的重要，故從理論上加以總結，進而從事學科的建設。這是作為後起的新型學者的

突出貢獻。

百年教授對錢氏的子學研究推崇備至，始終以私淑弟子自居，但真所謂「當仁不讓於師」，對於錢氏學說中的不足之處，則以其思辨的新成果與研治新材料而形成的新觀點，起而矯正。他所提出的新觀點，並不流於純理論的推導，而是秉承本師王氏的治學方法，從文本的校證中提煉而出。例如《老子新校》一書，即據近年來出土的多種帛書研治而成。不但如此，他還將多種考辨成果集合成《諸子著作年代考》一書，且於《後記》中總結其治學心得曰：「有些子書恐怕是多次、多人、多時及多地才結集而成。換句話說，有些子書恐怕不是一人之作，而是一個學派的集體作品，由學派中的第二代、第三代等不斷搜集、不斷製作、不斷編輯，最後才結集成一部大書，在安書名的時候，就把學派的祖師爺的名字題上去。」這一結論，也是考辨工作的總結。比之前人，他似更為重視理論上的建樹。

百年教授治學極為勤奮，自從以博士論文擴展而成的《戰國策研究》始，至今日結集的《百年漢學論集》，研究領域廣及經、史、子、集各個領域，且多有拓展與提升。這種治學的精神，至可寶貴。我於上世紀八十年代以研治《韓非子》而結識百年教授，至今亦已歷有年代，對他的好學與勤勉，至為欽佩。但因居處不在一地，治學範圍也不全然相合，港臺地區的書籍，此間難以見到，而百年教授又著作等身，自知難窺全豹，無法作出合適的評價。然百年教授不恥下問，請我序此新著，這就讓我左右為難，既懼佛頭著糞，又怕卻之不恭，辜負多年的交往，今在不得已的情況下草此小文，希望得到百年教授與讀者的指正。

序

李學勤

　　獲識鄭良樹先生，是我平生幸事之一。回憶一九七九年前往澳大利亞，途中暫留香港，承蒙鄭良樹先生來訪，晤談雖短，於其學識之淵博，氣質之沈潛，已深有感受。當時由於客觀條件，尚未能多見鄭先生的論著。隨後幾年，屢赴歐美，在各地圖書館都能讀到他的大作，每種均使我得益。

　　鄭良樹先生字百年，祖籍廣東潮安，為馬來西亞學界名宿。他早年從讀於王叔岷先生，克承師學，對古文獻有深湛研究，尤其專精於子部。在上海、北京刊行的這方面著作，如《商鞅及其學派》、《諸子著作年代考》，皆為學者必備，極受贊譽。

　　古書真偽與年代的研究，更是鄭先生長期致力的專門之學，《續偽書通考》和《古書辨偽學》兩書，早已蜚聲學林。他研究古書真偽、年代，不僅著眼於一書一篇，更注重研究方法的探索。如在《諸子著作年代考》中，他就余嘉錫先生《古書通例》加以闡述，指出「有些子書恐怕不是一人之作，而是一個學派的集體作品，由學派中的第二代、第三代等不斷搜集、不斷製作，不斷編輯，最後纔結集成一部大書」，從而提出「以篇為單位，甚至以段為單位，逐段逐篇考訂及觀察」的方法，極關重要。

　　七十年代以後，戰國秦漢簡帛佚籍大量出土，鄭良樹先生是最先投入研究的學者之一，以其深厚的子學素養，做出卓異的貢獻。例如長沙馬王堆帛書《老子》公佈，鄭先生即取與傳世諸本對勘，盡五年之功，撰成《老子新校》，隨後又有《老子論集》一書。通過簡帛的探討，他對古書真偽和年代的研究又提出一系列新見解。早在一九八一年，他便有〈七十年代出土竹簡帛書對古籍之影響〉專文，討論了許多重要問題。有些回顧簡帛研究歷史的作品沒有引及，實在是很大的失漏。

　　鄭先生在這篇論作中說：「就古籍辨偽而言，竹簡帛書出土所帶來的震撼，恐怕與古史辨學派新說的震撼不相伯仲，因為古史辨學派為古籍真偽帶來『石破天驚』的新說，而竹簡帛書卻為這些新說帶來『冷酷無情』的否決，儘管這些否決不是全面的。」但他也警覺到，「七十年代末期以後，在古史辨學派新說面臨『破產』之際，我們確實看到古籍真偽考訂回頭走的現象。」為此，他作有〈疑古與復古──論古籍辨偽的方向〉一文，強調：「今天，我們走出『疑古』的限圍時，更應該講證據、講方法、講理論，在檢驗及反思古史辨學派諸多說法時，才不會盲目地、情感地回頭走。」大家知道，裘錫圭教授有差不多同樣的觀點，可看其《中國出土古文獻十講》。我們當然應該聽受這些清醒的、實事求是的忠告。

　　鄭良樹先生現在輯成的論文集──《百年漢學論集》，使讀者不僅看到他已有成就的繼續發展，還可體認其治學範圍的不斷擴充。實際上，鄭先生又是學藝兼修，凡參觀他為馬來西亞南方學院籌集教育基金所辦書畫義展者，無不歎其造詣。這更是我衷心欽服的。

　　二零零五年十月，北京清華大學歷史系與新加坡國立大學中文系聯合召開「首屆經學國際會議」，會上見到鄭良樹先生，囑以為文集寫序，不意事務繁重，延宕至今，謹在此敬表歉意。翹首南天，不勝思念之情。

李學勤

二零零七年農曆元旦

於北京清華園荷清苑寓所

百年漢學論集

目　錄

論《春秋》不書即位例

一

　　《春秋》十二公，每公元年正月下必書「公即位」，以明改元正朔；惟隱、莊、閔、僖及定五公例外，皆不出此三字。其中，以隱公不書即位的問題最複雜。

　　惠公元妃為孟子，孟子卒，繼室以聲子，生隱公。後來，惠公再娶仲子於宋，為魯夫人，生桓公。惠公卒，隱公即君位；然而，《春秋》於元年正月下卻不書「公即位」，違背了《春秋》書法的常例。對此現象，三《傳》都有不同的解釋。

　　《左傳》的解釋最簡單：「不書即位，攝也。」杜《注》曰：「假攝君位，不修即位之禮，故史官不書於策，傳所以見異於常。」認為隱公只攝位，以嗣君之禮事桓公，如前傳所云「是以隱公立而奉之」，不行即位大典之禮，所以，史官原本就不書，並非孔子筆削。換句話說，這是魯史就史實直書，孔子也因襲魯史，都不含什麼微言大義。

　　將此現象發為一番議論，並認為是夫子筆削大義之所在的，是《公羊》及《穀梁》二傳了。《公羊傳》說：

公何以不言「即位」？成公意也。何成乎公之意？公將平國而反之桓。曷為反之桓？桓幼而卑，其為尊卑也微，國人莫知，隱長又賢，諸大夫扳隱而立之。隱於是焉而辭立，則未知桓之將必得立也。且如桓公，則恐諸大夫之不能相幼君也。故凡隱之立，為桓立也。隱長又賢，何以不宜立？立適以長不以賢，立子以貴不以長，桓何以貴？母貴也。母貴則子何以貴？子以母貴，母以子貴。

根據《公羊》的說法，桓公因為母貴而享有君位，但是，桓公年幼，諸大夫「不能相幼君」；另一方面，隱公「長又賢」，因而「諸大夫扳隱而立之」，所以，隱公不得不即位為君。《公羊》認為，隱公立為君，只是為著桓公，他終究會將君位「反之桓」。孔子為著成全隱公之心意，乃刪削「公即位」三字，表明隱公無心於為君。再看看《穀梁》的說法：

公何以不言「即位」？成公志也。焉成之？言君之不取為公也。君之不取為公，何也？將以讓桓也。讓桓，正乎？曰：不正。……隱不正而成之，何也？將以惡桓也。其惡桓，何也？隱將讓而桓弒之，則桓惡矣。桓弒而隱讓，則隱善矣……先君之欲與桓，非正也，邪也。雖然，既勝其邪心以與隱矣，已探先君之邪志而遂以與桓，則是成父之惡也。兄弟，不倫也；為子受之父，為諸侯之君，已廢天倫而忘君父，以行小惠，曰小道也。若隱者，可謂輕千乘之國，蹈道則未也。

《穀梁》也認為本年無「公即位」，乃夫子所削；不過，《穀梁》將此事往上、下深一層說。往上方面，《穀梁》認為惠公將君位傳給桓公，是一項「非正」和「邪」的做法，隱公探知惠公的「邪志」，反而有意將君位讓給桓公，可說「成父之惡」；這是對隱公的呵責，說他「廢天倫」、「忘君父」、「行小惠」，並且「輕千乘之國」，「未」「蹈道」。往下推說方面，《穀梁》認為隱公既然有意讓位給桓公，桓公在隱十一年竟弒殺隱公，自行即位，可謂「惡」矣！

　　縱觀三傳的解釋，顯然的分成兩派。《左傳》認為隱公未行即位大典之禮，只居攝位，所以，史官無可書，孔子因之。《公》、《穀》則認為孔子主動削了這三個字，用來寄托他的大義；但是，二傳對孔子筆削的用意有不同的見解。《公羊》認為孔子為著成全隱公「反之桓」的心意，《穀梁》卻認為孔子在呵責隱公「成父之惡」以及桓公弒君之「惡」。❶

　　到底孔子是否曾經筆削過「公即位」三字？或者國史原本就沒有這三個字，而孔子因之呢？要考核這個問題，其中一個重要的關鍵便是隱公居攝時，是否舉行過即位的大典？如果隱公未舉行此大典，史官當然無所書；而《春秋》無此三字，當然是孔子因襲了舊史，不含什麼微言大義了。相反的，如果舉行了即位大典，史官或孔子筆削了，那麼，顯然的就不同凡響，含義深遠了。

　　做為《左傳》的註釋者杜預，他當然認為隱公未行即位的大

---

❶　傅隸樸認為《穀梁》此說「穿鑿」，見傅著《春秋三傳比義》，中國友誼出版社，1984，北京，頁 5-6。

典，他在《釋例》裡說：「天子既已定之，諸侯既已正之，國人既已君之，而隱終有推國授桓之代，所以不行即位之禮也……國史固無所書，非行其禮而不書於文也。」❷新君繼位皆必改元正位，國史乃書「即位」於策以表之，然而，隱公是個例外，他不行即位大典，所以，《春秋》無所書。孔穎達《正義》說：「隱以桓公幼少，且攝持國政，待其年長，所以不行即位之禮。史官不書即位，仲尼因而不改，故發傳以解之。公實不即位，史本無可書……。」也發揮這個說法。

鄭眾說：「隱公攝立為君，奉桓為大子。」賈逵曰：「隱立桓為大子，奉以為君。」❸都本前傳為說，未能突破。

二

宋人頗偏向於《公羊》說，代表人物是胡安國。試讀他的說法❹：

> 國君逾年改元，必行告廟之禮，國史主記時政，必書即位之事，而隱公厥焉，是仲尼削之也。古者諸侯繼室襲封，則內必有所承，爵位土田授之天子，則上必有所稟，內不承國於先君，上不稟名於天子，諸大夫扳己以立，而遂立焉，是以

---

❷ 見《左傳》隱公元年「春王正月」下孔〈正義〉引。
❸ 俱見劉文淇著《春秋左氏傳舊註疏證》，香港太平書局。
❹ 見胡著《春秋傳》卷一，《四庫全書》本。

> 爭亂造端而篡弒所由起也。《春秋》首絀隱公以明大法，父
> 子君臣之倫正矣。

為了支持《公羊》的說法，胡安國創造了「內不承國於先君，上不
稟命於天子」的新罪狀，責斥隱公及諸大夫私相授受，「扳己以
立」，是「爭亂造端」及「篡弒」出現的禍根；那麼，本年不書
「即位」，怎麼不是夫子筆削呢！顯然的，胡安國為夫子微言大義
創製新法統，大有功於公羊學。再看高閌❺說：

> 聖人所以不書者，正王法於始也，蓋諸侯之立，必由王命，
> 平王以降，王命不行，諸侯之嗣，皆不請命……隱獨不書即
> 位者，入春秋之始，聖人即以王法奪之，而大義既立矣。

以及葉夢得❻的說法：

> 隱何以不書即位，將以治隱也。隱受國於惠公則正，私其志
> 而欲以讓桓則不正，其必日是桓之位而非吾之所得居也，故
> 書正月以見正，不書非不即位也。諸侯繼位，未有不即位而
> 成君者，以為有其位而不能居，是以沒之正其志也。

都認為不書即位乃仲尼筆削，「聖人以王法奪之」，含有「治隱」

---

❺　見高著《春秋集注》卷一，《四庫全書》本。
❻　見葉著《葉氏春秋傳》卷一，《四庫全書》本。

的深意在；換句話說，《公》、《穀》才是《春秋》的正解。

三

　　到了明代，學者提出許多不同的說法。

　　首先，是居攝時行不行即位大典的爭論。杜預在否決居攝行大
典時，不小心露出破綻，他在《經》隱元年正月下說：「隱雖不即
位，然攝行君事，故亦朝廟告朔也。」這說法和他在《釋例》裡所
說的有齟齬之處，他等於將「攝行君事」和「朝廟告朔」二事劃上
等號。這個破綻非常危險，因為「朝廟告朔」就等於「行即位大
典」了！如果「攝行君位」、「朝廟告朔」及「行即位大典」都等
同的話，那麼，《左傳》的解釋立刻就崩潰。因此，明人首先是辨
明杜預的說法，鞏固這道防線，以免出現裂痕。王介之❼說：

> 嗣子初立於歲首，書即位者，蓋有告廟臨民之禮焉。禮行而
> 史記之，不書即位，則其未遑修此常禮者爾。隱公之不書即
> 位，三傳同辭以為攝也。攝則告廟者告其攝也，詔臣民者詔
> 其攝也。因之而告於王室，告於友邦，皆言攝也。攝則無即
> 位之事，不可起即位之文⋯⋯。

王介之認為居攝就不行即位之禮，即使必須朝廟告朔，也只是「告
其攝」、「詔其攝」而已；所以，「朝廟告朔」和「行即位大典」

---

❼　見王著《春秋四傳質》卷一，《四庫全書》本。

有分別，不容劃上等號。

杜預居攝也行廟告之禮的說法並非危言聳聽，正如清代崔述說：「隱公當日不嘗身踐魯君之位乎？發號施令有不自己出乎？國人不儼然稱君公、不儼然稱寡人乎？不儼然列於諸侯之會盟而受滕、薛之旅見乎？」若是而謂之攝而不行廟告之禮，實在有違情理，所以，杜預才不得不有此自相齟齬的解釋。

在此情形之下，廟告便成為不可避免的一種禮節了。廟告既不可避免，明人只好另闢途徑，想出一個新的說法來。湛若水❽說：

> 其隱不書即位者何也？史不書也。不書不在夫子也，其文則史也。立君以嫡不以庶，桓嫡而幼，隱長而庶，不宜立隱，非嫡而立，立不正也。故上難以告天子，下難以報列國；不報，故不書，史之文也。不書，非天子所削也，而其是非自見矣。

湛若水認為隱公繼位是「不正」，此說來自《穀梁》；不過，湛若水據此加以發揮——面對此「不正」，魯國「上難以告天子，下難以報列國」，所以，不報；所以，史官不書。這個說法頗新鮮。原來湛若水認為隱公行了即位的大典，只因為自覺不正，所以，上不報天子，下不報列國，因而史官無可書。廟告之禮既不可免除，為了遷就《左傳》不書的事實，只好提出「不報」的說法了。顯然的，湛若水折衷三家，既採納了《公》、《穀》行即位大典，又接

---

❽　見湛著《春秋正傳》卷一，《四庫全書》本。

納《左傳》史官不書；換句話說，隱公既行廟告之禮，即位為君，又因為自覺不正，乃不報天子、列國。此說甚巧。

　　在明人中，比較大膽的說法是來自朱朝瑛，他不但否決了三傳，而且還否決了書法常例。朱朝瑛❾說：

> 以書薨推之，則知魯之十二公，無不書即位者；隱、莊、閔、僖不書即位，蓋脫簡也。凡正無事而二月、三月有事者，既書二月、三月，則不書正月。雖元年亦然，定公是也。此書正月而無事，必有脫簡，如「夏五」、「郭公」者多矣。何疑於此！如謂內無所承，上不請命，以是而削其即位，則亦不宜書薨。且通之十二公，其說多支離遷迕而不達，絕非聖人之旨矣。或云攝也，不行即位之禮，故史無書，或云成公之讓也。夫尚不行即位，何以改元而稱公？即改元而稱公，又何以成其讓？或又云即位於先公之年，以為非禮而不書，則《春秋》所書魯之非禮多矣！何獨於此而削之？義所難通。姑以定元年之不書正月推之四公，竊意脫簡為近，是識之以俟明者。

朱朝瑛認為如果是孔子筆削，那麼，也應當連「公薨」也削去，才合懲戒之意；他又認為，如果是不行即位之禮，那為什麼又改元稱公呢？既改元稱公，又如何成就其讓意呢？顯然的，三傳的說法都有矛盾，「史所難通」。因此，他認為完全是「脫簡」的關係，就

---

❾　見朱著《春秋略記》卷一，《四庫全書》本。

如桓公十四年《經》出「夏五」及莊公二十四年《經》出「郭公」
一樣,「多矣」。章潢說:「嘗誦孔子之言曰:『吾猶及史之闕文
也。』曰:『為下不倍。』即如謂舊史於隱公原有『即位』之文孔
子削之,則又何有於『闕文』哉!倍上反古亦至矣。」也認為《春
秋》此處乃脫簡。

四

　　到了清代,治《春秋》的學者雖然多,也提出許多不同的意
見,卻跳不出過去的窠臼。比如張應昌❿的說法:

> 正月無事而空書首月者,以人君於始年初月必朝廟告朔,因
> 即人君之位以繼臣子之心,故君之始年,必書曰「元年春王
> 正月公即位」,史策之正法也。隱公攝行君事,雖不即位,
> 而亦改元朝廟,與人更始,異於常年之正月,故史書「春王
> 正月」,見此月公宣即位而自不即位也。攝政不行即位之
> 禮,公實不即位,史本無可書,莊、閔、僖不書即位,義亦
> 然也。

似此支持《左傳》的說法,並沒有什麼特別的新意。再如萬斯大
❶:

---

❿　見張著《春秋屬辭辨例編》,《四庫》本。
❶　見萬著《學春秋隨筆》,《四庫》本。

諸位嗣世，必即位稱公，乃可以臨民親政事，故十二公無不
行即位禮者，史無不書即位者。《春秋》於隱、莊、閔、
僖，不書即位，何也？逾年即位，故皆非禮，然就中分別，
有不當立者，有雖當立而有所不忍者。惠公立桓為太子，
《左傳》「惠公之葬也太子少」，是已立桓為太子，則桓當
立，隱不當立；為隱公者立桓而攝政可也，攝位而奉桓不可
也。

根據萬斯大的說法，隱公當時應該立太子為桓公，而自己退居攝政
之位；不應該行即位之禮，再以攝位之名奉桓公；夫子為了呵責隱
公處理的不當，乃「削其即位以明其不當立」。萬斯大的說法，顯
然來自公羊派，只不過改易了夫子筆削的理據而已。再看看徐廷垣
❷的說法：

隱不書「即位」，左氏以為「攝」。夫「攝」者，行其事而
不居其位之謂。若伊尹之相太甲、周公之輔成王，皆嗣主幼
弱、不能臨御，故總其政以居攝，非敢見天子位，自以為天
子也，四海臣民亦無有以天子目之者。今隱公自稱曰「寡
人」，臣民稱之曰「君」，天子聘之，大國會之，小國朝
之，孰曰非君也者，而豈得謂之「攝」？

雖然不曾明白肯定公羊說，不過，從他所臚列出來攻擊《左傳》的

---

❷　見徐著《春秋管窺》，《四庫》本。

種種理據，即知他和萬斯大一樣的，也是站在公羊派這一邊。其他如華學泉❸、崔述❹及劉逢祿❺的說法，大致上也相差無幾。

總覽明、清二朝學者的討論，明人朱朝瑛提出「闕文」說最為特出，可惜清人未能繼踵發揮，廓清問題的煙霧。

五

民國初年，陳師槃庵先生發表《左氏春秋義例辨》❻；書中卷八對此問題有進一步的考訂。陳先生贊同章潢❼的說法，認為《春秋》不書「公即位」，乃是「經中脫簡」、「闕文」；陳先生提出三類證據❽：

---

❸ 華於《春秋疑義》曰：「以桓為太子，則隱不過惠之諸公子耳；隱攝以奉太子，太子立而謂之篡，可乎？故隱為攝，則桓不當為篡；桓之立為篡，則隱不當為攝；二者不待辨而明也。」

❹ 崔述於《無聞集》〈魯隱公不書即位論〉上曰：「古人之攝有三：舜，君老而攝者也；伊尹、周公，君諒陰而攝者也；共和，君在外而攝者也皆不得君，故謂之攝。今也，隱既君乎魯矣……豈得謂之攝也哉！豈得遂不謂之即位也哉！」

❺ 劉《左氏春秋考證》曰：「此篇非左氏舊文，比附公羊家言桓為右媵、隱為桓立之文而作也。」又顧棟高《春秋大事表》〈春秋五禮源流口號〉亦略論此事，不錄。

❻ 中央研究院史語所專刊之十七，1993 年二版。

❼ 見章著《圖書編》卷十二〈春秋大旨〉；上節已引。

❽ 同注❹，頁 662-665。

(一)正月下未書事

陳先生認為正月下未書事者除本年之外，尚有二十四處；它們是：

桓五年春正月甲戌	二十有四年春王正月
十有二年春正月	三十年春王正月
莊元年春王正月	三十有二年春王正月
五年春王正月	文八年春王正月
十有一年春王正月	十有三年春王正月
十有六年春王正月	宣十有一年春王正月
十有九年春王正月	襄三十有一年春王正月
二十有一年春王正月	昭十年春王正月
三十年春王正月	二十年春王正月
閔元年春王正月	定二年春王正月
僖元年春王正月	七年春王正月
六年春王正月	九年春王正月

這二十四處正月下都不書事，那麼，本年隱公元年正月下未書事，情形正完全相同，「何異乎」。

(二)《竹書紀年》亦有不書即位

《竹書紀年》於諸侯之始年，亦例書某即位居於某處，如「後相即位，居商邱」、「少康即位，方夷來賓」及「外丙勝即位，居

亳」等。然而，陳先生認為，也有不書即位而只書某居於某處的；
如：

> （夏禹）居陽城。
> 太康居斟鄩。
> 外壬居囂。
> 小乙斂居殷。
> 祖庚曜居殷。

這五條資料，都不書即位，陳先生說，「其為闕文，毫無疑義」。

(三)古籍有省「即位」例

《山海經》〈海外東經〉〈注〉、《御覽》八十二及《通鑑外紀》引《竹書紀年》有「胤甲即位居西河」，明言「即位」。然而，《開元占經》六及《御覽》四引並無「即位」二字；可見「公即位」可省。

根據這三類證據，陳先生說：然而隱公不書「即位」，其為闕文，復何疑矣。陳先生並說：「莊、閔、僖三公不書『即位』，其例同此。」陳師此說，發揮了明代朱朝瑛及章潢的說法，並且提出堅強的證據。

《春秋》於某年某時下不書事，除陳師前舉屬於春正月的二十五事外，其餘三季不書者為數尚多，試讀下表：

《春秋》四季不書事統計表

君	年	春	夏	秋	冬
隱	元年	春王正月			
	六年			秋七月	
	九年			秋七月	
	十年			秋七月	
桓	四年			（缺秋、冬）	
	五年	春王正月			
	九年		夏四月	秋七月	
	十二年	春　正月			
	十三年	春		秋七月	冬十月
	十八年			秋七月	
莊	元年	春王正月			
	四年			秋七月	
	五年	春王正月			
	十一年	春王正月			
	十二年		夏四月		
	十三年			秋七月	
	十五年				冬十月
	十六年	春王正月			
	十八年				冬十月
	十九年	春王正月	夏四月		
	二十年			秋七月	
	二十一年	春王正月			

	二十二年		夏五月		
	三十年	春王正月			
閔	元年	春王正月			
僖	元年	春王正月			
	六年				
	十年			秋七月	
	十二年			秋七月	
	二十四年	春王正月		秋七月	
	三十年	春王正月			
	三十一年			秋七月	
	三十二年	春王正月			
文	二年			秋七月	
	八年	春王正月	夏四月		
	十三年	春王正月			
宣	六年		夏四月		冬十月
	十年				冬十月
					（公羊無）
	十一年	春王正月			
	十二年			秋七月	
	十八年		夏四月		
成	元年				冬十月
	十年				冬十月
	十一年				冬十月
	十二年				冬十月

襄	二十二年		夏四月		
	三十一年	春王正月			
		春王正月			
昭	十年	春王正月			（缺冬）
	十二年			秋七月	
	十四年		夏四月		
	二十年	春王正月			
	二十九年			秋七月	
	三十二年			秋七月	
定	二年	春王正月			
	三年		夏四月		
	七年	春王正月	夏四月		冬十月
	九年	春王正月			
	十一年		夏四月		
	十四年				（缺冬）
哀	八年			秋七月	
	九年				冬十月
	共計：	26 處❶	12 處	19 處	11 處
	總計：	68 處			

---

❶ 陳師連隱公元年共二十五處：桓十三年《經》僅出一「春」字，無「王正月」，陳先生不計。該年雖無「王正月」，不過，其下無事無書，當為計入，故得二十六處。

審閱此統計表,「春正月」下不繫事者共二十六處,陳先生大致已論之在前;「夏四月」下不系事者十一處,「夏五月」一處,「秋七月」十九處,「冬十月」十一處;總計時月下不繫事者有六十八處之多。在此六十八處中,有幾個現象值得討論:

1.毛奇齡《春秋傳》卷二說:「四時首月雖無事,而猶書之者,謹時例,此所以為《春秋》也。」這是先儒對無事猶書時月的解釋,可以視為通例。❷但是,莊二十二年有「夏五月」,「五月」並非四時首月,為什麼無事猶書時月呢?可見「夏五月」下當有記事,今其事已奪,僅空存時月。「夏五月」下可以有脫簡,「春正月」下就不可以有脫簡嗎?竊疑「夏」及「五月」下分別皆有脫簡;「夏」下奪「四月」及記事,「五月」下亦奪記事。

2.桓十三年「春」下無事,若依先儒「歲首當書時月」的說法,此文當作「春王正月」;如今只存一個「春」字,可見此文不但奪記事之文,連「歲首書時月」的文字也脫簡了。

3.「元年春王正月」下的脫簡應當和其他「春王正月」、「夏四月」、「秋七月」及「冬十月」的脫簡一起合而觀之。其他年份的「春王正月」下可以有脫簡,「夏四月」、「秋七月」及「冬十月」下也可以有奪文;那麼,「元年春王正月」下就不可以有奪文嗎?

4.這六十八處無事的時月,有一現象值得討論。四時首月無事,並不表示其第二及第三月亦皆無事。比如桓公十三年春王月無事,而二月猶書「公會紀侯、鄭伯。己巳,及齊侯、宋公、衛侯、

❷　有關這部分的討論,可參閱〈論春秋記時例〉。

燕人……」，三月猶書「葬衛宣公」；可見正月無事，並不表示
二、三月亦無事。似此情形，也見於隱公元年春、莊公元年春及文
公二年秋。然而，整部《春秋》，除這四例外，其他六十四處完全
是整季無事、整季不書；也就是說，這六十四處不但首月無事無
書，其後的兩個月亦無事無書。雖說《春秋》記事簡要，甚至一季
只書一事，但是，六十四處完全無一事可書，應該不是一種偶然的
現象。筆者懷疑，這六十四處中的一部分，極可能整季的簡片完全
遺失了。

　　5.這六十四處，根據先儒的說法，當然是因為無事發生，才沒
什麼可書。實際上是不是如此呢？當時真的無事嗎？翻開《左傳》
核對一下，我們發現實際情況並不如此。

《春秋》不書時月與《左傳》對照情況表		
不書之時月	《左傳》記事	涉及之國家
1. 　　桓 13 年冬十月	鄭人來請修好	鄭、魯
2. 　　18 年秋七月	秋，齊侯師於首止	齊
	周公欲弑莊王而立王子克	周
3. 　莊 30 年春王正月	春，王命虢公討樊皮	周
4. 　僖 6 年春王正月	晉侯使賈華伐屈，夷吾不能守	晉
5. 　　10 年秋七月	晉侯改葬其大子	晉
	秋，狐突適下國	晉
6. 　　12 年秋七月	王以戎難故，討王子帶。	周、齊
	秋，帶奔	齊
7. 　　32 年春王正月	春，楚鬥章請平於晉	楚、晉
8. 　文 8 年春王正月	春，晉侯使解揚歸匡戚之田於衛	晉、衛
9. 　　　夏四月	夏，秦人伐晉	秦、晉

10.	13 年春王正月	春，晉侯使詹嘉處瑕	晉
11.	宣 6 年夏四月	夏，定王使子服求後於齊	周、齊
12.	冬十月	冬，召桓王逆後於齊	周、齊
		楚人伐鄭	楚、鄭
		鄭公子曼滿與王子伯廖語	鄭、周
13.	12 年秋七月	鄭伯，許男如楚	鄭、許、楚
		秋，晉師歸，桓子請死	晉
14.	18 年夏四月	夏，公使如楚乞師，欲以伐齊	魯、楚、齊
15.	成元年冬十月	冬，藏宣叔令修賦繕完	魯
		《穀梁》有「季孫行父…同時而聘於	魯、晉、
		齊」	衛、曹、齊
16.	11 年冬十月	晉卻至與同爭侯田	晉、周
		宋華元善於尹子重，又善於欒武子	宋、楚、晉
		秦、晉為成	秦、晉
17.	12 年冬十月	晉卻至如比聘	晉、楚
18.	22 年夏四月	夏，晉人徵朝於鄭	晉、鄭
19.	31 年春王正月	春王正月，穆叔至自會，見孟孝伯	魯、晉
		齊子尾害閭邱嬰，谷殺之	齊
20.	昭 10 年春王正月	春王正月，有星出於婺女，鄭裨竈言	鄭
		於子產	
21.	20 年春王正月	春王二月巳丑，日南至，梓慎望氛	魯
22.	29 年秋七月	秋，龍見於絳效，魏獻子問於蔡墨	晉
23.	32 年秋七月	秋八月，王使富辛與石張如晉，請城	周、晉
		成周	
24.	定 2 年(無「夏四月」)	夏四月辛酉，鞏氏之群子弟賊簡公	周
		(《左傳》有「夏五月……」)	
25.	7 年春王正月	春二月，周儋翩入於儀栗叛齊人歸	齊、魯
		鄆、陽關、陽虎居之以為政。	

26.		夏四月	夏四月,單武公、劉桓公敗尹氏於窮谷	周
27.		冬十月	冬十一月戊午,單子、劉子逆王於慶氏	周
28.		9年春王正月	春,宋公使樂大心盟於晉	宋、晉
			鄭駟歂殺鄧析	鄭
29.		14年(缺冬)	冬十二月,晉人敗范中行氏之師於路	晉
30.		哀8年秋七月	秋,及齊平	魯、齊
			九月,臧賓如,如齊蒞盟	魯、齊
			鮑牧又謂群公子	齊
31.		9年冬十月	冬,吳子使來徵師,伐齊	吳、魯、齊

表中所列三十一處,《經》都是無事無書的,然而,對照《左傳》,它們卻都是有事有書的。撇開專記楚事的幾處外,這三十一處記錄與中原諸國有關的事件,都發生在《春秋》無事無書的相應時月內。我們同意《春秋》未必把這三十一處的事件全都寫錄進去,但是我們卻認為其中一些事件似乎不應該被忽略,當作「無事」而「無書」,何況有的時月所發生的並不止一件!發生在鄭、晉、許、齊、宋及衛等國的事件,《春秋》可以將它們當作「無事」,因而「不書」;但是,發生在周的事件(如第 2,3,11,12,16,23,24,25,26 及 27 等各條),似乎就不可以「無事」視之,因而「不書」了!至於發生在自己魯國內的事件(如 14,15,19,21,25,30 及 31 等各條),《春秋》作為魯的本國史書,怎麼可以說該月內無事發生呢?像第 15 條臧宣叔修賦繕完、21 條梓慎望氣、25 條陽關陽虎居政、30 條魯與齊平及與齊盟,都是魯國的重要事件,怎麼可以說「無事」呢?比較好的解釋是,《春秋》該時月無書,是

因為脫簡，而不是「無事」了。《春秋》其他時月於記事既然時有奪文，那麼，「春王正月」有脫簡，不是很自然嗎？

七

總結前文所論，筆者認為隱公元年正月不書「公即位」是史書脫簡奪文，《左傳》說是隱公居攝，《公》、《穀》說是夫子筆削，恐怕都是附會為說，並非客觀的事實。至於莊、閔、僖及定四公元年正月下不書「公即位」，恐亦當作如是觀。

（香港大學中文系成立七十五週年主催「明清學術國際會議」21-23.12.2002 提呈論文）

論《春秋》記時例

一

　　《春秋》作為一部編年史，與其他編年史書相同的，非常重視時間的記載。年、月、日是記時最根本的單位，《春秋》基本上都完整無缺；以記年而言，作為一部魯史，《春秋》二百四十餘年皆圍繞著魯國十二公，記年從不間斷；至於月日，也都隨事而書，事在何月何日，則書何月何日，也從不間斷。除年月日之外，《春秋》還特別重視四時的記錄，「正月」上書「春」，「四月」上書「夏」，「七月」上書「秋」，「十月」上書「冬」；似此書法也影響了《資治通鑑》及《續資治通鑑》編年史書。

　　一般來說，《春秋》在「正月」上都書「春」，作「春正月」，不過，這種情形所佔比例並不多；其他三時亦復如此。試讀下表：

《春秋》四時書法統計表															
春正月	春二月	春三月	春	夏四月	夏五月	夏六月	夏	秋七月	秋八月	秋九月	秋	冬十月	冬十一月	冬十二月	冬
隱(11) 1	3	1	6	2	3	1	5❶	5	1		5	2	1	5	3
桓(18) 14	3		1	7	5❷	1	5	8	3	1	4❸	4	2	4	6❹
莊(32) 12❺	3	4	13	6	4	4	18	10	1	1	20	6	2	5	19
閔(2) 2				1	1		2								2
僖(33) 16❻	1	2	14	8	3	5	17	10	6	2	15	3	2	7	21
文(18) 7	2	1	8	4	5	1	8	4	4		10	6	3	1	8
宣(18) 7	1		10	3	2	3	10	3	1	3	11	7	1	1	9
成(18) 9	1	1	7	4	2	2	10	5	1		12	7❼	4		7
襄(31) 13	3	3	12	4	2	4	19	8	4	5	14	7	1	1	22

---

❶ 隱十一年《公》、《穀》作「夏五月」。

❷ 桓十四年「五」下缺「月」字，此作「夏」五月計；十七年《公》、《穀》無「夏」字。

❸ 桓四、七年皆無秋時記錄，不計在內。

❹ 桓四、七年皆無冬時記錄，不計。

❺ 莊六年《公》、《穀》作「春三月」。

❻ 僖九年《公》、《穀》作「春三月」。

❼ 成十年《公》缺「冬十月」。

昭 (32)	14	2	3	13	11	2	3	16	10	4	1	17	10	3	2	16⑧
定 (15)	7	1	3	4	5	2	1	7	5			10	4	1		9⑨
哀 (14)	2	4		8	4	1		9	3	2	1	8	3	2	3	6
小計	104	24	18	96	60	34	24	124	71	29	14	126	59	22	29	128
總計	242				242				240				238			

在春秋的二百四十二年中，書「春正月」者 104 次，「春二月」24 次，「春三月」18 次，「春」96 次；換句話說，「春正月」不及三者的總和（138 次）。夏、秋、冬的情形更值得注意，只書「夏」、「秋」及「冬」，不書月份的，佔了很大的比數，首月書時根本不成比例。毛奇齡《春秋傳》卷二說：「史凡書事，必書在時月之下，下苟無事，則此時月可不書，而四時首月雖無事，而猶書之者，謹時之例，此所以為春秋也……舊法年有四時，時有三月，而時之所領，則必在三月之故，故春必正月，夏必四月，秋必七月，冬必十月……。」認為四時首月雖無事，而猶必書時月；又認為春必書於正月，夏必書於四月，秋必書於七月，冬必書於十月，恐怕都是就一般情形來說，未必符合《春秋》的事實。

這些不整齊的時月記錄，是不是有規律可尋？換句話說，《春秋》二百餘年的歲月中，時月本身的記錄是不是曾經被規範為許多不同的寫法，以便顯露其意義？這些規範是不是都可靠？只有這些

---

⑧　昭十年無冬時記錄，不計。
⑨　定十四年無冬時記錄，不計。

規範可靠，它所產生出來的規律方合理，而它所顯示出來的大義才是真實的；如果時月的記錄無規律可言，或者竟是斷爛朝報、殘缺不全，那麼，那些將時月書法強行歸納出來的條例，就只能是後人的郢書燕說、緣飾附會了。

二

以「春」為記時單位的，《春秋》有四種體式，即「春正月」、「春二月」、「春三月」及「春」。正月、二月及三月都屬春季，按理來說，它們之上皆可著「春」字，不過，《春秋》為變省文字，只在首個月出現時題「春」字，其他完全省略。《春秋》又有只題「春」，不著月份的體式；這是一種相當含糊的書法，我們無從知道它究竟指那一個月份，而它竟佔了 96 次之多。

㈠春正月

《春秋》「春正月」有兩種情形；一種「正月」上加「王」字，作「春王正月」；一種不加「王」，僅作「春正月」；前者出現 94 次，後者 10 次，相差頗為懸殊。

1.首先討論「春王正月」。

此「王」字何所指呢？為什麼加「王」在「正月」之上呢？最早加以解釋的是《公羊傳》，它說：「王者孰謂？謂文王也。曷為先言『王』而後言『正月』？王正月也。何言乎『王正月』？大一統也。」何休〈注〉曰：「以上繫『王』於『春』，知謂文王也。文王，周始受命之王，天之所命，故上繫天瑞，方陳受命、制正

月，故假以為王法。」徐彥〈疏〉曰：「文王者，周之始受命製法之王，理宜相繫，故見其繫春，知是文王，非周之餘王也。」根據公羊派的說法，「王」指周文王；蓋周文王始受命於天，上承天瑞，領有大一統天下的權威和地位，所以，他們認為此「王」當為周文王，不是其他周王。

魯隱公元年，周室東遷已數十年，上距周文王更是數百年，為什麼春秋以後魯國諸公繫年時，於「春」下反而題上周文王呢？公羊家只顧從大道理上說，無視於跨越時空的大距離，很難令人信服。傅隸樸《春秋三傳比義》隱公元年下說：「王者『謂文王也』，實屬錯誤。古者天子建國，以改正朔、易服色，以示一新。但周之建國始於武王，夫子稱文王之德，是『三分天下有其二，以服事殷』，文王以西伯終，生前未嘗稱王，何能改正朔？公羊徒見周廟昭穆，自文武始，而以周正為文王之正，殊為無知。」文王生前未稱王，公羊家豈會不知？公羊家所謂『謂文王』，象徵意義恐怕比歷史事實來得多。「春王正月」之「王」字雖然也可從象徵意義上作「周文王」解，但是，前後時間交叉錯置，頗失歷史徵實的意義，所以，難為後人所接受。

到了宋代，有些學者已放棄此種說法。孫復《春秋尊王發微》卷一曰：「夫欲治其末者必先端其本，嚴其終者必先正其始。元年書『王』，所以端本也，『正月』，所以正始也。其本既端，其始既正，然後以大中之法，從而誅賞之，故曰元年春王正月也。」暗示「王」為周王，卻又不願明指為何王，只從端本、正始立說，顯然的不採公羊說法了。劉敞《春秋權衡》卷八說：「王者，孰謂『謂文王也』，亦非也。公羊言王者，正受命是矣；其言文王，則

非矣。《春秋》者王政之本，故假王以正萬事，置之春正之間者，
明天子受命於天，諸侯受命於君，不但指文王也。」劉敞認為
「王」乃泛稱，象徵周朝王統，無遠弗屆，不但專指周文王；換句
話說，他只認同公羊前半「周受命於天」及「大一統」的說法，另
一半「始受命於王」則不予接納。「春」及「正月」間加「王」
字，表示「諸侯受命於天子」的王統思想；如此說解，當然比局限
性地指「周文王」來得靈活且有意義，又能避免跨越大時空的交叉
錯置，自有其可取的地方。

到了明代，頗有學者繼承這種說法，王介之《春秋四傳質》卷
上說：「加『王』於『正』，公羊言大一統者，大周之統天下也，
大魯之遵王而統於周也。又曰：王者，孰謂謂文王也。謂文王受命
稱王於殷之末造，已改正朔行天子之事，其義悖、其詞迂矣。魯所
奉之正朔，時王所頒，當文王之時未有魯，而魯何奉乎文王？……
其必言王以明一統之大義，當東周之世，列國僭亂，或有不奉正朔
者……故於魯之奉正朔而大言之，以明一統之義，韓宣子所謂周禮
在魯，亦其一也。」其實，將「王」當作周文王解，象徵意義多過
歷史事實，現在，王介之從歷史事實加以推究，說「王」指周文王
的話，就等於說周文王在殷末已改正朔行天子之事，未免太過認真
了。不過，他認為「王」泛指周天子，不必專指；著一「王」字，
只是表示魯能奉周正，故《春秋》讚頌魯「遵王而統於周」；似此
靈活說法，有所繼承。

2.《左傳》說：「元年春，王周正月。」於「王」及「正月」
間加一「周」字；《左傳》顯然不滿意公羊家的說法，所以才另起
新義。

　　古代曆法有「三正」之說，夏曆以建寅之月為正月（即今農曆之正月），殷曆以建丑之月為正月（即今農曆之十二月），周曆以建子之月為正月（即今農曆之十一月）。周室每年歲末頒曆於諸侯，諸侯奉而行之，故稱「周正月」。當時各國或私頒本國曆書，楊伯峻《春秋左傳注》隱公元年下說：「考之兩周彝器，西周彝器大抵為王朝卿士所作……悉用王曆。但東周彝器多為列國諸侯或巨族所制，則有用本國之曆者。」王曆及私曆並行，一國數制。魯於周為最親的國家，自然奉行周曆，所以書「王正月」。魯隱公元年，當周平王四十九年；如此說來，這個「王」指的是周平王，而不是周文王了。盧文弨《龍城札記》說：「此周建子之月也，故加一『王』字，以別於夏時。」即主此說。

　　儘管《左傳》將「王」當作周之時王，卻也有兩點值得注意。

　　第一、《左傳》為什麼不說「元年春，周王正月」？豈非更合文法？就如杜預〈注〉所言「隱公之始年，周王之正月也」，把「王周」移作「周王」；何以偏偏要說「王周正月」？宋劉敞《春秋權衡》卷一認為杜預錯了，他說：「周之諸侯，即用周曆，《春秋》豈嫌魯不用周曆，加『王』以明之哉！且《傳》乃云『王周正月』，不云『周王正月』，使《傳》云『周王正月』者，可云《傳》過，非杜氏過。今《傳》云『王周正月』，此《傳》不過，杜氏過也。何以言之邪？《傳》先王而後周，明王在周外也。王在周外，非時王省矣。杜氏豈唯異於《經》，又異於《傳》。」認為《左傳》承《經》解作「王周正月」，乃別有深意。「周正月」謂周王之正月；此周王即指時王，謂時王頒曆之正月也。「王周正月」，今「王」在「周」外，則「王」當然不是時王了。劉敞沒有

說明這位「非時王」是誰,但是,讀者心照不宣,他顯然受公羊家「周文王」的影響,只是不明說吧了。實際上,《左傳》作「王周正月」,是不是合《經》旨,我們無從知道;不過,如果《左傳》指「王」是周的時王的話,那麼,杜預的註解恐怕就沒有錯。

第二、《春秋》為什麼不索性作「王春正月」呢?「春」是季節,「正月」是月份,互相統攝,彼此分不開的,都置於「王」下,避免上下割裂,豈不更好?後來的編年史書都如此。孔〈疏〉說:「『王』不在『春』上者,月改則春移,春非王所改,故『王』不先『春』。『王』必連月,故『王』處『春』下。」試想,「春」固然非王所改,但是,「春」卻隨「正月」而降;王頒正朔,間接也等於改春;所以,春、正月都在王下,作「王春正月」,恐怕也有道理的。據此,可知孔〈疏〉的解釋,並不令人滿意。《公羊傳》說:「曷為先言『王』而後言『正月』?王正月也。」謂「正月」為「王」所統攝,故置於「王」之下,未論及間接受影響的「春」字。

3.對於元年記時的方法,公羊派後來又創五始之說。

《公羊傳》隱公元年說:「元年者何?君之始也。春者何?歲之始也。王者孰謂?謂文王也。」這裡提到「二始」,即君之始和歲之始;然而,「王」既為周文王,周文王為周之始,為什麼不加上去成為「三始」呢?可知公羊此時只有二始之說,一時之間還沒聯想到將「王」也當作另一始。

徐〈疏〉引或人問曰:「『元年春,王正月,公即位』,實是春秋之五始,而《傳》直於『元年春』之下發言『始』,而『王正月』下不言『始』,何?」又答曰:「『元』是天地之始,『春』

是四時之始，『王正月公即位』者，人事之始；欲見尊重天道，略於人事故也。」將「元年春王正月公即位」一句發揮為「三始」之說。儘管《公羊傳》曾經強烈暗示「王」亦為一「始」，但是，當時學者已質疑《公羊》本身為什麼只有「二始」？「王正月」底下為什麼無說？

宋翔鳳《過庭錄》卷四說：「公羊春秋，義為君之始，春為歲之始，王謂文王為王之始，正月月之始，公即位為一國之始，是為五始……春秋之經，以『元年春王正月公即位』，分為五始，故或不書『春』，或不書『王』，或不書『正月』，或不書『即位』，以各為一條，非連綴而讀，則辭得參差也。《春秋》之五始與《易》之四德同例。《易》有四德，則六十四卦發揮旁通之情見；《春秋》有五始，則二百四十年褒善貶惡之義明，不可以尋常之文習其讀也。」將「元年，春，王，正月，公即位」逐項獨立，分別提升，列為「五始」，以與《周易》「四德」並舉，並且認為春秋二百四十餘年間的褒善貶惡的大義，從五始的詳稱略舉，就可以窺見，「不可以尋常之文習其讀」；宋翔鳳此說，可謂善於發揚公羊大義了。

創『五始』之說者著重大義多過於歷史事實。若說《春秋》有五始之義，為什麼隱公一開始就沒有「公即位」？完全缺少「一國之始」呢？儘管不書「公即位」有許多解釋，但是，《春秋》一開卷就缺少「一國之始」卻是事實，而且怎樣都說不過去。另一方面，《公羊傳》本身就只說「二始」，為什麼當初不提「五始」呢？據此，可知「五始」是後來者層累出來的公羊大義，《公羊》及早期公羊家並無此說。

4.其次，討論「春正月」。

不加「王」，僅作「春正月」者雖然所見不多，全書只得十次，卻很值得討論。最先出現在桓公三年，該年《經》出「三年春正月，公會齊侯於嬴」，無「王」字。其後的四、五、六、八、十一、十二、十四、十六及十七諸年，也都只作「春正月」，並無「王」字。如果再加上三次無「王」的「春二月」（七年、十三年及十五年）及一次無「王」的「春」（九年），那麼，統計起來，桓公一生，記時不書「王」者計十四次，佔多數；書「王」者四次，佔少數，所以，就次數多寡而言，桓公在位十八年不書「王」是正常，書「王」反而是反常了。縱觀其他十一公，「正月」上都書「王」，沒有例外。

為什麼桓公十八年中有十四年不書「王」，卻又偏偏在元年、二年、十年及十八年「正月」上書「王」呢？為什麼春秋十二公，偏偏只有桓公反常地出現十四不書「王」的年份呢？這裡頭有「大義」在嗎？還是非常巧的巧合？最早發現問題並且加以解釋的是《穀梁傳》，它在桓公元年下說：「桓無王，其曰王，何也？謹始也。其曰無王，何也？桓弟弒兄，臣弒君，天子不能定，諸侯不能救，百姓不能去，以為無王之道，遂可以至焉爾。元年有王，所以治桓也。」據《穀梁》之意，桓公簒位，終其一生十八年都不得在「正月」上書「王」，現在元年下偏偏有「王」字，那是為了懲治及聲討桓公。二年下《穀梁》又說：「桓無王，其曰王，何也？正與夷之卒也。」與夷就是宋殤公，該年被華督所弒。《穀梁》以為，桓公二年《經》亦不當在「正月」上書「王」，以與「桓無王」一致，現在添「王」字，那是為了聲討宋殤公被弒。

　　《穀梁》創立「桓無王」的大道理，並且據此解釋桓公元年及二年書「王」的原因，看起來似乎很有道理，起碼那十四年無「王」的年份都講得通。然而，桓公書「王」的年份還有十年及十八年，那又將怎麼來講呢？採用「桓無王」的大道理講得通嗎？《穀梁》在桓公十年下說：「桓無王，其曰王，何也？正終生之卒也。」終生即曹桓公，原來曹桓公之卒也與《春秋》有關，就如二年宋殤公之卒與《春秋》有關一樣，都必須書「王」來「正」之。然而，桓公十八年那一條呢？《穀梁》卻默不作聲，無說了。

　　《穀梁傳》對桓公元年及二年書「王」的解釋，學者們大部分都無特別異議；然而，對十年及十八年的說法，就頗多質疑，並且衍生出幾種不同的新說：

(1)記常理

　　宋殤公卒，《穀梁》謂《經》出「王」乃為著聲討；曹桓公卒出「王」，《穀梁》也說是聲討；然則諸侯之卒可以「正」之者何其多耶？何者當「正」之？何者不當「正」之呢？桓公五年《經》出「陳侯鮑卒」，為什麼又不書「王」呢？書「王」的準則又是什麼呢？因此，學者並不滿意《穀梁》桓公十年的解釋。胡安國《春秋傳》卷五說：

> 桓無王，今復書王，何也？十者盈數也。天道十年，則亦周矣；人事十年，則亦變矣。故《易》稱守貞者，十年而必反；《傳》論遠惡者十年而必棄，桓公至是其數已盈，宜見誅於天人矣！十年書王，紀常理也。有習於穀梁子而不得其傳者，見二年書王以為正與夷之卒，此年書王而曹伯適薨，

遂附益之以為正終生之卒，誤矣。

故安國認為十年《穀梁》的解釋是不合理的，那是「習於穀梁子而不得其傳者」所附會，所以，他另尋解說。最後，他發現了「天道十年一周轉」，「人事十年，則亦變矣」，所以，桓公十年《經》出「王」字。實際上，胡安國的說法並無確證，最大的漏洞便是十八年也書「王」就無法講得通！十年是盈數，書「王」乃所以「紀常理」；然而，十八年呢？恐怕就得另為解說了。

明湛若水《春秋正傳》卷五說：「夫既三年以後，見桓無王；則元年、二年，何以有王？今十年而又有王，何其前後與中間之不一耶？胡氏不得其說，則又以為十年數之盈，天道之周，至是桓已見誅於天人，故書王，紀常理也，豈通論耶！又舉習於《穀梁》者見二年書王，以為正與夷之卒；見此書王，以為正曹伯終生之卒，而皆以為誤；是徒知習《穀梁》者之非，而不知己之附會支吾之為非也。」又曰：「夫天道不能一日而不運，天下不可一日而無王。史者，垂世之典，非為一人而作也，不可為一人而無天，不可為一人而無王也。諸儒之說，皆謬矣。」對胡安國及其附和者的說法強烈不滿，是有道理的。

(2)有始有終

《穀梁》〈疏〉引范氏《例》說：「桓初即位，若已見治，故書王以示義；二年書王，痛與夷之卒，正宋督之弒，宜加誅也；十年有王，正曹伯之卒，使世子來朝，王法所宜治也；十八年有王，取終始治桓也。」鍾文烝《補注》於十八年下曰：「此與元年之『治桓』，以始終相對，《傳》於彼言之，此從可知也。」認為十

八年書「王」，與元年書「王」互相呼應，表示聲討桓公有始有終。

似此「有始有終」說，頗得一些學者的支持；比如胡安國，他在《春秋傳》卷六就這麼說：

> 是年桓公已終，後書王者，春秋之時，諸侯放恣弑君簒國者，已列於會，則不復致討。……孔子為此懼，作《春秋》，於十八年復書「王」者，明弑君之賊，雖身已沒而王法不得赦也。又據桓十五年天王崩，至是新君嗣立，三年之喪畢矣；明弑君之賊雖在前朝，而古今之惡一也，然則簒弑者不容於天地之間，身無存歿，時無古今，皆得討而不赦，聖人之法嚴矣！已列於會則不致詞，可乎！故曰：《春秋》成而亂臣賊子懼。

根據他的解說，桓公已列會，獲國際間承認，依例不當聲討，然而，孔子於十八年依然書「王」，是想表明弑君的桓公雖「身已沒」，但是弑君之罪依然存在，為了維持始終如一的大道理，乃「討而不赦」，從「嚴」執「法」，絕不因為列於會而姑息之。

桓公簒位，無視王法，照理來說，應當以不書「王」的方式來懲治，起碼元年及十八年不當書「王」，和其他十四年不書「王」的做法一律，才是表達聲討的正途，然而，根據《穀梁》的解釋，《春秋》的做法卻反其道而行，偏偏於首尾的元年及十八年書「王」；似乎在說，你心目中無王，我偏偏題個「王」字給你。似此反諷的手法，是不是《春秋》的本義，實在值得懷疑。如果確是

像他們這樣的解釋的話，那麼，我們怎麼解釋桓公那不書「王」的十四年呢？書「王」是反諷，不書「王」呢？難道也是反諷嗎？那豈不是漫無標準了嗎？或者竟是獎勵？還有，其他十一公的 94 次書「王」呢？也都是寓義聲討嗎？

　　顯然的，《穀梁》及其學者的解釋是行不通的。早在唐代，陸淳已發覺問題之所在；他在《春秋集傳辨疑》卷二裏說：

> 舊說又云：元年有王，冀是年內有討，所以書之。予謂去王字，理由夫子不因舊史。夫子修經時，豈不知此年竟不討乎！何須存之也？又云：末年有王，言王終不能討，所以書之。若然者，總除王字，理不益明乎？按十五年王崩，至十六年嗣王既立，年月已深，過不在嗣王，何不書王乎！足明非責王明矣，但為學《春秋》者，慣習於「王正月」，不覺，遂四處妄加耳。聖人辭意朗然平暢，若譏王，則王未崩之前，悉去王字可矣。安肯乍見乍隱，煩碎若此乎！詳《經》意，直桓公不顧王法，故去其王字，以見其罪耳。

他知道這種說法自相矛盾，無法理通，所以，為了明白平暢，不要「乍見乍隱，煩碎若此」，索性建議將「王」字都刪掉，「以見其罪」。一口氣擺脫各種糾纏，真是痛快。毛奇齡《春秋傳》卷一說：「《穀梁》謂桓無王，故削王字則宜在元年，乃元年、二年有王，至三年始削之，何其討賊之需遲也？……春秋二百四十餘年，凡有王者，悉治罪之年乎？況有王治罪，無王又治罪，是亂刑也。無王是削而惡桓，有王是筆而又惡桓，是筆與削懼無所准也。」對

這個說法也表示強烈的不滿。

(3)終生討桓

　　前文已經指出，桓公四次書「王」中，無論那一次的解說，都難以將其他三次一起講得通；前文也已指出。書不書「王」的說法自相矛盾，而且對其他 14 次不書「王」也很難得到理想的解釋。在這樣的困境之下，有的學者只好另闢新說，謀求解決。萬斯大《學春秋隨筆》卷二說：

> 先儒多謂桓無王，義則是，而詞未盡。考桓十八年中，所行悉無王之事，而莫大於庇翬不誅。蓋弒隱之謀，翬倡之而桓遂之……然而翬不可不討也。討翬庶可以謝兄，因可以自解……凡皆無王之顯顯者，《春秋》於此欲明著之，而均吾先君有所不可，欲不著之，而大義斯晦，亦所未安。爰寓意於春月無王，而桓自無所逃其責，《傳》所謂「微而顯」者，此也。

認為桓公十八年中，所行諸事皆無王，其中尤以包庇翬最為嚴重，並列舉歷年來翬之種種行為，表明桓公不討的過失，所以，在位十四年皆不書「王」。萬斯大這種說法是前所未有的，看起來也好像很有道理，然而，除了元年及二年之外，無端端在十年、十八年，為什麼又書「王」呢？萬斯大說：「十年書王者，十為數之終，王不可以終無也……十八年書王者，車中之拉幹，足酬寫氏之殭尸，筆削至此，甚有所不忍也。」《公》、《穀》無「拉幹」之記載，《左傳》十八年載公子彭生乘公，公薨於車事，杜〈注〉說：「彭

生多力，拉公骱而殺之。」《史記》〈齊世家〉說：「襄公使力士彭生抱上魯君車，因折殺魯桓公，下車則死矣。」萬斯大所云「拉骱」，當即指此事；認為桓公被彭生「拉骱」殘殺，死狀甚為淒慘，聖人筆削至此，內心甚感難過，「有所不忍」，乃筆下留情，保留了「王」字。萬斯大所云「拉骱」，實際上是據《左傳》為說，未必符合《穀梁》之義。

這三種講法，始終無法圓滿解決十年及十八年書「王」的問題；既然無法圓滿講得通，也就影響了《穀梁》對元年及二年的解釋了。到底元年著「王」，是不是聲討桓公？二年書「王」，是不是與宋殤公有關？所以，毛奇齡《春秋傳》說：「又為說曰：元年有王，所以治桓；二年有王，正與夷之卒也。宋督弒君與夷，則是有王反治罪，得毋三年以後其無王者皆褒德者乎！且治桓己耳，華督弒君，與魯何涉！」如果說桓公不奉王命，那麼，聲討當在元年，為什麼元年反而書「王」呢？如果說書「王」是聲討，削去「王」字也是聲討，那麼，到底應當以何者為是呢？所以毛奇齡的懷疑和批評是有道理的。總而言之，《穀梁》對桓公書「王」的解釋是有缺陷的，所以才衍生許多不合理的說法。

5.杜預有另一種說法。桓公三年下他說：「《經》之首時必書『王』，明此曆，天王之所班也。其或廢法違常，失不班曆，故不書『王』。」他認為「正月」上書不書「王」，和周天子頒曆有關；廢法違常而不班曆，則不書「王」，否則就書「王」。如此說來，書不書「王」僅是該年周天子守不守制的問題，不像《穀梁》所說含有什麼深奧的大義了。春秋年間，禮崩樂壞，各種傳統制度無法維持下來，應該是習而常見的事，又何止於頒曆一事而已呢？

所以，杜說似乎有道理。

　　然而，有些學者並不同意這種說法。《左傳》桓公三年〈疏〉引劉炫《規過》說：

> 然天王失不頒曆，《經》不書「王」，乃是國之大事，何得
> 《傳》無異文？又昭二十三年以後，王室有子朝之亂，
> 《經》皆書「王」，豈是王室猶能班曆？又襄二十七年再失
> 閏，杜云「魯之司曆頓置兩閏」，又哀十三年十二月螽，杜
> 云「季孫雖聞仲尼之言，而不正曆」，如杜所注，曆既天王
> 所班，魯人何得擅改？……昭二十三年秋，乃書天王居於狄
> 泉，則其春未有王矣；時未有王，曆無所出，何故其年亦書
> 「王」也？……杜之此言自相矛盾，以此立說，難得而通。

劉炫認為：第一、如果周天子確曾廢法不頒曆，則是國家大事矣！何以《傳》不記載？第二、春秋二百餘年間，王室或有亂，或天子出居，然而，何以《經》亦書「王」？昭公二十三年即其例矣。第三、杜預既認為曆法是天子所頒，然而，〈注〉中卻時常以「魯人改」及「正曆」解釋經文，豈不自相矛盾？三個批評，都非常中肯。春秋二百四十餘年，正月書「王」者不過 96 次，加上 21 次的二月書王及 18 次的三月書王，「月」上有「王」字不過 135 次，其他不書「王」者有 109 次；這 109 次，都因為周天子廢法不頒曆嗎？如果是的話，正如劉炫所說事態就非常嚴重了，《傳》依理應該有所明載，何勞杜預來解說呢？

　　儘管杜說有問題，孔穎達依然採納他的說法。孔〈正義〉說：

「知此不書王，非是《經》之闕文，必以為失不班曆者，杜之所據，雖無明文，若必闕文，止應一事兩事而已，不應一公之內十四年並闕『王』字……齊桓、晉文以前，翼戴天子，王室雖微，猶能班曆。至靈王、景王以後，王至卑微，曆或諸侯所為，亦遙稟天子正朔，所以有子朝之亂，《經》仍稱『王』，不責人所不得也……劉君不尋此旨，橫生異同，以規杜過，恐非其義也。」實際上，孔穎達恐怕也瞭解杜說並不圓滿，所以，他才退一步認為諸侯或也可以自己頒曆，不過，卻「遙稟天子正朔」，所以，周室雖有子朝之亂，《經》依然書「王」。

自己頒曆史不乏見，楊伯峻《春秋左傳注》隱公元年下，舉若公簠銘「唯郙正二月初吉乙丑」、鄧國器有「鄧八月」及「鄧九月」為例，說明小國有不奉周曆的事實。郙、鄧二國在銅器銘文上既然寫上自己的曆法，說明「遙稟天子正朔」之說，乃是「一廂情願」的臆說。如果所頒者異於周曆，而且還可以「遙稟天子正朔」的話，那麼，我們真不知道書「王」的 135 次正月，那一年是周室頒的？那一年是諸侯自己頒的？孔穎達護衛杜說，只恐怕過甚了。

馮澂《春秋日食集證》曰：「隱、桓之正皆建丑，莊、閔、僖、文、宣之正建子及建丑者相半，至成、襄、昭、定、哀之正而又建子，間亦有建戌、建亥者。」《春秋》兼用數曆是否事實姑且不討論，《春秋》兼用數曆恐怕與書不書「王」沒有太大的關係，因為隱、桓如果真是採用殷曆以建丑為正，那麼，隱、桓正月就不當書「王」了，實際上，隱元年書「王」，桓書「王」者更有四次，可見數曆並用與書不書王恐無太大的關係。

《周禮》〈春官・大史〉曰：「頒告朔於邦國都鄙。」鄭

〈注〉曰：「天子頒朔於諸侯，諸侯藏之祖廟，至朔，朝於廟，告而受行之。鄭司農云……以十二月朔佈告天下諸侯。」古時恐有頒曆制，東遷後，禮崩樂頹，頒曆之禮遂以浸廢。《漢書》〈律歷志〉說：「周道既衰，幽王既喪，天子不能班朔，魯曆不正。」也許是事實。儘管古有此制，但是，書不書「王」與頒曆是否有必然的關係，卻又是另一個問題了。劉敞《春秋權衡》卷二說：

> 三年春正月，杜氏云：「不書王者，時王不頒曆。」非也。十七年，十月朔，日有食之，《傳》云：「不書日，官失之也。」謂日官推曆不得其正耳，非謂不班曆也。何為其年亦不書王乎？若謂官失之者，即不班曆矣。莊十八年「春王三月，日有食之」，亦不書朔者，亦當不書王，而反書王，何故？故以桓十七年為不班曆，則與莊十八年不合，且《傳》云「官失之」者，是實班曆而有失耳，非不班曆明矣。由是觀之，不書王者不為曆也。

舉出一些證據，徹底否決了杜預的說法。

6.綜合上文對「春正月」的討論，我們可以作下列五點小結：

第一、對於「春王正月」，《公羊》從大道理上看，將「王」字講作「周文王」；《左傳》從實際情況看，作周代時王來講。作周文王講，儘管象徵意義大過實際情況，卻忽略了時空的差距，很難令人信服，所以，後代學者只好放棄此說了。作時王講，卻也頗有啟人疑竇的地方；為什麼《左傳》不作「春，周王正月」，而偏要說「春，王周正月」呢？作「王周正月」，看起來頗有暗示

「王」在「周」之外的成份；那麼，《左傳》作時王講就值得斟酌了。劉敞就是這麼樣解釋的，他受公羊家的影響恐怕也有幾分道理。

第二、《春秋》「春王正月」，一共出現了 96 次；然而，隱公在位十一年中，只在元年出現過一次；桓公十八年中，也只在元、二、十及十八年分別出現過一次。換句話說，春秋二百四十餘年中，為首的隱、桓二公出現的「春王正月」，稀少得很不尋常。由於出現得很不尋常，經學家於是紛紛深求大義，發掘孔子隱藏的筆法。莊公以後十公就少看到這種現象，「春王正月」、「春正月」、「春王二月」、「春王三月」及「春」交替使用；這樣的現象，反過來說，在隱、桓二公身上反映了些什麼呢？是有特別深意呢？還是首二公在記時方面有較多的殘損呢？是舊史的殘損，還是《春秋》的殘損呢？從歷代學者先後對桓公四次「春王正月」的大量解釋這一事實來觀察，大部分學者是不同意首二公經文有殘損的。

第三、桓公四次「春王正月」，以及十四次無「王」的記時，被《穀梁傳》講出一番大道理來。這個大道理既然也只是《傳》的「個人說法」，自然就注定無法每次都講得通。後來層累衍生的種種新說，距離《春秋》的世代愈來愈遠，當然就無法全部講得圓滿了。所以，儘管新說時有出現，質疑及批評的也摩肩接踵而來，一直到今天，還是無法發掘出這些筆削過的文字的真意。

第四、以樸質見稱的《左傳》對書「王」儘管有自己的說法，實際上也無法取得學術界一致的認同。如果這種不同記時是聖人特意筆削，藉以寄託大義，那麼，很顯然的，這樣的做法並不成功，

因為它無法使人「直接」瞭解，反而衍生各種撲朔迷離的說法。朱彝尊說：「書王不書王，本據舊史之周月、魯月為定。在舊史所紀用周王，則書王；舊史所記非周正，則不書王；明乎此，則諸紛紛之說，俱可不必矣。」將書不書王當作周正、魯正來講，刊落其他各種說法，乾脆便捷，恐怕有其學術基礎的。

　　第五、三傳對「春王正月」的解說各自表述，見解不同，但是，都各有其是非，也都各自形成一套龐大的學問。實際上，它們也只是神秘的《春秋》的詮釋者，就如後世不斷層累的各種說法一樣，有所局限，也有所附會。

㈡春二月、春三月

　　《春秋》以二月及三月為歲首者，其數雖不多，卻也引起不少爭論。計二百四十餘年間，以「春王二月」為歲首紀年的，凡 24 見，其中三次不書「王」；以「春王三月」的，凡 18 見，皆有「王」字。

　　1.首先是定公元年書「春王三月」的問題。《穀梁》在隱公元年說：「雖無事，必舉正月，謹始也。」它的意思是，但凡元年正月，即使無事，也得書「正月」，因為正月是一年之始，必須謹慎。然而，定公元年並不如此；該年《經》出「元年春王三月」，以三月為記時之始，顯然與「謹始」之說齟齬。

　　為了消除經、傳的齟齬，學者不得不另創新說。於是，形成新舊幾種不同的解釋。

第一、「春王」句絕

　　《公羊》說：「定何以無正月？正月者正即位也，定無正月

者，即位後也。即位何以後？昭公在外，得入不得入，未可知也……。」《穀梁》說：「不言正月，定無正也。定之無正，何也？昭公之終，非正終也；定之始，非正始也……。」原來昭公薨於乾侯在三十二年十二月，而定公之立，在公喪至自乾侯之後六日，也就是六月戊辰，所以，《經》於該年六月出「公即位」三字。

實際上，《公》、《穀》皆讀「春，王」句絕，「三月」屬下，與「晉人執宋仲幾於京師」連續；換句話說，二傳讀「春，王」句絕，正好維持了元年「雖無事，必舉正月，謹始也」的大義，與其他諸公元年無事必舉正一律。《左傳》出「元年春、王，三月……」，杜預於「王」下注曰：「公之始年而不書『正月』，公即位在六月故。」看來杜預也以「春、王」句絕，與二傳相合。《左傳》原意是否如此，恐已無從知曉了。

定公元年下空書「春，王」二字，其情形正與隱、莊、閔及僖四公非常相似，四公元年「春、王，正月」下亦都空白無事。然而，四公皆即位正月，所以「春，王」下有「正月」，定公要到六月才即位，所以「春，王」下不得有「正月」，這是它們唯一不同的地方。根據這樣的說法，那麼，就等於說定公元年本作「元年，春、王，正月。三月……」了；現在無「正月」，因為定公即位在六月，不可以有「正月」，所以，「正月」被筆削，「春、王」底下就空白了。

二傳及杜預的說法，後代學者有贊成的，比如胡安國《春秋傳》卷二十七說：「元年必書正月，謹始也；定何以無正月？昭公薨於乾侯，不得正其終，定公制在權臣，不得正其始。」孫復《春

秋尊王發微》卷十一說：「不書正月者，定公未定，不與季氏承其
正朔也。是時季氏專國，昭公薨於乾侯，及歲之交，定又未立，故
略不書焉，所以黜強臣而存公室也。」除了強化舊義的一些內涵之
外，沒有什麼特別的新見解。

討論至此，我們不禁要問：《穀梁》謂「舉正」是為著「謹
始」；現在，定公元年雖然「春、王」句絕，卻沒有「舉正」，何
來「謹始」呢？表面上以公即位於六月、不在正月為理由，所以
《經》不舉正月；實際上本年無「正月」兩個字，就已經是無「謹
始」了。「公即位六月，不舉正」和「舉正謹始」，只能二者擇
一。二傳及杜預的毛病是，既要滿足「謹始」的大義，又要堅持
「即位六月，不舉正」的原則，以致於自相矛盾，無法兼顧。

第二、史之缺文

在「即位六月，不舉正」與「舉正謹始」兩者之間，有的學者
比較偏向於「謹始」；他們認為《經》當有「正月」二字，今本無
者，乃史有缺文。明湛若水在《春秋正傳》卷三十四裡說：

> 書「春王」而不書「正月」者何？史之逸文也……《公
> 羊》……《穀梁》……胡文定從之，以為……故不書「正
> 月」，見定公無正，皆非也。蓋定公即位後，在夏六月，何
> 以先時去其正月，見其無正始耶！凡《春秋》「春王正
> 月」，史氏書時月紀事之法，其文以「春」字為讀，「王正
> 月」為句；言在時王之正月也……今書「春王」而不言「正
> 月」，以為定公即位不正，故不書，是何文理耶？……或上
> 「春王」，連下「三月」為文，亦非也。他年或有如此者，

即位之元年，豈有不書「正月」之理？斷為史之缺文，無疑矣。

認為定公即位之「元年」，怎可不書「正月」！今本無此二字，殊不合「文理」。這樣的說法其實也有缺點，首先當然無法滿足「即位之月不舉正」的大義；其次是臆測，說缺「正月」二字，缺少證據。

第三、「春王三月」連續

有些學者並不同意上述的說法，認為「元年春王三月……」當一句讀，正月、二月無事，自然空白；至三月有事，始書之耳。明童品《春秋經傳辨疑》卷下說：「《公羊》、《穀梁》欲發『定無王』之義，乃截『春王』二字為一節，胡氏因之，致使經文離析，意不相續，此傳《經》者之大病也。況定公即位於夏之六月戊辰，此時記事，聖人之心豈豫在譏定公哉！其無正月，不足泥也。」認為截斷「春王」二字，乃一大病；顯然的，童品是主張連讀的。

清代學者持此看法的更多。孔廣森《春秋公羊通義》卷十說：「竊以王為月設，『春王』斷句，理不可通。」毛奇齡《春秋傳》卷三十三說：「『春王』連『三月』為文，此是舊例，以正月、二月無事，至三月始有事而書之；無有以『春王』二字為文，『三月』又為文者。三傳本皆載『春王』二字，以為定公不得正其始，故無正月，則自隱三年始，凡『春王二月』、『春王三月』，有『春王』而無『正月』者，皆宜截斷二字，另作節矣……若謂定公為意如所立，即不正始，則宣公為東門襄仲所立，獨正始而書正月，何也？」牛運震《春秋傳》說：「夫『王正月』連讀，獨言周

正月，載『春王』二字，本無文理，成何書法！經文自連『春王三月』為文，所謂事在三月，書三月也。第元年與常年不同，雖正月無事，必空書『春王正月』，以著始年。定公此時尚未為君，正月又無事，故不空書『春王正月』，至定公之立不正，本自昭然，不必削正月而後見也。」都認為「春王」句絕不合理；作「春王三月」，乃三月有事始書而耳。

春秋二百四十餘年，以「春王二月」及「春王三月」記時者近40次；如果定公元年「春王」句絕，那麼，這近40次的「春王二月」及「春王三月」，是不是也都該讀「春王」句絕呢？或者其中有多少次是該「春王」句絕？多少次不該呢？毛奇齡等人所以不同意此說，道理在此。然而，話說從頭，如果「春王三月」連讀，那麼，無疑的就打破「元年必舉正」的「謹始」傳統，而春秋十二公中，例外作「春王三月」的就只有定公而已。三傳及一些學者所以堅持「春王」句絕者，背後有個大理由的；問題是：《春秋》是不是有這個大義？

2.為什麼二月、三月大部分也都書「王」字呢？《穀梁》說：「雖無事，必舉正月，謹始也。」元年必舉正，舉正必稱王；現在，不是元年，也不是正月，為什麼大部分二、三月又稱「王」呢？如果非元年、非正月也都書「王」，豈不是掩蓋了元年舉正舉王的謹始的意義嗎？所以，非元年非正月而稱王，也是個棘手的問題了。

最早對這個問題加以解釋的應該是劉歆，他在《三統曆》❿裡

---

❿　見《漢書》〈律歷志〉引。

說：「孔子愛其禮，而著其法於《春秋》……《經》……於春三月，每月書王，元之三統也……《經》曰春王正月，《傳》曰周正月『火出，於夏為三月，商為四月，周為五月。夏數得天』，得四時之正也。三代各據一統，明三統常合，而迭為首，登降三統之首，周還五行之道也。」班固《漢書》〈律歷志〉謂劉歆作《三統曆》「以說《春秋》」，那麼，這段話應該是劉歆在解釋「春王正月」及「春王三月」的課題了。

　　根據劉歆的說法，春王正月、春王二月及春王三月是「三代各據一統」；換句話說，夏、商、周三代各以建寅、建丑及建子為正月，都在《春秋》的記時裡反映出來。春王正月，指周正，於商為十二月，於夏為十一月；春王正月，指商正，於夏為十二月，於周為二月；春王三月，指夏正，於商為二月，於周為三月；夏、商、周三代的曆法皆「常合」於《春秋》內，保存於《經》內，「更迭為首」。這個說法得到何休的支持，他在隱公三年「春王二月」下說：「二月、三月皆有『王』者；二月，殷之正月也；三月，夏之正月也。『王』者，存二王之後，使統其正朔，服其服色，所以尊先聖，通三統，師法之義，恭讓之禮，於是可得而觀之。」〈疏〉曰：「統者，始也；謂各使以其當代之正朔為始也。」二、三月書「王」，乃為保存夏、商二王之後，使他們尚且有機會「統其正朔，服其服色」；何休的說法，應該是就劉說加以發揮了。

　　如果一如劉、何的說法的話，我們至少想到兩個棘手的問題。

　　第一、《春秋》書「春王二月」及「春王三月」並沒有什麼規律性，我們歸納不出在什麼情況之下書「春王二月」，或書「春王三月」；此外，桓公七年、十三年及十五年還分別出了「春二

月」，為什麼這三次的「春二月」又不書「王」，藉以保存商正呢？換言之，《春秋》二百四十餘年《經》文，我們不知道什麼時候應該存商正，什麼時候應該存夏正；而且，也不知道為什麼桓公出現三次「春二月」，而不存商正呢？

第二、孫復《春秋尊王發微》說：「春秋之法，惟元年不以有事無事，皆書『王正月』；餘年則事在正月，書正月……事在二月，書二月……事在三月，書三月……時無事，則書首月……。」認為「春王正月」、「春王二月」及「春王三月」，都只是隨事而書，並不含深意。既然隨事而書；為什麼正月無事，又書「春王正月」呢？《公羊》說是「元年謹始」；然而，很多無事的「春正月」並不在元年。莊公五、十一、十六、十九、二十一及三十，僖公六、二十四、三十、三十二，文公八、十三，宣公十一，襄公三十一，昭公十、二十，以及定公二、七、九；這十九年，都是無事可記而又不在元年的正月。根據孫復隨事而書的說法，則它們都應該省略，直接從二月、三月寫起；然而，我們卻看到無事而有不在元年的「王正月」，可見這個說法也不可靠。

呂大圭《春秋或問》卷一曰：「起事正月，則書王正月；二月雖有事，不復書王矣……事起二月，則書王二月；三月雖有事，亦不復書王矣……若正月、二月已有事，而但書時，則三月雖有事，亦不復書王矣……惟孟仲未有事，至三月而始有事，則書王三月……。」謂「事起正月，則書王正月」，又謂「事起二月，則書王二月」，本於孫說。謂「二月雖有事，不復書王矣」，又謂「三月雖有事，亦不復書王矣」，未免辭費；蓋《春秋》無連續兩個月書「王」，正月既已書王，二月絕不書王；二月既已書王，三月亦

絕無再王之理；呂氏蛇足耳。

《春秋》書王的二月、三月既然缺乏規律性，那麼，想將「王二月」及「王三月」說成寓義深遠的「存二王之後」，似乎就嫌無準則了。孔廣森《春秋公羊通義》卷一說：「王者，謂文王也……則存三統者，猶文王之意也……書王二月，若曰：是文王所因地布教之月，後有以地統，王者宜取為正也。書王三月，若曰：是文王所敬授人時之月，後有以人統，王者宜取為正也。」推衍為文王之意，恐求之過深矣。齊召南《春秋公羊傳註疏考證》對何休「二月，殷之正月；三月，夏之正也；王者，存二王之後」的說法加以反駁，說：「此義《傳》所不言，而何休自以己意測度者也。夫既以魯當新王矣，又曰『通三統，存二王之後』，是三王也。又《經》書『天王』，《傳》以『春王』為文王，是五王也！是何聖人作經，於一『王』之天下五之哉！妄矣。」就何休之矛，攻公羊之盾。

3.綜合上文的討論，可以歸納為四點：

第一、《春秋》以「春二月」及「春三月」為歲首記時者，都不出現在元年；換句話說，諸公元年必書「元年春王正月」，無論有事無事，皆必如此；《穀梁》認為這是為著「舉正謹始」。十二公中唯一例外的是定公，定公元年《春秋》作「春王三月……」；引用《穀梁》的說法，那就是不「舉正」、不「謹始」了。為什麼定公元年是個例外呢？於是成為爭議的焦點了。

第二、首先是《公羊》的解釋，它認為定公即位在六月，非年初，且不行告廟之禮，另一方面，定公得立不立，權在季氏，所以《經》不書「正月」。《公羊》又說：「定、哀多微辭，主人習其

讀而問其傳，則未知己之有罪焉爾。」何休〈注〉曰：「此假設而言之，主人謂定、哀也。設使定、哀習其經而讀之，問其《傳》解詁，則不知己之有罪於是。此孔子畏時君，上以諱尊隆恩，下以避害容身，慎之至也。」何休的意思是，孔子為了保護自己，此文「春王」二字含有非常隱晦的「微辭」；即使定公，也無法知曉此文是否對他有所貶抑。在這樣的理解下，公羊家不得不讀「春王」句絕。此說影響很大，《穀梁》及杜預都接納了大部分意見。

第三、這說法實際上和「舉正謹始」很難兩存的，所以，乃出現「史有缺文」及「春王三月」連讀的兩種解釋。如果擺脫《公》、《穀》的立場，以平常心讀《春秋》，也許這兩種解釋會比較接近事實；尤其是「春王三月」連讀，很可能《春秋》原文就如此。

第四、不是說元年必舉正、舉正必稱王嗎？然而，「春王二月」、「春王三月」，非元年非正月而稱「王」，卻出現了相當多次。於是，有的學者發為三統說，說《春秋》也保存了夏、商二王的正朔和服色，另外兩「王」是指商王及夏王。顧棟高《大事表》〈時令表·敘〉說：「蔡氏《尚書傳》既主不改時改月之說，而文定傳《春秋》又謂夫子虛加『春』字於月之上，謂周本是冬十一月，夫子特藉以明行夏時之意。是皆考古未核，惑於冬不可為春之疑，遂至輾轉相誤也。……是子、丑、寅三陽之月，皆可以言正，皆可以為春明矣。」也支持此說。一部編年史書同時採用了三種曆法，而且無規律可尋；就算有些記時是因舊史而成文，也似乎相當不平常。

(三)春

《春秋》記時還有另一種書法，僅在年份下書「春」，無「王」字，亦無月日；此類例子非常多，總計二百四十餘年間，共96 次。除閔公在位短促無此例之外，其他各公皆有。

似此書法，三傳未加解釋。范寧在隱公二年春下說：「凡年首，月承於時，時承於年，文體相接。《春秋》因書王以配之，所以見王者上奉時承天，而下統正萬國之義。然，《春秋》記事有例時者，若事在時例，則時而不月；月繼事末，則月而不書王。書王必皆上承春，而下屬於月。文表年始，事莫之先，所以致恭而不黷者，他皆放此……會例時。」范寧認為，《春秋》記事有時以時為準則，有時以月為準則；若前者，則不書月；只有後者，才寫明月份。范又說：「諸侯會，依例只書時。」

何謂「記事有例時」呢？楊〈疏〉說：「謂若朝會侵伐之類。知者『十一年春，滕侯、薛侯來朝』，《傳》曰：『諸侯來朝，時，正也。』莊十年『二月，公侵宋』，《傳》曰：『侵時。惡之，故謹而月之。』二十三年『春，公至自齊』，《傳》曰：『往，時，正也。』故此年『春，公會戎於潛』，五年『春，公觀魚於棠』，皆不書月是也。其有書月之類，皆有故始書耳。」根據楊的解釋以及所舉諸例來理解，行事若合其時，如滕侯、薛侯來朝，其時「宜」（范〈注〉：「朝宜以時，故書時則正也。」）；莊公二十三年「公至自齊」，亦合其時，故皆書時，以示其「正」；只有在舉事不宜時，如莊公十年公侵宋，犯了「侵時」之忌諱。所以，特意書「二月」以惡之。

　　何謂「會例時」？楊〈疏〉說：「四年『夏，公及宋公遇於清』，九年『冬，公會齊侯於防』，是也。」又說：「若然，十年『春王二月，公會諸侯、鄭伯於中丘』，十一年『夏，五月，公會鄭伯於時來』而書月者，范云：『夫告❶雷雨之異，而不知戒懼，反更數會，故危之。』是有故如書月，明無故例時也。」根據楊的說法以及他說舉的例子來理解，諸侯相會一般上只書時，只有例外的反常，比如隱公會鄭伯於時來，因為有「雷雨之異」，隱公「不知戒懼」，反而「數會」，所以才加書「五月」，以「危之」。

　　范寧和楊士勛兩人的解說略有不同。范寧認為《春秋》記事中，有一種只記時、不記月之例；此外，若《春秋》不書月，則亦必不書「王」；在這兩種情形之下，《春秋》就出現許多只書「春」的年歲了。楊士勛則從《穀梁傳》書時不書月的解釋來歸納，認為書時是時也、宜也的關係；如果不時不宜，才加書月份。

　　這兩種解釋實際上都不圓滿。首先，什麼是只記時不記月的書法呢？其次，不書月就不書王的情形有例外，桓公有十次書「正月」不書「王」，有三次書「二月」不書「王」，又當如何解釋呢？《公》、《穀》及其學者必欲發為「惟桓有月無王，以見不舉王法爾」的《春秋》大義，果真有道理嗎？筆者甚感懷疑。最後，楊士勛試圖從書時不書月中看出些微言大義，恐怕也勞而寡功；因為春秋二百四十餘年間，書時不書月者單是「春」就有 96 次，再加上 124 次的「夏」、126 次的「秋」以及 129 次的「冬」，誰又能分辨那些是「時也」、「宜也」，那些是「不時也」、「不宜

---

❶　原作「言」，據阮校改。

也」呢？

馬驌《左傳辨例》說：「四時具而後為年，是以時雖無事，必舉首月以明時過，桓九年夏四月、隱九年秋七月、桓元年冬十月，此類是也。若時有事，則隨事而繫之月，其未詳月者，直繫之時，《春秋》不遺時爾，非不遺月也。何必定舉首月哉！若春之三月皆亡，不得於『春』下空懸一『王』字，故悉不書『王』。《公羊》曰『隱無正月』，《穀梁》曰『隱無正，桓無王』，鑿矣。」可謂通達之論矣。

三

綜合全文，茲條陳數端：

㈠《春秋》書時亦有殘缺

有些學者認為，四時首月無事，為著謹時，也必書之。沿此說法的話，無論有事無事，每年四時的紀錄，必不可缺。然而，實際上情形並不完全如此。桓公四年及七年並無「秋」、「冬」，文公二年、十年及十三年皆無「秋」，昭公十年、定公十四年亦皆無「冬」。這些缺書，如果和全書對比起來，顯然是很突兀的；最好的解釋是，要不是當初缺記，就是後來漏鈔。究竟是前者還是後者，頗難論斷。

㈡四時領首月

與前條說法相同的，有些學者認為，為著謹始，每歲必書四

時，而時所領者必為首月，特別是在元年，如春必正月、夏必四月之類。事實上恐怕也未必然，試觀前文的統計表，「春」領二月及三月，「夏」領五月及六月，「秋」領八月及九月，「冬」領十一月及十二月的，為數不少。此外，書四時而不領月份的，為數更多。像這些「不符合規定」的現象，學者很難以他們一套的說法來講得通的。

㈢首月無事，猶書之

與前二條的說法相類似，有的學者認為，四時首月雖無事，亦必書之。桓公元年出「冬十月」，其下無事，《穀梁傳》說：「無事焉，何以書？不遺時也。《春秋》編年，四時具而後為年。」本書所以叫《春秋》，道理在此了。根據爬梳出來的資料顯示，這個說法的確存在著。但是，莊公二十二年的「夏五月」以及哀公八年的「秋」，它們無事，而所領者一個是「五月」，一個是無月份，情形頗為特殊。春秋二百四十餘年，在那近千條四時的紀錄中，一、二條例外，恐怕不必過慮的。

四時首月無事而猶書之統計表❷	
春王正月	隱 1，桓 1，莊 1、5、11、16、19、21，僖 6、24、30、32，文 8、13，宣 11，襄 31，昭 10、20，定 2、7、9　　共 21 次
夏四月	桓 9，莊 12、19，文 8，宣 6、18，襄 22，昭 14，定 3、7、11　　共 11 次

❷　三傳所錄《春秋》，記時及繫事等略有小異，差別甚小，因不影響結論，故不另註明。

秋七月	隱 6，桓 9、13、18，莊 4、13、20，僖 10、12、24、31，文 10、13，宣 12，昭 13、29、32　　　　　共 17 次
冬十月	桓 1、13，莊 15、18，宣 6，成 10、12，定 7，哀 9　　　共 9 次

㈣記時書王

翻開《春秋》，隱公在位十一年，只有首年書「春王正月」；桓公在位十八年，也只有元、二、十及十八年書「春王正月」；二公其他年份再不出現「春王正月」了。其他十公的情形並非如此，他們「春王正月」的使用率都相當高[13]，和隱、桓有很大的不同。如果「春王正月」代表著某種特殊意義的話，那麼，開首二公記時如此不正常，也許隱含著某種大義了。從三傳開始，學者結合其他各種記時情況，不斷致力於解釋這個現象，正如顧棟高在《大事年表》〈時令表·敘〉中所說的：「《春秋》開卷書『春王正月』，議者紛然。」的確是事實。儘管紛紛然的說法多得汗牛充棟，有些還建立起一套自己的系統，似乎尋得這把神秘的門鎖，然而，還是很難有一家說法能夠完滿地講通所有的「春王正月」。如果《春秋》確是聖人之作，寓褒貶大義，那麼，記時內所暗藏的大義確是深奧難測，迄今亦還難有一種說法可以使我們得窺全豹。

㈤二、三月書王

「春王正月」之外，《春秋》還有「春王二月」及「春王三

---

[13]　根據統計，他們的次數分別是：莊 12，閔 2，僖 16，文 2，宣 7，成 9，襄 13，昭 14，定 7，哀 2。

月」的記時體式。各公元年的「春王正月」既然被賦予特殊的意義，那麼，定公元年的「春王三月」就顯得很突兀，各種說法層累衍生，也很難圓滿解釋。將夏、商二代的曆法牽合進來加以解釋雖然得到一些學者的支持，但是，它所引發出來的問題卻使人懷疑這個古老說法的真實性。

(六)春

《春秋》記時不書月份，單題「春」、「夏」、「秋」及「冬」者，為數頗多。這是頗為特殊的一種簡單記時體式，雖然解釋者代有其人，但是，實際上的原因為何，迄今還是令人琢磨。如果《春秋》也依據了舊史及各國典冊，那麼，不同曆法並存、詳略記時並存、一事異時並存等現象的出現，也許是件有可能的事。在這樣的情況之下，不記月份、只書時名，也許是一個詳省的問題而已。杜預〈序〉說：「史有文質，辭有詳略。」值得參考。

(七)記時例

《春秋》應該是一部綜合新舊史文以及各種典冊而成的編年史書，在編合的過程中，出現各類參差的現象應該是正常的事。如果將這些記時參差完全當作聖人暗藏大義的特意筆法的話，那麼，這樣的筆削未免不成功了；因為自三傳開始，就不斷層累及衍生各種解說，至今尚難「猜透」真正的深義。

（原刊於《書目季刊》第三十五卷第四期，又刊於《中華文史論叢》總第七十輯）

論三 《傳》中的講評人物

一、前言

　　講述及評論歷史，包括當代事件，可以說是古代已有的習慣。《國語》〈楚語〉載申叔時論教導太子，應該「教之《春秋》而為之聳善而抑惡焉，以戒勸其心」；《春秋》，即當時列國的史書；教史書既然要到達「聳善抑惡」及「戒勸其心」的目的，可知除了講述之外，更重要的還是論評，通過評論達到善善惡惡的效果。《國語》〈晉語〉又載叔向由於「習於《春秋》」，可以「旦在君側，以其善行，以其惡戒」，所以，被召為太子彪的師傅；可知古來學習歷史者，必須能夠從中吸取「善行」、「惡戒」的教訓，才能顯其價值和意義。

　　在這樣的歷史觀及文化價值觀之下，古人對歷史不但且講且評，對當時發生的事件也多所講評。三傳中記載這些講評，為數甚多。

　　對過去事件的講評，根據三傳的記載，可知講評人數不少，比如《左傳》文公二年同時記載君子及孔子對魯國「大事於大廟，躋僖公」的批評，雖然重點各有不同，卻都是針對此事而發，可見同一事而批評者卻不止一人；又比如《左傳》文公六年連載兩君子

語，都在評論秦穆公，可見評論秦穆公者不止一人；舉此二例，即
知講評人物之眾多。對當時事件的講評，不但講評人多，而且講評
的出現非常快速。比如《左傳》桓公十七載高渠彌弒昭公而改立公
子亹，《左傳》文末錄君子的評論，又錄公子達「高伯其為戮乎，
復惡已甚矣」語，杜預謂公子達為當時魯大夫；杜說如可靠的話，
那麼，公子達便是即時的講評人物了。此外，列國發生事件，魯國
君臣時有問答，魯臣更多評論，《左傳》多載其事；這些，也屬於
即時講評的一種。

　　實際上，這兩種講評略有不同；前者屬於三傳在編寫時由編者
「加插進去」的，後者則其講述已屬事件的一部分，完全「融入」
當時事件中。本文討論的主要是前者。

二、不同的講評人物

　　三傳出現的講評人物為數不少，從無記名的「君子」，到半記
名的「魯子」、「沈子」，再到有記名的「仲尼」，大約有十餘人
之譜；他們所保留下來的講評，粗略估計大概有一百條；在歷史文
字的展現過程中，出現一種加插的評論文字，作為三傳書體的一種
特色。茲就其不同而具論如次。

甲、君子

　　三傳講評人物出現最多的，是以「君子」為名的一位無名氏；
他的講評的出現方式有「君子曰」、「君子謂」、「君子是以」等
等。過去學者以為這些文字都是劉向等人所增飾偽造的，現在看起

來，這個說法已完全不可靠❶；這裡就不必再追述及補證了。

三傳「君子」有兩大類：一類是作為道德崇高、身份特殊的人物的一種泛稱，一類是史評的議論者、撰述者。關於前一大類，它們除單獨出現外，也時常以與「小人」對舉的方式出現，如成公三年《左傳》引賈人語曰：「吾小人，不可以厚誣君子。」偶而也和「刑人」對稱，如襄公二十九年《公羊傳》曰：「君子不近刑人，近刑人則輕死之道也。」這些例子，我們一望即知，所指的是一種有道德、有地位的人物。三傳之中，這種「君子」出現的次數有顯著的差別；根據筆者的統計，《左傳》一共出現了六十九次，《公羊》十二次；而《穀梁》只有三次❷。乍看起來，這種差別應該沒甚麼值得注意的，然而，在本文第二節結束時，我們就會發現其特殊的意義。

㈠《左傳》講評人「君子」發言的重點

《左傳》講評人君子出現的次數相當多，所議論的範圍也相當

---

❶ 關於此問題，可參看楊向奎著《中國古代社會與古代思想研究》，乙編第五章〈古文經學中的左傳和周禮〉，上海人民出版社，1962。也可參看拙文〈論《左傳》「君子曰」非後人所附益〉及〈再論《左傳》「君子曰」非後人所附益〉，在拙著《竹簡帛書論文集》，北京中華書局，1982。

❷ 《左傳》六十九次見於：桓 5、僖 12、15、22、26、文 7、12、15、宣 12（二次）、17、成 2（二次）、3、9、13、16、襄 9、11、13、（四次）、24、25、26（二次）、28、29（二次）、30、31（三次）、昭 1（五次）、2（二次）、3（二次）、4、6、7、8（二次）、16（四次）、19、20（三次）、25、26（二次）、28、31、哀 7、8、11（二次）14、15、20、27；《公羊》十二次為：隱 3、桓 8、11、莊 27、28、僖 22、文 12、宣 12、15（二次）、襄 29（二次）；《穀梁》三次為隱元、莊 4、僖 22。

廣，有時也作相當長的發言，對後代有相當的影響，很值得我們注意。然則，這位歷史講評人物發言的重點是甚麼呢？他以甚麼準則來評議各種歷史事件呢？檢閱他所有的講評，我們可以歸納出下列幾項：

1.禮的強調

鄭玄說過：「左氏善於禮。」❸《左傳》以禮為敘事重點，古人早已論及。君子作為當時講評人之一，其講評重點也離不開這個主調；底下是有關的資料：

(1)隱三年：周鄭交惡，君子曰：「信不由中，質無益也。明恕而行，要之以禮，雖無有質，誰能間之？……行之以禮，又焉用質？……」

(2)隱十一年：君子謂鄭莊公於是有禮。禮，經國家，定社稷……可謂知禮矣。

(3)莊二十二年：君子曰：「酒以成禮，不繼以淫，義也；以君成禮，弗納於淫，仁也。」

(4)僖二十二年：楚子使師縉示之俘馘，君子曰：「非禮也。……戎事不邇女器。」

(5)文二年：夏父弗忌為宗伯，尊僖公，且明見曰：「吾見新鬼大、故鬼小……明、順，禮也。」君子以為失禮，禮無不順。祀，國之大事也；而逆之，可謂禮乎？……是以

---

❸ 見鄭著〈六藝論〉，在嚴可均輯《全上古三代秦漢六朝文》內，第一冊，頁928。

〈魯頌〉曰……君子曰「禮」，謂其后稷親而先帝也；
《詩》曰……君子曰「禮」，謂其姐親而先姑也。

(6)宣二年：獲狂狡，君子曰：「失禮違命，宜其為禽也。戎
昭果毅以聽之之謂禮。」

(7)襄二年：夏，齊姜薨。……君子曰：非禮也。禮無所
逆……。

(8)襄八年：晉范宣子來……君子以為知禮。

(9)昭四年：君子謂合左師善守先代，子產善相小國。

(10)昭五年：公如晉，自郊勞至於贈賄，無失禮。……君子謂
叔侯於是乎知禮。

(11)昭十二年：君子謂子產於是乎知禮；禮，無毀人以自成
也。

上舉十一條，都是講評人以「禮」為講評的準則，或譏評其「非
禮」、「失禮」，或讚許其「知禮」、「有禮」，或論列其與禮之
關係，第九條論合左師善守前代禮儀，即其例；就講評人所表達出
來的講評標準及思想，「禮」是其論說的核心了。

　　《左傳》講評人君子強調「禮」，恐怕並不是他個人「一家之
言」。根據李宗侗的統計❹，《左傳》記載當時史官以「禮」為批
評準則的，共有九十九條❺；當時人以「禮」為批評準則的，也有

---

❹　見李著〈史官制度——附論對傳統之尊重〉，在杜維運、黃進興合編《中國
史學論文選輯》第一輯內，華世出版社。

❺　史官發表意見，謂「禮也」有六十七條，「非禮也」三十二條，合計為九十
九條（見上文頁90）。

二十二條❻；可見「禮」是當時社會上的一種道德標準。此外，《左傳》作者經常也據此標準講評當時事件，比如桓公三年載齊侯送姜氏之後，作者即曰：「非禮也。凡公女、嫁於敵國⋯⋯。」像這樣的例子，為數尚多。因此，講評人君子強調「禮」，可以說是時代的烙印了。

2.其他的批評重點

除了「禮」，這位講評人還以「忠」、「信」及「義」等來作為講評的標準，值得我們注意。在「忠」方面，至少有下列五條：

⑿隱三年：周鄭交惡。君子曰：「信不由中⋯⋯昭忠信也。」

⒀莊十九年：初，鬻拳強諫楚子⋯⋯君子曰：「鬻拳可謂愛君矣，諫以自納於刑；刑，猶不忘納君於善。」

⒁成十年：鄭伯討立君者⋯⋯君子曰：「忠為令德，非其人猶不可，況不令乎。」

⒂襄十五年：楚子囊還自伐吳⋯⋯君子謂子囊忠，君薨不忘增其名⋯⋯可不謂忠乎？忠，民之望也⋯⋯忠也。

⒃定九年：鄭駟歂殺鄧析而用其竹刑。君子謂子然於是不忠⋯⋯竿旄何以告之，取其忠也。

這五條資料，無一不顯示講評人的標則為「忠」；在講評中，他還

---

❻　以當時人身份發表意見，謂「禮也」有六條，「非禮也」十六條，合計二十二條（見上文頁 91）。

不忘讚譽「忠」是一種美德（「令德」），可見「忠」具有崇高的道德地位。第十三條雖然無「忠」字，不過，鬻拳愛君而受刑，也是忠君的一種表現，所以，講評人以「愛君」譽之。與「忠」接近的是「信」，講評人君子也經常提到，如：

　　⒄見上述第十二條。

　　⒅桓十二年：公欲平宋、鄭。……君子曰：「苟信不繼，盟無益也。《詩》曰：『君子屢盟，亂是用長。』無信也。」

　　⒆僖二十八年：君子謂是盟也信……。

這是三條以「信」作為講評標準的資料；從第十七條中，可知講評人將「信」及「忠」結合在一起，都屬於「禮」份內當行的原則（「行之以禮」），所以，他強調「禮」之餘，接下來就強調「忠」及「信」了。

　　除此之外，他還強調其他道德標準。「義」談得也相當多，如下列三條：

　　⒇隱四年：石碏使宰獳羊肩蒞殺石厚於陳。君子曰：「石碏，純臣也。惡州吁而厚與焉，大義滅親，其是之謂乎！」

　　(21)見第三條。

　　(22)襄二十三年：楚人納公子黃，君子謂慶氏不義，不可肆也。

以「義」為講評標準雖然出現次數不多，不過，其「義也」、「不義」的批評方式，卻和「知禮」、「非禮」非常相似。再如「讓」：

　　㉓僖十二年：管仲受下卿之禮而還，君子曰：「管氏之世祀也宜哉，讓不忘其上……。」

讓，即禮讓、謙讓，是儒家道德行為之一。再如「恕」：

　　㉔見第一條。

講評人提出「恕」，認為要行之以「恕」，並且以「禮」來節制；這個「恕」字，完全符合孔子的思想。再如「仁」：

　　㉕見第三條。
　　㉖宣四年：君子曰：「仁而不武，無能達也。」

第二十六條雖然強調「武」，不過，講評人認為既要有「仁」，也必須有「武」，可見「仁」還是很重要的。再如「孝」：

　　㉗隱元年：君子曰：「穎考叔，純孝也。愛其母，施及莊公……」

雖然以「孝」為講評準則只有一條，不過，看他對穎考叔備加讚

譽，可見他對「孝」是非常重視的。

從上述二十七條資料來觀察，講評的準則幾乎全是儒家的，因此，筆者認為他應該和儒家有密切的關係，他就用儒家的道德標準來講評歷史及當代事件。實際上，講評人偶而也涉及其他準則，比如隱公五年：「君子曰：不備不虞，不可以師。」謂行軍必須防備不測，講評涉及軍事課題；又比如隱公十一年載君子批評鄭莊公「失政、刑」，僖公二十八年載他批評晉文公「能刑」，襄公二十六年載他批評晉平公「失政」，以政治及刑罰作為講評的標準；又比如宣公四年他批評子家「仁而不武」，以「武」為講評的標準；上述的這些標準雖不完全是儒家的，但是，卻並不與儒家的相矛盾。由於講評標準滲雜有其他的觀點，反而讓我們知道講評人的複雜性及多面性了。

(二)《公》、《穀》「君子」的性質

《公》、《穀》也有「君子」這個人物，而且出現的次數不少。不過，《公》、《穀》君子的性質和《左傳》有很大的不同。在《左傳》中，他是位講評人，絕大部分都只評騭議論人物及事件，前引二十七例雖不過部分講評而已，不過，卻已可看出其發言性質了。《公》、《穀》的君子就完全不是如此，他被指為《春秋》的修作者；試讀下列諸條：

　　(28)桓二年《經》：「公會齊侯、陳侯、鄭伯於稷，以成宋亂。」《穀梁》曰：「『以』者，內為志焉爾，公為志乎『成』是『亂』也，此『成』矣，取不『成』事之辭而加之焉，於內之惡，而君子無遺焉爾。」案：《穀梁》逐字

解經，而且認為君子對此事的記載，絕不會「遺漏」的；那麼，很顯然的，君子當然就是被指為《春秋》的修作者了。

(29)桓五年《經》：「甲戌、己丑，陳侯鮑卒。」《公羊》曰：「曷為以二日卒之，怴也。甲戌之日亡，己丑之日死而得。君子疑焉，故以二日卒之也。」案：陳侯之卒越十六日，君子對此有疑惑，故並二日而書之；可知《經》的修作者就是這位君子了。

(30)桓十八年《經》：「葬我君桓公。」《公羊》曰：「賊未討，何以書『葬』？讎在外也。讎在外，則何以書『葬』？君子辭也。」案：此條是針對《經》來說的，《傳》二「葬」字來自《經》，而且又指出這是君子記事的言辭；可見此君子自是《春秋》的修作者了。

(31)僖十二年《經》：「夏，楚人滅黃。」《穀梁》曰：「貫之盟……楚伐江，滅黃，桓公不能救，故君子閔之也。」案：《傳》「滅黃」二字當來自《經》，並解釋《經》記載此事，乃由於「君子閔之」的緣故。據此，《經》即此君子所修作了。

(32)莊二十八年《經》：「臧孫辰告糴於齊。」《穀梁》曰：「國無三年之畜，曰國非其國也。『告』，請也；『糴』，糴也。……君子非之；不言『如』，為內諱也。」案：此說明君子在《經》中用「告」及不用「如」之原由，可見《傳》以為君子即《春秋》的修作人。

(33)文十四年《經》：「晉人納接災於邾婁，弗克納。」《公

羊》曰：「『納』者何？入辭也。……故君子大其『弗克納』也……其稱『人』，何？貶……。」案：此條君子既引《經》為說，而且還說明書法的原委，可見此君子被認為《經》的修作者。

(34)宣十二年《經》：「春，葬陳靈公。」《公羊》曰：「討此賊者非臣子也，何以書「葬」，君子辭也……。」案：此條的情形，與第30條相同。

(35)宣十五《經》：「宋人及楚人平。」《公羊》曰：「外平不書，此何以書？……故君子大其平乎已也……其稱『人』，何？貶……。」案：此條講解君子何以備載此事，又說明書「人」的原委，可知君子被認為是《經》的修作者。

(36)同年《經》：「晉師滅赤潞氏，以潞子嬰兒歸。」《公羊》曰：「『潞』何以稱『子』？……君子不可不記也。」案：據《公羊》，君子記下此事，並且稱潞為「子」；核諸《春秋》，正有此事，亦稱「潞子」，可知君子被確認為《經》的修作人。

(37)襄三十年《經》：「十月，葬蔡景公。」《公羊》曰：「賊未討，何以書『葬』，君子辭也。」案：據傳文，君子被認為《經》的修作者，情形與前文第30條相同。

(38)昭元年《經》：「秦伯之弟鍼出奔晉。」《公羊》曰：「秦無大夫，此何以書？……有千乘之國，而不能容其母弟，故君子謂之『出奔』也。」案：傳文解說君子何以用「出奔」二字，與《經》對核，正相符合，可知君子被認

為《春秋》之修作人。

㈢㈨昭七年《經》：「衛侯惡卒。」《穀梁》曰：「鄉曰『衛
齊惡』，今曰『衛侯惡』，此何為君臣同名也？君子不奪
人名……。」案：君子既然不奪人名，《經》又書衛侯之
名，為不奪人名之實踐；可見此君子被確認為《春秋》的
修作者了。

㈣㈠昭十一年《經》：「楚子虔誘蔡侯般，殺之於申。」《公
羊》曰：「楚子虔何以名？絕。曷為絕之？為其誘討
也……君子不予也。」案：「君子」既然不贊同楚王誘殺
蔡侯，故以「子」書之；《經》即作「子」，可見其修作
者為君子了。

㈣㈠昭十六年《經》：「楚子誘戎曼子，殺之。」《公羊》
曰：「楚子何以不名？夷狄相誘，君子不疾也。曷為不
疾；若不疾，乃疾之也。」案：此條情形與上條相同。

㈣㈡昭十九年《經》：「葬許悼公。」《公羊》曰：「賊未
討，何以書『葬』？不成於弒也……。」案：此條情形與
第 30 條相同。

上述十四條傳文，都在解說君子如此記載的原因，雖然沒有明白地
說出所記載的就是《春秋》這部書，不過，從傳文有時特地引
《經》文、有時所言者與《經》全合的情形來看，就可以知道它們
所指的就是《春秋》了。換句話說，這十四條傳文都一再證明，
《公》、《穀》皆一致確認《春秋》的修作者就是君子了。我們再
看下列幾條資料：

⒀僖十七年《經》：「夏，滅項。」《公羊》曰：「孰滅之？齊滅之。曷為不言齊滅之？為桓公諱也。《春秋》為賢者諱……君子之惡惡也疾始，善善也樂終。桓公嘗有繼絕存亡之功，故君子為之諱也。」《穀梁》曰：「孰滅之？桓公也。何以不言桓公也？為賢者諱也。……君子惡惡疾其始，善善樂其終。桓公嘗有存亡繼絕之功，故君子為之諱也。」案：二傳言「《春秋》為賢者諱」（《穀》省「春秋」二字），而後又言「君子為之諱」；很顯然的，二傳明說君子就是《春秋》的修作者了。

⒁昭二十年《經》：「曹公孫會自鄸，出奔宋。」《公羊》曰：「奔未有言『自』者……《春秋》為賢者諱……君子之善善也長，惡惡也短……故君子為之諱也。」案：此條明說《春秋》的修作者為君子，情形與上條相同。

⒂文二年《經》：「大事於大廟，躋僖公。」《公羊》曰：「『大事』者何？大是事也。……君子不以親親害尊尊，此《春秋》之義也。」案：此條講解君子寫《春秋》的筆法，不但引經文，文末尚說：「此《春秋》之義。」明言君子為《春秋》的修作人。

⒃宣十七年《經》：「公弟叔肸卒。」《穀梁》曰：「其曰『公弟叔肸』，賢之也。君子以是為通恩也，以取貴乎《春秋》。」案：傳引經文，並且說君子以「通恩」之故，乃於《春秋》內載此事；顯然的，傳文明言《春秋》的修作者為君子了。

這四條材料，直接顯示二傳明言《春秋》的修作人正是君子。

　　《公》、《穀》將君子當作《春秋》的修作者，實際上還有更直接的證據。莊公七年《經》說：「夜中，星霣如雨。」《公羊》曰：「桓星者何？列星也。……不脩《春秋》曰：『雨星不及地，尺而復。』君子脩之曰：『星霣如雨。』何以書？記異也。」根據這條資料，可知《魯春秋》此文原本作「雨星不及地，尺而復」，後經君子改寫作「星霣如雨」；檢今本《春秋》，字正作「星霣如雨」，可知君子所作的就是今本《春秋》了。

　　審覽這些資料之後，我們就可以知道，《公》、《穀》君子的性質和《左傳》有很大的不同，他完全被當作《春秋》的修作者來看待。《左傳》的君子是位隨《傳》文講評史事及人物的講評人；換句話說，他是存在於《左傳》之內，甚至於存在於無經的傳文內，如第 1、4、13 及 16 條，完全是「屬於《左傳》的」。《公》、《穀》的君子就不是如此，他是《春秋》的修作者，所以，他完全是「屬於《春秋》的」。

　　《公》、《穀》中的「君子」既然指的是《春秋》的修作者，那麼，為避免混淆，「君子」當然不能當作道德崇高、身份特殊的人物的代名詞，所以，《公》、《穀》將「君子」當作道德崇高及身份特殊的泛稱的情形就非常少，和《左傳》有很大的差別。

〔三〕《左傳》講評人「君子」的身份

　　《左傳》「君子」這位講評人到底是誰？這位不著身份的無名氏和孔子有甚麼關係？本文第一節討論過他的講評內容充滿儒家思想，那麼，他是不是孔子的化身呢？襄公三年《左傳》載祁奚舉仇人及親子的事，《左傳》引君子語曰：「祁奚於是能舉善矣，稱其

仇不為諂，立其子不為比，舉其偏不為黨。」《呂氏春秋》〈去
私〉亦載此事，文末引孔子的批評說：「善哉！祁黃羊之論也，外
舉不避仇，內舉不避子，祁黃羊可謂公矣！」祁黃羊即祁奚，「外
舉不避仇，內舉不避」即「稱其仇不為諂，立其子不為比」，可
見《呂氏春秋》以為《左傳》的君子就是孔子；往後許多學者都持
此一看法。

實際上，根據筆者個人的淺見，《左傳》講評人君子恐怕未必
是孔子。試讀下列的論證：

第一、二人的講評同時出現

如果講評人和孔子是同一個人，那麼，他們的言論不但應該合
在一起，而且也不應該同時出現，然而，《左傳》的情形恰好相
反，證明他們並非同一人。試讀下列的材料：

⑷文二年《左傳》曰：秋，八月，丁卯，大事於大廟……君
　子以為失禮……是以〈魯頌〉曰：春秋匪解，享祀不忒。
　皇皇后帝，皇祖后稷。君子曰：禮，謂其后稷親而先帝
　也。《詩》曰：問我諸姑，遂及伯姐。君子曰：禮，謂其
　姐親而先姑也。仲尼曰：「臧文仲其不仁者三，不知者
　三；……三不仁也；……三不知也。」

這則文字包括了君子及孔子的兩節講評，後節起訖很清楚，前節則
始於「以為失禮」，止於「其姐親而先姑也」，中間兩引《詩》及
詩評人語。兩人的講評都針對魯國「大事於大廟，躋僖公」事件而
發；惟君子是就整個事件而發，並且引詩為證；孔子則旨在批評臧

文仲對此事採取放縱的態度，兩人批評重點有所不同。

《禮記》〈禮器〉載孔子批評臧文仲「安知禮」，並說他「夏父弗綦逆祀而弗止也」；可知孔子確曾就「逆祀」發表過議論。然而，《左傳》孔子這節講評，除「逆祀」之外，孔子還批評臧文仲「下展禽」、「廢六關」、「妾織蒲」、「作虛器」及「祀爰居」等五事；五事之中，「祀爰居」見於《國語》〈魯語〉上，其他各事亦略可考見。根據孔子發言的內容來推測，這當是孔子後來對臧文仲的總評，和《禮記》所載僅評「逆祀」一事在時間上應該有所不同；換句話說，筆者認為孔子批評「逆祀」，應該是當時而發；而總括臧文仲，應該是後來的言論。

這個推斷如果正確的話，那麼，很顯然的，《左傳》內君子的講評應當在孔子發言之前，而孔子對臧文仲這番總體概括應該是後來《左傳》的編寫者所引錄進去。換句話說，在《左傳》已有君子的講評之後，編寫者並不採用孔子當時對「逆祀」的批評，反而採錄一則時代比較晚而且是對臧文仲的總評的一則文字。

另一方面，如果君子是孔子的話，《左傳》的編寫者為甚麼要將同一個人的言論分開？一節屬君子，一節歸孔子呢？孔子評「逆祀」的言論已明載於《禮記》，《左傳》君子若是孔子的講評，於理應該和《禮記》所載孔子語相近相同；如今兩者竟完全不同，可見《左傳》君子云云，與孔子無涉了。

第二、君子講評的淵源

如果將古籍講評人物的身份加以核對的話，我們就可以發現，其身份是相當複雜，不可以用「君子就是孔子」一句話概括盡的。比如前引第 47 條，《左傳》於「君子以為失禮」之下，復有君子

的發言：

> 禮無不順。祀，國之大事也，而逆之，可謂禮乎？子雖齊
> 聖，不先父食久矣。故禹不先鯀，湯不先契，文武不先不
> 窋；宋祖帝乙，鄭祖厲王，猶上祖也……。

《國語》〈魯語〉上也記載「逆祀」這件事；根據《國語》，當時
夏父弗忌和宗有司有這番對話：

> 宗有司曰：「非昭穆也。」（夏父弗忌）曰：「我為宗伯，明
> 者為昭，其次為穆，何常之有？」有司曰：「夫宗廟之有昭
> 穆也，以次世之長幼，而等胄之親疏也。夫祀，昭孝
> 也。……今將先明而後祖，自玄王以及主癸莫若湯，自稷以
> 及王季莫若文、武；商周之烝也，未嘗躋湯與文、武，為不
> 逾也，魯未若商、周而改其常，無乃不可乎！」

宗有司及君子都同時批評「逆祀」（孔子也有批評，見本文前言部分），
可見此事是當時史評家的熱門課題，對比《國語》宗有司及《左
傳》君子的言論，除了舉例不同之外，他們批評內容的精神卻頗為
相似，宗有司以「不逾」「昭穆」為勸說的中心，君子則以「順」
為批評的重點，用字用語雖有不同，說話的精神卻非常相似。我們
不敢說君子完全承襲自宗有司，但是，他受宗有司的影響，講評內
容淵源自宗有司，有宗有司的影子，卻應該是肯定的。舉這個例
子，就可以知道「君子是孔子」的說法並不正確了。

實際上，在講評方面，古人也未必將君子完全當作孔子，司馬遷對這個問題就經常有很不同的看法。《左傳》宣公二年曰：

> 乙丑，趙穿殺靈公於桃園。宣子未出山而復，大史書曰：「趙盾弒其君。」以示於朝。宣子曰：「不然。」對曰：「子為正卿，亡不越境，反不討賊，非子而誰？」

《史記》〈趙世家〉亦載此事，曰：

> ……盾以得亡，未出境，而趙穿弒靈公而立襄公弟黑臀……。君子譏盾「為正卿，亡不出境，反不討賊」……。

兩相對照，即知《史記》君子云云，出自《左傳》董狐；換句話說，太史公將董狐當作君子。再如《左傳》桓公二年曰：

> 夏四月，取郜大鼎於宋。戊申，納於大廟，非禮也。臧哀伯諫曰：「君人者，將昭德塞違，以臨照百官，猶懼或失之，故昭令德以子孫……。官之失德，寵賂章也。郜鼎在廟，章孰甚焉？武王克商，遷九鼎於雒邑，義士猶或非之，而況將昭違亂之賂器於大廟，其若之何？」

《史記》〈魯世家〉亦載此事，曰：「二年，以宋之賂鼎入於太廟，君子譏之。」《左傳》臧哀伯云云，頗含譏諷之意，所以，《史記》以「譏」字概括之：然則，太史公將臧哀伯當作君子了。

根據上文的討論，可知《左傳》君子的言論有時頗有淵源，就如太史公在《史記》內將太史董狐及臧哀伯當作君子一樣，不一定和孔子有關係。

第三、「君子」的習慣用法

《左傳》內有些君子確實容易被誤解為孔子，比如昭公二十年的那一條；這裡，先把材料列下來：

> 十二月，齊侯田於沛。招虞人以弓，不進。公使執之，辭曰：「昔我先君之田也，旃以招大夫，弓以招士，皮冠以招虞人。臣不見皮冠，故不敢進。」乃捨之。仲尼曰：「守道不如守官。」君子韙之。

本條載虞人不敢奉招，杜〈注〉：「君招當往，道之常也；非物不進，官之制也。」蓋齊侯以常道招虞人，虞人守官制不敢奉招，所以，孔子「守道不如守官」的議論，只是就虞人的行事而「就事論事」，未置明顯的可否。《左傳》下文又有「君子韙之」，這君子是誰呢？是不是孔子呢？還是另有其人？竹添光鴻《會箋》說：「此一句以為夫子之言，為左氏記君子之評，皆通。然熟玩上文，為夫子之言者，似長。」比較傾向於孔子發言的認同；楊伯峻曾提出問題，未加討論。❼

---

❼ 見楊伯峻編著《春秋左傳注》，頁 1419 曰：「此句有兩解。如此用引號，則孔丘僅云『守道不如守官』，君子以其為是。若引號在『韙之』下，則孔丘引『守道不如守官』，而又謂『君子韙之』。」北京中華書局。

　　這一條資料的引號到底應該止於何處呢？如果孔子的話只「守道不如守官」一句，那麼，「君子韙之」四字就是《左傳》編寫者引君子之言，以肯定孔子的言論或虞人的作風。如果引號止於「韙之」，把這四個字也當作孔子的話，那麼，就是孔子引第三者君子之言來支持虞人的作風或自己「守道不如守官」的意見了。換句話說，對《左傳》的編寫者而言，「君子」云云是借孔子引第三者的言論，還是《左傳》編寫者他自己引第二者講評人的言論？

　　《左傳》君子類似的語氣只此一條，無法提供資料讓我們討論：《公》、《穀》這樣的用法就相當多：

　　　隱二年《穀梁》：故君子進之也。

　　　桓五年《公羊》：君子疑焉。

　　　桓十八年《公羊》：君子辭也。

　　　莊二十八年《穀梁》：君子非之。

　　　莊三十一年《穀梁》：君子危之。

　　　僖十二年《穀梁》：故君子閔之也。

　　　宣十二年《公羊》：君子辭也。

　　　襄三十年《公羊》：君子辭也。

　　　昭十一年《公羊》：君子不予也。

　　　昭十六年《公羊》：君子不疾也。

這些君子，沒有例外地都被指為《春秋》的修作者，換句話說，二傳行文如果涉及以君子的語氣及名義來表態時，此「君子」都被二傳的作者當作第二人稱，也即《春秋》的修作者；我們在二傳中，

看不到「君子」被當作第三人稱的用法。

　　基於二傳這樣的習慣用法，筆者認為，《左傳》此條的「君子」也應當如此，是《左傳》的編寫者引述史評人的言論，而不是孔子引另外一人的意見。這個說法如果成立的話，那麼，《左傳》此文的君子恐怕就和孔子沒有甚麼關係了。

　　《左傳》講評人君子雖然不完全是孔子本人，但是，根據前文的論述，他發言的重點完全符合儒家的思想，對「禮」尤其特別重視，對孟子提倡的「義」也談得不少，那麼，這位君子想來也該是儒家的重要人物了。

四 《左傳》「君子」的人數及引錄次數

　　根據筆者個人的淺見，《左傳》講評人君子恐怕不止一個人；換句話說，《左傳》諸多君子的講評文字，恐怕是多位講評人積累而成，異時異人的發言。試讀下列的討論：

　　⒀文六年《左傳》曰：秦伯任好卒……君子曰：「秦穆之不
　　　　為盟主也，宜哉！死而棄民；先王違世，猶詒之法，而況
　　　　奪之善人乎？……」君子是以知秦之不復東征也。

講評人君子出現兩次，所評者皆秦穆公一人。前則指秦穆公棄民，未能詒法後世，所以無法再擔任盟主的職守，所論非常詳細；後則只籠統地說他無能力再東征了。「不為盟主」與「不復東征」應該是有分別；盟主是存亡繼絕，扶周攘夷；東征是侵小吞弱，稱霸諸侯；所以，「盟主」與「東征」含義彼此不同。由於含義彼此不同，所以，才有需要並為引入，以保存兩個不同的批評。兩段「君

子曰」都在講評秦穆公，觀點及詳略都有差異，可見他們應該是不同的兩個講評人了。楊伯峻說：「此文上有『君子曰』，末又有『君子是以知秦之不復東征也』語，似兩『君子』為不同之人。」❽懷疑得很有道理。《史記》〈秦本紀〉記此事之後，引「君子」語曰：

> 秦穆公廣地益國，東服強晉，西霸戎夷，然不為諸侯盟主，亦宜哉！……是以知秦不能復東征也。

將兩則講評合在一起，當作一人之言，蓋便於行文，並非說他們就是同一個人。

　　講評人既然是多數人，那麼，他們是同時期人呢？還是不同時期？如果不是同時期人，那麼，他們出現在《左傳》內，應該是《左傳》編寫者多次引錄所造成的結果了。試讀下列幾條討論：

　　　㊺見上文第 47 條。

正如前文所論的，孔子這裡並非專評「逆祀」，而是對臧文仲的一個總評，所以，時間上應該在文公二年「逆祀」事件之後。換句話說，孔子這番議論應該是《左傳》的編寫者，或者是後人，所補寫進去的。至於孔子之前的「君子曰」，顯然的，其引入時代應該在孔子評論入錄之前；也就是說，這名講評人的講評時代在孔子講評

❽　同上，頁 549。

之前了。

　　我們再讀下列的材料：

　　　(50)襄三十年《左傳》曰：為宋災故，諸侯之大夫會以謀歸宋
　　　　財……會於澶淵。既而無歸於宋，故不書其人。君子曰：
　　　　「信其不可不慎乎？澶淵之會，卿不書，不信也。夫諸侯
　　　　之上卿，會而不信，寵名皆棄，不信之不可也如是。
　　　　《詩》曰：『文王陟降，在帝左右。』信之謂也。又曰：
　　　　『淑慎爾止，無載爾偽。』不信之謂也。」書曰：『某人
　　　　某人會於澶淵。宋災故。』尤之也。不書魯大夫，諱之
　　　　也。

　　這些材料，應當分成兩部分，前面大部分為君子的講評，後面「書
曰」以下一小段為解經文字。《左傳》講評人君子從來不解經，君
子講評中不會有解經文字的出現；所以，這段材料為兩個人的意
見，當無可疑。此外，君子議論重點在一個「信」字，批評澶淵
「會而不信」，所以經文才不書眾與會者姓名；「書曰」以下，只
籠統地說「尤之也」，到底「尤」甚麼，並未明說，而且還解釋經
文不書魯大夫與會的原因；顯然的，前後兩部分重點不同。據此兩
端以覘之，其為二人意見，蓋可以定矣。

　　既然是兩個人的意見，「君子曰」排在前面，那麼，很明顯
的，這位講評人的引錄時間應該比較早，在《左傳》「書曰」解經
之前，應該是可以肯定的。

　　我們再讀下列一則材料：

(51)宣四年《左傳》曰：「楚人獻黿於鄭靈公，公子宋與子家
　　將見……子公與子家謀先……子家懼而從之。夏，弒靈
　　公。書曰：『鄭公子歸生弒其君夷。』權不足也。」君子
　　曰：「仁而不武，無能達也。」凡弒君稱君，君無道也；
　　稱臣，臣之罪也。

這條材料除史事之外，還附有三小節文字：「書曰」至「權不足
也」為一小節，「君子曰」兩句一小節，「凡弒君」以下一小節。
第一節是解經文字，第三節是凡例；值得注意的是，「君子曰」在
「書曰」之後，在「凡弒君」之前。這種現象正說明，「君子曰」
在解經文字「書曰」經已附入《左傳》之後，才被引錄進去，也許
就在凡例附入之前。這個說法如果成立的話，講評人君子的言論的
入錄時代應該在解經「書曰」之後了。

　　將上述三條材料合起來考察的話，我們就可以看到，《左傳》
講評人君子應該不止一個人；有的君子發言得早，入錄時代早，所
以，其言論被引入《左傳》在孔子及解經之前；有的發言比較遲，
所以，其講評入錄在孔子及解經之後。換句話說，《左傳》講評人
君子的人數是複數，而且是經過多次的引錄，才造成《左傳》今天
這個樣子。

(五)《左傳》「君子」的時代

　　君子的言論既然出現在孔子之前，時代應該相當早。實際上，
君子的講評有些可能是一種「即時的發言」，和時人的講評沒有分
別。試讀下列的材料：

⑸桓十八年《左傳》曰：初，鄭伯將高渠彌為卿，昭公惡
　　之……。昭公立……弒昭公……。君子謂「昭公知所惡
　　矣」。公子達曰：「高伯其為戮乎！復惡已甚矣。」

鄭昭公被弒之後，有兩個人發表評論，一個是君子，一個是公子
達。關於公子達，杜預以為是魯大夫；《韓非子》〈難四〉有此
事，作「公子圉」，當是同一人。《左傳》「公子達」只一見，楊
伯峻對杜預的說法表示懷疑，「不知杜何據」❾然而，此人時代應
該相當早，極可能就是當時人，杜說當有所依據。君子的言論既在
時代之前，可見這位講評人也極可能是當時人了。

　　我們再看另一條材料：

⑸成十四年《左傳》載僑如以夫人婦姜氏至自齊，其下引君
　　子之辭說：《春秋》之稱，微而顯，志而晦，婉而成章，
　　盡而不汙，懲惡而勸善，非聖人，誰能修之。

這段話應該不是就「僑如以夫人婦至自齊」的事件作出議論，而是
對《春秋》書法的一種揭示及讚揚，譽其作者為「聖人」；然而，
在昭公三十一年「邾黑肱以濫來奔」之後，《左傳》又引君子一番
議論：

　　名之不可不慎也如是：夫有所有名而不如其已。……是以

---

❾　同上，頁 150。

《春秋》書齊豹曰「盜」，三叛人名，以懲不義，數惡無禮，其善志也。故曰：《春秋》之稱微而顯，婉而辨，上之人能使昭明，善人勸焉，淫人懼焉，是以君子貴之。

這段文字原本甚長，今略引如上。這個講評人在文末有兩段文字讚揚《春秋》；第二段顯然的和成公十四年那一段有關，「《春秋》之稱微而顯」全同，「婉而辨」來自「婉而成章」，「善人勸」與「勸善」有關，「淫人懼」也與「懲惡」有些關係。我們推測，這第二段的文字應該是成公十四年那一段的徵引及改寫，並附入小部分其他的意見；而這「是以君子貴之」的「君子」，很明顯的，應該指前一段的「君子」，而不會是其他人了。這個說法如果成立的話，那麼，我們就可以知道，有的「君子」時代是相當遲，在《左傳》前一次附入「君子」之後才出現。

根據本節所論，可知講評人君子的時代相當寬鬆，最早可以是史事發生的即時人物，最遲可以在《左傳》附入一批「君子曰」之後，前後跨越一個頗長的時間。

講評人君子既非一人，時代既有前後，時間也頗為漫長，那麼，第一個出現的現象將是：同一件史事會出現不同的議論重點。比如：

(54)宣二年《左傳》曰：二月壬子，戰於大棘，宋師敗績……狂狡輅鄭人，鄭人入於井，倒戟而出之，獲狂狡。君子曰：「失禮違命，宜其為禽也……。」將戰，華元殺羊食士，其御羊斟不與。……與入鄭師，故敗。君子謂羊斟

「非人也……」。

這裡的兩位君子可能是一個人，也可以是兩個人；如果是後者的話，那麼，就出現一件異評的現象了。狂狡被俘及羊斟入鄭師都是宋師敗績的一部分，前一位君子評論的是狂狡被俘，後一位羊斟入鄭師，不同講評人議論的重點就不同了。

第二個現象是：講評的思想標準必定多元化及複雜化。我們在第一節已論證出君子講評的標準除大部分屬於儒家的之外，偶而也涉及其他思想的準則；如今，我們知道君子是多人，時代有先後，時間也頗長，那麼，部分講評標準的多元化及複雜化就很自然的了。

討論到這裡，我們就該把孔穎達的說法提出來。《左傳》桓公二年《正義》說：

> 諸《傳》言君子者，或當時賢者，或指斥仲尼，或語出丘明之意而托諸賢者，期於明理而已，不復曲為義理。唯河陽之狩、趙盾之弑、洩冶之罪，危疑之理，須取聖證，故特取仲尼以明之；其餘皆托諸君子。君子者，言其可以居上位，子下民，有德之美稱也。

根據《正義》的說法，君子可以有三種情形：當時賢者，或孔子，或左丘明所托賢者。孔穎達似乎認為三者都「一次過」地入錄《左傳》中，只因不同情況，有的地方錄了孔子的評論，其他地方就全錄君子語。根據本文的討論，可知君子為孔子的說法不對的成份比

較大，至少大部分並非如此；至於左丘明，我們沒明確的證據，所以不敢論斷；可能性最大的是時賢，即當時講評史事的賢者，人數多，有先後，跨越時間長。

實際上，當時史事講評人物相當多，有記名，有半記名，有不記名；君子不過是不記名的一種人物而已。他們人數多，所以不免混雜在一起；後人不明其情形，竟全部當一人來看待，並且以為都是「一次過」入錄《左傳》，因而衍生許多誤會及不合理的說法。

乙、孔子

孔子也是一位重要的史事講評人，《論語》保存孔子評論春秋人物及史跡的記載，為數不少，不但顯示孔子在這方面的高度興趣，也顯現他批評的深度為時人所難以企及，所以，他是當時史評的另一位重要人物。就三傳而言，孔子的講評可分為四大類：

㈠解經

除鼓勵學生熟讀《詩》、《書》之外，孔子也把《春秋》當作傳習的教科書。因此，講評《春秋》是孔子的常事，而解釋《春秋》的書法及字裡含義，更是講評中要項之一；三傳中就保存了一些這方面的材料：

⒄桓二年《經》：「夏，四月，取郜大鼎於宋。」《穀梁》
曰：「桓內弒其君，外成人之亂……曰宋，取之宋也，以
是為討之鼎也。孔子曰：名從主人，物從中國；故曰『郜
大鼎』也。」案：《穀梁》引孔子語，如果只是「名從主
人，物從中國」二句，「故曰郜大鼎也」則成為《穀梁》

作者語，那麼，孔子語有可能不完全是本年的講經文字。但是，《公羊》本年說：「其謂之『郜鼎』，何？器從名，地從主人……故謂之『郜鼎』……。」顯然的，《穀梁》「名從主人，物從中國，故曰郜大鼎也」是來自《公羊》，三句不應分開來看；那麼，首二句既屬孔子語，末一句自亦不例外。此說若成立的話，則此條乃孔子講經文字，解釋《春秋》用「郜」字的緣由。

(56)僖十六年《經》：「戊申，朔，隕石於宋，五。是月，六鶂退飛，過宋都。」《穀梁》曰：「先隕而後石，何也？……子曰：『石，無知之物，鶂，微有知之物。石無知，故曰之鶂；鶂、微有知之物，故月之。』君子之於物，無所苟而已，石、鶂，且猶盡其辭，而況於人乎！故『五石』、『六鶂』之辭不設，則王道不亢矣……。」

案：這是孔子講經之文字，解釋《春秋》「隕石書日」及「六鶂書月」的原因；蓋前者「無知」，所以僅書日；後者「微有知」，故書月。《公羊》亦載此事，曰：「……是月者何？僅逮是月也。何以不日？晦日也。晦則何以不言晦，《春秋》不書晦也。」《公羊》認為鶂書月，那是因為恰好在這個月內出現；而鶂書月、不書日，因為那天恰好是晦日，所以，《春秋》就不再仿照「石書日」一樣，也寫上日期；顯然的，《公羊》解經的內容和孔子語完全不同。因此，《穀梁》此處記孔子解經，當是另有所據，非來自《公羊》。

(57)僖二十八年《經》：「天王狩於河陽。」《左傳》曰：

「是會也。晉侯召王，以諸侯見。且使王狩。仲尼曰：以臣召君，不可以訓，故書曰『天王狩於河陽』，言非其地也，且明德也。」案：這條材料「仲尼曰」以下，有三種不同的斷句法：

一、竹添光鴻說：「『言非其地也』二語，乃左氏所以寫仲尼之意。」竹添光鴻斷孔子語止於「狩於河陽」❿。

二、楊伯峻將「以臣召君」至「且明德也」，都當作孔子語⓫。

三、張以仁認為孔子語只有「以臣召君，不可以訓」兩句。⓬

筆者以為，此當以「狩於河陽」為句；換句話說，孔子一共說了三句話，包括「狩於河陽」。「以臣召君，不可以訓」，顯然是針對「天王狩於河陽」來說的；如果沒此句，單是「以臣召君，不可以訓」二句，語氣似乎未完。然而，無論那一種斷句法，決定孔子與《春秋》的關係，卻在文中一個「書」字；這個「書」，到底是誰在書？是魯史？還是孔子？張以仁認為這裏並非指魯舊史，而是指經過孔子這位「聖人修作過」的《春秋》；楊伯峻認為這位書者是魯史，孔子此處在解說魯史書法的原因。

---

❿　見竹添光鴻著《左傳會箋》卷七，頁 36。

⓫　見楊著《春秋左傳注》，頁 473。

⓬　見張著〈孔子與春秋的關係〉，在《春秋史論集》內，聯經出版事業公司，1990。

杜預《春秋經轉集解》〈後序〉引《竹書紀年》說：「周
襄王會諸侯於河陽。」這是晉史的寫法，不提周襄王是被
召而來，應該是一種客觀的記錄；《左傳》本年說：「是
會也，晉侯召王，以諸侯見，且使王狩。」應該是一種事
實的敘述。那麼，此處作「天王狩於河陽」，顯然是一種
曲筆；魯史向來就有曲筆的作風，前文就是孔子解釋此中
曲筆的兩個例子。考慮這些因素後，筆者認為這裏的
「書」者，應該是指魯史；換句話說，無論孔子的話止於
何處，這個「書」者應當作魯史解，然則孔子不過在解釋
魯史書法的原因而已。

上述三條，都是孔子解經的例子；一條在《左傳》，兩條見於《穀
梁》。從此三例來考察，孔子講《春秋》時，對書內用字措辭的確
曾作一番解釋，以便顯現其書法及含義；孟子謂孔子自言於《春
秋》，「其義則丘竊取之矣」（〈離婁〉下），所謂「竊取之」雖為
自謙之辭（朱熹語），卻也可以看出此「義」是孔子個人「一家之
言」，是自己賦予的主觀看法。以孔子的個性及文化使命感，講經
而有此作風固然是受傳統的影響，卻也是個人的必然態度了。

㈡隨經講評

孔子對歷史有極大的興趣，對過去及當代人物、事件，不但極
度關懷，而且時有評論。《春秋》雖然是部標題式的薄書，行文簡
要，字數很少，然而，孔子卻深知標題後的故事，所以，他才能隨
經講評，發表他一家之言。試讀下列各例：

⑸宣二年《經》：「晉趙盾弒其君夷皋。」《左傳》曰：「大史書曰：『趙盾弒其君。』以示於朝。宣子曰；『不然。』對曰：『子為正卿，亡不越境，反不討賊，非子而誰？』宣子曰：『烏呼！我之懷矣，自詒伊戚；其我之謂矣！』孔子曰：『董狐，古之良史也，書法不隱；趙宣子，古之良大夫也，為法受惡。惜也，越境乃免。』」案：《魯春秋》的寫法與《晉春秋》合，可見魯國史官接收晉國的「春秋筆法」了。孔子在展讀這條經文時，對背後的故事已甚瞭解，所以，才提出一個折衷的辦法，並且對董狐及趙盾加以評論。

⑸成二年《經》：「衛孫良夫帥師及齊師戰於新築，衛師敗績。」《左傳》曰：「衛侯使孫良夫、石稷、寧相、向禽將侵齊……桓子是以免。既，衛人賞之以邑，辭。請曲縣繁纓以朝，許之。仲尼聞之曰：『惜也，不如多與之邑。唯器與名，不可以假人，君之所司也。名以出信，信以守器，器以藏禮，禮以行義，義以生利，利以平民，政之大節也。若以假人，與人政也。政亡則國家從之，弗可止也。』」案：孔子這段講評，又見於《新書》〈審微〉，曰：「孔子聞之曰：惜乎，不如多於之邑。夫樂者所以載國，國者所以載君，彼樂亡而禮從之，禮亡而政從之，政亡而國從之，國亡則君從之；惜乎，不如多於之邑。」詳略有異，而主調則一，可見孔子當時確曾就經文此事發表評論。

⑹成五年《經》：「梁山崩。」《穀梁》曰：「不日；何

也？高者有崩道也。……晉君召伯尊而問焉……。孔子聞
之曰：『伯尊其無續乎？攘善也。』」案：此事又見於
《韓詩外傳》八，其末作「孔子聞之曰：伯宗其無後，攘
人之善」，可知當時孔子曾就經文此事發表意見。《公
羊》及《左傳》亦有梁山崩之記載，文末無孔子之評論。
傅隸樸以為《穀梁》下述伯尊之事，全用《左傳》文字，
而結尾伯尊攘善之譏，「不過掩飾其抄襲之跡罷了」❸，
不相信孔子有此評論。

(61) 成十七年《經》：「齊高無咎出奔莒。」《左傳》曰：
「齊慶克通於聲孟子，與婦人蒙衣乘輦而入於閎。……故
齊人取以為鮑氏後。仲尼曰：『鮑莊子之知不如葵，葵猶
能衛其足。』」案：此條備錄孔子對經文內鮑莊子故事的
批評，《孔子家語》九〈正論〉亦載其事，並引孔子語
曰：「古之士者，國有道則盡忠以輔之，無道則退身以避
之。今鮑莊子食於淫亂之朝，不量主之明暗以受大刑，是
智之不如葵，葵猶能衛其足。」極可能是增飾傳文。

(62) 昭五年《經》：「捨中軍。」《左傳》曰：「捨中軍，卑
公室也。……昭子即位，朝其家眾……豎牛懼，奔齊。
孟、仲之子殺諸塞關之外，投其首於寧風之棘上。仲尼
曰：『叔孫昭子之不勞，不可能也。周任有言曰：……詩
云……。』」案：據此條，知道叔孫昭子不以私人恩怨而
廢公家利益，孔子引周任語及古詩論讚他。此事經文非常

---

❸　見傅隸樸著《春秋三傳比義》，北京友誼出版公司，1984，頁283。

簡單，孔子卻能就其史事加以議論，可知他對經文的「內在故事」非常清楚。《公》、《穀》不載此事。

(63)昭二十五年《經》：「齊侯唁公於野井。」《公羊》曰「唁公者何？昭公將弒季氏……以遇禮相見。孔子曰：『其禮，與其辭，足觀矣。』」案：此條蓋孔子據經文讚賞齊侯，傅隸樸說：「至下引孔子曰……，藉以明經義在褒此唁之有禮，與左氏之意略同。」⓮其說蓋是。《穀梁》載此事極略，亦不引孔子語。

上述六個例子，《春秋》的經文都非常簡要，只是事件的「標題」而已。我們可以肯定地說，孔子對「標題」後面的故事，一定知道得很詳細和完整，才有辦法作出這些評論。《左傳》的作者聽過這些史事及評論，乃引錄書中，保存下來。

(三)隨史講評

孔子在講解《春秋》的時候，除了解釋經文及隨經講史評史之外，我們還看到另一種情形，即隨史講評。所謂隨史講評，即講評的內容及主題完全溢出《春秋》，是經文找不到的。像這樣的資料，為數也不少：

(64)襄二十三年《左傳》曰：「齊侯將為臧紀田，臧孫聞之，見齊侯……乃弗與田。仲尼曰：『知之難也。有臧武仲之知而不容於魯國，抑有由也，作不順而施不恕也。《夏

⓮ 同上，頁382。

書》曰：『念茲在茲。』順事恕施也。」案：此事經不載，然而，孔子卻有所議論，並且引《夏書》為說。《論語》〈憲問〉記孔子評臧武仲「知」，與公綽之「不欲」、卞莊子之「勇」及冉求之「藝」並舉，可知臧武仲以「知」聞名；此文稱臧武仲「知」，與《論語》所說的符合。

(65) 襄二十五年《左傳》曰：「鄭子產獻捷於晉，戎服將事⋯⋯陳及鄭平，仲尼曰：『志有之：「言以足志，文以足信。」不言，誰知其志？言之無文，行而不遠。晉為伯，鄭入陳，非文辭不為功；慎辭哉！』」案：此條言孔子因子產捷而申明文辭的必需和重要，可以說是孔子「借題發揮」。經無，《公》、《穀》亦不載此事。

(66) 襄三十一年《左傳》曰：「鄭人游於鄉校，以論執政⋯⋯仲尼聞是語也，曰：是以觀之，人謂子產不仁，吾不信也。」案：《論語》〈公冶長〉載孔子評子產曰：「有君子之道四焉：其行己也恭，其事上也敬，其養民也惠，其使民也義。」對子產多所讚許，與《左傳》此條許仁相似。襄公三十一年，孔子年十一❺；《左傳》此語，當是孔子日後聞之而發表的意見。經無此事。

(67) 昭七年《左傳》曰：「九月，公至自楚。孟僖子病，不能相禮，乃講學之，苟能禮者從之。及其將死也，召其大夫

---

❺ 楊伯峻《注》曰：「孔丘此時僅十一歲，當時以後聞而論此。」見楊著《春秋左傳注》，頁1192。

曰：……仲尼曰：『能補過者，君子也。《詩》曰：「君
子是則是效。」孟僖子可則、效已矣。』」案：經文有
「公至自楚」四字，為本條孟僖子學禮之起因，然《左
傳》下文載孟僖子諸事，溢出經文甚多，已為另一事故
矣。孔子此番評議，當在昭公二十四年孟僖子既卒之後，
距離本年已十七年，孔子不是隨經講評明矣。《論語》
〈為政〉載孟懿子問孝，孟懿子即孟僖子之子；孟僖子臨
終叮囑向孔子學禮，其子乃有此問耳。

⑹昭十三年《左傳》曰：「甲戌，同盟於平丘，齊服也……
及盟，子產爭承，曰……自日中以爭，至於昏，晉人許
之。……子產歸……仲尼謂子產於是行也，足以為國基
矣。《詩》曰：『樂只君子，邦家之基。』子產，君子之
求樂者也。且曰：『合諸侯，藝貢事，禮也。』」案：此
條載孔子讚譽子產能以禮行事，可為國基。經有「公至自
會」，但是，《左傳》溢出經文甚多，已為另一事故；孔
子的議論，顯然不是根據經文了。

⑹昭十四年《左傳》曰：「晉邢侯與雍子爭鄐田，久而無
成。……宣子問其罪於叔向……乃施邢侯而屍雍子與叔魚
於市。仲尼曰：『叔向，古之遺直也。治國制刑，不隱於
親……猶義也夫！』」案：此條經無，當是日後孔子對叔
向的贊詞。

⑺昭二十年《左傳》曰：「齊侯田於沛，招虞人以弓，不
進，辭曰：『昔我先君之田也……故不敢進。』乃捨之。
仲尼曰；『守道不如守官。』」案：此時孔子三十一歲，

當是日後講史時的評論。《孟子》〈滕文公〉載孟子曰：
「昔齊景公田，招虞人以旌，不至，將殺之。……孔子奚
取焉？取非其招不往也。」孟子蓋見此材料，亦知孔子有
評論。

上舉數條，其事都不見於《春秋》，而是《春秋》以外的歷史事
件。《春秋》是孔子的教科書，孔子在講解《春秋》時，隨經議論
講評，是件很自然的事，也符合人之常情，前文已舉例說明；然
而，根據此節諸例，可以證明孔子講解《春秋》，實際上遠遠溢出
經文，所講的許多事件是經文所不載的。孔子隨講隨評，而時人及
學生就記下這些評論；最後，《左傳》的編寫者就將它們轉錄進
來。昭公十三年《左傳》既引「仲尼謂子產」，又錄「且曰」（第
68 條）；同時兩次徵引孔子語，極可能是轉錄自孔子兩次不同的講
評；可見孔子隨講隨評，而記錄者先後都有所摘錄。

實際上，孔子隨史講評的材料不只見於三傳，在許多早期的古
籍中，這種材料幾乎到處可見。比如，《韓非子》〈外儲說〉左上
載晉文公攻原事，曰：

晉文公攻原，裹十日糧，遂與大夫期十日。至原十日，而原
不下，擊金而退，罷兵而去。士有從原中出者，曰：「原三
日即下矣。」群臣左右諫曰：「夫原之食竭力盡矣，君姑待
之。」公曰：「吾與士期十日，不去，是亡吾信也；得原失
信，吾不為也。」遂罷兵而去。原人聞曰：「有君如彼其信
也，可無歸乎！」乃降公。衛人聞曰：「有君如彼其信也，

可無從乎！」乃降公。孔子聞而記之曰：「攻原得衛者，信也。」

晉攻原在僖公二十五年，《左傳》載此事甚詳❶，曰：

> 冬，晉侯圍原，命三日之糧。原不降，命去之。諜出，曰：
> 「原將降矣。」軍吏曰：「請待之。」公曰：「信，國之寶
> 也，民之所庇也。得原失信，何以庇之？所亡滋多。」退一
> 舍而原降。

除「十日糧」作「三日之糧」外，其他大致上都相同，連晉文公強調「信」字也相合；然而，《左傳》不錄孔子的評論。像這樣的例子，為數尚多；可見《左傳》所錄，不過孔子部分史事講評而已。

四 隨事講評

　　除了歷史事件之外，孔子對時事也經常「即時」發表評論，甚至於參與其事後抒發自己的意見。這些言論，都被他的學生及時人記錄下來，並且部分入錄《左傳》，成為歷史的一部分。它們雖然不屬於解經及講史的材料，不過，如果我們將時事當作當代史來看待的話，它們也應該屬於史評的一部分了。

　　(71)昭二十年《左傳》曰：「琴張聞宗魯死，將往弔之。仲尼
　　　　曰：『齊豹之盜而孟縶之賊，女何弔焉？君子不食奸，不

---

❶　《國語》〈晉語〉四亦載此事。

受亂，不為利疚於回，不以回待人，不蓋不義，不犯非
禮。』」案：此年孔子三十一歲。孔子大概聽說琴張將往
弔宗魯，於是大張撻伐地批評了宗魯，並且勸止琴張。從
「女何弔焉」一句，可知孔子極可能是當面對琴張發言
的。

(72)昭二十七年《左傳》曰：「鄭子產有疾，謂子大叔曰……
仲尼曰：『善哉！政寬則民慢……和之至也，』及子產
卒，仲尼聞之，出涕曰：『古之遺愛也。』」案：孔子對
子產此年有兩個講評；從「子產卒，仲尼聞之」二句的語
氣來體會，「古之遺愛」可能是即時的講評。

(73)昭二十八年《左傳》曰：「仲尼聞魏子之舉也，以為義，
曰：『近不失親，遠不失舉，可謂義矣。』又聞其命賈
辛，以為忠。《詩》曰：『永言配命，自求多福。』忠
也。魏子之舉也義，其命也忠，其長有後於晉國乎！」
案：此條兩出「聞」字，極可能是孔子先後兩次聽說其事
後所作的評論，《左傳》的編寫者合為一處。

(74)昭二十九年《左傳》曰：「冬，晉趙鞅、荀寅帥師城汝
濱，遂賦晉國一鼓鐵，以鑄刑鼎……仲尼曰：『晉其亡
乎？失其度矣。……且夫宣子之刑，夷之蒐也，晉國之亂
制也，若之何以為法？』」案：此年孔子已四十歲，當是
孔子即時的批評。

(75)定九年《左傳》曰：「六月，伐陽關。陽虎使焚萊門……
又以蔥靈逃，奔晉，適趙氏。仲尼曰：『趙氏其世有亂
乎？』」案：此亦當為即時評論。《孔子家語》〈辨物〉

亦載此事，以孔子此番評論乃答子路問，其下並有「夫陽
虎親富而不親仁，有寵於季孫，又將殺之，不克而奔，求
容於齊……非一世可知也」，所論較多。

⒂定十五年《經》：「壬申，公薨於高寢。」《左傳》曰：
「夏，五月，壬申，公薨。仲尼曰：『賜不幸言而中，是
使賜多言者也。』」案：本年春，子貢觀定公見邾子，回
來後對孔子說：「以禮觀之，二君者皆有死亡焉……君為
主，其先亡乎？」預言定公之薨，今「不幸言而中」，所
以，孔子才有此語，此雖非史事，卻與時事有關。

⒄哀六年《經》：「庚寅，楚子軫卒。」《左傳》曰：
「秋，七月，楚子在城父，將救陳，卜戰，不吉；卜退，
不吉。王曰：『然則死也……』遂弗祭。孔子曰：『楚昭
王知大道矣。其不失國也宜哉！《夏書》曰：……又
曰……由己率常，可矣。』」案：《史記》〈楚世家〉謂
孔子在陳國有這番議論，《左傳》載孔子在陳為魯哀公三
年，與此時相距甚近；可知孔子對楚昭王確有講評。這是
孔子對時事的評論了。

⒅哀十一年《經》：「齊國書帥師伐我。」《左傳》曰：
「齊為鄎政，國書高無平帥師伐我……公為與其嬖僮汪錡
乘，皆死，皆殯。孔子曰：『能執干戈以衛社稷，可無殤
乎？』冉有用矛於齊師，故能入其軍，孔子曰：『義
也。』」案：此時孔子六十九歲。《禮記》〈檀弓〉下載
此事，曰：「魯人乃欲殤汪錡，問於仲尼。仲尼曰：『能
執干戈以衛社稷，雖欲勿殤也，不亦可乎？』」據此，可知

此乃時人咨詢孔子，而孔子確曾就此事發表意見。至於冉
有用矛，孔子許以「義」，也當是時事的評論。

(79)哀十二年《經》：「冬，十有二月，螽。」《左傳》曰：
「冬，十二月，螽。季孫問諸仲尼，仲尼曰：『丘聞之，
火伏而後蟄者畢。今火猶西流，司曆過也。』」案：據傳
文，此乃孔子答季孫之問，是時事的一種表態。《公羊》
亦載其事，惟不錄孔子語。

(80)哀十三年《經》：「公會晉侯及吳子於黃池。」《穀梁》
曰：「黃池之會……吳王夫差曰：『好冠來。』孔子曰：
『大矣哉夫差！未能言冠而欲冠也。』」案：《左傳》及
《公羊》皆載黃池之會，皆無好冠及孔子語。《左傳》尤
省。這是孔子對夫差的評論，當時應有此事。

上述十事，都是孔子講評當代事件的例子，有的是自己親身參與，
有的是答時人及學生問，有的是自己有感而發。這些評論由學生及
時人記錄下來，後來就被編入三傳中，與講經及評史滲合在一起。

作為一位史事講評的重要人物，從三傳所載者來觀察，無疑
的，其講評內容及方式是相當豐富的；有解釋經文的，有根據經文
加以評論的，或借經發揮史事而加以講評的，或據時事發表評論
的，可謂多姿多采了。就本節所列舉的二十六條資料來看，其講評
方式的特徵頗值得注意：

	隱	桓	莊	閔	僖	文	宣	成	襄
左					A		B	B.B	C.C.C
公									
穀		A			A		B		

	昭	定	哀
左	B.C.C.C. D.D.D.D.	D.D	D.D.D
公			
穀			D

A－解經　B－隨經講評　C－隨史講評　D－隨事講評

根據此表，我們可以發現：僖公以前，孔子做的比較偏向於解釋經文書法；宣公至昭公之間，他講解《春秋》時，對經文背後的故事講評得比較多，甚至於時常溢出經文，對經文以外的史事多所評議；昭公以後，孔子「身臨春秋當代歷史」，所以，評論得最多。

　　這種情形，正符合所傳聞、所聞及所見的不同時代的差別了。

丙、其他講評人物

　　除了君子及孔子保存相當多的講評文字之外，《公羊傳》還保存了一些其他講評人物的材料，很值得注意。這裡，逐一敘述之。

㈠公羊子

　　公羊子應該是公羊學派的一位先師，存姓而佚名；《公羊傳》為他保存了兩條材料：

(81)桓六年《經》：「九月，丁卯，子同生。」《公羊》曰：
「『子同生』者，孰謂？謂莊公也。何言乎『子同生』？
喜有正也。子公羊子曰：『其諸以病桓與？』」案：根據
《公羊》行文語氣來觀察，「子公羊子」應該是一位德高
望重的歷史講評人物；《公羊》的編寫者在解釋了《春
秋》這段經文後，才將他們的講評引入，作為說解經文的
補充。

(82)宣五年《經》：「冬，齊高固及子叔姬來。」《公羊》
曰：「何言乎高固之來？言叔姬之來而不言高固之來，則
不可。子公羊子曰：『其諸為其雙雙而俱至者與？』」
案：經文蓋記高固陪伴叔姬歸寧，書「齊高固及子叔姬
來」本是件很正常的寫法。《公羊》認為歸寧是叔姬，而
不是高固，經文為什麼將高固也寫入呢？原來《公羊》認
為，如果沒有「齊高固及」四字的話，讀者會以為叔姬是
被出而來歸的。然而，《公羊》的編寫者在文末又引了公
羊子的另一種說法，認為他們是「雙雙而俱至者」；甚麼
叫「雙雙而俱至者」？即像禽獸成雙成對而來❶。公羊子
這個說法顯然認為經文的寫法有譏貶之義，和《公羊》本
文內的說法有相當的差別。

---

❶ 《公羊傳》何休〈注〉曰：「言其雙行匹至，似於鳥獸。」徐彦〈疏〉曰：
「言其無別，如雄狐綏綏，故曰雙行遊匹而來；鵲不異，故言匹至似與鳥獸
矣。」

根據這兩條資料來觀察，這位公羊子不應該是《公羊傳》的編寫者，否則他的意見不應該和《公羊》不合，而且也不應該自稱「子公羊子」。如今，既被尊稱為「子公羊子」，其講評又與《公羊》本身不盡相同，可見他是《春秋》講評人物之一，和公羊學有密切的關係。

㈡沈子

沈子留下的講評有三條：

(83)隱十一年《經》：「冬，十有一月，壬辰，公薨。」《公羊》曰：「何以不書葬，隱之也。何隱爾？弒也。弒則何以不書葬？春秋，君弒賊不討，不書葬，以為無臣子也。子沈子曰：『君弒，臣不討賊，非臣也；不復讎，非子也。葬，生者之事也。春秋，君弒賊不討，不書葬，以為不繫乎臣子也』公薨，何以不地？不忍言也。隱何以無正月？隱將讓乎桓，故不有其正月也。」案：《公羊》講解時，以三個道理「不書葬」、「不地」及「不有正月」來解釋經文的書法；其中，在解說「不書葬」之後，即引沈子的言論來支持自己的說法。從沈子的言論來觀察，可知其意見和《公羊》編寫者完全一致，甚至很可能為公羊學派義例的初訂人之一。

(84)莊十一年《經》：「三月，宋人遷宿。」《公羊》曰：「遷之者何？不通也，以地還之也。子沈子曰：『不通者，蓋因而臣之也。』」案：《公羊》「遷之者何」，顯然的是在解經；而沈子的「不通者」，顯然的卻來自《公

羊》；據此，可知沈子這個人不但是公羊學人物，而且恐
怕也講評過《公羊》，看過《公羊》這段文字。

(85)定元年《經》：「戊辰，公即位。」《公羊》曰：「癸
亥，公之喪至自乾侯，則曷為以戊辰之日然後即位？正棺
於兩楹之間，然後即位。子沈子曰：『定君乎國，然後即
位。』即位不日，此何以日？錄乎內也。」案：《公羊》
針對經文，解釋定公於戊辰之日即位的原因；沈子雖然並
不明說即位的日子，不過，指出即位在「定君乎國」之
後，卻也是在解釋經文，而且意見和《公羊》一致。又
《穀梁》本年引《公羊》「正棺於兩楹之間，然後即位」
為沈子語，不稱《公羊》；可見沈子不但講評《春秋》，
也有自己的《春秋》傳本。

根據這三條資料來看，沈子也是《春秋》講評人之一，和公羊派關
係甚深，時代應在公羊派確立之後，所以，他看過《公羊》，講評
也和公羊學相一致；此外，他還擁有自己的《春秋》傳本。

(三)司馬子

司馬子也是當時講評人之一，不過，留下的資料實在太少，只
有一條：

(86)莊三十年《經》：「齊人伐山戎。」《公羊》曰：「此齊
侯也，其稱『人』，何？貶。曷為貶？子司馬子曰：『蓋
以操之為已蹙矣。』此蓋戰也，何以不言戰？春秋，敵者
言戰。桓公之與戎狄，驅之爾。」案：齊侯帶兵攻伐山

戎，而經卻稱「人」，不稱「侯」，《公羊》認為有貶義，並且引司馬子的講評來支持自己的說法。

㈣女子

女子也是一位講評人，材料存一條：

⑻閔元年《經》：「齊仲孫來。」《公羊》曰：「『齊仲孫』者，何？公子慶父也。公子慶父，則曷為謂之『齊仲孫』？繫之齊也。曷為繫之齊？外之也。曷為外之？《春秋》為尊者諱，為親者諱，為賢者諱。子女子曰：『以《春秋》為《春秋》；齊無仲孫，其諸吾仲孫與？』」案：《公羊》解釋《春秋》「齊仲孫」的書法及含義。子女子認為今本《春秋》乃據古本《春秋》而編寫；然而，齊國無仲孫，何以古本《春秋》有「齊仲孫」之記文呢？所以，他認為這條「齊仲孫」恐怕就是我們魯國的仲孫。女子顯然的是讀《春秋》後發表自己的意見，只因意見與史實相符，才被《公羊》引入。

㈤北宮子

北宮子也是一位講評人，資料存一條：

⑻哀四年《經》：「晉人執戎曼子赤歸於楚。」《公羊》曰：「『赤』者何？戎曼子之名也，其言『歸於楚』，何？子北宮子曰：『辟伯晉而京師楚也。』」案：《公

羊》解釋經文書戎曼子之名以及晉人執戎曼子「歸於楚」
的原因；在解釋書名的時候，引了北宮子的意見加強論
證。

㈥魯子

魯子也是位講評人，在半記名的講評人當中，他是保存最多資
料的一位了。

⒆莊三年《經》：「秋，紀季以酅入於齊。」《公羊》曰：
「『紀季』者何？紀侯之弟也。何以不名？賢也。何賢乎
紀季？服罪也。其服罪奈何？魯子曰：『請後五廟，以存
姑姐妹。』」案：《公羊》解釋經文「紀季」的身份以及
不書其名的原因，進而使讀者知道不書名原來和「以酅入
於齊」有密切的關係；最後，又引錄魯子的講評，說明紀
季之賢何在，何事而使《春秋》不書其名。根據此條資料
來考察，魯子是位講經人物，其思想與公羊派吻合，所以
獲得引用。

⒇莊二十三年《經》：「十有二月，甲寅，公會齊侯盟於
扈。」《公羊》曰：「桓之盟，不日；此何以日？危之
也。何危爾？我貳也。魯子曰：『我貳者，非彼然，我然
也。』」案：《公羊》以為齊桓公以大信昭示天下，會盟
不書日；此處經文卻出「甲寅」二字，當是另有深義了。
根據《公羊》的解釋，乃是因為「我貳」的關係；傳文又
引魯子的解說，說明這個「貳」不在「彼」，而是在

「我」，以堅定《公羊》解釋「我貳」的正確。

(91)僖五年《經》：「鄭伯逃歸，不盟。」《公羊》曰：「其言『逃歸，不盟』者，何？不可使盟也。不可使盟，則其言『逃歸』，何？魯子曰：『蓋不以寡犯眾也。』」案：根據《公羊》的說法，所謂「逃歸，不盟」，實際上是齊侯無法使鄭伯入盟，並非鄭伯私下逃歸；今經文書「逃歸」，違背當時史實，乃是為了顧全諸侯的面子，不便明言鄭伯抗拒全體諸侯，「以寡犯眾」。這裡可以看到，魯子的講評是公羊派說法的精神所在了。《穀梁》有此條，曰：「鄭伯逃歸，不盟；以其去諸侯，故逃之也。」認為鄭伯只是主動離開諸侯而歸，所以經文書「逃歸」，以示譏貶。兩傳相較，《公羊》多魯子之言，且為公羊精粹之處。

(92)僖二十年《經》：「五月，乙巳，西宮災。」《公羊》曰：「『西宮』者，何？小寢也。小寢，則曷為謂之『西宮』？有西宮則有東宮矣。魯子曰：『以有西宮，亦知諸侯之有三宮也。』……」案：《公羊》解釋經「西宮」，並推論諸侯有東、西二宮，又引魯子之言，而知古諸侯有東宮、西宮及中宮。魯子言「以有『西宮』」，「西宮」二字來自經文。

(93)僖二十四年《經》：「冬，天王出居於鄭。」《公羊》曰：「王者無外，此其言『出』，何？不能乎母也。魯子曰：「是王也，不能乎母者，其諸此之謂與？」案：《公羊》解釋經文書「出」的原因，因為周天子和他的繼母惠

后相處得不和睦，所以，才「出」而避「居」於鄭。魯子的說法和《公羊》相同，「是王也，不能乎母」。《穀梁》有此條，曰：「天子無出；出，失天下也；居者，居其所也。雖失天下，莫敢有也。」未及「不能乎母」，與《公羊》略異。

(94)僖二十八年《經》：「天王狩於河陽。」《公羊》曰：「狩不書，此何以書？不與再致天子也。魯子曰：『溫近而踐土遠也。』」案：踐土之盟，周天子被召；今會於河陽，又召天子；晉侯一再對周天子不敬，故《春秋》為周天子諱而書曰「狩」。《公羊》解釋經義，謂《春秋》不記狩；今書「狩」者，譏貶晉侯之不當，並引魯子講評支持自己的說法。《穀梁》載此事，字作「守」，曰：「全天王之行也；為若將守，而遇諸侯之朝也，為天王諱也。」所云與《公羊》不同。《左傳》明言其事，曰：「是會也，晉侯召王以諸侯，且使王狩。」又引仲尼語：「以臣召君，不可以訓，故書曰：天王狩於河陽。」觀孔子語，《春秋》此條當有深義，魯子的講評，恐怕深得公羊學的精神。

魯子所留下的講評共有六條；根據此六條來觀察，魯子應該是公羊派的重要先師，其講評不但深含公羊派的精神，而且從他經常解說《春秋》來推測，他恐怕還是公羊派的開創人之一。

(七)高子

作為講評人之一，高子保存下來的資料就只有一條，數量非常

少。

> ⑼文四年《經》：「夏，逆婦姜於齊。」《公羊》曰：「其
> 謂之『逆婦姜於齊』，何？略之也。高子曰：『娶乎大夫
> 者，略之也。』」案：《公羊》解釋經文書「逆婦姜於
> 齊」，乃由於簡略此次的婚娶；至於婚娶簡略的原因，
> 《公羊》引高子講評來解答。原來齊娶來的是大夫的女
> 兒，所以婚娶才簡略。

上舉七位講評人物，都應該是公羊學的先師，從他們講評的內容及
性質來觀察，他們和《公》、《穀》的「君子曰」極為相似，都完
全偏重於解經講經的。這些人物的講評，被《公羊》引入有的是為
了補充《公羊》的講法，如第 81 條及 92 條；有的是為了支持《公
羊》編寫者自己的說法，如第 83、86、90、93 及 94 條；有的立說
很早，被引入作為《公羊》說的一部分，成為公羊學發展的組成部
分，如第 87、88、91 及 95 條；有的立說較遲，被《公羊》的後人
補引進去，如第 84 及 85 條；有的甚至有自己的傳本，如第 85
條；這些不同的現象，都一再說明《公羊》講評人物的多元性和複
雜性。

　　正惟他們是多元性及複雜性，也正惟他們人數不少，我們不但
可以觀察出公羊學的建立及傳播是集體的工作，也可以窺探出當時
《春秋》的各種講授者都代有傳人，人有講評。《四庫全書提要》
說：「今觀《傳》中有子沈子曰、子司馬子曰、子女子曰、子北宮
子曰，又有高子曰、魯子曰，蓋皆傳授之經師，不盡出於公羊

子。」⓲這段話恐怕應該倒過來說——他們實際上都各有講評,有的還未必完全是公羊學(如第 82 條),公羊學吸納了他們的講評,匯入自己的傳本中。換句話說,從各家零散被引入,又從各家被當補充、支持己說及作重要部分的解說的引入,即可以看出整套公羊學是逐步發展,不斷吸納同派、支派的學說及講評,而後才慢慢形成現在這個樣子。

公羊學是如此,穀梁派又何嘗不是如此?其他二傳的講評人又會少嗎?《左傳》君子迭為出現,難道不是複數嗎?韓非在〈顯學〉裡說,孔子逝世後儒家分為八派⓳;果然如此的話,孔門講述《春秋》後來分裂為幾個派別,更是很自然的事了。

三、講評人與《春秋》

根據三傳的記載,先秦時代講評《春秋》可考者經已略論如前文。這些人物,有的時代比較早,極可能在孔子之前;有的時代相當晚,遲至戰國各學派尚在發展的時代。儘管時代有所不同,然而,他們都有一個共同點;根據傳統的及儒家的立場,講述《春秋》,並且評論時事及人物。

中國古代史官記事記史本來就有一種「書法」的慣例和傳統,三傳記錄這種傳統頗見其例。比如宣公二年趙穿攻殺靈公於桃園事

⓲　見《四庫全書總目提要》卷二十六《春秋公羊傳註疏》條。

⓳　《韓非子》〈顯學〉曰:「自孔子之死也,有子張之儒,有子思之儒,有顏氏之儒,有孟氏之儒,有漆雕氏之儒,有仲良氏之儒,有孫氏之儒,有樂正氏之儒……儒分為八……。」

件，《左傳》載大史董狐書「趙盾弒其君」（見第 58 條）就是最特
出的一個例子了。又比如襄公二十五年齊國崔杼攻殺齊莊公事件，
《左傳》說：

> 大史書曰：「崔杼弒其君。」崔子殺之。其弟嗣書而死者二
> 人。其弟又書，乃舍之。南史氏聞太史盡死，執簡以往，聞
> 既書矣，乃還。

說明這種「直書」的傳統為社會所認同及支持，甚至有人不惜慷慨
壯烈犧牲。因此，筆者相信，根據這些傳統來講述《春秋》及評論
史事，應該是這些講評人的習慣。

在這樣的情形之下，講評人根據傳統的價值觀，或者叫作「大
義」，在講評的時候可以有兩種做法。第一種是抒發自己「一家之
言」，發掘及發揮「大義」，前文經已討論過；一事多評以及一事
多種不同的評論意見時有出現，可見「一家之言」的空間是存在
的。第二種作法是對《春秋》作文字上的修作，使它寓托「大
義」。所謂修作，即修飾、更作、寫作文字。筆者認為，在傳統精
神及文化使命之下，這些講評者人手一冊《春秋》，在講評之餘，
對教科書的修作，應該是很自然及正常的事。底下，我們舉例來說
明：

(一)君子的修作

君子雖然是講評人，但是，從傳文的記載中，我們不難看出，
他們也修作了《春秋》。前文在論《公》、《穀》君子的性質時，

就已得出「《公》、《穀》君子完全被當作《春秋》修作人來看待」的結論。下來，我們再略舉數例補充這個問題：

(96)僖十九年《經》：「梁亡。」《穀梁》曰：「……梁亡，自亡也。如加力役焉，湎不足道也。『梁亡』、『鄭棄其師』，我無加損焉，正名而已矣。梁亡，出惡正也；鄭棄其師，惡其長也。」案：今本《春秋》本年出「梁亡」，閔二年出「鄭棄其師」，《穀梁》的編寫者說這兩條文字，「我無加損焉」，只是略作「正名而已」。何謂「加損」？鍾文烝《補注》曰：「加損者，猶《史記》云『筆削』也。」也就是本文所指「修作」的意思了。考《唐書》〈劉貺傳〉及劉知幾《史通》〈惑經〉引古本《紀年》獻公十七年下❷正有「鄭棄其師」四字，可知《魯春秋》「無加損」於《晉春秋》，確是事實；問題是，這個「無加損」的「我」是誰呢？《補注》曰：「此下皆夫子自述之言也；不言『子曰』者，《傳》省文。」認為「我」就是孔子的自稱，而贊成此說者亦頗有人在。無論這個「我」為誰，經文此二條修作者既然自言「無加損」，豈不表明《春秋》一些其他經文，「我」曾經「加損」過嗎？

(97)哀十四年《經》：「西狩獲麟。」《公羊》曰：「《春

---

❷　此據范祥雍編《古本竹書紀年輯校訂補》，上海新知識出版社，1956，頁39。

秋》何以始乎隱？祖之所逮聞也；所見異辭。所聞異辭，
所傳聞異辭。何以終乎哀十四年？曰：備矣。君子曷為為
《春秋》？撥亂世、反諸正莫近諸《春秋》。則未知其為
是與？其諸君子樂道堯舜之道與？未不亦樂乎堯舜之知君
子也。制《春秋》之義以俟後聖，以君子之為亦有樂乎此
也。」案：傳文之「君子」，頗值得商榷。莊公七年《公
羊》有「君子修之」，王充❷認為此「君子」就是孔子；
於是，有的學者以彼例此，也認為本年《公羊》中的「君
子」，就是孔子本人；《疏》亦同此說。事實上，孔子長
大後，連父親叔梁紇的墳墓葬於何處都不知道，不要說接
聞父教；更不要說接聞祖教及高、曾祖之教了❷！可見文
中「所聞」及「所傳聞」的「異辭」，如果對象是指孔子
的話，就和孔子的生平大相矛盾了。傅隸樸直斥《公羊》
此則之「無一是處」❷，不是沒有道理的。筆者認為此文
的「君子」，也應當是《春秋》的一名講評人，他是儒家
人物，一位「樂道堯舜之道」的傳統講評人；他在講評之
餘，也「為」《春秋》、「制」《春秋》；可以是單數的
一個人，也可以是複數的一個門派。

因此，筆者認為講評人君子在講評《春秋》之餘，對手中教科書

---

❷　《論衡》〈藝增〉及〈說日〉皆曰：「君子者，孔子。」
❷　此採傅隸樸之說法，見《春秋三傳比義》，頁 574-575。
❷　傅曾列舉四證，以證明《公羊》此則「全是胡說」、「無一是出」，同上，
　　頁 575-576。

「動手」有所修作，不但是很自然的事，而且是傳統史學精神必有的現象，尤其是對歷史抱積極的儒家學者，更是很可以理解的。

㈡孔子的修作

至於另外一位講評人孔子呢？他除講評，是否也修作他的教材《春秋》呢？試讀下列材料：

⑼昭十二年《經》：「齊高偃帥師納北燕伯於陽。」《公羊》曰：「『伯於陽』者，何？公子陽生也。子曰：『我乃知之矣。』在側者曰：『子苟知之，何以不革？』曰：『如爾所不知何！《春秋》之信史也。其序則齊桓、晉文，其會則主會者為之也，其辭則丘有罪焉爾。』」案：根據孔子的思想，《經》「伯於陽」三字當作「公子陽生」，經文有錯字及奪文，所以，何休認為《春秋》本當作「齊高偃帥師納北燕公子陽生於北燕」。孔子在這裡維持舊文不改，理由是：齊桓、晉文主會時尊卑有序，而其他人主會時即使失其序，與會者也無法更改，所以，此文有詭，也只好承認自己「有罪」，卻不願意更改。然而，值得注意的是，旁人向孔子建議「子苟知之，何以不革」；語氣中透露出孔子曾經「革」過《春秋》，所以，他才敢提出此建議❷。這個推測如果正確的話，那麼，孔子修作手中的教科書更是有證有據了。

---

❷　張以仁先生亦有類似說法，見《春秋史論集》，頁28-30。

孔子既是《春秋》的講評人，《論語》載他評論春秋時人的文字也不少；在教學《春秋》之餘，對教科書略作修作，以貫徹自己的主張和思想，應是很自然的事。

除了講評人對《春秋》修作之外，我們還看到其他人士的修作；試讀下列材料：

> (99)襄二十年《左傳》載衛甯惠子有疾，召悼子曰：「吾得罪於君，悔而無及也。名藏在諸侯之策，曰：『孫林父、甯殖出其君。』君入，則掩之。若能掩之，則吾子也；若不能；猶如鬼神，吾有餒而已，不來食矣。」悼子許諾，惠子遂卒。

惠子臨終這番叮嚀，有兩點值得注意：第一、惠子請求悼子為他「掩」「諸侯之策」，悼子若沒答應或做不到其請求，死後他也「不來食」；可見列國史策、列國《春秋》是可以私下修作的。第二、衛國史策舊文本作「衛孫林文、甯殖出其君」，其後悼子遵惠子之命修作為「衛侯出奔齊」，今本《春秋》從之（見襄公十四年），可知悼子確曾修作衛史舊文。

討論到這裡，我們就可以知道，完全切斷孔子和《春秋》的關係，不但不符合歷史事實，也不符合孔子古道熱腸的個性和文化使命感，更不符合中國歷史傳統的常情。

孟子有兩段話與此有關；第一段見與〈離婁〉下：

> ……王者之跡熄而《詩》亡，《詩》亡然後《春秋》作，晉

之《乘》、楚之《檮杌》、魯之《春秋》，一也。其事則齊
桓、晉文，其文則史。孔子曰：「其義則丘竊取之矣。」

筆者懷疑「其事」以下云云，也許和昭公十二年《公羊》載孔子自
云「其序則齊桓、晉文……其辭則丘有罪焉爾」（第 98 條）有關；
另一段見〈滕文公〉下：

世衰道微，邪說暴行有作。臣弒其君者有之，子弒其父者有
之。孔子懼，作《春秋》。《春秋》，天子之事也，是故孔
子曰：「知我者其惟《春秋》乎！罪我者其惟《春秋》
乎！」

這兩個「作」字，如果當「修作」來說，則完全符合事實；孔子自
謂修作之時，「其義則丘竊取之」；至於修詞作字是否恰當，則
「知我」、「罪我」，莫過於《春秋》了。其實，在古代史學傳統
的籠罩之下，修作史書是一件莊嚴神聖的使命，其他修作《春秋》
的君子們，包括太史董狐及南史等，他們又何嘗不是「其義則竊取
之」？又何嘗不是「知我，罪我，其惟《春秋》」？與孔子有同樣
的感喟？如果兩「作」字當「著作」來講，對曾經修作過的孔子來
說，也沒有太大的差錯，他的確修過及作過部分文字。不過，曾經
如此「作」過的還有君子等其他人，孟子沒將他們提出來罷了。

(三)《春秋》與孔門

《春秋》既為孔門的教科書，歷代講評者都以孔子及其傳人為

主流，在漫長歲月的流傳中，又迭次經過他們的修作，那麼，《春秋》和孔門的關係應該非常密切了。似此特殊關係，反映在《春秋》及三傳中，就出現下列兩種情形：

第一、記孔門內師生言行

(100)桓三年《經》：「夫人姜氏至自齊。」《穀梁》曰「其不言翬之以來，何也？公親受之於齊侯也。子貢曰：『冕而親迎，不已重乎？』孔子曰：『合二姓之好，以繼萬世之後，何謂已重乎？』」案：《穀梁》「公親受之於齊侯」一句解釋經義，底下錄孔子與子貢問答，乃孔子門內事，與經無關。傅隸樸曰：「後半子貢與夫子之言，乃是對親迎之禮的討論，與經毫無不相關，」㉕所言極是。《公羊》本年曰：「翬何以不致？得見乎公矣。」釋經義而不錄孔門內事。

(101)宣元年《經》：「晉放其大夫胥甲父於衛。」《公羊》曰：「放之者何？猶曰無去是云爾。然則何言爾？……臣行之，禮也。閔子要絰而服事，既而曰：『若此乎，古之道，不即人心。』退而致仕。孔子蓋善之也。」案：此文分兩節，自「放之」至「禮也」為一節，「閔子」底下另一節。首節除解經外，亦論祭禮時臣子之服；第二節則敘閔子騫要絰服事，且退而致仕，又錄孔子的態度。筆者淺見以為閔子事件非發生於本年，孔子「善之」也只是後來

㉕　《春秋三傳比義》，頁122。

的附言；它們都和經無關，乃孔門內的「私家事件」。

上述材料都是孔門內的言行，它們是歷史，也可以說是孔門內的「私生活」；它們被編入，也許與經傳和孔門關係密切有關係。

第二、記孔子生平事跡

孔子為春秋時人，其生平事跡自亦為春秋史的一部分。由於經傳與孔門密切的關係，所以，孔子部分生平也列入經傳內；如：

> (102)襄二十一年《經》：「十有一月，庚子，孔子生。」案此不見《左傳》，《穀梁》無「十有一月」四字。
>
> (103)哀十一年《左傳》曰：「季孫欲以田賦，使冉有訪諸仲尼。仲尼曰：『丘不識也。』三發。卒曰：『子為國老，待子而行，若之何子不言也。』仲尼不對。而私於冉有曰：……弗聽。」案：此則無經，頗載孔子之言。
>
> (104)哀十二年《經》：「孟子卒。」《左傳》曰：「夏，五月，昭夫人孟子卒……。孔子與吊，適季氏。季氏不絻，放絰而拜。」案：《公》、《穀》無孔子往吊事，《左傳》載孔子之行。
>
> (105)哀十六年《經》：「夏，四月，己丑，孔丘卒。」案：《左傳》有此事，且錄哀公誄。

這些材料的入編，可能因為經傳和孔門關係非常密切；桓公二年《穀梁》記載孔子六世祖孔父被殺，可能也基於此而入編的。

不少學者懷疑，《春秋》若是孔子所編寫，為何會將自己的生

卒也寫進去呢？張以仁先生在反駁童書業時，曾說：「在我看來，
這種地方，反而都變成支持孔子曾修作《春秋》的證據。……如果
今傳《春秋》，只是魯國舊史，和孔子沒有特殊的關係，他的崇拜
者何以能將他的生卒事記載其上？……」❷這個說法應該是正確
的。正如本文所論的，《春秋》講評者人數甚多，跨越時代也頗
長，而且大部分為儒門人物，他們在講評的過程，將屬於這個時代
的重要人物，包括孔子，登錄進去，是一件很自然的事；而我們正
可以由此不經意的登錄，觀察出《春秋》經傳和孔子關係的密切
了。

（原刊於《書目季刊》第三十三卷第四期）

---

❷　同上，頁57。

論三《傳》以外的史評人物

一、前言

　　講評歷史，包括對當代人物及時事的講評，可以說是中國自古以來的傳統；周武王伐紂時，誓師詞說：「今商王受，弗敬上天，降災下民。沈湎冒色，敢行暴虐，罪人以族，官人以室，惟宮室、台榭、陂池、侈服，以殘害於爾萬姓，焚炙忠良，刳剔孕婦……。」❶對殷紂的種種行跡，一面講述一面抨擊，可以說是很早的一位歷史講評人物了。召公在洛邑觀見周公及周成王時，說：「我不可不監於有夏，亦不可不監於有殷。我不敢知曰：有夏服天命，惟有歷年；我不敢知曰：不其延；惟不敬厥德，乃早墜厥命。我不敢知曰：有殷受天命……惟不敬厥德，乃早墜厥命。」❷召公歷數夏朝及商朝的政事，並且總結他們的政績，得到的歷史教訓是「惟不敬厥德，乃早墜厥命」。召公重視歷史，並且善於總結及吸取歷史教訓；這樣做法，可說是歷史講評者的使命及「一貫作風」了。

---

❶　見《尚書》〈泰誓〉。
❷　見《尚書》〈召誥〉。

　　講評歷史的風氣到了西周時代就逐漸流行，而儒家學派更加以
發揚光大。三傳中幾位「君子」的許多發言，不但顯現當代及後來
的許多君子對歷史的講評極有興趣，而且從彼等發言中，也說明在
講評的過程中，他們還動手修作手中的材料。至於儒家的開山祖孔
子，更繼承君子這種傳統，在三傳中留下許多寶貴的講評，包括解
經、據經評論、借經講史及評議時事等等，內容豐富，體式多變。
顯然的，君子及孔子等等，可以說是當時重要的歷史講評人物。

　　七十年代長沙馬王堆出土帛書《春秋事語》一種，共十六章；
記述自魯隱公至智伯被滅間史事，頗多殘缺❸。這十六章帛書，每
章章首除簡要敘述史事之外，大部分文字都用來記述時人的評論，
包括閔子騫等人。雖然以記言為主，體式如《國語》，但是，它們
不是當事人的「言」，而是旁觀者的「言」；以本文的角度來說，
即史評人物的史評言論。這十六章帛書內的史事，嚴格來說，就是
因為這些史評文字而被抄輯及保存下來。這個例子，足以證明史評
文字的豐富及史評人物的重要。

　　實際上，如果將資料範圍擴大的話，我們就會發現，除三傳之
外，先秦兩漢古籍中的史評人物及史評材料，資源不但非常豐富，
而且還出現各種真偽、傳抄及增改等問題，值得研究。經籍如《禮
記》、《韓詩外傳》，史籍如《國語》、《國策》，子書如《晏子
春秋》、《韓非子》等等，都散佈著這些材料，其數量遠在三傳之
上。

---

❸　見馬王堆漢墓帛書整理小組的〈馬王堆漢墓出土帛書《春秋事語》釋文〉，
　　在《文物》1977 年第一期內。

　　由於三傳乃講經之書，所以，三傳講評人物在發言時，除評述經文史事外，也講解經文的書法和義理；而三傳以外的群籍絕大部分皆非解經講經之書，所以，這些講評言論就只評述過去及當代的事件、人物，不再涉及《春秋》的書法及義理了。因此，這些人物及言論的概括和展現，不但可以讓我們瞭解古人對一些歷史事件及人物的看法、評價，更可以讓我們瞭解古人講史寫史的態度、意義和方法。

　　底下即嘗試對這些不同的史評人物及言論加以概括及描述。

二、史評人物之一：孔子

　　孔子在世的時候，已經是一位名聞天下的人物；他不但是一位飽學之士，而且還是一位非常有遠見、非常有理想的偉大人物。為了開創自己的道德思想，也為了宣揚自己的政治主張，他不但以《春秋》為教科書，向學生講評歷史，而且還修作手中的歷史課本，使魯《春秋》更能貫徹他的政治理念和精神。從三傳中，我們看到孔子在這方面留下許多材料，成為諸多史評人物最特出的一位，不但極早奠下他的講評地位，而且還影響後人。

　　孔子是一位積極入世的偉大人物，他的人生哲學及社會情懷使他必須積極講評歷史和臧否人物，藉以傳達他的政治理想和人生哲學。這方面《論語》為我們保存了豐富的材料；根據這本書，孔子講評管仲的材料有五條，子產、伯夷叔齊及柳下惠分別有三條；他們可以說是孔子講評次數最多的人物。保存兩條講評材料的古代有堯、舜、禹、周公，近代有臧文仲、臧武仲、遽伯玉及公叔文子

等；至於一條的，為數更多，古代及近代大約三十餘人。以上所言，都只是孔子對人物的講評而已，不包括歷史事件的講評。筆者深信，孔子當年評論這些人物時，應該也講評這些人物的一些背景及言行事跡，然後才總結陳詞，給予評論；今天只保留評論，而且又寫得那麼精簡，應該是受《論語》撰述體例的限制。

作為重要史評人物的孔子，除了《論語》及三傳，其他古籍也為他保存了許多這方面的材料。茲討論如次：

㈠三傳未錄

三傳以外古籍（以下簡稱「古籍」）記錄孔子的史評文字，有些是三傳所未錄，不見於三傳之內的；試讀以下諸例：

1. 《左傳》莊公十一年：「乘丘之役，公以金僕姑射南宮長萬……宋人請之。宋公靳之曰：『始吾敬之；今子，魯囚也，吾弗敬子矣。』病之。」案：宋公弒閔公在次年。七十年代馬王堆出土帛書《春秋事語》第十二章即載此事，文甚近；其下又曰：「……夫君者，臣之所為容也，朝夕日屢，日以有幾也。是故君人者，刑之所不及，弗措於心；伐之所未加，弗見於色；故刑罰已加而亂心不生。今罪有弗誅，恥而近之，是絕其幾而陷之深，□□□何□？丘之聞之也……於君，君鮮不害矣。」細閱評論，似非議宋閔公刑、罰失當，卻又措心見色，且恥而近之，乃招來殺身之禍也。孔子以刑、罰論時君，頗為罕見。惟文末自

稱「丘」，李學勤先生以為當是孔子❹，姑從之。孔子評論，三傳未錄。

2. 《左傳》僖公二十五年：「冬，晉侯圍原，命三日之糧。原不降，命去之。諜出，曰：『原將降矣。』軍吏曰：『請待之。』公曰：『信，國之寶也，民之所庇也。得原失信，何以庇之？所亡茲多。』退一舍而原降。」案：晉文公伐原，又見於《國語》〈晉語〉四及《韓非子》〈外儲說左上〉，所載大致相同；惟《韓非子》其下又載衛人亦請降之事。《韓非子》文末錄有孔子之評論曰：「攻原得衛者，信也。」文雖簡短，與孔子思想相合❺，為《左傳》及《國語》所未採。

3. 《左傳》襄公十七年：「齊晏桓子卒，晏嬰粗衰斬，苴絰、帶、杖，菅屨，食鬻，居倚廬，寢苫，枕草。其老曰：『非大夫之禮也。』曰：『唯卿為大夫。』」案：《晏子春秋》〈內·雜上〉也載此事，其下有曾子問，孔子答曰：「晏子可謂能遠害矣！不以己之是駁人之非，遜辭以避咎，義也夫！」此講評又見《孔子家語》十，除「晏子」作「晏平仲」之外，餘全同。《左傳》未錄孔子評論。

---

❹ 見李學勤先生撰〈《春秋事語》與《左傳》的流傳〉，在李著《簡帛佚籍與學術史》內，台北時報文化出版企業有限公司，1994。昔年筆者撰〈春秋事語校釋〉，不敢斷「丘」為孔子：見拙作《竹簡帛書論文集》，北京中華書局，1982。

❺ 《論語》〈顏淵〉孔子曰：「民無信不立。」

4. 《左傳》襄公二十九年:「吳公子札來聘……自衛如晉,
將宿於戚,聞鐘聲焉,曰:『異哉!吾聞之也,辯而不
德,必加於戮。夫子獲罪於君以在此,懼猶不足,而又何
樂?夫子之在此也,猶燕之巢於幕上;君又在殯,而可以
樂乎?』遂去之。文子聞之,終身不聽琴瑟。」案:《孔
子家語》九亦載此事,文同;然,《家語》末有孔子之評
論:「季子能以義正人,文子能克己復義,可謂善改過
矣。」為《左傳》所無。

5. 《左傳》昭公十二年:「楚子狩於州來,次於潁尾……左
史倚相趨過,王曰:『是良史也,子善視之。是能讀三
墳、五典、八索、九丘。』……仲尼曰:『古也有志:克
己復禮,仁也;信善哉!楚靈王若能如此,豈其辱於乾
溪。』」案:《左傳》載楚靈王事,文末錄有孔子對楚靈
王之評論。《孔子家語》九有此事,謂楚靈王汰侈,左尹
子革「侍坐」,其下楚靈王與子革之問答,大致相同;文
末孔子有講評:「古者有志,克己復禮為仁,信善哉!楚
靈王若能如是,豈其辱於乾溪?子革之非左史,所以風
也;稱詩以諫,順哉!」評楚靈王語與《左傳》相同;惟
評子革「非左史」以下語,為《左傳》所未錄。

6. 《左傳》昭公十六年:「三月,晉韓起聘於鄭……夏四
月,鄭六卿餞宣子於郊。宣子曰:『二、三君子請皆賦,
起亦以知鄭志。』子齹賦〈野有蔓草〉……子產賦鄭之
〈羔裘〉,宣子曰:『起不堪也。』子大叔賦〈褰裳〉,
宣子曰:『起在此,敢勤子至於他人乎?』子大叔

拜。……宣子喜曰：『鄭其庶乎，二、三君子以君命貺
起，賦不出鄭志，皆暱燕好也。……』……子產拜，使五
卿皆拜，曰：『吾子靖亂，敢不拜德！』」案：《呂氏春
秋》〈求人〉亦載此事，惟來聘者為叔嚮，非韓宣子；子
產賦〈褰裳〉，與《左傳》子大叔所賦者相同；其餘與
《左傳》亦略有不同。然，《呂覽》謂叔嚮來聘，意在觀
察鄭之虛實強弱，以作「攻鄭」之參考；《左傳》載諸子
賦詩之後，宣子喜曰：「鄭其庶乎！」杜〈注〉：「庶幾
於興盛。」可知韓宣子來聘，《左傳》亦云與窺探鄭國國
力有關；其下子產又曰：「吾子靖亂，敢不拜德！」子產
知宣子此行目的矣。據此以觀之，《呂覽》此下有孔子
語：「《詩》云：『無競惟人。』子產一稱而鄭國免。」
保留有孔子史評，為《左傳》所未採。

上舉六例，都是孔子對當時歷史事件及人物的批評；這些史評，或
完全不見於三傳，或部分為三傳所未採，應該都是孔子向學生講解
《春秋》時所發表的言論。這些散佚在三傳以外的史評，自然有偽
造依託的可能，不過，以第四條《家語》保存孔子對楚靈王及子革
的批評來說，如果全是偽託的，何必只偽託半截呢？因此，這些三
傳未錄的史評，恐怕不可盡非。

(二)溢出三傳

一般上，我們都容易受三傳的影響，以為孔子講評的歷史事件
或人物，都只限於三傳之內。實際上，翻開古籍來看，就可以發現

三傳所採錄的固然是孔子大部分的言論，卻還有一部分因為事件、人物在三傳之外，所以，其評論自然不為三傳所採納。底下是些例子：

> 7.《韓非子》〈難一〉：「晉文公將與楚人戰，召舅犯問之，曰：『吾將與楚人戰，彼眾我寡，為之奈何？』舅犯曰……文公辭舅犯，因召雍季而問之曰：『我將與楚人戰，彼眾我寡，為之奈何？』雍季對曰……。辭雍季，以舅犯與楚人戰以敗之。歸而行爵，先雍季而後舅犯。……文公曰：『此非君所知也，夫舅犯言，一時之權也；雍季言，萬世之利也』仲尼聞之曰：『文公之霸也宜哉！既知一時之權，又知萬世之利。』」案：晉文公用舅犯謀而先賞雍季，事不見於三傳，當是春秋佚聞；《韓非子》錄其事，並保存孔子之評論。

> 8.《韓非子》〈難二〉：「昔者文王侵盂克莒舉酆，三舉事而紂惡之。文王乃懼，請入洛西之地，赤壤之國，方千里，以解炮烙之刑，天下皆說。仲尼聞之曰：『仁哉文王！輕千里之國而請解炮烙之刑。智哉文王！出千里之地而得天下之心。』」案：此事在三傳之外，其他古籍亦罕載；韓非錄其事，並保存孔子之評論。

> 9.《韓非子》〈外儲說右上〉：「堯欲傳天下於舜，鯀諫……堯不聽，舉兵而誅殺鯀於羽山之郊。共工又諫……堯不聽，又舉兵而流共工於幽州之都。於是天下莫敢言無傳天下於舜。仲尼聞之曰：『堯之知舜之賢，非其難者

也。夫至乎誅諫者，必傳之舜，乃其難也。』」案：堯殺
鯀及共工以傳舜，事不見於他書，蓋佚聞也。韓非錄其
事，並保存孔子之評論。又韓非於孔子評論下引有「一
曰」，曰：「不以其所疑敗其所察則難也。」未詳是否亦
孔子之評論。

10.《韓非子》〈外儲說右下〉：「衛君入朝於周，周行人問
　其號，對曰：『諸侯辟疆。』周行人卻之曰：『諸侯不得
　與天子同號。』衛君乃自更曰：『諸侯燬。』而後內之。
　仲尼聞之曰：『遠哉禁偪，虛名不以借人，況實事
　乎！』」案：此事不見於三傳，蓋春秋佚聞也；韓非錄
　之，並存孔子評語。

11.《呂氏春秋》〈召類〉：「士尹池為荊使於宋，司城子罕
　觴之……。士尹池歸荊，荊王適興兵而攻宋，士尹池諫於
　荊王曰：『宋不可攻也，其主賢，其相仁……。』故釋宋
　而攻鄭。孔子聞之曰：『夫修之於廟堂之上，而折衝乎千
　里之外者，其司城子罕之謂乎？』」案：此亦春秋佚史
　也，三傳不載。《呂覽》錄之，並保存孔子之評論。《新
　序》〈刺奢〉亦錄此事，文字大同小異。

12.《新序》〈刺奢〉：「魯孟獻子聘於晉，韓宣子觴
　之。……宣子曰：『子之家孰與我家富？』獻子曰：『吾
　家甚貧，惟有二士曰顏回、茲無靈者……。』…客出，宣
　子曰：『彼君子也，以畜賢為富；我鄙人也，以鐘石金玉
　為富。』孔子曰：『孟獻子之富，可著於《春秋》。』」
　案：此亦春秋佚聞，不見於三傳；《新序》錄之，並存孔

子評論。

上述六例中，分別有兩條見於《韓非子》〈儲說〉及〈難〉；〈儲說〉是韓非理論的資料庫，〈難〉是他批駁前人言行的言論。按情理來說，這些資料庫及前人言行應該確有其事才具說服力；如果它們全是韓非自己偽託的，那就失其寫作的意義，且貽笑後人。因此，孔子這些史評，至少在韓非的心目中，都是確有其事的。

這六條資料，其史事都不見於三傳，絕大部分都是春秋佚史，而為三傳所不採；這些佚史，根據古籍的記載，都有孔子的評論。只因為三傳不採納這些佚史，所以孔子的評論也隨著被刊落了。

(三)對人物的評論

古籍保存下來孔子史評有幾個特點，茲討論之。

首先是對人物的評論。在三傳中，除歷史事件外，孔子評論過不少人物，他們有諸侯如魯定公、楚昭王及夫差等，有執政重臣如趙宣子、孟僖子、子產及叔向等，還有其他人物如陽虎、伯宗及董狐等；從孔子整體的評論來說，以評論人物占很大的比數。在這些人物評論中，孔子三次讚許過子產❻；就三傳而言，是孔子讚許次數最多的一位人物。

古籍所載孔子史評，以評論晏嬰次數為最多，共有八條；它們是：

---

❻　襄公三十一年許子產以仁，昭公十三年謂子產能「以禮行事」，昭公二十七年謂子產「古之遺愛」。

13.《晏子春秋》〈內諫・上〉：「景公之時，雨雪三日而不霽……晏子曰……公曰：『善！寡人聞命矣。』乃令出裘發粟……。孔子聞之曰：『晏子能明其所欲，景公能行其所善也。』」案：此事不見他書，孔子之評論，亦惟見於此。

14.《晏子春秋》〈內・諫下〉：「景公之嬖妾嬰子死，公守之，三日不食……晏子復曰：『國之士大夫，諸侯四鄰賓客，皆在外，君其哭而節之。』仲尼聞之曰：『星之昭昭，不若月之曀曀；小事之成，不若大事之廢；君子之非，賢於小人之是也。其晏子之謂歟！』」案：此事他書不見，孔子評論亦僅見於《晏子》內。

15.《晏子春秋》〈內・諫下〉：「晏子使於魯，比其返也，景公使國人起大台之役……晏子歸，未至，而君出令趣罷役，車馳而人趨。仲尼聞之，喟然歎曰：『古之善為人臣者，聲明歸之君，禍災歸之身……當此道者，其晏子是也。』」案：此事及孔子評論，皆不見於他書。

16.《晏子春秋》〈內・問上〉：「景公問於晏子曰：『為政何患？』……對曰：『審擇左右。左右善……而善惡分。』孔子聞之曰：『此言也信矣！善進，則不善無由入矣；不善進，則善無由入矣。』」案：《說苑》〈政理〉亦載此事，亦有孔子評論，文同。

17.《晏子春秋》〈內・問下〉：「梁丘據問晏子……晏子對曰：『……一心可以事百君，三心不可事一君。』仲尼聞之曰：『小子識之！晏子以一心事百君也。』」案：晏子

「事三君而不同心」，亦見《孔叢子》〈詰墨〉引《墨子》；《孔叢子》引孔子語：「靈公紵而晏子事之以潔，莊公怯而晏子事之以勇，景公侈而晏子事之以儉。」此晏子不同心事三君之事也。《晏子》文末有孔子評論，《孔叢子》亦有。

18.《晏子春秋》〈內·雜上〉：「晉平公欲伐齊，使范昭往觀焉。……范昭歸以報平公曰：『齊未可伐也……。』仲尼聞之曰：『夫不出於尊俎之間，而知千里之外，其晏子之謂也；可謂折衝矣，而太師其與焉。』」案：此事又見於《韓詩外傳》八及《新序》〈雜事〉一，文甚近。又《呂氏春秋》載士尹池使於宋，其故事及孔子評論（見第十一條）均與此相類。

19.《晏子春秋》〈內·雜上〉：「曾子將行，晏子送之曰：『君子贈人以軒，不若以言……。』」案：《荀子》〈大略〉及《孔子家語》〈六本〉亦皆有此事，對比二文，可知《荀子》及《家語》皆略於《晏子》，蓋皆別有所本，非來自《晏子》也。《家語》於文末載孔子評語：「晏子之行，君子哉！依賢者，固不困；依富者，固不窮。馬蚿斬足而復行，何也？以其輔之者眾。」《說苑》〈雜言〉亦載此事，其情節與文字與《家語》近，惟孔子評語則輯錄於八、九段文字之後，與此故事不相連綴。孔子當時蓋作過評論，由多人分別記錄，或詳記晏子全部言語，或略記其綱要，或僅錄孔子評論，參差不齊，卒形成樣貌不同之傳本。

20. 《左傳》襄公十七年：見第三條。案：《晏子》亦載此
　　事，文較詳，其下並有孔子評論。《孔叢子》〈詰墨〉亦
　　略載此事，惟省略孔子評論。

上舉八條資料，都是孔子對晏嬰言行的評論；或論他能以一忠心事
百君；或評他言行如君子，賢富可供人依憑；又謂他能遠害，善為
人臣；又謂他不出尊俎，知千里之外；無不正面肯定他。

　　《論語》載孔子評論晏嬰只一見，謂「晏平仲善與人交，久而
敬之」❼；到底他如何「善與人交」，孔子沒有留下任何材料。從
上舉八條資料，我們看到晏嬰善以贈言，善為人臣及善於觀人，而
孔子也據此給他肯定的評價；也許正可以部分解釋「善與人交」的
原因了。《孔子家語》三載子貢問晏子，孔子曰：「晏子於君為忠
臣，而行為恭敏，固吾皆以兄事之，而加敬愛。」孔子敬愛晏嬰，
於此可見了。

　　除了晏嬰，古籍中也保存了許多孔子對管仲及齊桓公的評論，
值得我們注意。

21. 《韓非子》〈外儲說左下〉：「管仲相齊，曰：『臣貴
　　矣，然而臣貧。』桓公曰：『使子有三歸之家。』曰：
　　『臣富矣，然而臣卑。』桓公使立於高、國之上。曰：
　　『臣尊矣，然而臣疏。』乃立為仲父。孔子聞而非之曰：
　　『泰、侈逼上。』」案：管仲要求富有、尊貴及近寵，故

---

❼　見《論語》〈公冶長〉。

孔子評之泰、侈逼上，不合人臣之禮，頗有貶意。韓子其
下有「一曰」之詞，亦有孔子評語：「良大夫也，其侈逼
上。」孔子雖贊管子為「良大夫」，下句卻評之「其侈逼
上」，終究還是貶抑管仲。《說苑》〈尊賢〉亦載此事，
內容與《韓非子》極近，當是一事之不同傳本；文末錄孔
子語：「管仲之賢，不得此三權者，亦不能使其君南面而
霸矣。」完全為一種讚賞之評論，與《韓非子》所錄者不
同。

22.《說苑》〈政理〉曰：「齊桓公出獵，逐鹿而走入山谷之
中，見一老公而問之，曰：『是何為谷？』對曰：『為愚
公之谷。』……明日朝，以告管仲。管仲正衿再拜
曰……。孔子曰：『弟子記之，桓公，霸君也；管仲，賢
佐也。猶有以智為愚者也，況不及桓公、管仲者也。』」
案：此則所錄孔子語，雖然批評人有時不免「以智為
愚」，然而，許桓公為霸君、管仲為賢佐之原意依然存
在。

23.《說苑》〈權謀〉：「齊桓公將伐山戎孤竹，使人請助於
魯……桓公乃分山戎之寶，獻於周公之廟。明年，起兵伐
莒，魯下令丁男悉發，五尺童子皆至。孔子曰：『聖人轉
禍為福，抱怨以德。』此之謂也。」案：《論語》〈憲
問〉載或人以「以德報怨」問，孔子不認可，曰：「何以
報德！以直報怨，以德報德。」《禮記》〈表記〉載孔子
語：「以德報德，則民有所勸；以怨報怨，則民有所
懲。」可見孔子並不主張「以德報怨」。此條載孔子許管

仲「以德報怨」，頗不合孔子理想；又許為「聖人」，為
《論語》及他書所未見。疑此條孔子評論為後人所依託。

上舉各例，都是古籍所存孔子對管仲及桓公的評論；除最後一條可
疑外，其他的應該可信。在《論語》中，孔子五次評論齊桓公及管
仲；四次在〈憲問〉，一次在〈八佾〉。〈憲問〉三次讚許❽，評
桓公「正」，許管仲「仁」，並謂管仲續業「民到於今受其賜」；
一次謂管仲「人也，奪伯氏駢邑三百」，似有微詞。在〈八佾〉
中，孔子留下的評論是「管仲之器小哉，焉得儉」及「管氏而知
禮，孰不知禮」，有貶意。據《論語》而言，孔子對二人的評價應
該是八、二開，贊多於貶。

反觀上述三條資料，除最後一條可疑外，第二十二條乃贊詞，
第二十一條有兩種傳本，一贊一貶；在貶方面，孔子針對的是管仲
要求富有、尊貴及近寵，這與《論語》「焉得儉」及「不知禮」，
可以說是非常接近，所以，孔子評他「小器」及「泰侈逼上」，語
詞不同，含義卻相當一致了。

另外一位值得注意的是子產，古籍中只保存一條孔子對他的評
論。

24.《呂氏春秋》〈求人〉：見第六條。案：據此條，孔子蓋

---

❽ 即「齊桓公正而不譎」、「桓公九合諸侯，不以兵車；管仲之力也。如其
仁！如其仁」及「管仲相桓公，霸諸侯，一匡天下，民到於今受其賜；微管
仲，吾其被髮左衽矣……」。

嘉許子產出口賦詩，避過鄭國一場災難。

子產是孔子嘉許的一位政治家，《論語》中孔子稱他為「惠人」
❾，《說文》：「惠，仁也。」又說他「有君子之道四焉：其行己
也恭，其事上也敬，其養民也惠，其使民也義」❿，許他以恭、
敬、惠及義四字，可見孔子對他的評價很高。《左傳》也保存不少
孔子對他的評語；襄公三十一年，孔子聽到子產不毀鄉校，評曰：
「以是觀之，人謂子產不仁，吾不信也。」昭公十三年，諸侯會於
平丘，子產爭承，孔子聞之後，評曰：「子產於是行也，足以為國
基。」贊子產行事以禮；昭公二十一年子產卒，孔子垂淚說：「古
之遺愛也。」據這幾條資料來看，子產是孔子佩服的一位政治家。
《呂覽》載子產一言為鄭國避開一場災害，與子產一貫的績業正相
符和。

　這三位春秋人物，綜合《論語》、三傳及先秦兩漢其他古籍來
看，是孔子評論得極多的政治家。與他們同時代的孔子，對他們的
事跡及言論應該知道得非常清楚，而且肯定他們的言行及風範可以
作為後世的榜樣，所以，才在學生及世人的面前，多所議論，時予
讚許。今天，有的評論前端尚保存一段小故事，讓我們知道議論的
原委；有的則把故事完全省略，只留下評論；無論前者或後者，筆
者深信當年孔子在發為議論時，所言應該很多，所述應該比較詳
細，記者格於書寫工具的限制，隨著自己的愛好，只能錄下自己需

---

❾　見〈憲問〉。

❿　見〈公冶長〉。

要的部分。我們只有將這些評論合而觀之，也許才可以看到孔子對
某人某事整體的看法了。

㈣史評的真偽

孔子作為春秋時代的重要史評人物，古籍中自然保存了他許多
史評言論，然而，卻不排除後人假借他的名義發表自己的意見，造
成假冒等種種現象。茲分述如下：

⑴假冒

古籍中有一些無主名的史評，抄錄者為增加其權威性，過錄時
冠上「孔子」、「仲尼」，當作孔子的講評；比如下列諸例：

> 25.《呂氏春秋》〈達郁〉：「趙簡子曰：『厥也愛我，鐸也
> 不愛我。厥之諫我也，必於無人之所；鐸之諫我也，喜質
> 我於人中，必使我醜。』尹鐸對曰：『厥也愛君之醜也，
> 而不愛君之過也；鐸也愛君之過也，而不愛君之醜
> 也……。』此簡子之賢也。人主賢則人臣之言刻……。」
> 案：《呂覽》此則重點在尹鐸兩句話：「愛君之過也，而
> 不愛君之醜也。」尹鐸認為過錯比面子更重要，所以，為
> 使趙簡子改過，他不惜當面指出趙簡子之過錯；而趙簡子
> 終於肯定其解釋，故《呂覽》讚譽他「賢」，且曰：「人
> 主賢則人臣之言刻。」認為人臣言論嚴苛，正表示人主
> 賢。此事又見於《說苑》〈臣術〉，文末有孔子評論：
> 「君子哉尹鐸！面訾不面譽也。」雖然孔子所言者與《呂
> 覽》不同，然他肯定趙簡子及尹鐸卻一致。竊疑《說苑》

孔子曰乃劉向據《呂覽》所加，為增加其權威性，乃冠以
孔子之名。

26.《左傳》莊公十一年：「秋，宋大水。公使吊焉……對
曰：『孤實不敬，天降之災，又以為君憂，拜命之辱。』
臧文仲曰：『宋其興乎！禹、湯罪己，其興也悖焉；桀、
紂罪人，其亡也忽焉。且列國有凶稱孤，禮也。言懼而名
禮，其庶乎！』既而聞之曰：『公子御說之辭也。』臧孫
達曰：『是宜為君，有恤民之心。』」案：魯人吊災，宋
湣公善對（《左傳》謂湣公之言乃公子御說代言之詞，《史記》
〈宋世家〉曰：「此言乃公子子魚教湣公也。」子魚，即目夷；皆言
非湣公自家之詞。）故臧文仲贊之，謂其「其庶乎」，又謂
宋國「其興乎」。考《韓詩外傳》三亦載此事，下半截
作：「孔子聞之曰：『宋國其庶幾矣！』弟子曰：『何
謂？』孔子曰：『昔桀、紂不任其過，其亡也忽焉；成
湯、文王知任其過，其興也悖焉；過而改之，是不過
也。』宋人聞之，乃夙興夜寐，吊問死疾，戮力宇內。三
歲，年豐政平。鄉使宋人不聞孔子之言，則年穀未豐而國
家未寧。」與《左傳》相較，即知孔子「桀紂」、「湯文
王」二例來自臧文仲，其言「宋國其庶幾乎」亦來自臧文
仲。《左傳》除臧文仲贊詞，其下又有臧孫達「是宜為
君」之預言；臧文仲，即臧孫辰，為臧孫達即臧哀伯之
孫，當日臧家祖孫於此事皆有發言也。《韓詩外傳》下文
曰：「宋人聞之……三歲，年豐政平。鄉使宋人不聞孔子
之言，則年穀未豐而國家未寧。」刻意凸顯孔子言論之功

效；可知韓嬰刻意將臧文仲之言移借予孔子，以顯孔子之影響力。《說苑》〈君道〉亦載此事，又將「孔子」改作「君子」矣。

27.《說苑》〈反質〉：「歷山之田者善侵畔，而舜耕焉；雷澤之漁者善爭陂，而舜漁焉；東夷之陶器窳，而舜陶焉。故耕、漁與陶非舜之事，而舜為之，以救敗也。民之性皆不勝其欲，去其實而歸之華，是以苦窳之器，爭鬥之患起，爭鬥之患起，則所以偷也。所以然者，何也？由離誠就詐，去樸而取偽也，追逐其末而無所休止，聖人抑其文而抗其質，則天下反矣。」案：此文蓋謂治國若「追逐其末」，則「無所休止」；若「去其實而歸之華」，則「爭鬥之患起」，故「聖人抑其文而抗其質」，如此則「天下反」其質矣；故劉向置於〈反質〉內。《韓非子》〈難一〉亦有此文，於「農者侵畔」、「漁者爭坻」及「陶者器苦窳」下有孔子曰：「耕、漁與陶，非舜官也，而舜往為之者，所以救敗也。舜其信人乎！乃躬藉處苦而民從之，故曰：聖人之德化乎！」孔子云云，與《說苑》有相同。韓非所錄者蓋謂舜乃一仁君，有「我不入地獄，誰入地獄」救民之心，故孔子贊其「仁」，謂為「聖人」；其主調與《說苑》不同。竊疑韓非所見者，蓋改造自《說苑》之原始材料，將「故耕、漁與陶」等數語假借予孔子，以增加其說服力耳。

28.《韓詩外傳》三：「舜生於諸馮，遷於負夏，卒於鳴條，東夷之人也。文王生於岐周，卒於畢郢，西夷之人也。地

之相去也，千有餘里，世之相後也，千有餘歲，然得志行
乎中國，若合符節。孔子曰：『先聖後聖，其揆一
也。』」案：此文又見於《孟子》〈離婁〉下，「先聖」
二句亦孟子之語；《外傳》將「先聖」二句作孔子評論，
蓋欲提高二句之權威性。

前文所舉四例，應該都是冒孔子之名的言論；或根據其他材料假托
其言論，或根據作者自己的意思虛託其名。孔子作為一位著名的講
評人物及哲學家，假託其名以增加言論的權威性及影響力，應該是
很正常的現象。前文所舉的，恐怕只是部分例子而已。

⑵**增飾**

　　為了增加說服力，有的編著者在過錄前人的材料時，或根據孔
子的片言隻語，或依傍孔子的言論，增飾孔子的言辭，使這些評論
符合自己的章旨、篇旨。試讀下列數例：

　　29.《淮南子》〈道應〉：「晉伐楚，三捨不止，大夫請擊
　　之，莊王曰……王俯而泣，涕沾襟，起而拜群大夫。晉人
　　聞之曰：『君臣爭以過為在己，且輕下其臣，不可伐
　　也。』夜還師而歸。」案：此事不見史籍，蓋民間傳聞
　　耳。《新序》〈雜事〉四備錄其事，文極接近，蓋來自
　　《淮南子》。然《新序》其下又有孔子評論：「楚莊王
　　霸，其有方矣。下士以一言而敵還，以安社稷，其霸不亦
　　宜乎？」孔子一生不言霸，此當為劉向增飾之語，原本材
　　料蓋無孔子語。

30.《呂氏春秋》〈任數〉：「有司請事於齊桓公，桓公曰：
『以告仲父。』……若是三。習者曰：『一則仲父，二則
仲父，易哉為君！』桓公曰……又況於得道術乎？」案：
此事首見於《韓非子》〈難二〉，文略精簡；《新序》
〈雜事〉四亦有此事，情節文字與《呂覽》合，蓋同一來
源。劉向錄此事後曾有議論，並引孔子語曰：「小哉！管
仲之器。」此當非孔子之史評，乃劉向仿《論語》「管仲
之器小哉」而增飾之詞。

31.《韓非子》〈說林〉下曰：「晉中行文子出亡，過於縣
邑，從者曰：『此嗇夫，公之故人，公奚不休舍？且待後
車。』文子曰：『吾嘗好音，此人遺我鳴琴……是振我過
者也。以求容於我者，吾恐其以我求容於人也。』乃去
之。果收文子後車二乘而獻之其君矣。」案：中行文子，
即荀寅，事見定公八、十三及哀公二十七年《左傳》；此
言中行文子出亡，後車被沒收之事。《說苑》〈權謀〉載
有此事，「乃去之」以下作「遂不入，後車入門，文子問
嗇夫之所在，執而殺之」，情節與《韓非子》不同；其下
又有孔子之議論：「中行文子背道失義，以亡其國，然後
得之，猶活其身，道不可遺也，若此。」考《孔子家語》
〈辨政〉引孔子語曰：「中道不可不貴也，中行文子倍道
失義以亡其國，而能禮賢以活其身，聖人轉禍為福，此謂
是與！」《說苑》所錄孔子語，恐與《家語》有關；《說
苑》前一章亦引孔子語：「聖人轉禍為福，抱怨以德。」
恐亦與《家語》有關；竊疑此皆劉向增飾之文。

32. 《詩》〈綿〉毛〈傳〉：「虞、芮之君相與爭田，久而不平，乃相謂曰：『西伯仁人也，盍往質焉。』……乃相讓以其所爭田為閒田而退，天下聞之而歸者四十餘國。」案：此事又見於《尚書大傳》一，文頗簡要；亦見於《孔子家語》〈好生〉及《說苑》〈君道〉，文與毛〈傳〉近。《家語》錄有孔子語：「以此觀之，文王之道，其不可加焉，不令而從，不教而聽，至矣哉！」《說苑》亦有孔子語：「大哉！文王之道乎，其不可加矣！不動而變，無為而成，敬慎恭己而虞、芮自平。」二家所錄孔子語，異多於同；蓋皆牽合篇旨，分別有所增飾。

33. 《韓詩外傳》八：「越王勾踐使廉稽獻民於荊王……荊王聞之，披衣出謝。孔子曰：『使於四方，不辱君命，可謂士矣。』」案：文末錄孔子語，旨在贊越使不辱君命。此事不見他書，當在春秋末年，其時孔子或已卒矣。且「使於四方，不辱君命，可謂士矣。」乃《論語》〈子路〉孔子對子貢問，非評越使事；蓋韓嬰增飾之詞也。

上舉數例，都應該是作者、編者增飾孔子言論的例子。這些史評，其可靠性當然值得斟酌了。

(3)偽造

偽造應該和增飾一樣，是一種很普遍的現象；試讀下列諸例：

34. 《韓非子》〈難一〉：「襄子圍於晉陽中，出圍，賞有功者五人，高赫為賞首……襄子曰：『晉陽之事，寡人國家

危，社稷殆矣。吾群臣無有不驕侮之意者，惟赫不失君臣之禮，是以先之。』仲尼聞之曰：『善賞哉！襄子賞一人而天下為人臣者莫敢失禮矣。』」案：此事發生於孔子卒後，不得有孔子之評論。《呂氏春秋》〈義賞〉及《說苑》〈復恩〉皆錄此事及孔子評論，誤與《韓非子》同。《淮南子》〈氾論〉於襄子之言後，曰：「故賞一人而天下為忠之臣者，莫不願忠於其君，此賞少而勸善者眾也。」所言與孔子語有相似之處，惟不冠以孔子之名，蓋已知孔子不可能有此評議也。

35.《孔子家語》〈好生〉：「楚王出遊，亡弓，左右請求之。王曰：『止，楚王失弓，楚人得之，又何求之！』孔子聞之曰：『惜乎其不大也，不曰人遺弓，人得之而已，何必楚也。』」案：此事又見《說苑》〈至公〉，其文字與情節幾與《家語》相同，惟首句明言「楚共王出獵」，比《家語》豐富，依常理而言，劉向所據者當晚於《家語》。《呂氏春秋》〈貴公〉亦有此事，曰：「……天地大矣，生而弗子，成而弗有，萬物皆被其澤、得其利，而莫知其所由始……」除節引孔子語外，又有老聃語。竊以為無論老聃語、孔子語，恐皆後人所偽，孔子是否有「生而弗子，成而弗有」之思想，頗值得懷疑；而《呂覽》造老聃語，駕陵孔子之上，更屬虛誕。

36.《呂氏春秋》〈慎大〉：「趙襄子攻翟，勝老人、中人……襄子曰：『……今趙氏之德，無所於積，一朝而兩城下，亡其及我乎？』孔子聞之曰：『趙氏其昌乎！』」

案：趙襄子即位時，孔子已卒；此言孔子評論趙襄子攻翟
之憂慮，蓋後人所偽。

上舉三例，根據個人淺見，應該都是後人偽造的史評；有的因時代
不合，極易考察出來；有的不合孔子思想，必須深究才有結果。孔
子是偉人，更是一位著名的史評人物，所以，偽造其言論以加強發
言的份量，正符合莊周的「卮言」之道。筆者深信，偽造的材料應
該不止此數。

(4)撮合與割裂

古籍中孔子史評，間也出現後人撮合與割裂的現象；這雖然與
假冒、偽造及增飾不同，不過，卻也使這些史評文字失真。試讀下
列二例：

37.《孔子家語》〈顏回〉曰：「顏回問於孔子曰：『臧文
仲、武仲，孰賢？』孔子……曰：『身歿言立，所以為文仲
也；然猶有不仁者三，不智者三，是則不及武仲也。……下
展禽，置六關，妾織蒲，三不仁；設虛器，縱逆祀，祀海
鳥，三不智。……是智之難也。夫臧武仲之智，而不容於
魯，抑有忠焉，作而不順，施而不恕也夫！《夏書》曰：
「念茲在茲，順事恕施。」』」案：孔子評論臧文仲「不仁
者三，不智者三」，並例舉其名目，可見於文公二年《左
傳》；評論臧文仲「智之難也……順事恕施」，見於襄公二
十三年《左傳》；若《家語》時代在後，則《家語》蓋撮合
此二條，並作為孔子答顏回語；若《家語》在前，則《左

傳》分《家語》於不同年代；兩者必有一失真。《論語》孔子嘉許臧文仲「知」，與此處所云者合。

38.《說苑》〈至公〉：「子羔為衛政，刖人之足。……孔子聞之曰：『善為吏者樹德，不善為吏者樹怨，公行之也，其子羔之謂歟！』」案：此事又見於《孔子家語》〈致思〉，內容大致相同；孔子評論子羔善於為吏，雖刖人之足，人猶德之。《韓非子》〈外儲說左下〉亦有此事，其孔子評論在「田子方」及「秦韓攻魏」二故事之後，曰：「善為吏者樹德，不善為吏者樹怨。概者平量者也，吏者平法者也，治國者不可失平也。」梁啟雄以為此評論當移於本故事之下❶。考韓子所載評語「樹德」、「樹怨」兩句話固然評論本故事，然，其「概者……失平也」三句乃評「田子方」及「秦韓攻魏」二故事；二故事於文末皆標舉「稱功」，作為故事之題旨，與孔子評語內之「平量」、「平法」及「不可失平」正相呼應，可為明證。據此，可知孔子「善為吏者……不可失平也」之評論，乃總評「孔子相衛」、「田子方」及「秦韓攻魏」三故事，非如梁啟雄所云可移於「孔子相衛」之下。竊疑《說苑》所據者恐為原始材料；至韓非時，乃將評論移於三故事之後，又另造「概者」以下諸語，以足所需。然則韓子蓋割裂原始材料，又編造孔子評論矣。

這兩個例子，清楚說明孔子的史評經過後人的撮合及割裂，使講評

---

❶　見梁啟雄著《韓子淺解》，頁 297。

失真、故事脫節，造成後人閱讀的不便。

　　古籍內保留下來孔子的史評言論，除前文所舉四種現象之外，尚有下列兩個特點值得注意：

第一、諸書所錄，各有特色

　　古籍編纂時，在材料的選汰方面，應該都有自己的方針和旨意，因此，在過錄孔子的史評言論時，也都受此方針及旨意的影響，而有所取捨。比如韓非在撰述〈難〉時，主旨是「故人行事，或有不合理，韓子立議以難之」⓬，所以，他選錄四條孔子史評都和自己理想「有不合理」處，以便「立議以難之」。再看下列的材料：

39.《禮記》〈檀弓〉下：「仲遂卒於垂……仲尼曰：『非禮也，卿卒不繹。』」

40.同上：「戰於郎，公叔禺人……與其鄰童汪踦往，皆死焉……仲尼曰：『能執干戈以衛社稷，雖欲勿殤也，不亦可乎！』」案：事又見《左傳》哀公十一年。

41.同上：「延陵季札適齊……孔子曰：『延陵季子之於禮也，其合矣乎。』」案：事又見《孔子家語》〈曲禮子貢問〉及《說苑》〈修文〉，文甚近。

42.同上：「陽門之介夫死……孔子聞之曰：『善哉覘國乎！……雖微晉而已，天下其孰能當之。』」

43.《禮記》〈禮器〉：「子路為季氏宰……孔子聞之曰：

⓬　此《韓非子舊注》語。

『誰謂由也不知禮乎？』」

審讀這五條文字，即知和禮有關係；《禮記》是部禮書，所錄孔子史評文字都和禮有關，是件很自然的事。再看孔子保存在《國語》裡的史評文字：

44.《國語》〈魯語〉下第十三章：「公父文伯退朝，朝其母，其母方績……仲尼聞之曰：『弟子志之，季氏之婦不淫矣。』」案：此章載公父文伯之母教誨公父文伯之語，孔子聞其語後，嘉許之。

45.同上第十六章：「公父文伯卒，其母戒其妾……仲尼聞之曰：『女知莫若婦，男知莫若夫。公父氏之婦智也夫！欲明其子之令德。』」案：此章載公父文伯逝世後，其母告誡諸妾，孔子許之以「智」。

46.同上第十四章：「公父文伯之母……仲尼聞之，以為別於男女之禮矣。」案：此章載公父文伯之母嚴守禮教，即使與晚輩來往，亦莫不如此；章末載孔子態度。

47.同上第十七章：「公父文伯之母朝哭穆伯……仲尼聞之曰：『季氏之婦可謂知禮矣。愛而無私，上下有章。』」案：此章亦載公父文伯之母嚴守禮制，並載孔子許其以「知禮」。

這是孔子在《國語》裡保存下來的史評言論，它們不但全都集中在〈魯語〉內，而且都是針對公父文伯之母而發。公父文伯，即季桓

子從父昆弟公父歜也;定公五年陽虎欲為亂,囚季桓子及公父文伯,其後被逐,哀公五年始返魯;事詳《左傳》。《左傳》不載其母事,今賴《國語》保存其嘉行及孔子評語。除公父文伯之母,《國語》不錄孔子其他史評,此《國語》特色也。❸

其他古籍在選錄孔子史評時,也都各有自己的宗旨,因而形成自己的特色,所以,在觀察孔子的史評言論及講評觀點時,應該全面兼顧,方得其全豹。

第二、輾轉移錄,逐次增富

古籍輾轉抄錄,書中議論文字或故事情節,有時會逐漸豐富增多;而所載史評,有時也隨之而產生變化或增減;孔子的史評文字,也免不了此規律。比如前文所舉第三十五條,《家語》及《說苑》所據者孔子評論作「惜乎其不大也,不曰人遺弓,人得之而已,何必楚也」,到了《公孫子龍》〈跡府〉,孔子語作「楚王仁義而未遂也。亦曰人亡弓,人得之而已,何必楚」,增「仁義」一事;到了《呂覽》,孔子語作「去其荊而可矣」,減存一句,而又增老聃語「去其人而可矣」。似此增減變化,都隨編者、作者的意思,而我們所看到孔子的史評文字,也隨各書抄錄而有差別。試看下列例子:

48.《呂氏春秋》〈察微〉:「魯國之法,魯人為人臣者妾於諸侯,有能贖之者,取其金於府。子貢贖魯人於諸侯,來而讓不取其金。孔子曰:『賜失之矣!自今以往,魯人不

---

❸ 《列女傳》皆收錄此數則。

贖人矣。取其金，則無損於行；不取其金，則不復贖人
矣。』」

孔子評論子貢「不取其金」的失當，將會影響後來者「不復贖
人」；《淮南子》亦有此事：

> 49.《淮南子》〈道應〉：「魯國之法，魯人為人妾於諸侯，
> 有能贖之者……孔子曰：『賜失之矣！夫聖人之舉事也，
> 可以移風易俗，而受教順可施後世，非獨以適身之行也。
> 今國之富者寡而貧者眾，贖而受金，則為不廉，不受金，
> 則不復贖人。自今以來，魯人不復贖人於諸侯矣。』孔子
> 亦可謂知禮矣。故老子曰：『見小曰明。』」

《淮南子》前半截幾乎與《呂覽》雷同，應該是過錄自《呂覽》；
然而，孔子曰的內容卻有所增飾，「夫聖人之舉事也……則不復贖
人」為《呂覽》所無，其下並有「孔子可謂知禮」及引老子語，以
配合〈道應〉的篇例；此孔子史評首次被增飾。再讀下文：

> 50.《說苑》〈政理〉：「魯國之法……孔子聞之曰：『賜失
> 之矣！夫聖人之舉事也，可以移風易俗，而教導可施於百
> 姓，非獨適其身之行也……。』」

這段文字和《呂覽》相較，故事本身大致相同，然而，孔子史評文
字卻小有改變，「可以移風易俗，而受教順可施後世」作「可以移

風易俗，而教導可施於百姓」；如果《淮南子》「受」字不是衍文的話，則顯然的《說苑》把句子調得更整齊，用詞也比較淺白，說理更順暢；此孔子史評文字第二次被改動了。

　　這個例子說明，隨著古籍的輾轉傳抄，孔子的史評也會因著作者及編者的意思而增減變化。

三、史評人物之二：君子

　　除了孔子，古籍中出現最多的史評人物便是君子；這種情形，和三傳中的「君子」很相似。由於他不顯姓名，我們無法考知其身份及時代；然而，可以肯定的是，他是一位學問道德皆高的人物。底下，我們對這位人物加以描寫：

㈠君子有多人

　　從古籍中君子史評的資料來看，君子應該是複數，而不會是單數；換句話說，三傳以外的史評人物君子，實際上是一批散佈於各地的史評家。試讀下列二例：

51.《國語》〈晉語〉二「里克殺奚齊」章：「……既殺奚齊，荀息將死之。人曰：『不如利其弟而輔之。』荀息立卓子。里克又殺卓子，荀息死之。君子曰：『不食其言矣。』」案：荀息為卓子殉難，又見於《左傳》僖公九年：「十一月，里克殺公子卓於朝，荀息死之。君子曰：『《詩》所謂「白圭之玷，尚可磨也；斯言之玷，不可為

也」，荀息有焉』。」《左傳》贊荀息言出必行，決不後悔，與《國語》君子贊詞「不食其言」義雖同，用語卻異；且《左傳》君子引《詩》為證，內容比《國語》豐富；疑二書君子非同一人。蓋荀息殉卓子，於當時頗震撼人心，故評論者多。

52. 《韓詩外傳》八曰：「齊崔杼弒莊公，荊蒯芮使晉而反……君子聞之曰：『荊蒯芮可謂守節死義矣，僕夫則無為死也，猶飲食而遇毒也。』……」案：崔杼弒莊公，事見《左傳》襄公二十五年。《外傳》記荊蒯芮入殉事，又見《說苑》〈立節〉，文甚近。《說苑》又引君子語：「荊蒯芮可謂守節死義矣。死者人之所難也，僕夫之死也，雖未能合義，然亦有志士之意矣。」對比二家君子語，於評論荊蒯芮則相同；於僕夫之死，《外傳》則曰「無為死，猶飲食而遇毒」，《說苑》則曰「雖未能合義，亦有志士之意」，觀點頗有分別，可知二書君子非同一人。過去有學者認為此君子便是孔子的代詞，顯然不知何所指了。

(二)君子之時代

古籍君子既非一人，而是異時異地的一批人物，那麼他們最早可以追溯至何時？最遲又到何時？是個值得深思的問題。茲據所得資料論證如下：

53.《呂氏春秋》〈高義〉：「荊昭王之時，有士焉曰石渚。……不去斧鑕，歿頭乎王廷。」案：《韓詩外傳》二載此事，文末曰：「君子聞之曰：『貞夫法哉，石先生乎！』孔子曰：『子為父隱，父為子隱，直在其中矣。』」《新序》〈節士〉亦錄此事，文末君子曰及孔子曰亦同。考《呂覽》錄此事後，有評語「正法枉必死，父犯法而不忍，王赦之而不肯；石渚之為人臣也，可謂忠且孝矣」，內容與二家君子、孔子之評語完全不同，可知《呂覽》蓋未及見此君子及孔子之評語也。據《外傳》及《新序》，君子語在孔子之前，以常理推之，其時代當在孔子之前矣。然，「父為子隱，子為父隱」乃孔子對葉公語⓮，非石渚此事之史評文字，固其時代不能太早，而此君子也斷非孔子以前之人也。

54.《韓詩外傳》八：「魏文侯有子曰擊，次曰訴……君子曰：『夫使非直敝車罷馬而已，亦將喻誠信，通氣質，明好惡，然後可使也。』」案：此乃戰國初年事，《外傳》引有君子評論，則君子當為戰國初年以後人明矣。

55.《戰國策》〈楚策〉一曰：「江乙說於安陵君曰……乃封壇為安陵君。君子聞之曰：『江乙可謂善謀，安陵君可謂知時矣。』」案：此戰國晚期事，《國策》載君子贊江乙及安陵君語，則君子當是戰國晚期以後之人。又《說苑》〈權謀〉亦載此事，文字大致相同，結語曰：「故曰：江

⓮　見《論語》〈子路〉。

乙善謀，安陵纏知時。」蓋將君子語化入正文中耳。

56.《賈誼新書》〈春秋〉：「孫叔敖之為嬰兒也，出遊而
還，憂而不食……其母曰：『無憂，汝不死。吾聞之，有
陰德者，天報以福。』人聞之，皆諭其能仁也。及為令
尹，未治而國人信之。」案：《新序》〈雜事〉一載此
事，文末曰：「及長為楚令尹，未治而國人信其仁也。」
二語蓋襲自《新書》。《列女傳》三亦載此事，結語曰：
「及叔敖為令尹，君子謂叔敖之母，知道德之次。」《列
女傳》為配合書旨，改贊叔敖之母，與《新書》、《新
序》贊叔敖能仁不同；此君子評論，恐為漢人所加。

57.《新序》〈雜事〉二：「齊有婦人極醜無雙，號曰無鹽
女……醜女之力也。」案：《列女傳》六亦載此事，文末
有君子評論。《列子傳》每則下多有君子之評論；此等君
子語，蓋皆漢人所加。

根據上文的論證，雖然知道史評人物君子跨越時代相當長，但是，
資料顯示其最早者不應該超越孔子；理由也許是，在我們採用的古
籍中，除《國語》之外，其他的時代都比三傳晚，所以，其君子當
然不會比三傳者早。至於最晚者，可以遲至漢代，《列女傳》中的
諸多君子是最典型的代表；這樣的君子，已經不是客觀的第三者，
而是編著者自己的化身了。

㈢三傳之佚評

春秋時代不但史學鼎盛，而且史評人物比肩接踵，甚有可觀。

作為重要史評人物的君子，他們所發表的言論散見於各種原始材料內；這些言論，一部分為三傳所採錄，一部分被其他古籍保留下來。底下所臚列的，都是三傳所未曾收錄的佚評：

58.《國語》〈晉語〉一「申生伐東山」章：「十七年冬，公使太子伐東山。……里克曰：『孺子懼乎？衣躬之偏，而握金塊，令不偷矣。孺子何懼？夫為人子者，懼不孝，不懼不得。且吾聞之：「敬賢於請。」孺子勉之乎！』君子曰：『善處父子之間矣。』」案：此事又見《左傳》閔公二年，《左傳》載里克語曰：「且子懼不孝，無懼弗得立，修己而不責人，則免於難。」所言與《國語》甚近，當是一事兩傳耳。《國語》載君子贊語，《左傳》未錄。

59.同上：「太子遂行……申生欲戰，狐突諫曰：『不可。突聞之：國君好外，大夫殆；好內，適子殆，社稷危。若惠於父而遠於死，惠於眾而利社稷，其可以圖之乎？況其危身於狄以起讒於內也？』……君子曰：『善深謀也。』」案：此事見《左傳》閔公二年，所載狐突勸申生不可戰語：「不可。昔辛伯諗周桓公：內寵並後，外寵二政，嬖子配適，大都耦國，亂之本也。周公弗從，故及於難。今亂本成矣，立可必乎？……」與《國語》所載者略有小同，蓋一語兩錄耳。《國語》此下有君子贊狐突善於深謀語，《左傳》不錄。

60.同上〈晉語〉二「冀芮答秦穆公」章：「穆公問冀芮曰：『公子誰恃於晉？』對曰：『臣聞之，亡人無黨，有黨必

有仇。夷吾之少也，不好弄戲，不過所復，怒不及色，及
其長也弗改……其誰能恃乎？』君子曰：『善以微勸
也。』」案：《左傳》僖公九年曰：「晉郤芮使夷吾重賂
秦以求人……秦伯謂郤芮曰：『公子誰恃？』對曰：『臣
聞亡人無黨，有黨必有讎，夷吾弱不好弄，能鬥不過，長
亦不改，不識其他。』」二書載郤芮大致相同，惟《國
語》此下有君子贊詞，《左傳》未錄。

61.同上〈晉語〉四「文公救宋」章：「……楚既陳，晉師退
捨，軍吏請曰：『以君避臣，辱也。且楚師老矣，必敗，
何故退？』子犯曰：『……戰鬥，直為壯，曲為老；未報
楚惠而抗宋，我曲楚直，其眾莫不生氣，不可謂
老……』……君子曰：『善以德勸。』」案：此則載子犯
論師之壯老，文末君子贊子犯善於勸德。《左傳》僖公二
十八年亦載此事：「子犯曰：師直為壯，曲為老，豈在久
矣！……」子犯云云，與《國語》相同，惟不錄君子贊
詞。

62.同上〈晉語〉六「郤至勇而知禮」章：「鄢之戰，郤
至……三逐楚平王卒，見王必下奔退戰。……君子曰：
『勇以知禮。』」案：此則載郤至於戰爭中猶能守禮，故
文末錄君子贊詞。《左傳》成公十六年亦載此事：「郤至
三遇楚子之卒，見楚子必下，免胄而趨……。」惟未錄君
子贊詞。

63.同上〈晉語〉七「悼公賜魏絳」章：「……公賜魏絳女樂
一八……魏絳辭曰：『夫和戎、狄，君之幸也。八年之

中，七合諸侯，君子靈也……』……君子曰：『能志善
也。』」案：此則載晉悼公感激魏絳「和諸戎、狄而正諸
華」之功，因賜女樂，文末有君子贊晉悼公之詞。《左
傳》襄公十一年亦載此事：「晉侯以樂之半賜魏絳……辭
曰：夫和戎、狄，國之福也。八年之中，九合諸侯，諸侯
無慝，君之靈也……。」與《國語》所載者相同，惟未錄
君子之贊詞。

64. 《太平御覽》三六九、四一七及四三八引《新序》曰：
「崔杼弑莊公，申蒯漁於海而後至，將入死之……申蒯拔
劍呼天，三踊，乃鬥，殺七列，未及崔子一列而死，其御
亦死之門外。君子聞之曰：『蒯，可謂守節死義矣！』」
案：《左傳》襄公二十五年曰：「申蒯侍漁者，退謂其宰
曰……與之皆死。」《新序》所記，即《左傳》此事，惟
文字較淺較詳而已。《新序》錄此事時，猶保存君子贊申
蒯之詞，為《左傳》所無。

65. 《新序》〈節士〉曰：「齊崔杼者，齊之相也，弑莊
公……南史氏是其族也，聞太史盡死，執簡以往，將復書
之。聞既書矣，乃還。君子曰：『古之良史。』」案：
《左傳》襄公二十五年有此事，文較精簡，亦不錄君子贊
詞。

66. 《公羊傳》襄公二十九年：「謁也，餘祭也，夷昧也，與
季子同母者四。……季子不受曰……去之延陵，終身不入
吳國。」案：此事又見於《新序》〈節士〉及《說苑》
〈至公〉；文較詳。《新序》文末曰：「君子以其不受國

為義，以其不殺為仁，是以《春秋》賢季子而尊貴之
也。」有君子之贊詞；《說苑》文末曰：「君子以其不殺
為仁，以其不取國為義。夫不以國私身，捐千乘而不恨，
棄尊位而無怨，可以庶幾矣！」亦有君子之贊詞。二書贊
詞首兩句「不殺為仁」「不取國為義」，蓋來自《公羊》
「故君子以其不受為義，以其不殺為仁」。惟《說苑》其
下「夫不以國私身……可以庶幾矣」，為《公羊》所無；
若非後人所加，則當是君子之詞，而為《公羊》所未錄。

67. 《說苑》〈立節〉：「晉驪姬譖太子申生於獻公，獻公將
殺之……遂伏劍死。君子聞之曰：『天命矣夫，世
子！』」案：申生自殺而死，又見《左傳》僖公四年、
《穀梁》僖公十年，文較簡練；《說苑》有君子評論，為
二傳所無，蓋佚評也。

上舉十例，其史事都見於三傳，不過，君子的評論卻為三傳所無。
大概當時講評人君子發表意見的時間不同，地點也有別，所以，記
錄得比較參差。三傳在組織史料時，有時從材料中把史評過錄進
去，有時因裁剪上的關係而放棄，有時卻因為手上的材料缺史評而
無法登錄，總而言之，三傳所錄君子曰只不過是這批史評人的部分
言論而已，必須把散佚在三傳以外的君子曰輯合起來，我們才能夠
全面地瞭解這一批被冠以「君子」的史評人的史觀了。

㈣佚史之史評

除了三傳，史評人物君子也講評三傳所未曾備錄的史事；這

些，可以說都是春秋佚史了。這些講評材料，都散佈在許多古籍內，成為古籍的一種特色。這些材料為數頗多：

68.《國語》〈晉語〉一「史蘇論驪姬」章：「獻公伐驪戎，克之……史蘇朝，告大夫曰……君子曰：『知難本矣。』」案：此晉獻公使太子、重耳及夷吾出居，惟二姬之子在絳事，當在莊公之二十八年；《國語》此下有史蘇預言及君子贊史蘇語，皆為《左傳》所未錄。

69.《韓詩外傳》及《說苑》載荊蒯芮（《說苑》作「邢蒯瞶」）殉齊莊公，見上文第五十二條。案：崔杼弒莊公，見《左傳》襄公二十五年；荊蒯芮殉難事，《左傳》未錄，蓋春秋佚史也；二書所錄君子之評論，文雖略有小異，其為此段佚史之評論，當無可疑。

70.《國語》〈晉語〉一「優施教驪姬」章：「……是故使申生伐東山……僕人讚聞之曰：『太子殆哉！君賜之奇，奇生怪，怪生無常……其若內讒何！』……君子曰：『知微。』」案：《左傳》閔公二年載晉侯使太子申生伐東山皋落氏，並衣太子以偏衣，佩之以金塊，當時發表意見者有先友、狐突、梁餘子養、罕夷及先丹木等人；《國語》謂讚亦發表意見，此《左傳》所未載，蓋佚史也。君子贊其知微，對此佚史有評論，為《左傳》所無。

71.《韓詩外傳》二：「晉文公使李離為理……君子聞之曰：忠矣乎！《詩》曰：『彼君子兮，不素餐兮。』李先生之謂也。」案：此謂李離能以死承擔誤殺之罪，故君子贊其

「忠」。李離事三傳不載,蓋佚史也,君子評詞,亦佚評也。《新序》〈節士〉有此事,亦無君子之評論。

72.《新序》〈節士〉:「申包胥者,楚人也……遂逃賞,終身不見。君子曰:『申子之不受命,赴秦忠矣;七日七夜不絕聲,厚矣,不受賞,不伐矣。然賞所以勸善,辭賞亦非常法也。』」案:申包胥逃賞,三傳不見;蓋佚史也。君子評論此事,謂「辭賞亦非常法」,他書所不見。

73.《韓詩外傳》一:「申徒狄非其世,將自投於河……遂抱石而沉於河。君子聞之曰:『廉矣。如仁與智,則吾未之見也。』」案:《新序》〈節士〉亦錄此事,文幾全同。《莊子》〈盜跖〉曰:「申徒狄諫而不聽,負石自投於河,為魚鱉所食。」即指此事,蓋佚史佚聞也。

74.同上:「鮑焦衣弊膚見……於是棄其蔬而立槁於洛水之上。君子聞之曰:『廉夫剛哉!夫山銳則不高,水徑則不深,行蹎者其德不厚,志與天地擬者其為人不祥。鮑焦可謂不祥矣。其節度淺深,適至於是矣。』」案:《新序》〈節士〉亦錄此事,文極近。《莊子》〈盜跖〉曰:「鮑焦飾非世,抱木而死。」所云即此事,蓋佚史佚聞也。文末有君子評論。

75.《新序》〈節上〉:「吳有士曰張胥鄙、譚夫吾……乃絕頸而死。君子曰:『譚夫吾其以失士矣,張胥鄙亦未為得也,可謂剛勇矣,未可謂得節也。』」案:此亦佚史佚聞也。

76.同上:「公孫杵臼、程嬰者……春秋祠之,世不絕。君子

曰：『程嬰、公孫杵臼可謂信交厚士矣，嬰之自殺下報，
亦過矣。』」案：趙氏孤兒事不見於先秦史籍，《新序》
所載，蓋佚史也，文末有君子之評論。《史記》〈趙世
家〉及《說苑》〈復恩〉皆有此事，惟無君子曰。

77.《說苑》〈反質〉：「晉文公合諸侯而盟曰……君子聞之
曰：『文公其知道乎？其不王者，猶無佐也。』」案：晉
文公盟詞，不見於三傳，蓋佚史也；《說苑》文末錄君子
評論。

上舉十例，都是春秋佚史的史評。這些例子告訴我們，當時史評人
物相當多，他們經常發表高見，這些高見就被登錄在相關的材料
內。在諸多佚史當中，有些恐怕是漢代才「傳開來」，有些佚評更
是漢人所附加上去。

※　　　　※　　　　※　　　　※

在結束本節之前，君子的史評言論還有兩個特色，值得我們在
這裏補敘：

第一、《國語》的「君子曰」都集中在〈晉語〉

《國語》有九條「君子曰」，它們全都在〈晉語〉內；四條在
〈晉語〉一，兩條〈晉語〉二，然後〈晉語〉四、六及七各一條。
〈晉語〉一的那四條，全都是評論驪姬事件。這種情形，與《國
語》載孔子史評全集中在〈魯語〉內，全針對公父文伯的母親極為
相似，值得注意。

第二、君子評論晏嬰有七條

前文已提過，君子評論的範圍很廣，所評事件也很多；在諸多評論中，評晏嬰的卻有七條，數量雖不很多，卻是一種特色。它們都集中在《晏子春秋》內，其中〈內·問〉上一條、〈內·雜〉上三條、〈內·雜〉下一條及〈外〉八兩條；這種情形，與孔子愛好評論晏嬰有幾分相似。

根據本節的論述，可知君子人數眾多，分散於不同時不同地，是當時僅次於孔子的一批重要史評人物。他們評論的範圍非常遼闊，也非常繁多；在諸多評論中，一部分隨著相關史事為三傳所採納，一部分則未被採錄而仍然散落在原書中。不被採錄的情形有兩種；一種是該相關史事被採納，而其評論被擱置；一種是兩者都被擱置。無論是上述哪一種，它們都是這批人物對歷史事件的評議；惟有將這批材料集合在一起，才可以全面地、完整地理解作為史評人物的君子的歷史觀了。

「君子曰」到了漢代，特別是劉向編《列女傳》的時候，已經起了質的變化。它不再是第三者的評論，而是編者自己的發言了；而且到了每事必評、每人必論的地步。這樣的做法，顯然的，很可能是受了太史公的影響。

四、其他史評人物

在史評人物當中，孔子以儒家始祖的卓越聲譽而獨佔鰲頭，君子則以人數眾多、跨時甚早、言論紛呈而躍居亞軍；接下來的，就是保留得比較零散的一些其他人物了。他們評論的基本上只局限於

某部分、某時代的歷史,所以,所見的言論也不太多。茲例舉如下:

(一)墨翟

墨子也是位重要的史評人物,在他所留下來的作品中,不少言論即評論古史及當代事件、人物,比如〈魯問〉載魯君誅嬖人,墨子聽到此事後,即評之曰:「誄者,道死人之志也。今因說而用之,是猶以來首從服也。」又比如〈耕柱〉載葉公子高問政於孔子,墨子聽到後,即評之曰:「葉公子高未得其問也,仲尼亦未得其所以對也⋯⋯。」這些,都是一位史評人物常見的事。

《晏子春秋》保存了墨子兩條史評:

> 77.〈內·問〉上第五:「景公外傲諸侯,內輕百姓⋯⋯晏子對曰⋯⋯故小國入朝,燕魯共貢。墨子聞之曰:『晏子知道,道在人為,而失為己。為人者重,自為者輕。景公自為,而小國不興,為人,而諸侯為役,則道在為人,而行在反己矣,故晏子知道矣。』」

這條史評主要是嘉許晏嬰知道治國之道,能夠「為人者重,自為者輕」,所以,「諸侯為役」了。另一條是:

> 78.〈內·雜〉上:「景公與晏子立於曲潢之上⋯⋯墨子聞之曰:『晏子知道,景公知窮矣。』」

墨子此處也讚許晏嬰知道治國之道,與前一條相若。我們無法在其他古籍內看到墨子的史評,相信是沒有流傳下來,而不是墨子沒有再發言。

(二)閔子騫

閔子騫,孔子的學生,比孔子少十五歲❶,以德行稱於儒門。《論語》記載季氏想請他出任費宰,他對來人說:「善為我辭焉!如有復我者,則吾必在汶上矣。」看來是一位比較淡泊的知識份子。

七十年代長沙馬王堆出土《春秋事語》的帛書,其中有三條有史評文字,發言人都作「閔子辛」,張政烺有考證❶,姑從之。

這三章《事語》為:

> 79.第六章:「□□伯有……遂弗聽。伯有亦弗芒,自歸其
> □……縣鐘而長飲酉·閔子[辛聞之]曰:『[伯]有必及
> 矣。吾聞之……,……□□[伯]有,而使[子]產相。」
> 案:本章記伯有派公孫黑出使楚國而引發鄭國內亂,最後
> 政權由子產接掌之事,《左傳》僖公二十九年及三十年載
> 有此事,比《事語》詳細。《事語》有閔子騫之評論,由
> 殘帛來判斷,蓋對伯有頗有貶意。文末「□□伯有,而使

---

❶ 此據《史記》〈仲尼弟子列傳〉。《論語》〈先進〉載孔子許閔子騫以「孝」,又謂他「夫人不言,言必有中」。

❶ 張政烺撰有〈《春秋事語》題解〉,在《文物》1977年第一期內。

子產相」，當是此事之結果，非閔子騫語。

80.第十一章：「魯互公少，隱公立以奉孤。公子□冐隱公
曰……閔子辛聞之曰：『□□隱公。夫奉孤以軍令
者……。』互公長……。」案：此事見《左傳》隱公
《傳》前及十一年，《公羊》隱公四年也載其事；細審閔
子騫語，似乎在批評隱公奉孤之不穩當。

81.第十五章：「魯壯公有疾，訊公子牙……君召，公子俐俱
人。閔子辛聞之，曰：『君以逆德人，怠有後患……』後
二年，共中使卜奇賊閔公於武諱。」案：此事見《左傳》
莊公三十二年、閔公元年及二年；閔子騫蓋批評公子牙及
公子俐處事之不當。

上述三條，應該都是閔子騫的史評言論；它們都不見於三傳，可補
三傳史評之不足。從這三章故事皆見於三傳來看，又從三章史評部
分比史事部分文字來得長來看，當時三傳史評發言人以及發言情形
應當相當頻密，只可惜三傳只採錄一部分，其他就散落在各種古籍
裡了。

(三)郭偃

郭偃，晉人，晉文公時代政治人物之一。《韓非子》〈南面〉
曰：「管仲毋易齊，郭偃毋更晉，則桓、文不霸矣。」將郭偃與管
仲並列，又謂無郭偃之更法，晉文公不能稱霸，可見他是位政治改
革家，功業與管仲不相上下。《商君書》〈更法〉引郭偃之法，知
道他是位「不和於俗」、「不謀於眾」的果敢人物；《戰國策》

〈趙策〉載客言「燕郭之法」，吳師道〈補〉曰：「一本標劉本作『郭隗之法』。」可見戰國人還見及郭隗之法。

他不但是個政治人物，也還是位史評人物；試讀下列材料：

82.《國語》〈晉語〉三「惠公入」章：「惠公入而背外內之賂。輿人誦之曰……郭偃曰：『善哉！夫眾口禍福之門。是以君子省眾而動，監戒而謀，謀度而行，故無不濟……。』」案：本章載郭偃評論晉惠公背信棄義，並且不知「戒備」。

83.同上「惠公改葬」章：「惠公即位，出共世子而改葬之，臭達於外。國人誦之……郭偃曰：『甚哉！善之難也！……必或知之，十四年，君之塚嗣用其替乎？其數告於民矣。公子重耳其人乎？其魄兆於民矣。若入，必伯諸侯以見天子……。』」案：此章載郭偃批評晉惠公，並對重耳作種種預言。

84.同上「惠公悔」章：「惠公既殺里克而悔之……郭偃聞之曰：『不謀而諫者，冀芮也；不圖而殺者，君也……罹天之禍，無後。志道者勿忘，將及矣！』及文公入，秦人殺冀芮而施之。」案：此章載郭偃批評惠公及冀芮，並對「天禍」之來臨作預言。

根據史籍記載，郭偃又稱卜偃，掌晉國卜筮之事。古時巫史不分，從他史評時常帶有預言的成份來看，他的確是亦史亦卜，更是一名政治改革家。出土帛書《春秋事語》第十三章載宋泓水之戰，文末

錄有士偓之講評,為魯國人,當是別為一人。

㈣鄭長者

　　鄭長者是位逸名的史評人物,《漢書》〈藝文志〉道家類下著錄有一篇,班固〈注〉:「六國時,先韓子,韓子稱之。」陶憲曾曰:「釋慧苑《華嚴經音義》下引《風俗通》曰:春秋之末,鄭有賢人,著書一篇,號鄭長者。」今保存史評文字一條:

> 85.《韓非子》〈外儲說右〉上:「因子方問唐易鞠曰:『弋者何慎?』對曰……鄭長者聞之曰:『田子方知欲為廩,而未得所以為廩。夫虛無無見者,廩也。』」案:此鄭長者批評田子方處事不知「虛無、無見」之方法。《韓非子》本章有「一曰」,為齊宣王與唐易子答問,內容甚近,唐易子且引鄭長者語:「夫虛靜、無為而無見也。」不以此為鄭長者之史評語。〈難二〉亦引鄭長者語:「體道無為不見也。」義同。

這位佚名史評人物的言論雖然頗為時人及韓子所徵引,〈漢志〉也著錄有著作一篇,可惜今天所能看到的史評只有一則而已。馬國翰《玉函山房輯佚書》有《鄭長者》一卷,也了無新義。

㈤內史興

　　內史興,周之史官,見《國語》〈周語〉上;又稱內史叔興父,見《左傳》僖公二十八年。既為史官,自亦為史評人物;今可

見者有：

> 86.《呂氏春秋》〈當賞〉：「晉文公反國，賞從亡者，而陶
> 狐不與。左右曰……文公曰：『輔我以義，導我以禮者，
> 吾以為上賞……。』」周內史興聞之曰：『晉公其霸乎？昔
> 者聖王先德而後力，晉公其當之矣。』」案：僖公二十八
> 年，內史興與大宰文公同奉周襄王之命，賜命晉文公；
> 《呂覽》此條所記，蓋當時之評論耳。《說苑》〈復恩〉
> 錄此文，故事較詳。

內史興的史評文字應該不止於此，可惜目前我們只看到一條而已。

(六)師亥

師亥是魯國的樂師，他對史事也發表評論，可見史評的風氣相
當流行。試讀下列資料：

> 87.《晉語》〈魯語〉下「公父文伯之母」章：「公父文伯之
> 母欲室文伯，饗其宗老……師亥聞之曰：『善哉！男女之
> 饗，不及宗臣……。』」案：公父文伯之母為文伯授室，
> 宴饗宗老，宗老賦詩；師亥為此發表議論，各有臧否。

師亥的史評只有一條，而且是魯人評魯事；大概是位言論不多的史
評人物了。

※　　　※　　　　※　　　　　※

前文所討論的，都是一些言論不太多的史評人物，有的是史家，有的是樂師，有的是卜者，有的是政治人物，有的是憂國憂民的思想家，身份不同，背景亦異，然而，他們都對歷史及當代事件發表言論，構成多姿多彩的史評文字。

實際上，零星的史評人物並不只上述幾位而已，帛書《春秋事語》就強烈地證明這點。翻開這十六章的《事語》，我們就會發現，除前文所說閔子辛之外，還有口赫（第三章）、醫寧（第十六章）、子貢（第十章）、紀譜（第十四章）以及無名氏（第一、五、七及十二章）等。因此，本節所列的一批零星的史評人物，應該只是部分代表而已。

（原刊於《儒家文化》第三輯，新加坡，2003）

論「孔子作《春秋》」說的形成

　　古文經學家認為《春秋》是魯史，經過孔子的整理，地位最崇高，所以，在六經排列的次序上，位居最後；今文經學家認為《春秋》含有孔子的微言大義，六經中含義最深，所以，地位最崇高，也位居最後。儘管兩派學者對經學上許多課題的看法不同，但是，對《春秋》的地位，卻有相當一致的看法。《春秋》地位所以如此崇高，最大的原因是和孔子涉上關係，或說是孔子所編的，或說是孔子所作的，因而提高其學術地位。

　　《春秋》到底和孔子有沒有關係？是甚麼關係？這是個古老的問題，兩千年來一直爭論不息，各派都有自己的一套理論和證據，很難徹底解決。本文嘗試從「孔子作《春秋》」這個說法的形成，來考察《春秋》和孔子的關係，也許在瞭解這個課題上有一些幫助。

　　最早在這課題上透露一點訊息的應該是《公羊傳》，試讀下列材料：

　　1. 莊公七年《經》：「夏四月……夜中，星隕如雨。」
　　　《公羊傳》曰：如雨者，非雨也。非雨則曷為謂之如雨？
　　　《不修春秋》曰：「雨星不及地，尺而復。」君子修之

曰：「星隕如雨。」

根據《公羊》的記載，在「星隕如雨」這件事情上《春秋》有兩種
版本，一種是未經過修訂的《魯春秋》，一種是經過「君子」修訂
過的《春秋》；修訂過的《春秋》與今傳本合，可見今傳本是經過
這位「君子」修訂過的。這位「修」過《春秋》的君子是誰呢？徐
彥〈疏〉說：「據此《傳》及〈注〉言，則孔子未修之時，已謂之
《春秋》矣。」認為「君子」就是孔子，附和的學者甚多，今不
錄。

　　《公羊》並未明言修者是孔子，只說是「君子」；當然，「君
子」有可能是孔子，甚至有此暗示傾向；然而，為甚麼不直接明說
呢？過去學者或指摘此條的虛妄，葉夢得《公羊傳讞》說：「若舊
史謂『不至地』，《春秋》修之謂『至地』，則二義亦不同矣，
《春秋》蓋未嘗有變舊史而自為之辭者也。」把「雨星不及地，尺
而復」修改成「星隕如雨」（如雨之及地），顯然是一種「變舊史而
自為之辭」的錯誤；葉說有可取之處。若如葉說，孔子的修訂豈不
是弄巧反拙？孔子會如此嗎？頗值得懷疑。無論如何，本條未直接
明言修訂者的名姓。

　　2.哀公十四年《公羊傳》曰：君子曷為為《春秋》？撥亂
　　世，反諸正，莫近諸《春秋》。則未知其為是與？其諸君
　　子樂道堯、舜之道與？末不亦樂乎堯、舜之知君子也，制
　　《春秋》之義以俟後聖，以君子之為亦有樂乎此也。

在解讀這段文字之前，必須先瞭解前面兩段文字，一段是「何以書？記異也……孔子曰：吾道窮矣」，記載獲麟後孔子悲泣道窮，天下已無可為；另一段為「《春秋》何以始乎隱……備矣」，解釋《春秋》起訖的大道理；兩段文字，無不充滿《公羊》的微言，讀後使人感覺大義凜然。唯一差別的是，首段有主名孔子，次段無。

　　本段（即第三段）首言《春秋》為「君子」所「為」；為，即作、製作、創作之意；「作」者是「君子」，亦未明言為何人。其次解說《春秋》之作的目的、意旨及期望等。顯然的，第二段和本段都在解說與《春秋》相關的課題，它們都和「君子」發生關係。第一段記載獲麟後孔子悲泣，第二、三段接著解說孔子製作《春秋》的各種相關問題，如此前後安排，可以說是順理成章的；但是，為甚麼《公羊》在首段道出主名孔子，而本段卻改口說「君子」呢？難道是不同人嗎？或者是多數人嗎？頗值得斟酌。

　　徐彥在疏解本段時，曾引了一段類似緯書的文字說：「孔子未得天命之時，未有製作之意，故但領緣舊經，以濟當時而已。既獲麟之後，見端門之書❶，知天命已製作，以俟後王，於是選理典籍，欲以撥亂之道，以為《春秋》者，賞善罰惡之書，若欲治世，反歸於正，道莫近於《春秋》之義，是以得天命之後，乃作《春秋》矣。」這段文字，應是附會《公羊》而生，其荒誕自明；竊疑《公羊》本段暗示孔子「為」《春秋》，恐有誇大之意，所以荒誕

---

❶　徐彥〈疏〉又曰：「得麟之後，天下血書魯端門曰：『趙作法，孔聖沒，周姬亡，彗東出，秦政起，胡破術，書記散，孔子絕。』子夏明日往視之，血書飛為赤鳥，化為白書，署曰『演孔圖』，中有作圖製法之狀。」

之緯說始得附會而生。

> 3. 昭公十二年《經》曰：「春，齊高偃帥師納北燕伯于
>   陽。」
>   《公羊傳》曰：伯于陽者何？公子陽生也。子曰：「我乃
>   知之矣。」在側者曰：「子苟知之，何以不革？」曰：
>   「如爾所不知何？《春秋》之信史也。其序則齊桓、晉
>   文，其會則主會者為之也，其辭則丘有罪焉爾。」

《公羊》本段記載《經》有誤字，在側者詢問「何以不革」，孔子
乃化為一番感慨。楊伯峻《春秋左傳注》〈前言〉說：「據何休
〈注〉和徐彥〈疏〉，孔子親見其事，魯史有誤而不改。那麼，明
知史文有誤而不訂正，孔丘到底修了《春秋》沒有，這不是不打自
招，孔丘只是沿舊史文麼？」楊伯峻只就此一處即斷定孔子「只沿
舊史文」，不曾修過《春秋》，實在過於武斷。即以本條來說，孔
子此處「不革」，正反映他處曾經「革」；否則在側者就不會有此
提問了。值得注意的是，這幾個字的「革」只是誤字脫文而已，無
關《春秋》微言大義，是不是孔子覺得誤字脫文並不重要，無需更
正？其他與微言大義有關的，才有「革」的必要呢？❷答案如果肯
定的話，那麼，孔子極可能修訂過《春秋》。

---

❷ 張以仁〈孔子與春秋的關係〉說：「這一資料，適足以證明孔子曾修作經
文，他如果沒有那樣的事，『在側者』也不會問他『何以不革』了……孔子
還是不願輕易改動，一則他怕自己所知仍有未備，二則這種地方也和他刪削
《春秋》的旨趣無關。」見張著《春秋史論集》內，聯經，1990，頁28-30。

　　考察了《公羊傳》三條資料後，我們發現除第三條比較明確地披露孔子曾經修訂過《春秋》，也許包括影響微言大義的詞以及一些無關宏旨的誤字脫文，其他第一、二條透露的修、作者卻是個「君子」；這個「君子」是不是孔子，還無法明確斷定。不過，深入領悟《公羊傳》這三條材料後，筆者有一種感覺：孔子和《春秋》的關係被公羊化了。

　　接下來，我們審閱兩條《左傳》的材料。

　　4.僖公二十八年《經》曰：「冬……天王狩於河陽。」
　　　《左傳》曰：是會也，晉侯召王，以諸侯見，且使王狩。
　　　仲尼曰：以臣召君，不可以訓。故書曰：「天王狩於河
　　　陽。」言非其地，且明德也。

《左傳》本段在解釋《經》的書法，不過，由於斷句的不同以及主語的省略，其解釋無法令人清楚明曉。自「仲尼」以下，至少有下列四種讀法❸：

　　a1.　仲尼曰：「以臣召君，不可以訓。」故（仲尼）書曰：
　　　　　「天王狩於河陽。」……。
　　a2.　仲尼曰：「以臣召君，不可以訓。」故書曰：「天王狩
　　　　　於河陽。」……。

---

❸　張以仁先生說有三種句讀法，見前揭文，頁 10-12。

如果是 a1 的讀法的話，那麼，《春秋》是孔子修、作的；a2 的讀法，則《左傳》的作者只在解經，《春秋》非孔子所修、作了。另外兩種讀法是：

　　b1.　仲尼曰：「以臣召君，不可以訓。故書曰：天王狩於河陽。言非其地，且明德也。」

　　b2.　仲尼曰：「以臣召君，不可以訓。故（我）書曰：天王狩於河陽。言非其地，且明德也。」

如果是 b1 的讀法，《春秋》可能是孔子所修、作，也可能不是，由於主語的省略，我們無法判定。b2 的讀法，則其作者明顯的是孔子了。無論是 a 種或 b 種讀法，主語的存在與否是「孔子修、作《春秋》」的決定因素。由於主語的省略，我們根據《左傳》本段文字，無法準確判定其作者提供「孔子修、作《春秋》」的訊息。我們只好這樣說：這位「書」《春秋》的人，可能是君子，也可能是孔子。

　　5. 成公十四年《左傳》曰：故君子曰：「《春秋》之稱，微而顯，志而晦，婉而成章，盡而不污，懲惡而勸善，非聖人誰能修之？」

根據《左傳》所載君子的說法，很明顯的，《春秋》的修作者非「聖人」莫屬；然則，這「聖人」是誰呢？從君子所賦與《春秋》的神聖意義來看，這「聖人」極可能就是孔子。

　　《莊子》〈齊物論〉說：「六合之外，聖人存而不論；六合之內，聖人論而不議；《春秋》經世先王之志，聖人議而不辯。」此文所言「聖人」，當然不是孔子，王先謙說：「《春秋》經世，謂有年時以經緯世事，非孔子所作《春秋》也。」所言甚是，可見「聖人」一詞並非專指孔子而已。

　　考察了《左傳》的材料，我們發現作者認為孔子修作《春秋》的說法也不是完全肯定的。第二條材料說是「聖人」所修，和《公羊傳》兩度說「君子」所修、所為不太相同；以「聖人」暗示孔子，當然比「君子」更恰當，但是，作者並不是以肯定的語氣來提說，而是用推論的口吻來暗示。

　　綜合來說，《公羊傳》及《左傳》對有關孔子修作《春秋》的說法還不十分定型，有時採用不同程度的暗示手法，有時採用推論的口吻，沒有一條材料很肯定地從正面來敘述這件事。推究其原因，大概這個時期「孔子作《春秋》」說還在醞釀之中，還沒完全形成；即使略已形成，也還不十分鞏固。

　　　　　　　※　　　　　※　　　　　※　　　　　※

　　到了孟子，情形完全不同了。

　　孟子是第一位很明確及很肯定地指出《春秋》的作者是孔子的思想家。他說❹：

　　　世衰道微，邪說暴行有作，臣弒其君者有之，子弒其父者有

---

❹　見《孟子》〈滕文公〉下。

之。孔子懼，作《春秋》。《春秋》者，天子之事也。是
故，孔子曰：「知我者，其惟《春秋》乎！罪我者，其惟
《春秋》乎！」……孔子作《春秋》，而亂臣賊子懼。

孟子很清楚、肯定地告訴我們，《春秋》是孔子「作」的；似此明
確的態度及提法，是過去所未曾有的。在另外一個場合裡，孟子又
說：

王者之跡熄而《詩》亡，《詩》亡然後《春秋》作，晉之
《乘》、楚之《檮杌》、魯之《春秋》，一也。其事則齊
桓、晉文，其文則史。孔子曰：「其義則丘竊取之矣。」

孟子在這段文字內雖沒有明說孔子作《春秋》，不過，正唯孔子承
認他「竊取」《春秋》之義，所以，才有「知我」、「罪我」都只
有《春秋》，那麼，孟子腦裡始終都認為孔子作《春秋》可知矣。
　　筆者認為，孟子主張孔子作《春秋》的態度，其思想性比真實
性來得強。
　　孟子非常推崇孔子，認為孔子是自有生民以來最偉大的人物。
在〈公孫丑〉上篇裡，他曾假借宰我、子貢及有若，極力禮讚孔
子：

宰我曰：「以予觀於夫子，賢於堯、舜遠矣。」子貢曰：
「見其禮而知其政，聞其樂而知其德，由百世之後，等百世
之王，莫之能違也。自生民以來，未有夫子也。」有若曰：

「豈惟民哉！麒麟之於走獸，鳳凰之於飛鳥，太山之於丘
垤，河海之於行潦，類也。聖人之於民，亦類也。出於其
類，拔乎其萃，自生民以來，未有盛於孔子也。」

宰我認為孔子比堯、舜賢；子貢進一步認為，自百世之後去評價百
世以前的禮制，沒有人可以違背孔子之道，所以自有人類以來，孔
子的禮制最興盛；有若更加認為，孔子不但是聖人，而且還是聖人
中的聖人，是有人類以來最偉大的聖人。朱熹《集注》說：「言自
古聖人固皆異於眾人，然未有如孔子之尤盛者也。」在孟子心目
中，孔子是聖人中之聖人，是聖人中的「尤聖者」，所以，孟子說
他「乃所願，則學孔子也」。

　　孟子要學習孔子甚麼事跡呢？孟子認為，自有生民以來，人類
出現過三件偉大的事件；第一件是大禹治水，他說❺：

當堯之時，水逆行，氾濫於中國，蛇龍居之，民無所定……
使禹治之。禹掘地而注之海，驅蛇龍而放之菹；水由地中
行，江、淮、河、漢是也。險阻既遠，鳥獸之害人者消，然
後人得平土而居之。

孟子認為堯的時代，大水氾濫，荼毒生靈，大禹治之，使人類得以
「平土而居之」，所以大禹功勞最大，值得垂名青史。第二件豐功
偉業是周公平治天下，他說：

──────────

❺　同上。

> 堯、舜既沒，聖人道衰，暴君代作……及紂之身，天下又大
> 亂。周公相武王誅紂，伐奄，三年討其君，驅飛廉於海隅而
> 戮之，滅國者五十，驅虎豹犀象而遠之，天下大悅。

到了商紂，天下又「大亂」，周公乃協助武王平定天下，使老百姓
「大悅」，可以安居；孟子認為，這是人類史第二件偉大事業。最
後一件大事業便是孔子作《春秋》，根據他的說法，到了孔子的時
代，世衰道微，邪說暴行，天下又大亂了，於是，孔子起而作《春
秋》。孟子接著又說：「禹抑洪水而天下平，周公兼夷狄、驅猛獸
而百姓寧，孔子成《春秋》而亂臣賊子懼。」將這三件偉事並舉。
《春秋》不過一本書，怎麼能和治水、平天下相比呢？孟子說，
《春秋》成而亂臣賊子懼；易而言之，《春秋》面世後，天下乃安
寧，功與治水及平天下相等。

　　儘管後人並不相信孟子「亂臣賊子懼」的說法，如劉知幾就
說：「孟子云：孔子成《春秋》，亂臣賊子懼，無乃烏有之談
歟！」❻如錢大昕也說：「將謂當時之亂賊懼乎？則趙盾、崔杼之
倫，史臣固以直筆書之，不待《春秋》也。將謂後代之亂賊懼乎？
則《春秋》後，亂賊仍不絕於史冊，吾未見其能懼也。孟子之言，
毋乃大而誇乎？」❼但是，孟子是完全相信這件事的。孔子以一介
布衣，幹出「天子之事」，而且影響亂臣賊子那麼深，所以，孟子
認為孔子寫《春秋》可以和大禹治水及周公平天下相媲美。

---

❻　見《史通》〈惑經〉。
❼　見《潛研堂文集》卷七。

孟子用這樣的邏輯方式來論述孔子和《春秋》的關係，自然必定把《春秋》當作孔子本人的著作。孟子為甚麼如此推崇孔子呢？這固然和自己的「家法」有關係，但是，他還有他自己的原因。在〈滕文公〉裡，孟子接著再論述自己要向孔子學習，他說：

> 聖王不作，諸侯放恣，處士橫議，楊朱、墨翟之言盈天下……楊、墨之道不息，孔子之道不著，是邪說誣民，充塞仁義也。仁義充塞，則率獸食人，人將相食。吾為此懼，閑先聖之道，距楊、墨，放淫辭，邪說者不得作。……昔者禹抑洪水而天下平，周公兼夷狄、驅猛獸而百姓寧，孔子成《春秋》而亂臣賊子懼……我亦欲正人心，息邪說，距詖行，放淫辭，以承三聖者……。

到了孟子的時代，邪說淫亂又到處橫行，他認為他必須學大禹、周公及孔子的榜樣，提倡仁義，端正人心，使百姓寧居。他推崇孔子，原來和他自己要繼承孔子的「大志」有密切的關係。試問，以這樣的邏輯來論述孔子和《春秋》，孔子還能夠不是《春秋》的作者嗎？有甚麼事業比他寓一字褒貶的《春秋》的寫作更偉大呢？有甚麼事業能夠使孔子和大禹治水、周公平天下相媲美呢？孔子不過一介書生，能夠和大禹及周公媲美的，除了作《春秋》外，恐怕「身無長物」了。孟子在自許自己抗拒邪說、排距楊墨，也為了禮讚孔子偉大的形勢下，不得不認定《春秋》是孔子所作的。因此，筆者認為孟子此說，思想性比真實性來得多；經過孟子的確定，孔子作《春秋》卒「鐵案如山」。

※　　　※　　　※　　　※

　　繼孟子之後，更加明確地肯定《春秋》的作者為孔子的是司馬遷；司馬遷當然有所因承，但是，司馬遷如此的說法卻有他自己的深意。

　　司馬遷在〈自序〉裡，借他父親的口吻說：

> 先人有言：「自周公卒五百歲而有孔子，孔子卒後至今五百歲，有能紹明世，正《易傳》，繼《春秋》，本《詩》、《書》、禮、樂之際？」意在斯乎！意在斯乎！小子何敢讓焉？

司馬遷這段話的概念，實際上是因襲自孟子的兩段文字。

　　孟子說過：「由堯、舜至於湯，五百有餘歲……由湯至於文王，五百有餘歲……由文王至於孔子，五百有餘歲……由孔子而來至於今，百有餘歲，去聖人之世若此其未遠也，近聖人之居若此其甚也，然而，無有乎爾，則亦無有乎爾。」❽孟子蓋謂所處時代甚近孔子，所居處所亦距孔子故鄉不遠，與聞聖人之道也比前賢方便，若再無聖人出，則將成為空白之時代矣。司馬遷「五百年聖人出」之概念，蓋本於此。孟子又說：「五百年必有王者興，其間必有名世者。由周而來，七百有餘歲矣。以其數，則過矣；以其時考之，則可矣。夫天未欲平治天下也，如欲平治天下，當今之世，捨

---

❽　見《孟子》〈盡心〉下。

我其誰也?」❾這裡,孟子以「五百年王者興」自許自己,認為自己是擔當「平治天下」的人物。司馬遷因襲了這兩段「五百年」的概念,但是,他要說的不是「聖人出」,也不是「王者興」,而是「繼《春秋》」這件事而已。司馬遷並不認為自己是聖人,也不認為他能「平治天下」,他只是撰寫《史記》,所以,不得不有如此「自我限制」。

在〈自序〉裡,司馬遷也假借他父親的口,說了一段很懇切的話:

> 幽、厲之後,王道缺,禮樂衰,孔子脩舊起廢,論《詩》、《書》,作《春秋》,則學者至今則之。自獲麟以來四百有餘歲,而諸侯相兼,史記放絕。今漢興,海內一統,明主、賢君、忠臣、死義之士,余為太史而弗論載,廢天下之史文,余甚懼焉!汝其念哉!

由於王道缺,禮樂衰,孔子修舊起廢,才寫了《春秋》;反觀司馬遷,處的是一個盛世,和孔子的時代截然不同,何勞司馬遷寫《史記》呢?即使寫了《史記》,恐亦與《春秋》扯不上關係。

為了使《史記》和《春秋》拉上關係,更為了賦《史記》予特殊的意義,司馬遷接著說:漢興以前「諸侯相兼,史記放絕」,所以,他也負有使命來寫一部史書,一如孔子寫《春秋》一樣。為了證明這神聖的使命,他說自獲麟(《春秋》終年)到今天,已「四百

---

❾ 見《孟子》〈公孫丑〉下。

有餘歲」，正符合「五百年」的歷史輪迴；其實，司馬遷大可直接
了當說「有五百歲」，用不著「斤斤計較」相差幾十年。因此，他
認為這神聖的「五百年」輪迴正落在自己的身上，寫《史記》就神
聖得如孔子作《春秋》一般。

　　在這樣的形勢之下，《春秋》的價值不得不與天等高，是聖經
中的聖經。司馬遷在〈自序〉中，假借壺遂的論說傳達出這個訊
息：

> 夫《春秋》，上明三王之道，下辨人事之紀，別嫌疑，明是
> 非，定猶豫，善善惡惡，賢賢賤不肖，存亡國，繼絕世，補
> 敝起廢，王道之大者也……《春秋》辨是非，故長於治
> 人……《春秋》以道義，撥亂世反之正，莫近於《春秋》。
> 《春秋》文成數萬，其指數千。萬物之散聚皆在《春
> 秋》……。

《春秋》是政治之書，是刑法之書，是禮儀之書，是聖書中的聖
書；司馬遷推崇《春秋》，和強化自己寫《史記》有關，和聖化
「五百年時代輪迴說」的歷史使命更有關係。強化了《春秋》，就
等於強化了《史記》的著述；聖化了五百年時代輪迴說，就等於聖
化了自己；兩者關係至密。

　　為了加強孔子作《春秋》的證據，司馬遷把其他經書也和孔子
拉上密切的關係。

(一)《詩》

司馬遷在〈孔子世家〉裏說：「古者《詩》三千餘篇，及至孔子，去其重，取可施於禮義，上采契、后稷，中述殷、周之盛，至幽、厲之缺，始於衽席……。」司馬遷是最早說出孔子刪《詩》的人物，後來就成為定說。班固〈漢志〉說：「孔子純取周詩，上采殷，下取魯，凡三百五篇。」說得更確實和具體。

(二)《書》

司馬遷說：「孔子之時，周室微而禮、樂廢，詩、書缺。追跡三代之禮，序〈書傳〉，上紀唐、虞之際，下至秦繆，編次其事。」說孔子「編次」過《書》，並且為作〈傳〉，《尚書》和孔子關係至密。到了〈漢志〉，說：「故《書》之所起遠矣，至孔子纂焉，上斷於堯，下訖於秦，凡百篇，而為之序，言其作意。」謂孔子刪存百篇，並為作序；說得比《史記》更確實。

(三)《易》

司馬遷說：「孔子晚而喜《易》，序彖、繫、象、說卦、文言。讀《易》，韋編三絕，曰：假我數年，若是，我於《易》則彬彬矣。」謂孔子不但喜《易》，而且還作十翼，所以後來的〈漢志〉，索性說：「孔氏為之彖、象、繫辭、文言、序卦之屬十篇。」

(四)《樂》

《論語》〈子罕〉載孔子曰：「吾自衛反魯，然後樂正，雅、頌各得其所。」只說孔子「正」樂；《史記》說：「三百五篇，孔子皆絃歌之……。」卻說孔子為《詩》作樂，使皆可以「絃歌」。

《詩》、《書》，是孔子所刪定的；《樂》，是孔子所制定的；《易傳》，是孔子所序定的，那麼，《春秋》是孔子所作的，不是更加「順理成章」嗎？羅致這麼多證據，編成「孔子作經書」網，那麼，《春秋》還能例外嗎？

※　　　　※　　　　※　　　　※

根據前文所論，可知「孔子作《春秋》」這課題在較早的時候並不十分明確，也許還在醞釀中，也許還無法明指明說，所以，有的措辭含糊，有的採用推想的口吻，有的以「君子」為作者，少有直接明確地說是孔子作的。到了孟子時代，出於對孔子的崇拜禮敬，為了提升孔子的地位，同時，也出於自己的需要，孟子才非常肯定地以思想方式解決這個課題——孔子作《春秋》於是鐵案如山，沒有是與非的游離地帶。到了西漢初年，司馬遷接納孟子五百年的時代輪迴歷史觀，藉以拔高《史記》的地位和價值，同時，也接納孟子「孔子作《春秋》」的說法，並羅致其他經書皆作於孔子，組成證據網，藉以強化「孔子作《春秋》」，於是，出於聖化自己寫《史記》的動機下，在五百年時代歷史輪迴說下，司馬遷寫《史記》乃成為一神聖使命及任務了。在這樣的形勢及背景之下，「孔子作《春秋》」說不但成形，而且成熟。

司馬遷在〈孔子世家〉裏說：「子曰：『弗乎！弗乎！君子病沒世而名不稱焉。吾道不行矣，吾何以自見於後世也哉！』乃因史記而作《春秋》……。」謂孔子作《春秋》，藉以傳名後世。司馬遷寫《史記》呢？〈伯夷列傳〉說：「閭巷之人，欲砥行立名者，非附青雲之士，惡能施於後世哉？」《史記》必須攀附《春秋》，就如司馬遷必須攀附孔子一樣；然則，在司馬遷的腦海內，《春秋》怎麼可以不是孔子作的呢？

（2005.11.5-6 北京清華大學與新加坡國立大學聯辦第一屆經學國際會議提呈論文，又刊於北京《中國經學》第一期內）

論孔子講《春秋》

　　孔子和《春秋》的關係，是經學今、古兩大陣營必爭的據點；今文經學派堅持《春秋》為孔子所作，含有微言大義；古文經學派認為孔子只是編訂過《春秋》，孔子是個史學家。古文經學派在論證孔子不曾作《春秋》時，曾列舉了許多證據；其中一種就是「《論語》無言孔子作《春秋》」了。

　　近世最早提出這種證據的，應該是顧頡剛，他在答錢玄同〈論《春秋》性質書〉時，曾這麼表示：「《論語》中無孔子作《春秋》事，亦無孔子對於『西狩獲麟』的歎息的話。」❶顧頡剛認為，孔子作《春秋》應該是學術界的一件大事，孔子因「西狩獲麟」而絕筆《春秋》，也是學術界的一件大事；然而，《論語》都隻字不提，可見孔子不作《春秋》。這個說法似乎頗有道理，因為如果孔子的確寫了《春秋》，他的學生沒有理由不知道，也沒有理由不寫入《論語》；今《論語》不載此事，即證明孔子不曾寫《春秋》了。

　　有些學者並不贊成這種說法，陳柱是其中一位；他說❷：

---

❶　見《古史辨》第一冊，頁 276。

❷　陳撰有〈孔子不作《春秋》辨〉，在《大夏季刊》內，頁 139-145。

　　《論語》雖無此等之文，然《漢書》〈藝文志〉載《論語》
古二十一篇……又載齊二十二篇……又載魯二十篇，此即今
之傳本；然則今之《論語》，原非完本，安知孔子言《春
秋》之說，不在七失之篇第乎？……《論語》原非一手之
書，論纂不無遺漏，當時弟子各記言行，非如後世之起居注
及年譜，一一具備，則不載《春秋》之事，又曷足異乎？且
孔子與弟子時人，及弟子相與言，而接聞於孔子之言，其數
當不可省計，即其要者，當亦不止《論語》所載，今若以
《論語》所不載，皆非孔子之言；則孔子一生之言，止《論
語》所載之數而已，有是理乎？

陳柱認為今本《論語》並非完整本，至少比古《論》少一篇，比齊
《論》少兩篇，記「孔子作《春秋》」可能就在此一、二篇內；另
一方面，《論語》是多人、多時的著作，編纂時「不無遺漏」，
「孔子作《春秋》」可能就在遺漏之篇章內；最後，孔子一生所論
者甚多，不見得事事都載於《論語》中，「孔子作《春秋》」不見
於《論語》，可能也是諸不載於《論語》之要事之一；據此三端，
陳柱認為顧頡剛以「默證」及「以偏概全」的辦法來論證是不合理
的，更不能成立的。束世澂說❸：「有人因為《論語》上未見《春
秋》名稱，從而否認孔子曾作《春秋》。這是使用『默證法』。
《論語》一書，並不是孔子及其門弟子的全部語錄，使用此法，未

❸　束世澂撰有〈孔子《春秋》〉，刊於《中國史學史論集》（一）內，1980，
　　上海人民出版社，頁31；引文在該文注3內。

必是正確的。」批評顧頡剛的說法，採納了陳柱的觀點。

實際上，陳柱的說法也有問題：我們怎麼知道「孔子作《春秋》」就在另外那一、二篇內？我們怎麼知道「孔子作《春秋》」的記載被遺漏？陳柱批評顧頡剛採用「默證」的方法，自己還不是也採用此方法嗎？

最近，姚曼波寫了幾篇關於孔子與《春秋》的論文，其第四篇專門討論從《論語》考察孔子作《春秋》的課題，頗引人注意❹。他的大作第一節中，根據《史記》的三段文字：

1. 〈孔子世家〉：子曰：「弗乎弗乎！君子疾沒世而名不稱焉……。」乃因史記，作《春秋》……。
2. 〈十二諸侯年表序〉：孔子……西觀周室，論史記舊聞，興於魯而次《春秋》……。
3. 〈太史公自序〉：孔子知言之不用，道之不行也，是非二百四十二年之中，以為天下儀表……。

乃作出下列五點推論：一、孔子作《春秋》，既為揚名，也欲借史顯志；二、孔子作《春秋》，涉及三代；三、孔子作《春秋》，始於魯司寇下台之後，前後達二十餘年；四、孔子曾至周室，廣搜「史記舊聞」；五、孔子《春秋》非徒空言，乃「見之於行事」。

然後，他從《論語》裏爬梳相關的章節，落實上述五點推論，

---

❹ 姚曼波撰〈從《論語》考孔子作《春秋》——三證「孔子作春秋傳」〉，刊於《文獻》季刊，1999，第一期，北京圖書館。

證明《論語》也有「孔子作《春秋》」的記載。比如他引〈八佾〉「子曰：夏禮，吾能言之，杞不足徵；殷禮，吾能言之，宋不足徵；文獻不足故也……」，證明孔子對夏、商文獻非常熟習，因為他「曾經致力於徵集夏、商文獻的工作」；他認為，史籍記載孔子「親自跋涉，歷游宋、衛、曹、陳、蔡、楚等國」，就是為了要徵集夏、商的文獻，為了撰寫「揚名」的《春秋》。經過姚曼波的疏證，《論語》不但記載了孔子「作」《春秋》，而且證據具體，記載完整。

　　姚曼波的論說乍看之下似乎有道理，但是，其推論不免有過多的「聯想」。孔子自歎「文獻不足」，可能是就當日夏、商文獻的情況來說，怎麼就那麼肯定他老人家「曾致力於徵集夏、商文獻」呢？又怎麼能夠推說這動作與撰作《春秋》有關呢？又怎麼可以進而推說孔子歷游各國是為了搜集文獻撰寫《春秋》呢？總而言之，姚說有過多推測之詞，難以服人。

　　台北戴晉新在八十年代末期發表了〈孔子與《春秋》關係考辨〉❺。在討論到《論語》與《春秋》的關係時，他引了〈子罕〉孔子說「吾自衛返魯，雅、頌各得其所」後，說：

> 孔子自述其晚年的事業，完全沒提到《春秋》，而《春秋》正是孔子晚年的「作品」。如果孔子確實作過或修過《春秋》，以〈子罕〉篇的語氣，應該也會提到才對。後儒往往認為《春秋》是孔子的代表作，如果是這樣，孔子隻字不

---

❺　見《故宮學術季刊》第六卷第四期，1989，頁67-100。

提，是很難想像的。不僅如此，整部《論語》中也沒有《春秋》的影子，詩、書、禮、樂、易都談到，唯獨漏掉《春秋》，寧非怪事？當然，「不講就等於沒有」，是默證法，能不用最好不用；可是以《論語》的內容和性質而言，在這個問題上，也不是完全沒有使用默證的條件。

認為《論語》遍載孔子和詩、書、禮、易、樂的關係，唯獨不載他和《春秋》之事；如果《春秋》是孔子作的話，《論語》似此情形就是一件「很難想像」的「怪事」了。顯然的，戴晉新維持顧頡剛等人的說法。

※ ※ ※ ※

根據《論語》二十篇所載孔子的言語❻，筆者的淺見是：孔子講論過《春秋》，不曾撰作過《春秋》。

翻開《論語》，我們可以發現孔子經常講評《春秋》史，特別是《春秋》時代的人物。根據筆者的統計，《論語》載孔子講評過的《春秋》人物至少有：

1.管仲[八佾、憲問（二見）]
2.子產[公冶長、憲問]
3.晏嬰[公冶長]
4.孔文子[公冶長]

---

❻ 第十篇〈鄉黨〉載孔子的行為不計的話，實際上只有十九篇。

5.臧文仲[公冶長]

6.子文[公冶長]

7.季文子[公冶長]

8.寧武子[公冶長]

9.微生高[公冶長]

10.左丘明[公冶長]

11.子桑伯子[雍也]

12.孟之反[雍也]

13.祝鮀、宋朝[雍也]

14.孟公綽[憲問]

15.晉文公、齊桓公[憲問]

等十五條十七個人。細閱這十五條資料，我們可以發現，他們絕大部分都是綱領式的，情況就如《春秋》一樣，處理各種歷史事件都以新聞標題的方式；換句話說，由於時代早以及書寫工具的限制，《論語》各章各節的文字都盡量綱領化，包括孔子對《春秋》人物的講論和批評。

比如〈公冶長〉載孔子語：「晏平仲善與人交，久而敬之。」又比如〈憲問〉載孔子曰：「晉文公譎而不正，齊桓公正而不譎。」似此綱領式的評論，《論語》中非常普遍。孔子當日講學，竟如此簡要嗎？恐怕不是。筆者認為，這些條文都只是當日孔子講評的結論，學生只聽結論是不會滿足的，而且也不明所以的；在這些結論之前，孔子應該講述了一些相關的歷史事件，作為這些結論的依據。比如晏嬰善與人交的事例，比如晉文公如何譎、如何不

正；又比如齊桓公「正而不譎」的史實等等；作為主講者的孔子，在作結論之前勢應把歷史事件交代得一清二楚。《韓詩外傳》卷六載孔子過蒲的故事說：

> 子路治蒲三年，孔子過之，如其境而善之，曰：「善哉，由恭敬以信矣。」入其邑，曰：「善哉，由忠信以寬矣。」至其庭，曰：「善哉，由明察以斷矣。」子貢執轡而問曰：「夫子未見由而三稱善，可得聞乎？」孔子曰：「我入其境，田疇甚易，草萊甚辟，此恭敬以信，故其民盡力。入其邑，墉屋甚尊，樹木甚茂，此忠信以寬，故其民不偷。入其庭，甚閒，故其民不擾也。」

入蒲境，孔子說「恭敬以信」；入邑，孔子說「忠信以寬」；入庭，孔子說「明察以斷」；這三句結論式的評論實在太簡要了，學生無法理解，只好請孔子加以解釋。《韓詩》作者原原本本記錄下來，正反映當日孔子講評的情形。《論語》內許多條文也是如此，當孔子在下結論「晉文公譎而不正，齊桓公正而不譎」之前或之後，應該講述了二人一些歷史事件，不然，學生怎麼理解這些論斷呢？而這些歷史事件，就是春秋史，與《春秋》有關的歷史了。

其實，《論語》中與此相似的例子也出現過。〈雍也〉第二章說：

> 仲弓問子桑伯子，子曰：「可也簡。」仲弓曰：「居敬而行簡，以臨其民，不亦可乎？居簡而行簡，無乃大簡乎？」子

曰：「雍之言然。」

子桑伯子，其人已無可考，當是春秋時人。本章記孔子在學生面前
以一個「簡」字講評子桑伯子，但是，因為講評的太簡要，仲弓嘗
試為孔子引申解釋，並以此徵詢孔子的意見。這個例子說明孔子在
講評人物時，有時簡要得像在作結論式的，必須依賴解釋，聽者才
能詳加理解。我們再看〈憲問〉三篇連續章❼：

> 15.子曰：「晉文公譎而不正，齊桓公正而不譎。」
> 16.子路曰：「桓公殺公子糾，召忽死之，管仲不死。曰：未
> 仁乎？」子曰：「桓公九合諸侯，不以兵車，管仲之力
> 也。如其仁，如其仁。」
> 17.子貢曰：「管仲非仁者與？桓公殺公子糾，不能死，又相
> 之。」子曰：「管仲相桓公，霸諸侯，一匡天下，民到於
> 今受其賜。微管仲，吾其被髮左衽矣。豈若匹夫匹婦之為
> 諒也，自經於溝瀆而莫之知也？」

這三章文字，詳細地記錄了孔門師徒討論齊桓公及管仲的事跡。在
孔子講評了齊桓及晉文之後，學生對齊桓公稱霸的總設計師管仲特
別感興趣。首先，子路列舉其事跡，結論是「未仁乎」？肯定中帶
詢問的口吻，祈求老師給意見。孔子乃舉管仲「九合諸侯」功績事
件，然後贊成子路的評講，許管仲以「仁」。也許孔子講得太簡

---

❼ 此處章節分法依楊伯峻《論語譯注》。

要，學生中的子貢不服，追究起管仲的舊帳，說他不能像召忽一樣，保持對公子糾忠心耿耿的節操而自殺，怎麼可以許以「仁」呢？孔子聽後，再舉管仲協助桓公稱霸，使天下人一至到今天都受其恩澤，也使天下人至今保持華夏衣冠，不致於淪為蠻夷。學生聽罷，才心悅誠服。

三章詳細地記錄了孔門的一次討論會，讓我們看到孔門師生在討論歷史人物時，為了說服對方，經常必須徵引有關的歷史事件，或者引申論證，以便詳加說明，單是結論式的簡要論斷，是無法滿足學生的，也恐非孔門論學之道。由於時代早以及書寫工具的限制，《論語》大部分只保存這些歷史人物的論斷，至於徵引及論證的歷史事件卻絕大部分被省略，這是很可惜的事。

我們再打開三《傳》，審閱那些「孔子曰」及「仲尼曰」的講評文字❽，恐怕也可以得到一些啟示。試讀下列二例：

（第一例）
宣公二年經：晉趙盾弒其君夷皋。
左傳：晉靈公不君……。孔子曰：董狐，古之良史也，書法不隱。趙宣子，古之良大夫也，為法受惡；惜也，越竟乃免。

《左傳》這則文字可以分兩部分：從「晉靈公不君」到「大史書趙盾弒其君」為第一部分，是晉靈君被弒的前因後果，屬於歷史事

---

❽　拙文〈論三傳中的講評人物〉曾詳論此課題。

件；孔子的評論為第二部分，為《左傳》作者筆錄孔子的言論。如果孔子對學生講述「趙盾弒其君夷皋」的經文時，只簡要的對董狐下「古之良史」、對趙盾下「古之良大夫也，為法受惡」的評論的話，學生不但無法滿足，甚至不明所以。只有把《左傳》所載第一部分的歷史故事詳述一遍，然後才對董狐及趙盾下評論，才是合理及圓滿的講書之道。

（第二例）

宣公九年經：陳殺其大夫洩冶。

左傳：陳靈公與孔寧、儀行文通於夏姬……。孔子曰：「詩云：『民之多辟，無自立辟。』其洩冶之謂乎？」

這篇文章也分成兩個部分❾：洩冶被殺的經過以及孔子的評論。如果孔子在講論洩冶時，只簡要地引《詩》加以評論，聽者勢必無法理解；他必須先把洩冶的事情交代清楚，然後引《詩》評論，學生才能接受。其他二《傳》的情形，也莫不過如此。

上述《左傳》的例子，適足以證成《論語》的情形。孔子在講述《春秋》時，他經常先把歷史故事交代清楚，然後才對故事中人物及事件作評論。故事是詳細完整的，評論是簡單扼要的，兩者互相配合，構成一個完整體。《論語》由於時代關係以及書寫工具的

---

❾　《孔子家語》〈子路初見〉曾詳載孔子與子貢詳論此事，與《左傳》本文甚合；楊伯峻曰：「《家語》為王肅所撰集，此語未必可信，或本《左傳》而附益之耳。」

限制，只記錄了評論的部分；三《傳》成書比較晚，兩部分的文字都完整地保存下來。

我們今天看到的《論語》，雖然沒有記載孔子和《春秋》有些什麼關係的文字，更沒有「孔子作《春秋》」的紀錄，但是，卻看到它記錄了孔子講述《春秋》史及講評《春秋》人物及事件的文字。我們懷疑，在《論語》內諸多講評人物及事件之前，孔子的確講述過《春秋》的歷史，只因書寫工具的限制，他的學生無法把這些冗長複雜的歷史事件記錄下來，只記下第二部分簡要的評論而已。今天《論語》內諸多《春秋》人物評論，極可能就是這樣的情況的痕跡。

孔子既然講授春秋史，很自然地以《春秋經》為教科書。實際上，打開三《傳》，舉凡孔子評論人物及事件時，幾乎都是針對《春秋經》而發的；試讀下表：

三《傳》所載孔子講評與《春秋》對應表

桓二年經：取郜大鼎於宋。 　穀梁：孔子曰：名從主人，物從中國，故曰郜大鼎也。
桓三年經：夫人姜氏至自齊。 　穀梁：子貢曰：冕而親迎，不已重乎？孔子曰：合二姓之好，以繼萬世之後，何謂已重乎？
桓十四年經：夏五。 　穀梁：孔子曰：聽遠音者……。
僖二十八年經：天王狩於河陽。

左：仲尼曰：以臣召君，不可以訓……且明德也。
文二年經：大事於大廟，躋僖公。
左：仲尼曰：臧文仲其不仁者三……三不知也。
宣二年經：晉趙盾弒其君夷皋。
左：孔子曰：董狐，古之良史也……越竟乃免。
宣九年經：陳殺其大夫洩冶。
左：孔子曰：詩云……其洩冶之謂乎。
成五年經：梁山崩。
穀梁：孔子聞之曰：伯尊其無績乎？攘善也。
襄公二十三年經：
左：仲尼曰：知之難也。有臧武仲之知而不容於魯國，抑有由也，作不順而施不恕也。夏書曰：念茲在茲，順事恕施也。
襄公二十五年經：
左：仲尼曰：志有之，言以足志……。
昭公四年經：楚子、蔡侯、陳侯、許男、頓子、胡子、沈子、淮夷伐吳，執齊慶封殺之。
穀梁：孔子曰：懷惡而討，雖死不服，其斯之謂與。
昭公五年經：舍中軍。
左：仲尼曰：叔孫昭子之不勞……。
昭公七年經：公自至楚。
左：仲尼曰：能補過者，君子也……。
昭公十二年經：公子慭出奔齊。
左：仲尼曰：古也有志……豈其辱於乾谿。

昭公十四年經：
左：仲尼曰：叔向，古之遺直也。
昭公二十年經：盜殺衛侯之兄縶。
左：仲尼曰：齊豹之盜而孟縶之賊……。
昭公二十年經：
左：仲尼曰：守道不如守官，君子韙之。
左：仲尼曰：善哉！政寬則民慢……。
昭公二十五年經：齊公唁公於野井。
公羊：孔子曰：其禮與其辭，足觀矣。
昭公二十九年經：
左：仲尼曰：晉其亡乎……。
定公九年經：得寶玉大弓。
左：仲尼曰：趙氏其世有亂乎。
定公十五年經：公薨於高寢。
左：仲尼曰：賜不幸而言中，是使賜多言者也。
哀公六年經：楚子軫卒。
左：孔子曰：楚昭王知大道矣……由己率常可矣。
哀公十一年經：齊國書帥師伐我。
左：孔子曰：能執干戈以衛社稷…..義也。
哀公十一年經：衛世叔齊出奔宋。
左：仲尼曰：胡簋之事……。
哀公十二年經：螽。
左：仲尼曰：丘聞之，火……。

哀公十三年經：公會晉侯及吳子於黃池。
穀梁：孔子曰：大矣哉夫差，未能言冠而欲冠也。
哀公十四年經：西狩獲麟。
公羊：孔子曰：……。

　　這是三《傳》有關孔子評論春秋時代人物及事件的全部資料；根據
這些資料來考察，第一、大部分的評論都針對《春秋》而發；如果
說它們是孔子在講述《春秋》時所作的評論，那是可以講得通的。
第二、只有七條評論❿不對經而發，評論的對象是《傳》內的故
事。這種情形也很容易理解，孔子講《春秋》固然應該對經而發，
但是，經以外的春秋史也自在他講述及評論的範圍內，比如襄公二
十三年《左傳》載仲尼曰：「知之難也。有臧武仲之知而不容於魯
國……。」評論臧武仲有才知而不見容於魯國，《論語》〈憲問〉
就記載孔子讚揚臧武仲有「知」，兩書相互對應，可見孔子講《春
秋》，有時也「題外加話」，多做評論。第三、桓公三年子貢對
「冕而親迎」有「已重」的評論之後，又載孔子之言：「合二姓之
好，以繼萬世之後，何謂已重乎。」對子貢的評論有所糾正，他們
都是對《春秋》「夫人姜氏自至齊」而發的。此條資料告訴我們，
講評《春秋》是孔門的講學習慣；孔子有此習慣，門下學生也有此
嗜好。

　　三《傳》的情形，正給我們很恰當的啟示：三《傳》完整地記
載了孔子講《春秋》以及評人評事的全部文字，《論語》只保存了

---

❿　昭公二十年有兩條。

孔子講評人物、事件的文字；此中的差別，極可能因為《論語》時代早，書寫工具受限制，三《傳》時代晚，書寫工具相對也方便。

實際上，對讀《論語》和《左傳》，有時對其「契合」之處也會感到「驚訝」。試讀下列二例：

（第一例）

《春秋》哀公十一年：齊國書帥師伐我。

《論語》〈雍也〉：子曰：孟子反不伐，奔而殿，將入門，策其馬曰：「非敢後也，馬不進也。」

《左傳》：師及齊師戰於郊……右師奔，齊人從之……孟之策後入以為殿，抽矢策其馬，曰：「馬不進也。」

兩文對讀，即知《論語》所載乃孔子據《經》講史的文字，「不伐」是其評論，「奔而殿」是其講述。

（第二例）

《論語》〈憲問〉：子曰：為命，裨諶草創之，世叔討論之，行人子羽修飾之，東里子產潤色之。

《左傳》襄公三十一年：鄭國將有諸侯之事，子產乃問四國之為於子羽，且使多為辭令，與裨諶乘以適野，使謀可否，而告之馮簡子使斷之。事成，乃授子太叔使行之，以應對賓客，是以鮮有敗事。

兩文對讀，也可知《論語》所載正是孔子講述春秋史的文字，所述

創製過程雖略有小異，主題卻完全相同。

這兩個例子適足以證成前文的說法：《論語》記載孔子評論春秋諸人物，正是孔子講評《春秋經》的部分文字。因此，今本《論語》雖未曾明言「孔子作《春秋》」，也未曾記錄孔子與《春秋》有過任何關係的文字，不過，從本文所討論過的種種跡象來看，筆者認為孔子講述過《春秋》，《論語》保存其部分評論的文字，就是最好的證據了。

（原刊於台北《中國經學》第二輯，2006）

〈漢志〉小注作者解

　　班固《漢書》〈藝文志〉之纂修，蓋本諸劉向、歆父子之〈別錄〉及〈七略〉，此學界公認之事實。班〈志〉云：「歆於是總群書而奏其〈七略〉，……今刪其要，以備篇籍。」即為此說之內證。

　　〈漢志〉每書之下，多有小注：此小注或介紹撰著人，或解說書中內容，或說明該書之來歷，或記載篇目之多寡，或判定其書之存佚，或考定其書之時代及真偽，於正文所未備，或正文所無法具備者，多所補充，裨益實多。然而，此等小注班固自案之語乎？抑或班固過錄〈別錄〉、〈七略〉，「刪其要」而成者乎？千載以下，頗難論斷耳。

　　余嘉錫《目錄學發微》云：

> 班固取〈七略〉作〈藝文志〉，雖刪去書錄，然尚間存作者行事於〈注〉中，但意在簡質，不能詳備，則修史之體不得不然。❶

---

❶　見余著第四章《目錄書之體制二：敘錄》，頁 40 內。

審余氏「然尚間存作者行事於〈注〉中」云云，蓋以為班氏過錄自〈七略〉也。姚名達《中國目錄學史》云：

> 現代最古目錄為《漢書》〈藝文志〉，其前身即〈七略〉。……次則有小注，其內容有六類……此皆自〈七略〉摘要而來，原皆〈敘錄〉之一二語也。❷

亦論定班〈注〉率過錄自〈七略〉。至如許世瑛《中國目錄學史》❸，更因襲此說，略無異議。

　　竊疑此說恐未必然，茲舉數證以明之。如〈六藝略〉禮類著錄《王史氏》二十一篇，師古引劉向〈別錄〉云：「六國時人也。」班固小〈注〉云：「七十子後學者。」《諸子略》道家類著錄《鄭長者》一篇，師古引劉向〈別錄〉云：「鄭人，不知姓名。」班固小〈注〉云，「六國時，先韓子，韓子稱之。」班固此二條小〈注〉，所云皆比劉向更加詳細，且所知更多，此其一。

　　又如〈諸子略〉農家類著錄《神農》二十篇，師古引向〈別錄〉云：「疑李悝及商君所說。」班固小〈注〉云：「六國時，諸子疾時怠於農業，道耕農事，托之神農。」劉向疑為李悝及商君所說，班固則泛稱諸子所托，二說顯然有別；而劉說有所專指，較為明確，此其二。

　　又如《詩賦略》賦類著錄〈常侍郎莊忽奇賦〉十一篇，師古引

---

❷　見姚著《體制篇》，頁 168。
❸　見許著，頁 29-30：中華文化出版事業社出版，1964 年，台北。

〈七略〉云：「忽奇者，或言莊夫子也，或言族家子莊助昆弟也，從行至茂陵，詔造賦。」班固小〈注〉則云：「枚皋同時。」於說解作者方面，劉歆〈七略〉視班〈注〉加詳多多矣。此其三。

　　苟如余、姚及許之說，班〈注〉皆過錄自〈別錄〉及〈七略〉，則劉氏父子勝義，班氏固不當多為刪除如第二及第三例所舉者，而班〈注〉亦不當視劉氏父子更加詳細如第一例所舉者，其理至淺至明。班氏小〈注〉蓋不盡過錄自〈別錄〉及〈七略〉，間亦略抒己意，以故顏師古方得多引〈別錄〉、〈七略〉以補班〈注〉之未備也。

（原刊於《中國語文學》第七輯，1984，漢城）

文氏族譜對文天祥史跡的補充

一、充滿正氣的史跡

> 孔曰成仁，孟曰取義；惟其義盡，所以仁至。
>
> 讀聖賢書，所學何事？而今而後，庶幾無愧！ ❶

這幾句贊語，是宋代文天祥反抗異族後，臨終受刑所留下來的；數百年後的今天，誦讀起來，文天祥那股充塞整個天地的凜然大義，還是活鮮鮮地留在我們的腦海裡。展讀這位天地完人的一生事跡，生在數百年後的我們，怎麼不肅然起敬！

文天祥年幼時，長輩曾帶他進學宮，他見到學宮裏受祭祀的，有同鄉舊賢歐陽修、楊邦乂等人，欣然歎道：「沒不俎豆其間，非夫也！」 ❷可見他童稚之際，所立下的志向，即已非凡了。

二十歲時，文天祥跟他的弟弟文天球 ❸，在父親文儀的陪伴下進京考試；兄弟倆同登進士，文天祥名列第五，宋理宗親自擢選文

---

❶　《宋史》本傳、劉岳申〈文丞相傳〉及胡廣〈丞相傳〉，皆載此贊語。

❷　同上。

❸　本譜云：「文天球，諱璧，字宋珍，號文溪。」

天祥為狀元第一。考官王應麟批評他的考卷說：「是卷古誼若龜鑒，忠肝如鐵石。」❹文天祥於民族國家，那時已定下一生不移的忠耿了。

文天祥出生之際，他的祖父夢見一男孩騰駕紫雲而來，俄爾，文天祥即告誕生，於是，取名為雲孫❺。長大後，朋友為他取個名字叫文天祥。後來，以字代名，於是又取一字叫履善。宋理宗覽讀他的對策時，一面拍案感歎，一面沉吟說：「此天之祥，乃宋之瑞也！」❻於是，朋友們又為他另取個字，叫宋瑞。

年僅二十歲，文天祥即投身實際的政治生涯，前後凡二十八年；在這麼一個漫長的歲月，他出將入相，出生入死，負起整個民族國家的生死存亡的責任，最後，在儒家所崇尚的忠孝節義的完整人格的最高典範裏，壯烈的犧牲了！他的〈正氣歌〉，一再重申了儒家「富貴不能淫，貧賤不能移，威武不能屈」的精神，大義凜然，感泣百代，成為中華民族的國魂。

二、舊文獻所載文天祥家族的概況

對於這麼一位偉大民族英豪的家族概況，我們今天所能瞭解的，主要是依據下列幾份材料。文天祥的生平傳記，《宋史》已經有了；不過，《宋史》著成於元朝，對於文天祥的史跡，多所忌

---

❹ 見《宋史》本傳及胡廣〈丞相傳〉。
❺ 見劉岳申〈文丞相傳〉及胡廣〈丞相傳〉，文天祥手編〈紀年錄〉亦載此事。
❻ 見〈紀年錄〉。

諱;所以,這篇〈文天祥傳〉寫得並不理想❼。後來,他的同鄉劉岳申,乃搜錄鄉邦遺老的見聞傳說,寫了一篇〈文丞相傳〉❽;明代永樂年間,吉水有位叫胡廣的,把這兩篇傳記合併在一起,寫成〈丞相傳〉❾。如果想瞭解這位民族英豪的家族概況,主要的資料就是這三篇傳記了。

文天祥繫獄燕京時,曾手編〈紀年錄〉❿,就自己的生平記錄得相當詳細;文天祥的弟弟文天球寫過一篇〈齊魏兩國夫人行實〉⓫,敘述他的母親一生的行誼;這些,也都是瞭解文天祥家族概況的好資料。此外,《宋史翼》及《宋元學案》⓬等書,也有一些零星的資料,可以補充上列諸書不足之處。

綜合上述的資料,有關文天祥家族的歷史及其概況,大致是如此的。

文天祥的祖先本居住在四川成都,到六世祖父炳然,才遷徙到江西廬陵縣的永和鎮;五世祖文正中又遷居至江西的富田。高祖叫文利民,曾祖叫文安世,而祖父叫文時用。

文時用沒有孩子,只好從近親那裏過繼;過繼給文時用的孩子

---

❼　胡廣〈丞相傳〉後敘云:「《宋史》〈文丞相傳〉,簡略失實,蓋後來使臣,為當時忌諱,多所刪削,又事間有抵牾。」

❽　胡廣〈後敘〉云:「鄉先生前遼陽儒學副提舉劉岳申為〈丞相傳〉,比國史為詳,大要其去丞相未遠,鄉邦遺老猶有存者,得於見聞為多。」

❾　胡廣〈後敘〉云:「廣竊觀二傳,詳略不同,不能無憾,因參互考訂,合而為一。」

❿　今見《文文山先生全集》卷之十七。

⓫　今附載於《文文山先生全集》卷十八之內。

⓬　在《巽齋學案》內。

叫文儀，也就是文天祥的父親了。文儀的本生父是誰呢？從舊有的資料裡，我們無法獲得答案；根據文天祥的紀年錄，我們只知道他的本生母姓梁。文儀，字士表，號華齋，很受鄉里的尊敬，稱為「華齋先生」或「長者」。

文天祥在家庭是老大，另外還有三個弟弟。大弟叫文璧，字天球，曾經跟隨他的哥哥一起進京考試，得了進士，後來，積極地參加文天祥的救國救民運動，很得文天祥的寵愛。二弟叫文霆孫，早夭。最後一位弟弟叫文璋，後改名文天璋，字宋仁，號文堂，也參加過救國救民的運動。

文天祥的夫人姓歐陽，此外，他還有兩位如夫人，一姓顏，一姓黃。文天祥有兩個男孩子和兩個女孩子；大男孩叫文道生，元至元十五年軍隊裡鬧疾疫，道生受傳染而病死，時十二歲；次男叫文佛生，文天祥空坑兵敗以後，在逃難之中失散了，時年亦十二歲。大女兒叫柳，也叫柳小娘；次女兒叫環，也叫環小娘，一位嫁到沙靖州，一位嫁到西寧州。

兩個男孩既然一病死一失散，所以，文天祥繫獄燕都之際，不得不以其二弟文球的兒子文升子為子嗣，過繼為自己的兒子。後來，文升子在元朝擔任了集賢直學子，而且，還代元仁宗祭祀南海。文天祥的孫子叫文富，擔任過興文署丞。

以上所敘述的，都是根據現有的資料，介紹文天祥家族的淵源及其概況。

三、《文氏族譜》的發現及其考訂

馬來亞大學地理系文平強教授，家藏有《文氏族譜》一部[13]；查閱這本族譜；可以知道文教授就是文天祥第二十四代子孫。《文氏族譜》原藏於廣東惠州祖廟內，線裝，毛筆書寫；現在所看的，是文教授的兄長十幾年前從原本過錄出來的，除了幾個錯別字外，都昭穆有序，世代可尋。如果這部族譜是可靠的話，無疑的，這將是學術界的一個發現。對這位千古完人的民族英豪，我們會有新的資料來研究了。

本譜卷首有〈文天祥傳〉一則，經過詳細考校後，知道它是綜合前文所提的三傳而編成的；傳後轉錄文天祥詩歌多首，相當駁雜。詩後有〈族譜序〉一則，作者是文天祥第十九代子孫文士鵬。根據這篇序，可知本譜是他綜合了許多寶貴資料而編成的。他說：

> 丙申歲，粵東莞湧頭丙辰科進士超靈公，亦有《謄成族譜》一卷；又得《新安泰坑族譜》，因為考訂，始知新會之祖與新安、東莞，俱並惠州白龍塘同祖焉。因得集其大成。然余之敘是譜也，歷數年而成，其中或考之舊志，或得之古系，亦一二得之父老傳聞……。

可知他所根據的資料有好幾處；包括新會、惠州及東莞等地的文氏家族譜。本譜編成於乾隆丁酉，文士鵬生於乾隆丁巳，推算起來，

---

[13] 筆者曾恭錄本譜重要部分，刊佈於《故宮季刊》第十四卷三期內。

可知本譜編成之際，文士鵬恰好四十歲，距今是二百餘年。

　　本譜是否可靠？可靠性到什麼程度？這是最值得關心的問題。筆者曾經研究本譜，發現本譜所云文天祥家族的概況，和上述的文獻完全相符；這本是不足為奇的，因為偽造者可根據上述文獻加以編造的。能夠列為證據，用來證明本譜的可靠，倒是下列幾件事：

㈠本譜除文天祥本支外，對於文天祥伯叔旁支的世系家族，也記載得非常詳細；如果是向壁虛造的，似乎很難有這種情形。

㈡文天祥的六世祖文炳然，他有一位堂弟叫文紐，根據本譜的記載，文紐字希環，宋仁宗慶曆初中宏詞科，授龍陽宰，很有政聲，後來被擢升為潭州知府。考《湖南通志》卷一百一十一記載❹，宋仁宗時潭州府有一位知府，名字叫文紐，和本譜相合。

㈢文天祥第六代子孫有一位叫「文伯信」的；根據本譜的記載，文伯信是永樂八年的歲貢，曾經擔任過光化縣的縣丞。今考《歸善縣志》❺卷十〈選舉篇〉記載，永樂八年有一貢生，名叫「文伯信」；《歸善縣志》並謂，此人擔任過縣丞之官。惟未云為何縣之縣丞；可見本譜有來歷，

---

❹　《湖南通志》，曾國荃等撰，光緒十一年重刊，台北成文書局影印本。本文所云「文紐」，在該書頁 2338 上。按宋神宗時始有宏詞科，本譜蓋誤記科名；此承王學長德毅教授見告，謹致謝忱。

❺　《歸善縣志》，章壽彭等修、陸飛纂，乾隆四十八年刊，台北成文出版社影印本。本文所云「文伯信」，在頁 113 下。

且比《歸善縣志》詳盡。

㈣文天祥第七代子孫文紳;本譜說,文紳是正統五年的歲貢,擔任過常德府的通判。今檢《歸善縣志》,正統五年適有貢生「文紳」其人⓰,且擔任過「通判」之官;所云與本譜合。

㈤文天祥的高祖輩有一位叫做「文明」的;本譜說,他是宋高宗紹興年間的鄉舉,授台州教授。今考《江西通志》⓱,卷二十一〈選舉表〉,內載紹興十年庚申解試,正有「文明」其人,與本譜合。

㈥文天祥第九代子孫文志貴;本譜云,他是成化元年壬午的鄉舉,擔任過太平府的通判。考《歸善縣志》載,明英宗天順六年壬午科有「文志貴」其人,其下有注「通判」二字⓲;又檢《惠州府志》⓳,所云亦同。

根據這六條證據,可以證明《文氏族譜》的可靠性。也許有人會說,編造本譜的人為什麼不會根據這些方志,把這些資料編進自己的族譜裏呢?這假設是不能成立的,因為本文所引用的方志,其撰成時代都在族譜編成之後的。

《江西通志》卷二十二記載,定元年戊子解試榜內,有「文夢

⓰ 同上,頁114上。

⓱ 《江西通志》,趙之謙等撰,光緒七年刊。

⓲ 見上引《湖南縣志》,頁106下。

⓳ 《惠州府志》,劉洤年修、鄧掄斌等纂,光緒七年刊,台北成文出版社影印本。本文所云「文志貴」,在頁393下。

發」其人；這個人是誰呢？他是文天祥祖父的兄弟。本譜對「文夢發」記述得太簡單，只「文夢發，生一子，名正道」九個字而已。反而是《江西通志》所記載的，可以補充本譜的不足；如果說本譜是根據方志編成的，為什麼不把這條資料也收進去呢？

因此，《文氏族譜》雖編成於二百餘年前，不過，譜內的資料是可靠的。對文天祥的研究而言，無疑的，可以提供一些新的資料。

四、補充舊文獻的不足

根據這部《文氏族譜》，我們可以把已知文天祥家族的淵源及其概況補充得更加完整。茲舉數事以論之。

(一)始祖

根據本譜，文天祥的始祖可以上溯至十二代，其始祖，名文時，字春元。文時是三國蜀漢守將文翁的後代，五代唐莊宗年間擔任帳前指揮使，被派到江西來。來到江西，巡視永新，因喜愛永新的山水，就在那裡定居下來。

(二)文天祥的本生祖父

前文說過，文天祥的本生祖母姓梁，至於本生祖父，則無法考知。據本譜，文天祥的曾祖父文安世養育有兩個孩子，老大叫文時習，老二叫文時用。文時習，字中濟，娶梁氏，育有三子：文行、文儀及文信。文時用，字中和，娶鄒氏，再娶劉氏，皆無子，所

以，不得不以哥哥的次子文儀為嗣子。文儀，就是文天祥的父親。

如此說來，文天祥的本生祖父就是文時習了。

(三)收殮

《宋史》本傳說，文天祥死後數日，其妻歐陽氏收其屍；劉岳申〈文丞相傳〉說，收其屍的是十個義士，而非歐陽氏。本譜說：「夫人歐陽氏與十二士收殮都城小南門外。」可見收屍的是歐陽夫人及十二義士，《宋史》及〈文丞相傳〉各執一端，並不完整。

(四)如夫人殉難

文天祥有兩位如夫人，一姓顏，一姓黃[20]；她們的結果怎樣呢？〈文天祥史跡考〉說：「天祥妻、妾三人，共生子女八人，妻歐陽氏，妾顏氏名靚妝、黃氏名璃英。三人於空坑之役，與女柳娘、環娘同被元軍俘執，迨後顏、黃不知下落，歐陽夫人和女柳娘、環娘被解至燕京。」[21]不知兩如夫人的下落。根據本譜，原來文天祥空坑兵敗之際，黃孺人陷敵，逃到興國的寶石寨，投崖碎身而死，當地人感於她的忠義，就在那裡立個廟，用來紀念她；至於顏孺人，隨文天祥逃到崖州，也就死在那裏，當地人也為她立廟，嘉其忠義也。

---

[20]　〈紀年錄〉云：「景炎二年，夫人與佛生、柳小娘、顏孺人、黃孺人等，皆為俘虜。」

[21]　《文天祥史跡考》，李安著，正中書局出版，一九七二年；本文在該書第 8 頁內。

伍保存血脈

　　文天祥的父親文儀曾經說過一個故事：當文天祥年幼時，有一次，陪他父親到玉山去，在那裡他們遇到一名異僧，指著文天祥說：「這個孩子將來是一個偉人，可是，未必是你們整個家族的福氣呀！」❷文天祥頑抗元兵，除夫人歐陽氏外，全家都壯烈地犧牲了。等到文天祥俘虜北上時，元代的江山似乎已經穩定下來，在這個時候，他們家族其他的成員應該怎麼辦呢？在元兵的監視追捕之下，他們如何保全文家的血脈呢？有關這個問題，現有的資料無法為我們提供解答。

　　考察《文氏族譜》，我們可以發現，文氏家族在處理這個問題上，似乎受盡委屈，也花了很多苦心。例如文天祥的大弟文天球，在文天祥遭北虜，大勢已去之際，為了保全整個家族，被迫覲見元世祖，很委屈地擔任了諫議大夫；《文氏族譜》說：

　　　丞相北行，公圖全祀，入覲元世祖，爰官至諫議大夫。

短短的幾行字，含了多少血淚。〈文天祥史跡考〉說：

　　　二弟文璧，……祥興元年，天祥在五坡嶺被執，其弟竟以惠
　　　州降元，受元任為臨江路總管兼府尹，兄弟二人對國家民族
　　　意識之觀念，真有彼此天淵之別，是以文天祥有「兄弟一囚

---

❷　事見〈紀年錄〉寶佑三年疏。

　　一乘馬，同父同母不同天」之歎。

看來這裏頭有一些曲折，但表面上無法看得清楚。

　　又例如文天祥的侄兒文君茂，在大勢已去之際，為了保全整個家族，不得不跟隨其他幾個弟弟，一起進謁元帥，獻方策，《族譜》說：「潰，同弟玉田、巽山、委心、雲心、竹坡諸老，迎謁元帥，獻方策，得一族無虞。」此中曲折，非三言兩語所能道盡。

　　文天祥的嗣子文升子，也是一位備受注意的人物。當元仁宗尚在東宮時，就傳令見了他幾次；後來，仁宗即位，文升子被委為奉訓大史，集賢院學士，而且還代表仁宗祀南海。文升子如此做法，恐怕也有內情的。

（原刊於《第五屆亞洲族譜學術研討會會議記錄》，聯經，1991）

西漢《老子》古義

　　《老子》自流傳開來以後，很早就有人為它作註解。《韓非子》有〈解老〉〈喻老〉二篇，❶應當是今日尚可看到最早的註解單篇了。《莊子》及《呂氏春秋》亦頗稱引老文，在某種程度上也可被視作說解《老子》，當然只是一種零散的，而非有系統的說解。

　　到了漢代，註解者逐漸多起來；今可考知者，約有下列數種：

　　㈠《漢書》〈藝文志〉著錄有鄰氏、傅氏、徐氏及劉向四
　　　家；其書皆亡，內容亦不可知。❷
　　㈡相傳西漢初年有河上公《章句》，其書不見於〈漢志〉，

---

❶　胡適《中國哲學史大綱》說：「以學說內容為根據，大概〈解老〉、〈喻
　　老〉諸篇，另是一人所作。」（香港商務印書館，1962，頁 366）容肇祖
　　〈韓非的著作考〉說：「這兩篇是否韓非所作，當生疑問。」（見《古史
　　辯》第四卷，頁 653-655）

❷　《說苑》及《新序》內有述老子文字數則，嚴靈峰曰：「或即其說之鱗
　　爪。」（見嚴著《周秦漢魏諸子知見書目》第一冊頁 5 內，北京中華書局，
　　1991）以為乃劉向說《老子》之「鱗爪」。

書中多養生吐納之言，學者以為當是東漢以後作品；❸蓋可信從。

㈢劉安有〈道應〉，在《淮南子》書中，為西漢初年說解老書之重要單篇。

㈣西漢末葉嚴遵有《道德真經指歸》一書，享譽士林，今存半部。❹

㈤《新序》及《說苑》有說解老書四則，是劉向抄輯西漢初年述老作品入書者，至為可貴。

上舉五種，除河上公《章句》外，其它四種都應該是今天所能見到西漢學者註解《老子》的作品，有單篇，有專書，詳略各有不同。晚近帛書出土，無注文，然就其用字、造語及異同等，亦可窺探西漢人解讀《老子》之特色。

將這些材料所展現出來的內容及解說，與東漢及東漢以後的傳本及注文比較，即可以發現，西漢人對《老子》的解說，包括傳本內容的異同以及經文的訓說，有一些是沒有流傳下來。西漢去古不遠，西漢初年又流行黃老之學，《老子》為當時朝野誦習之書；這些沒有流傳下來的「古義」，不但可以讓我們瞭解西漢人解老的特色，也可以讓我們知道東漢及東漢以後學者解老的源頭，甚至於在

---

❸ 河上公《章句》，王明以為「似當東京中葉迄末年間感染養生風尚下」之作品；其說蓋是。見王著〈老子河上公章句考〉，載《道家和道教思想研究》（中國社會科學出版社，1984），頁295-323。

❹ 此書舊說以為偽書，余曾撰文論證為君平之真著，見拙文〈論嚴遵及其道德指歸〉，見《老子論集》（台北：世界書局，1983），頁143-72。

這些「古義」當中，有些是比較符合原書，與先秦的講法相近相同，值得繼續保存下來。

這些古義包含了用字、句子、句序、讀法及講法等等之不同，在兩千多年來諸多述老之著作中，與先秦的說解同是屬於時代最早的一批，是值得重視的。茲根據上述幾個方面，分論如次。

一、字詞

西漢流行傳本中，一些字詞的有無及用法，有時與後來傳本不相同，因而在說解方面就與後來學者有差別。這種情形相當多，茲舉例以明之。

比如第一章：

> 無名，天地始；有名，萬物母。

馬敘倫據《史記》〈日者列傳〉引「無名者，萬物之始也」及王弼〈注〉「故未形無名之時，則為萬物之始」，謂古本「天地」當作「萬物」；蔣錫昌又舉四證以申其說。馬、蔣之說是也。此文西漢初期自作「萬物」，與下句「萬物母」不避重複，帛書本及司馬遷所據者皆如此，可證此節西漢講法與後來者完全不同。陳景元〈篆微〉引嚴遵〈指歸〉曰：「無名無朕，與神合體，天下恃之，莫知所以，變於虛無，為天地始。」蓋西漢晚期以後，或已有改作「天地」者，嚴本即其中之一本也。王〈注〉曰：「則為萬物之始。」據此，可知王本正文原作「萬物」，存西漢初年之舊；今王本作

「天地」，則後人據晚出本改之也。

又如第三十九章：

> 故致數車無車。

帛書甲本兩「車」字皆作「與」，乙本作「輿」；《淮南子》〈道應〉引作「輿」。與、輿古通；是知西漢初年此文作「輿」明矣。《莊子》〈知北遊〉有「至譽無譽」，後之學者頗受其影響，紛紛讀「輿」為「譽」；《釋文》出「譽」字，〈注〉曰：「毀譽也。」即受此影響之早者。其後高延第、陶方琦、易順鼎及馬敘倫等皆從此說。此文若作「致數譽無譽」，「致數」二字文頗不通；羅運賢訓「數」為「計」，謂「侯王自謂孤寡不穀，此不計譽矣，而譽自歸之，然則計譽無譽明甚」，說似可通，然「致」字不得不刪。樓宇烈謂「意為屢得高貴之稱譽」，❺不解「致」字，亦不合老意。馬敘倫謂「致」為「至」，以莊解老，強通此文，故不得不云「數」為「致」之誤衍。西漢初年此文作「輿」；輿，即輿車之謂。河上公曰：「致，就也；言人就車數之。」河上〈章句〉雖在東漢之後，然此種講法當來自西漢；謂雖有輿車甚多，當自謙無輿車；猶侯王富有人民，當自謙孤寡不穀也。若如後人之意，「致數譽」解作「頻繁地追求榮譽」，則此文當作「數致譽」，而非「致數譽」矣。據此，可知西漢古說未可易，後人改說未必。

又比如第五十一章曰：

---

❺ 見樓宇烈著《王弼集校釋》上冊（北京：中華書局，1980），頁108。

故道生之，德畜之，長之言之……。

此文西漢傳本無「德」字。本章章首言「道」、言「德」、言「物」、言「器」；此處言「道」，以「道」為天地萬物之本源，與「德」無關宏旨。帛書二本無「德」字，〈指歸〉曰：「故道之為物，窺之無戶，察之無門，……萬物以生，不為之損；物皆歸之，不為之盈……。」論萬物之生畜、長養及成形，皆僅及「道」一事，無言及「德」者；蓋嚴本亦無「德」字耳。至如時代較晚之河上〈章句〉，曰：「道之於萬物，非但生之而已，乃復長養成熟。」可知正文亦無「德」字，維持西漢之舊貌。東漢以後，「德」字之有無，各本頗有參差，混淆不清；學者之解說乃歧路亡羊，失其古義矣。

又比如第六十五章曰：

民之難治，以其多智。

今傳各本或作「多智」，或作「智多」，義同。帛書下句作「以其知也」，無「多」字，此西漢初年古本也。蓋民有智，即不易治理，不在於其智之多與寡，故十九章曰：「絕聖棄智，民利百倍。」棄智，即完全棄絕知識、智慧也。下文曰：「以智治國，國之賊；不以智治國，國之福。」亦謂棄絕全部之知識、智慧也。東漢以後，各本乃增一「多」字，河上公曰：「以其智太多而為巧偽。」王輔嗣曰：「多智巧詐，故難治也。」皆非古義。

由前文四例即知，西漢古本《老子》某些字詞與後代傳本不大

相同，因而產生不同的解說。這些不同的字詞，有的被少數傳本保留下來，有的已完全「失傳」了。這些古義，對研究本書而言，意義都相當重大。

二、句子

西漢傳本中，一些句子之有無時而與後代傳本有很大之差別，因而產生不同的理解和解釋；對老子思想而言，其影響更在字詞之上。

比如第十章：

> 生而不有，為而不恃，長而不宰，是謂玄德。

此文西漢傳本作「生而不有，長而不宰，是謂玄德」，無「為而不恃」一句。《文子》〈道原〉曰：「生物而不有，成化而不宰。」用老文而無此句；《淮南子》〈原道〉曰：「生萬物而不有，成化像而弗宰。」用老文亦無此句，皆其明證。帛書乙本無此四字，甲本雖漫漶損缺，以字數計之，亦無此四字，可證西漢初年各傳本皆無此一句四字耳。〈指歸〉曰：「不有不恃，不以不宰，變化冥冥，天地自理。」據〈指歸〉注文，可知西漢中葉以後，流行傳本乃增「為而不恃」一句；河上本及王本等以後傳本，皆無例外，皆非西漢初年《老子》舊觀矣。無此一句，於本書之解釋自有不同。

又比如第二十九章：

天下神器，不可為。

劉師培據《文子》及王〈注〉，考訂「不可為」下當有「不可執也」一句，後之學者從其說而補其文者甚多。然帛書二本無此四字，《淮南子》〈原道〉引亦無此四字；據此，則西漢初年古本無此一句明矣。《文子》所據者，蓋另一古本，二本並行，不必相淆。其後有「不可執也」者獨行，河上本及王本皆來自此本；而無此句者卒告湮沒矣。有此一句，於老書之解釋自有很大之不同。

又比如第四十三章曰：

萬物恃之以生而不辭，成功不名有。

帛書無「萬物」一句九字，下句「成功不名有」，甲本作「□□遂事而弗名有也」，乙本作「成功遂□□弗名有也」；綜合二本，此句帛書蓋作「成功遂事而弗名有也」。據帛書，西漢初年古本此節自無「萬物」一句，而「成功遂事而弗名有也」，則與下句「萬物歸焉而弗為主」（此據帛書）並儷。其後受第二章「萬物作而不辭，生而不有，為而不恃，成功不居」之影響，加入「萬物恃之以生而不辭」，使此節「不辭」、「不有」及「不為」，與彼第二章「不辭」、「不有」及「不恃」相一律耳。《文子》〈道原〉曰：「萬物恃之而生，莫之知德。」所據者疑即此本。其後，前者不流行，後者以「文字完整」而為人所接受，卒獨存而流通焉。西漢古本無此句，於本書之解釋自有不同。

前舉三例，都是西漢古本《老子》句子不同之問題；這些句子

之有無，自然使老文產生不同之解釋。這些解釋，隨著後來不同本之流行，乃被更改及湮沒了。

三、造句

句子的不同當然影響解說，也影響對《老子》的理解。西漢古本中，有些句子和後來傳本有明顯不同，是值得我們注意的。

比如第三十八章：

> 上德無為而無以為，下德為之而有以為。

上句「上德無為而無以為」，帛書甲本作「上德無□□無以為」，乙本作「上德無為而無以為」；據此，則西漢初年古本此句自作「上德無為而無以為也」。

「上德無為而無以為」、「下仁為之而無以為」蓋皆同一境界，而「無為而無以為」高於「為之而無以為」，故雖在同一境界，前者為上德，後者為上仁，高低亦有分別也；下句「上義為之而有以為」，為之又有所為，境界又視「上仁」為低；而其境界最低下者，莫過於「上禮」者，為之而無應，則攘臂而喧叫也。〈指歸〉曰：「上德之君……故恬淡無為而德盈於玄域，玄默寂寥而化流於無極。」疑嚴本正文亦作「無以為」。蓋西漢古本此文自作「無以為」，不作「無不為」；河上本及王本即西漢古本之緒也。

韓非於〈解老〉引作「上德無為而無不為」，「無以為」作「無不為」，一字之差，意義懸殊甚遠。傳本及范本皆與韓子合，

蓋據韓子改也。蓋法家者流於上章「道常無為」下既增「而無不為」，乃將此章「無以為」改作「無不為」以相應也。西漢古本未受其影響，至為可貴。

又比如第五十五章：

　　毒蟲不螫，猛獸不據，攫鳥不搏。

西漢古本此三句與後來傳本頗有不同，說解上卒有差別。帛書多假借，若還其本字，則帛書正文作「蜂蠆虺蛇不螫，攫鳥猛獸不搏」，❻為六六型之並儷句子。〈指歸〉曰：「蜂蠆虺蛇無心施其毒螫，攫鳥猛獸無意加其搏。」據〈指歸〉推測，嚴本正文當作「蜂蠆蟲蛇弗螫，攫鳥猛獸弗搏。」除「虺」字作「蟲」，「不」作「弗」之外，亦六六型，與帛書本合。此當是西漢古本也。

　　時代略晚之河上本及王本與古本不同，皆作「蜂蠆虺蛇不螫，猛獸不據，攫鳥不搏」（王本「蛇」作「虺」），變為六四四型；時代更晚之傳本，則再變為四四四型，作「蜂蠆不螫，猛獸不據，攫鳥不搏」，去古愈遠矣。

　　古本《老子》原以「蜂蠆」、「虺蛇」合舉，「攫鳥」、「猛獸」不得不分，獨留「蜂蠆」及「虺蛇」在首句中；其後再分為四四四句型，首句「虺蛇」不得不刪，獨留「蜂蠆」，使與「猛獸」及「攫鳥」分舉。如此變易句子，自然影響本文之說解。《說苑》〈修文〉曰：「猛獸不攫，鷙鳥不搏，蝮蠆不螫。」若所據者為

---

❻　見高明著《帛書老子校注》（北京：中華書局，1996），頁 92。

《老子》，則此四四四型之異說蓋亦西漢末年之事也。

又比如第八十章：

> 小國寡民，使有什伯之器而不用。

「使有什伯之器而不用」古本頗為參差，義皆不同。帛書作「使有什伯之器而勿用」，謂使小國寡民雖有十倍百倍其民之器用，猶不用之也；西漢初年《老子》當是如此，其說解亦當是如此，似可斷言。其後或衍「民」於「使」下，敦煌一本即作「使民有什伯之器」，嚴本作「使人有什伯之器而不用」，即此本也；而其義則轉為使其人民有十倍、百倍於鄰國之器用，❼而猶不用之也。「人」字位置不同，意義則完全有別。

東漢以後，或合二本為一，河上本作「使民有什伯人之器而不用」，❽即此本也，而其說解又變為「使其民有什倍、伯倍其民之器用，猶不用也」，與西漢古義又有歧異。然，河上本有兩「民」字，實嫌辭費，於是，有刪「什伯」下「人」字，存「使」下「民」字，古王本、傅本、范本及想爾本即出於此也；又有並此二字皆刪之，今王本即如此也；皆非《老子》古義。

上舉三例，即知西漢古本《老子》在造句上有與後來不同者；這些不同，自然影響文本的解說。這些造句上的差異，有的並沒有

---

❼ 嚴遵《道德指歸論》曰：「什伯鄰國，以國民心。」（上海：上海古籍出版社，1987）。

❽ 今本無「民」字，據王卜校補；見王點校《老子道德經河上公章句》（北京：中華書局，1993）。

流傳下來；在研究西漢人對《老子》的理解及解說方面，自有其特殊的意義。

四、讀法

　　古人無標點符號，古籍讀法頗隨人意而時有不同，因而產生不同之解釋。帛書《老子》無標點符號，章節亦並無劃分，然由其造句之不同及文字之增減，與其它古籍相互印證，亦頗可推斷西漢人之讀法，進而理解西漢人之說解。

　　比如第十章曰：

　　　載營魄抱一，能無離？

此文「載」字自唐玄宗改為「哉」，且屬上為文後，從其說者極眾；然，西漢學者不如此讀也。《淮南子》〈道應〉引作「載營魄抱一，能無離乎」，是《淮南子》讀「載」下屬為文也。帛書雖無標點符號，亦無章節之劃分，然帛書乙本上章句末作「功遂身退，天之道也」，❾章末有「也」字，可證帛書「載」字蓋亦屬下為文。據此兩端以觀之，西漢人讀「載」於本章句首，蓋可斷言也。降至河上公，其讀法尚且如此。

　　又比如第二十七章曰：

---

❾　甲本殘「之道也」三字，然以字數度之，亦當有「也」字。

是以聖人常善救人，而無棄人；常善救物，而無棄物；是謂
襲明。

此文西漢古讀與今本相距頗大。《文子》〈自然〉曰：「故人無棄
人，物無棄物。」蓋用老文也。《淮南子》〈道應〉引老子語曰：
「人無棄人，物無棄物，是謂襲明。」出自本章，蓋無可疑。據
此，則西漢初年「而無棄人」作「而人無棄人」、「而無棄物」作
「而物無棄物」；而全節作「聖人常善救人，而人無棄人；常善救
物，而物無棄物」明矣。劉師培即主此說，而從者不乏其人耳。

　　竊謂此說不可從，蓋「救人而無棄人」，即「人無棄人」；
「救物而無棄物」，即「物無棄物」；兩「而」上再添「人」及
「物」，豈不累贅乎！帛書二本此四句作「恆善救人，而無棄人，
物無棄財」（標點從整理小組）；帛書雖僅三句，實際上當讀為四
句，作「恆善救人，而無棄人；（恆善救）物，而無棄財」（棄物、
棄財，義近）；「物」上「恆善救」三字，前句已有，故此處可省略
也。其後傳鈔者深恐後人誤讀，乃補足三字，卒與前句並儷耳。
「常善救人，而無棄人」，即《文子》及《淮南子》之「人無棄
人」；「（常善救）物，而無棄物」，即《文子》及《淮南子》之
「物無棄物」：並非《文子》及《淮南子》所據者「而」上再有
「人」及「物」字也。後人不知「物無棄物」當補足「常善救」三
字，且斷句作「（常善救）物，而無棄物」，卒以為上文「無棄
人」與此處「物，無棄物」不能相應，乃於「無棄人」上更添
「人」字，讀作「人無棄人」，不知其累贅也，西漢人固不作如是
讀也。

又如第三十章曰：

> 果而勿驕，果而勿矜，果而勿伐，果而不得，是果而勿強。

帛書最後一句作「是謂果而不強」，蓋帛書以末句總結前四句；謂惟有勿驕、勿矜、勿伐及不得已，方是「果而勿強」。此西漢初年之古讀也。

其後讀法頗有不同；河上公每句下注曰：「當果敢謙卑，勿自矜大也。」「當果敢推讓，勿自伐取其美也。」「果敢，勿以驕欺人。」「當果敢至誠，不當迫不得已也。」「果敢，勿以為強兵堅甲以侵凌人也。」河上公每句獨立為說，則河上公以為句與句之間無意義上之關連；蓋河上本已奪「是謂」二字，故末句可獨立為說，不必為總結語矣。東漢以後，學者各騁其說，王弼於首三句曰：「吾不以師道為尚，不得已而用，何矜驕之有也。」於末二句曰：「言用兵雖趣功濟難，然時故不得已後用者，但當以除暴亂，不遂用果以為強也。」❿觀輔嗣之意，前三句自為一小節，後二句又自為一小節，上下節意義無必然之關係，而彼此意義自圓滿。蓋自「是謂」二字奪後，諸家斷句可不同，其說解亦可有別，然皆非西漢古義也。

上舉三例，都是因為斷句及讀法之不同，而產生不同之解釋。這些解釋，有的並沒有流傳下來，是我們瞭解漢人述老的最好材料。

---

❿　此處注文，從陶鴻慶校，略有改。

五、句序

　　西漢古本《老子》，章節內若干文句的次序有時與後來者不相同；這些不同，有時影響本章的解說，有時只是文義前後移動而已，對章內文義無大影響；這些，都是瞭解西漢述老的材料。

　　茲各舉一例以論之。如第二十八章曰：

> 知其雄，守其雌，為天下谿；為天下谿，常德不離，復歸於嬰兒。
> 知其白，守其黑，為天下式；為天下式，常德不忒，復歸無極。
> 知其榮，守其辱，為天下谷；為天下谷，常德乃足，復歸於樸。

帛書二本「知其白……復歸於無極」六句在「知其榮……復歸於樸」之後；❶句序與後來傳本大不相同。蓋西漢初年古本「知其雄……復歸於嬰兒」為第一節，「知其榮……復歸於樸」為第二節，「知其白……復歸於無極」為第三節，與後來傳本不同也。

　　《莊子》〈天下〉引老聃語：「知其雄，守其雌，為天下谿。知其白，守其辱，為天下谷。」引第一、二節而略第三節也。《淮南子》〈道應〉引「知其雄，守其雌，為天下谿；知其榮，守其辱，為天下谷」亦引第一、二節而略第三節。帛書乃西漢初年產

---

❶　帛書用字有小異，今暫不論。

物，故與《莊子》及《淮南子》相符也。後來學者不知西漢句序有異，見《莊子》、《淮南子》二書獨引今本首節及第三節，惟不見第二節，乃謂第二節乃後人所增，非老文所原有，甚矣讀書之難也。

又比如第八十章：

> 甘其食，美其服，安其居，樂其俗。

《莊子》〈胠篋〉後二句互易，作「樂其俗，安其居」；帛書本亦如此。此當是西漢初年以前古本之面貌也。降至西漢末葉，其句序猶未變，嚴本即其證。其後河上本及王本移易之，且廣為流傳，古本卒罕為人所知矣。

上舉二例，可明西漢古本句序有與後來傳本不同；這些不同，有時影響章內大義，是很值得注意的。

六、說解

西漢古本不但與後來傳本時有迴異，西漢人對於《老子》的說解有時亦與後人不同；這些不同，或無法廣泛流傳下來，或完全成為「絕響」，很值得我們注意。

比如第三十二章：

> 譬道在天下，猶川谷與江海。

此文後來傳本皆如此，謂道在天下，為天下萬物之所歸；就如江海之在川谷，為川谷之所歸也。王〈注〉曰：「川谷之與江海，非江海召之，不召不求而自歸者也；行道於天下，不令而自求，不求而自得……。」即作如此之解釋。然，西漢早年此文恐另有說解，《文子》〈上仁〉曰：「道之在於天下也，譬猶江海也。」《文子》僅及「江海」，不及「山谷」，則《文子》所據之《老子》蓋無「川谷」二字矣。若此，此文蓋讀作「譬道在天下，猶江海（在天下）」，謂道在天下，為天下萬物之所歸，就如江海在天下，（亦為天下萬川之所歸也）；蓋「猶江海」蒙上句省「在天下」三字耳。漢以後此說不傳。想爾〈注〉：「道在天下，譬如江海；人一心志道，當如谷水之欲歸海也。」即後人惟一傳此說者，至為可貴。

又比如第四十二章：

人之所教，我亦教之。

奚侗解作「凡古人流傳之善言以教我者，我亦以之教人」，訓「人」為「古人」，西漢人不作此說也。〈指歸〉曰：「故眾人之教，變愚為智，化弱為強……聖人之教訓為之，愚以之智，辱以之榮……。」嚴遵讀「人」為「眾人」；蓋謂人教我為智持強，我則教人守愚處辱；此西漢人講法耳。迨至東漢，此說猶未墮，河上公曰：「謂眾人所教，去弱為強，去柔為剛；言我教眾人，使去強為弱，去剛為柔。」猶解「人」為「眾人」。帛書「人」上有「故」字，高明謂「故」假為「古」，解作「古代之人」，此非西漢人說

法也。

又如同章曰：

> 吾將以為教文。

〈指歸〉曰：「聖人之悲，以為教先。」蓋西漢人讀「文」為「先」、為「始」也。河上公曰：「文，始也。老子以強梁之人為教戒之始也。」降至東漢，猶維持此種講法。王〈注〉：「故得其違教之徒，適可以為教父也。」輔嗣之後，乃從楚語讀之，解作「師長」耳。

又比如第六十一章曰：

> 故大國以下小國，則取小國；小國以下大國，則取大國。

晚近學者解「取」為「聚」，謂大國以下小國，則以己為盟主而團聚小國；小國以下大國，則為盟邦而團聚於大國之下。然，西漢人不作如此說解也，〈指歸〉曰：「明王聖主之處大國也……地裏諸侯之國，而無所不畏；德包諸侯之力，而無所不事。……諸侯雖有貪鄙殘賊，驕矜之力，不如順從，欲圖逆者，猶以文武之勢……大國之君，心如饑虎，怒如湧泉，不如施予，常欲吞人……。上而取人者……下而取於人者……。」據〈指歸〉所言，「取」作「攻取」、「佔取」之解明也。

上舉諸例，都是西漢人對本書的不同解釋；這些解釋，有的已不為後人所採用而「失傳」了。

　　西漢初年是老學的黃金時代，老書普遍流傳於社會各階層裏，時尚所趨，學者們對老書自有一番理解和研究。東漢以後，玄學及佛學先後流行，老書更數度為人所重視，訓解者更多，各種不同的新意逐次紛呈，西漢古義於是或被接受流傳開來，或被新意取代而掩沒失傳。這些失傳之古義，由於時代近古，不但意義特殊，在窺探西漢人對老書的理解及研究方面，也有其價值。

（原刊於香港中文大學中文系及北京大學中文系聯合主編之《中文學刊》第三期，2003）

《老子》嚴遵本校記

一、前言

西漢末年嚴遵（君平）著〈老子指歸〉十餘卷❶，最先著錄於《隋書》〈經籍志〉；其後，新、舊《唐書》及《經典釋文》皆載其書。〈漢志·諸子略〉著錄漢代述老著作有鄰氏、傅氏、徐氏及劉向四種，然四書皆亡；河上公〈章句〉相傳為西漢初年或戰國時代另一種解老之著作，然其書「約為後漢桓帝或靈帝時黃老學者偽託所作」❷，作成時代在東漢末年；今傳〈指歸〉若果為嚴君平之真著，則西漢諸解老述老著作中，惟獨此書流轉於世，則其價值可知矣。

今傳〈老子指歸〉存卷七至卷十三，卷首有〈總序〉及〈說目〉。自明代以來，疑其為偽者，大有人在。降至清季，《四庫全書總目提要》曾列舉三證，認為此書乃「能文之士所贗託」❸；至

---

❶ 《隋志》謂十一卷，新、舊〈唐志〉謂十四卷，晁公武《郡齋讀書志》及《宋史》〈藝文志〉皆謂十三卷。

❷ 見王明撰〈老子河上公章句考〉，在王著《道家和道教思想研究》，中國社會科學出版社，1984。

❸ 見《四庫全書提要》，台北藝文印書館影印，第十冊，頁 2869-2870。

此，此書之偽始有明確之證據。民國初年，唐鴻學刊布明鈔本〈指
歸〉時，曾撰跋文一篇，並舉出三證以明「確為君平所作」，說與
《四庫提要》相反。於是，此書之真偽，學術界一直未曾有定論
矣。

　　五十年代初期，嚴靈峰撰〈辨嚴遵道德指歸論非偽書〉❹，根
據流傳卷帙、版本源流及谷神子〈注〉，而認為〈指歸〉「仍還嚴
遵之舊，固未可謂為偽作也」。筆者七十年代末期撰《老子新校》
初稿時❺，將有關嚴本與帛書本之關係，就所見及者撰成〈論嚴遵
及其道德指歸〉❻，舉出六類二十四條證據，以明今傳〈指歸〉乃
西漢嚴君平之真著，書內所錄《老》文，乃西漢《老子》之原貌，
至為可貴。八十年代初葉，王德有點校〈老子指歸〉❼，卷端〈自
序〉曰：

　　　　為校點此書，我查閱了歷代《老子》注本五十餘種，發現
　　　　〈指歸〉的引文二百餘處，其中引前七卷文近百處，與明後
　　　　留存的〈指歸〉對照，乃大同小異。這些注本都是唐宋之時
　　　　所著，足證明後〈指歸〉存本不是偽托。

作者發現唐宋引〈指歸〉佚文，與明後留存者「大同小異」，從而
證明今傳〈指歸〉即唐宋人所見者；〈指歸〉之非後人偽托，此又

---

❹　在嚴編《無求備齋老子集成初編》《道德指歸論》第一冊內。

❺　見《大陸雜誌》七十年代末期及八十年代初期各卷。

❻　見拙著《老子論集》，台北世界書局，1983。

❼　《老子指歸》，北京中華書局，1994。

得一證矣。

　　邇來教學之餘，乃將嚴本《老子》重新核對一過，除帛書本外，近日公佈之郭店本，亦略為涉及，寫成〈校勘記〉一篇；〈指歸〉之非偽作，嚴本之可貴，讀此文後自能知之。

二、校文

常無，欲觀其妙；[1：1]❽

　　高明曰：帛書甲、乙本「欲」後均有「也」子……今後帛書甲、乙本勘校……足證王弼、孫盛在「欲」字下斷句不誤，宋人倡以「無」字「有」字為句，不確。

　　案：〈指歸〉曰：「無慾者，望無望，謂無慾之人，復其性命之本也。且有欲之人……。」嚴本以「無慾」「有欲」斷句，與帛書合。其後，河上公及王輔嗣皆從此讀。

前後相隨。[2：2]

　　島邦男據〈集義〉引〈指歸〉「先以後見，後以先明」，曰：據之，則嚴本作「先後」，同於想本。

　　高明曰：《老子》本書「先」、「後」連言，不應於此獨異。如七章「是以聖人後其身而身先」，六十六章「欲先明必以身後之」，六十七章「捨後且先」，皆其證也。

---

❽　前一數字為《老子》章次，後一數字為本文條次。

案：「先後」二字，除帛書及嚴書外，各本皆作「前後」；
想爾本系統作「先　後」，蓋來自嚴本。郭店本亦作
「先後」，可證嚴本之古。〈指歸〉於解釋「有無相
生……先後相隨」後，曰：「凡此數者，不能違。」
曰：「神明不能遁，陰陽不能違。」疑嚴本亦有「恆
也」二字乎？

不貴難得之貨，[3：3]

島邦男曰：嚴君平曰：「世不尚賢則民不趨……世不貴貨則
民不欲……。」據之，則嚴本作「不貴貨，民不為盜」。

案：島邦男據〈指歸〉謂嚴本作「不貴貨」，與各本不同。
馬敘論據《書鈔》二七引及王弼〈注〉「貴貨過用」，
謂古本及王本原作「不貴貨」；不貴貨，視「不貴難得
之貨」更徹底，猶六十五章「民之難治，以其多智」，
帛書及嚴本次句皆作「以其知」，亦「以其知」視「以
其多智」徹底也。韓非〈喻老〉引已作「不貴難得之
貨」，《文子》〈上仁〉同，則有「難得之」三字，淵
源亦古耳。嚴本作「不貴貨」，古別本也；其後，古本
及王本皆來自此本。

不見可欲，使心不亂，[3：4]

島邦男曰：嚴君平曰：「則民無喜，無喜則無樂，無樂則不
淫亂。」據之，則嚴本作「不見可欲……民……不亂」。

案：帛書二本皆作「使民不亂」，無「心」字，〈指歸〉出

「民」字，則嚴本亦作「民」，不作「心」，與帛書二本合。《淮南子》〈道應〉引作「使心不亂」，乃另一傳本耳。

多言數窮，[5：5]

島邦男曰：嚴曰：「天地不言，以其虛無……。」據之，則嚴本作「言」。

案：帛書二本「多言」皆作「多聞」，與嚴本不同。《文子》用作「多聞」，與帛書合；《淮南子》〈道應〉引作「多言」，與嚴本相符；此西漢以前之二源流也。

處眾人之所惡，[8：6]

〈指歸〉曰：「人者，體柔守弱，去高處下，受辱如地……言順人心，身在人後。人之所惡，常獨處之……。」島邦男曰：據之，則嚴本作「處……人之所惡」。

案：據〈指歸〉云云，疑嚴本正文僅作「處人之所惡」；「處人之所惡」，文義已足。七十七章曰：「人之道，則不然。」

持而盈之，不若其以。[9：7]

陳景元曰：嚴君平作「殖而盈之」。

案：帛書「持」並作「植」，古與「殖」通。《淮南子》〈俶真〉：「萬物蕃殖。」〈主術〉：「五穀蕃殖。」蕃植，即蕃殖也。陳景元謂嚴本作「殖而盈之」，與帛

書相符，此西漢古本也。《管子》、《文字》及《淮南子》用老語作「持而盈之」，此西漢另一古本也。「持盈」乃古成語，老子用之；其後作「持」者流行，作「殖」（或「植」）者僅存嚴本而已；若非帛書出土，幾不識嚴本之古舊。

金玉滿堂，[9：8]

陳景元曰：嚴君平、王弼本作「金玉滿堂」。

島邦男曰：依之，則嚴本作「金玉滿堂」。

案：帛書甲本作「金玉盈室」（乙本「盈」字殘），高明謂此文本作「金玉盈室」，後因避惠帝諱改「盈」為「滿」，乃改「滿室」作「滿堂」。章首曰：「持而盈之。」帛書二本皆如此，皆不避惠帝諱，可知此句避諱之說不足信。嚴本作「室」，與帛書二本合。堂前無壁，不可守金玉；作「室」字是。傅、范本作「室」，恐與嚴本有關。

埏植以為器[11：9]

〈指歸〉有「故智者埏土為器」，島邦男曰：據之，嚴本作「土埏為器」。

案：河上公曰：「埏，土也；和土以為飲食之器。」〈指歸〉或釋「埏」為「土」，情形與河上公同；嚴本未必作「土」也。

搏之不得，名曰微，[14：10]

〈指歸〉有「不以循循者，能得之……冥其循搏」，島邦男
曰：依之，嚴本作「循」。

案：島邦男據〈指歸〉謂嚴本作「循之不得」，與各本獨
異。《列子》〈天瑞〉用老文曰：「視之不見……聽之
不聞……循之不得……。」字正作「循」。《淮南
子》〈原道〉亦用老文，曰：「視之不見其形……聽之
不聞其聲，循之不得其身。」字亦作「循」，可知嚴本
「循」字有來歷。帛書二本此句均作「捪之而弗得」，
《廣雅》〈釋詁〉曰：「捪，循也。」據此，可知嚴本
與帛書本合。《淮南子》〈俶真〉曰：「捫之不可得
也。」捫，《說文》謂「撫持」，〈俶真〉蓋易字為解
也。〈道應〉曰：「視之不見其形，聽之不聞其聲，搏
之不可得……。」西漢古本亦有作「搏」者，與嚴本
非同一源流。

儼兮其若客，[15：11]

〈指歸〉有「常如儼客」，島邦男曰：嚴作「如客」（原本
「客」誤作「右」）。

案：各本皆作「若客」，《文子》〈上仁〉用老文作「儼兮
其若容」（「容」乃「客」之誤），字亦作「若」；疑〈指歸〉
解「若」為「如」，非嚴本作「如」也。郭店本亦作
「若」。

百姓皆謂我自然，[17：12]

　　　范應元謂古本「謂」作「曰」，島邦男曰：嚴遵同古本。

　　　案：各本「謂」字同，惟傳本及范本作「曰」，與各本異。
　　　　　嚴本作「曰」，此傳、范本之來源也；疑「曰」字來歷
　　　　　甚古。

國家昏亂，有忠臣。[18：13]

　　　范應元謂古本「忠」作「貞」，曰：嚴遵、王弼同古本。

　　　島邦男曰：則范見嚴本作「貞臣」。

　　　案：各本皆作「忠」，惟傳、范二本作「貞」，蓋來自嚴本
　　　　　也。郭店本作「正臣」；正，貞也。帛書二本均作「貞
　　　　　臣」，嚴本來歷甚古，不可輕非。

乘兮若無所歸。[20：14]

　　　范應元曰：嚴遵作「若無所之」。

　　　島邦男曰：「之」字諸本作「歸」，不作「之」，難明之，
　　　暫從范見嚴本。

　　　案：嚴本「歸」作「之」，與眾本不同。帛書亦作「歸」，
　　　　　未詳嚴本淵源。

自古及今，其名不去。[21：15]

　　　范應元曰：「自今及古」，嚴遵、王弼同古本。

　　　島邦男曰：嚴本作「自今及古」。

　　　案：帛書二本均作「自今及古」，與下文「去」、「甫」

韻。嚴本與帛書合，至為可貴。漢以後惟王本、傅本及
范本不誤。

故從事於道者，道者同於道，德者同於德，失者同於失。[23：16]

案：此文各本差異甚大，各家說法紛紜，莫衷一是。帛書二
本均作「故從事而道者同於道，德者同於德，失者同於
失」（甲本「同於德者」，無「於」字，蓋奪；「從事而道者」，
而，於也）。此蓋論「從事於道者」、「從事於德者」
及「從事於失者」，而總冒以「從事於」三字，故行文
但作「從事於道者同於道，德者同於德，失者同於失」
足矣。然，自漢以後，「同於道」上誤增「道者」二
字，以與「德者」及「失者」排比，非其舊矣。〈指
歸〉曰：「事從於道，道從於事；事從於德，德從於
德，事從於失，失從於事。」據〈指歸〉所指，嚴本蓋
無「道者」二字，猶維持舊本面貌，而與帛書合。

輕則失本，躁則失君。[26：17]

范應元曰：「本」字，嚴遵、王弼同古本，河上公作
「臣」，與前文不相貫，宜從古本。

島邦男曰：嚴云：「『失臣』作『失本』。」則嚴遵所據底
本作「失臣」，而改之作「失本」也。

馬敘倫曰：《老子》本作「根」，傳寫脫成「木」，後人改
為「本」以就義。

案：《韓非子》〈喻老〉曰：「故曰：輕則失臣，躁則失

君；主父之謂也。」據此，知先秦此文「失本」或作「失臣」，與「失君」對舉。嚴遵「失臣作失本」，則嚴遵所據底本作「失臣」，與韓子所見者合，可謂源遠流長。帛書二本皆作「失本」，本、根字異而義近，或為「根」之壞文；嚴遵改「臣」為「本」，或受帛書系統之影響也。此章主句在首兩句「重為輕根，靜為躁君」，謂靜重為立身處世之根本；結尾「輕則失根，躁則失君」，又回說主題，再三申言本義，當以「根」字為長。嚴本雖與帛書不同，然嚴改恐與帛書系統有關耳。

善數不用籌策[27：18]

范應元曰：數，嚴本同古本。

案：帛書二本作「數」；據范〈注〉，嚴本亦作「數」，與帛書合。其後王本、傅本即出自此系統也。河上公作「計」，想爾本系統亦作「計」，此又一源流也。

故大制不割。[28：19]

范應元曰：無割，嚴遵、王弼同古本。

案：據范〈注〉，嚴本「不割」作「無割」。帛書皆作「無割」，蓋嚴本之來源也。河上公本作「不割」，與此系統不同。

或接或墮。[29：20]

范本作「或培或墮」，范應元曰：嚴遵、王弼、傅奕、阮
籍同古本。

案：據范〈注〉，嚴本「接」作「培」，其他王本、傅本皆
從嚴本而來。帛書甲本作「杯」，乙本作「陪」，皆為
「培」之借字；然則嚴本作「培」，來歷甚遠矣。

上德無為而無以為，[38：21]

嚴本「無以為」作「無不為」，島邦男曰：「不」字，想
本、河本作「以」。〈指歸〉曰：「……恩不可量，厚不可
測，兼包大營，澤及萬國。」乃嚴本作「不」，今本不誤。

案：細嚼〈指歸〉文字，嚴本蓋作「無不為」，島邦男之說
是也。《韓非子》〈解老〉引作「上德無為而無不
為」，高明謂「〈解老篇〉引文原非如此,當依帛書作
『無為而無以為』」，其說蓋是；〈解老〉作「無不
為」，乃淺人據後來者回改也。帛書二本作「上德無為
而無以為也」（甲本缺「為而」二字），蓋先秦及兩漢均作
「無以為」，其作「無不為」者，蓋始於嚴本乎？其
後，傅、范本及《文選》〈魏都賦〉〈注〉引皆受其影
響。

下德為之而有以為，[38：22]

嚴本「有以為」作「有不為」，島邦男曰：「不」字，今本
作「以」，然視之於「上德」句，應作「不」。

〈指歸〉曰：「其事修而不作……。」則嚴本作「有不

為」，今本系改易。

案：帛書二本皆無此句，與各本異 。《韓非子》〈解老〉
依次徵引「上德無為」、「上仁為之」、「上義為
之」、「上禮為之」，及下文「失道」、「失德」、
「失仁」、「失義」、「禮者」、「前識者」及「去彼
取此」等諸文，惟獨不及此一句八字，疑韓非所據古
本，亦無此一句耳。高明曰：「『下德』一句在此純屬
多餘，絕非老子原文所有，當為後人妄增。」所論甚
是。先秦及漢初各本蓋皆無此句，添此八字者，蓋亦始
於嚴本乎？漢以後各本皆受其影響，而增此一句。

萬物得一以生，[39：23]

島邦男曰：嚴本、《老子義》並無此句，〈指歸〉無解。陳
景元曰：「嚴君平本無『萬物得之以生』。」則係漢時增
益。

高明曰：河上公〈注〉云：「謂下五事也。」顯然是指以下
「天」、「地」、「神」、「谷」、「萬物」、「侯王」而
言。……由此可見，河上公注《老子》時，經文只有
「天」、「地」、「神」、「谷」、「侯王」五事，而無
「萬物」一事，足以說明「萬物」一句是在河上公之後增入
的。

案：高明謂古本《老子》當無此句，帛書可為證，其說是
也。諸本之中，惟嚴本無此句，與帛書合，最為可貴。
河上〈注〉既云「五事」，則河上公本亦無此句；今河

上本有者，乃後人據他本妄增耳。兩漢諸本中，惟嚴本
及河上本維持古本面貌。

萬物無以生，將恐滅；[39：24]

陳景元曰：嚴君平本無「萬物無以生，將恐滅」。

島邦男曰：《老子義》亦無此等字。

案：帛書二本皆無此八字，此嚴本所出也。高明謂此乃河上
公之後所增入，蓋是。

天下萬物生於有，有生於無。[40：25]

島邦男曰：《老子義》作「天下之物」，陳景元引〈指歸〉
曰：「天地生於太和，太和生於虛冥。」則嚴本作「天
地」，與想本同。

案：帛書首句作「天下萬物生於有」，郭店本作「天下之物
生於有」；嚴本作「天地」，與二本不同。其後，惟部
分想本作「天地」，其他各本皆作「天下」。

天下聞道，大笑。[41：26]

嚴本「笑」下有「之」字，島邦男曰：「之」字，《老子
義》亦有，與《史記》同。應嚴本有「之」字。

案：郭店本及帛書乙本「笑」下有「之」字，可證嚴本有來
歷。甲本殘。

故建言有之，[41：27]

嚴本同，島邦男曰：「故」字，《老子義》作「是以」二
字。〈指歸〉曰：「故聖人建言曰「有之」；有之者，言道
之難之。」則嚴本作「故」，有「曰」字，與《老子義》
同。傅本、古本與之同。

案：郭店本及帛書乙本「故」作「是以」，帛書有「曰」
　　字。嚴本作「故」，與古本不同；有「曰」字，與帛書
　　合；嚴本依違於古本之間，可見。

廣德若不足，[41：28]

嚴本「廣德」作「盛德」，島邦男曰：「盛」字，《老子
義》作「廣」，與諸本同。

〈指歸〉曰：「盛德之人。」則嚴本作「盛德」，與《莊
子》、《史記》同。其作「廣」者，始於《文子》。

案：郭店本及帛書乙本皆作「廣」，嚴本作「盛」，不同。
　　《莊子》及《史記》皆作「盛」，可證嚴本有來歷，不
　　可輕非。

善貸且善。[41：29]

嚴本作「善貸且善成」，范應元曰：嚴遵、王弼同古本。

于省吾曰：景龍本作「善貸且善」，當脫「成」字。敦煌
「貸」作「始」，乃聲之轉。成、終義同。然則「善始且
成」，即善始且終也。六十四章：「慎終如始。」亦終、始
對文。

案：帛書乙本作「善始且善成」，可證嚴本「善成」二字有

來歷。〈指歸〉曰：「貸於不貸，動而萬物成，靜而天下遂也。」蓋「始」之作「貸」，始於嚴本；其後各本皆受其影響矣。

萬物負陰而抱陽，[42：30]

島邦男曰：「背」字今本作「負」，〈指歸〉曰：「背陰向陽。」則嚴本作「背」。其作「負」者，始於《文子》。王弼從嚴本，亦作「背」。

案：《淮南子》〈精神〉引此文作「萬物背陰而衰陽」，字作「背」；〈兵略〉曰：「道者體圓而法方，背陰而抱陽，左柔而右剛。」所云與老文有關，字亦作「背」。疑古本有一源流作「背」者，島邦男謂嚴本及王本原作「背」，即此源流也。帛書此句皆殘，疑帛書亦作「背」，為嚴本所出。

而王公以為稱，[42：31]

嚴本作「而王公以名稱」，島邦男曰：「侯王」字，今本作「王公」，與想本同。「自名」二字，今本作「名稱」。〈指歸〉曰：「侯王之所以自名也。」則嚴本作「侯王」，與三十九章同；又作「自名」，與想本同。

案：據〈指歸〉文，嚴本作「以自名」明矣。帛書甲本作「而王公以自名也」，乙本殘「名也」二字，餘同；據此，則嚴本「自名」二字，恐與帛書有關。其後，王本等皆作「以為稱」，傅、范本作「以自稱」，皆與古本

不同。島邦男據〈指歸〉謂嚴本「王公」作「侯王」，
與帛書不同；疑〈指歸〉乃嚴本「王公」之釋詞，非經
文作「侯王」也。

無有，入於無間。[43：32]

島邦男曰：《淮南子》〈原道〉、傅奕古本「無」上有「出
於」二字。〈指歸〉曰：「夫道以無有之有，通無間，游無
理，光耀有為之室，澄清無為之府。」則謂道以無有之有，
通無間，嚴本無「出於」二字。

案：〈指歸〉下文曰：「出入無外而無圻……神明在身，出
無間，入無孔，俯仰之頃經千里。」則嚴本正文作「出
於無有，入於無間」明矣。今本無「出於」二字，蓋後
人據晚出本改之也。《莊子》〈庚桑楚〉曰：「萬物出
乎無有，有不能有為，必出乎無有。」云「出於無
有」。《淮南子》〈原道〉引老子作「出於無有，入於
無間」，〈精神〉曰：「出於無間，入於無間。」據
此，可知嚴本之古舊矣。帛書甲本作「無有入於無
間」，無「出於」二字；乙本殘「無有入於」，蓋亦無
「出於」二字，此當是西漢初年之本子耳。《淮南子》
〈道應〉引老子曰：「無有入於無間，吾是以知無為之
有益也。」所據者即此本也。兩漢以後，惟傅、范二本
與嚴本合。

咎莫大於欲得。[46：33]

島邦男曰：〈指歸〉解此句云：「追患之大數而得咎之至要
也。」則更含強意以解之，乃知嚴本不作「大」，而如《韓
非子》作「憯」。

案：帛書甲本「大」作「憯」；乙本此句殘，蓋亦作憯。
《韓非子》〈解老〉及〈喻老〉引亦作「憯」，先秦古
本如此也。嚴本作「憯」，淵源久遠，至為可貴。今諸
本之中，惟傅、范本保留原貌，餘大部分皆作「大」矣。

不出戶，[47：34]

《韓非子》引作「不出於戶」，島邦男曰：「於」字今本
無，〈指歸〉曰：「是以聖人不出於戶。」則嚴本有「於」
字，與《韓非子》、《呂覽》同。

案：帛書二本皆作「不出於戶」，《韓非子》〈喻老〉、
《呂覽》〈君守〉及《文子》〈精誠〉引亦皆有「於」
字；古本自有「於」字。據〈指歸〉，嚴本亦有「於」
字，可謂淵源久遠；今嚴本作「不出戶」，蓋淺人據晚
出本刪之耳。嚴本與帛書合，且非後人所能偽，於此可
知矣。

知天下；[47：35]

傅本作「可以知天下」，島邦男曰：「可以」今本無。〈指
歸〉曰：「人物動於此，則天地應於彼。……」乃知嚴本不
作「知」，而作「可以知」。王本、古本均作「可以知」，
是可為旁證。

案：島邦男謂嚴本當作「可以知」，並舉王本、古本為證。
然，披閱〈指歸〉再三，實無法知悉嚴本何以作「可以
知」也。〈指歸〉曰：「以知實生於虛……以知深微纖
妙和弱潤滑之大通也……以知清靜虛無、無為變化之大
功也……以知百方萬物利害之變……以知天地之道畢於
我也……。」若就〈指歸〉推測，嚴本正文本作「以知
天下」，不作「可以知天下」。《文子》〈精誠〉、
〈道原〉、〈下德〉、《淮南子》〈道應〉引咸作「以
知天下」，帛書二本同，是西漢古本作「以知天下」之
證。嚴本遠承古本，可知也。《呂覽》〈君守〉、《淮
南子》〈主術〉及《韓詩外傳》三引均作「而知天
下」；而，以也，可知漢初及漢前皆作「以知天下」明
矣。《韓非子》〈喻老〉引作「可以知天下」，「可」
字乃淺人據晚出傳本增，不可從。嚴本與帛書及早期古
本合。

不窺牖，知天道。[47：36]

韓子引作「不窺於牖」，島邦男曰：今本無「於」、「可
以」字。〈指歸〉云云，則此句與上句為同義，應如上句有
「於」、「可以」字。

案：帛書二本作「不窺於牖，以知天道」（乙本「牖」「以」
二字殘）；嚴本此句亦當如此。

不見而名，[47：37]

韓子引「名」作「明」，島邦男曰：「明」字，今本及諸本均作「名」。〈指歸〉曰：「……因我以然彼，明近以喻遠也。」則嚴本作「明」，與韓子同。

案：帛書甲本殘，乙本存「而名」二字；晚出諸本絕大部分皆作「名」，即承此而來。嚴本作「明」，與漢初傳本不同，而與韓子所見者合，則嚴本遠承先秦可知也。王本作「名」，島邦男懷疑王本似作「明」；若此，王本蓋受嚴本影響。

為學日益，為道日損。[48：38]

傅本「為學」及「為道」下均有「者」字，島邦男曰：「者」字，今本無。〈指歸〉云云，則嚴本有「者」字。范應元曰：「傅奕、嚴遵與古本有『者』字。」則范見嚴本有「者」字，與《莊子》同。

案：帛書甲本二句殘，乙本「為學」及「為道」下並有「者」字；郭店本作「學者日益，為道者日損」，首句脫「為」字，亦有二「者」字。島邦男據〈指歸〉文，推斷嚴本亦有此二字；若此，則嚴本與郭店本及帛書本合。《莊子》〈知北遊〉引黃帝語：「為道者日損。」有「者」字者，古。蔣錫昌據二十二章王〈注〉引文，謂王本亦有二「者」字；若此，則王本受嚴本影響耳。

損之又損之，[48：39]

島邦男曰：《文選》張衡〈東京賦〉無下「之」字，〈指

　　歸〉曰：「損之損之，使知不起。」則有兩「之」字，與
　　《莊子》同。
　　案：郭店本作「損之或損」。帛書甲本殘，乙本作「損之又
　　　　損」。嚴本作「損之又損之」，與郭店及帛書不同，而
　　　　與《莊子》引合，則嚴本來歷亦遠古。其後諸本均有下
　　　　「之」字，蓋受嚴本影響。

取天下，常以無事。[48：40]

　　嚴本作「將欲取天下者，常以無事」，島邦男曰：今本
　　「將」下有「欲」字。〈指歸〉曰：「夫何故哉？……是以
　　將取天下，常於無事。」則嚴本無「欲」字。想本、王本亦
　　無「欲」字。
　　案：嚴本「取」上有「將欲」二字，島邦男據〈指歸〉謂嚴
　　　　本僅作「將取天下」。帛書二本皆作「取天下」，無
　　　　「將欲」二字；嚴本與帛書不同，當是另有依據。傳本
　　　　作「將欲取」，范本無「欲」字，蓋皆受嚴本影響而有
　　　　參差也。

聖人無心，以百姓心為心。[49：41]

　　高明曰：河上公〈注〉：「聖人重改更，貴因循，若自無
　　心。」可見河上公原本亦作「聖人恆無心」，當與帛書乙本
　　同。可以肯定地講，王弼以下今本作「聖人無常心」者皆
　　誤。
　　案：各本「無心」作「無常心」，帛書乙本作「恆無心」。

此當以「常無心」為是。〈指歸〉曰：「……無心之心
存也……無心之心，心之主也……懷無心之心……。」
是嚴本亦以「無心」屬詞。嚴本與帛書本合，其後各本
皆作「無常心」。

人之生，動之死地，十有三。[50：42]

范本作「民之生生而動之死地，亦十有三」，范應元曰：韓
非、嚴遵同古本。

嚴本「人之生」作「而民生」，韓子引「動」下有「皆」
字，島邦男曰：「而」字今本、王本、傅本均有，而《韓非
子》無。〈指歸〉曰：「而民皆有其生，而益之不止。」則
嚴本有「而」字。又「生」字今本不重言，而《韓非子》、
王弼、古本均重言，〈指歸〉云：「皆有其生而益之不
止。」則嚴本作「生生」。又「皆」字今本無，而《韓非
子》、傅本並有。〈指歸〉云：「民皆有其生……皆有其
身。」則嚴本有「皆」字。

案：帛書二本皆作「而民生生，動皆之死地，十有三」；據
〈指歸〉及島邦男推測，嚴本作「而民之生生，而動皆
之死地，亦十有三」，嚴本與帛書合明矣。韓子〈解
老〉引作「民之生生而動，動皆之死地，之十有三」，
就其解說文字觀之，韓非蓋讀作「民之生，生而動，動
皆之死地，之十有三」，後來河上本、王本刪「生而
動」，乃作「人之生，動皆之死地，十有三」耳。竊疑
韓子蓋讀「民之生」句，「生而動」句，於是「皆之死

地」上不得不增一「動」字；韓子所據原本蓋當作「民
之生生，而動皆之死地，之十有三」，此帛書、嚴本之
所出也。

陸行不遇兕虎，[50：43]

朱謙之曰：遇，嚴本作「避」。

島邦男曰：「遇」字今本作「避」，係筆誤。

案：諸本皆作「遇」。帛書甲本殘，乙本作「辟」；辟，借
為避耳。嚴本作「避」，正與帛書合，至為可貴；島邦
男受晚出各本影響，反謂「避」乃「遇」之筆誤，不可
從。《韓非子》〈解老〉引此文，釋曰：「兕虎有域，
而萬害有原，避其域……。」是韓非所見本作「避」明
矣。今本作「遇」，蓋後人據晚出本改之也。韓子所據
本、帛書本及嚴本皆作「避」，其後諸本皆作「遇」。

入軍不被甲兵，[50：44]

劉師培曰：《老子》古本「被」當作「備」，言不恃甲兵之
備也。備、被音近，後人改「備」為「被」，非古本矣。

案：《韓非子》〈解老〉引「甲兵」同，釋曰：「凡兵革
者，所以備害也。」疑韓非所據正文作「兵革」。帛書
乙本作「入軍不被兵革」，蓋與韓子所據者有關。嚴本
作「甲兵」，惟〈指歸〉曰：「入軍則五兵不能害……
而五兵不擊無質。」五兵乃兵革之統稱，〈指歸〉既云
「五兵」，疑嚴本正文亦作「兵革」，與韓非所據者及

帛書乙本合。今《韓非子》及嚴本皆作「甲兵」，蓋後
人回改也。帛書甲本作「甲兵」，諸本亦咸作「甲
兵」，蓋別一源流耳。

是以萬物莫不尊道而貴德，[51：45]

朱謙之曰：嚴本無「莫不」二字。

島邦男曰：今本無「莫不」二字，與想本同。王本、古本並
有，應嚴本有此二字。

案：帛書皆作「是以萬物尊道而貴德」（甲本殘「德」字）；
　　嚴本亦無「莫不」二字。〈指歸〉曰：「萬物尊而貴
　　之，親而憂之而無報其德。」此嚴本無「莫不」之確
　　證。島邦男反謂嚴本有此二字，不知何據。嚴本與帛書
　　合，其他各本皆有此二字。

故道生之，德畜生，[51：46]

羅振玉曰：武內敦本無「德」字。

島邦男曰：「德」字想本、玄本無。〈纂疏〉引嚴〈注〉
曰：「此八者道德之功用也。」〈指歸〉曰：「道德，天地
之神明也。天地，道德之形容也。」則嚴本有「德」字。

案：帛書二本無「德」字，〈指歸〉曰：「故道之為物，窺
　　之無戶，察之無門……萬物以生，不為之損；物皆歸
　　之，不為之盈……生之形之，設而成之，品而流之。」
　　論萬物之生畜、長養、成形，皆僅及「道」一事，無言
　　及「德」字，蓋嚴本亦無「德」字，與帛書本合。今嚴

本作「德畜之」者，後人據他本增之耳。〈指歸〉於結
尾曰：「道德，天地之神明也；天地，道德之形容
也。」乃總論全章，如本章首句「道生之，德畜之」之
義，非論此節「道生之，畜之」也。〈纂疏〉引嚴
〈注〉曰：「此人者，道德之功用也。」亦總論全章文
字，與〈指歸〉「凡此六者，皆原道德」云云相同，不
關此節文字也。島邦男據此謂嚴本此節有「德」字，不
可從。河上公〈注〉曰：「道之於萬物，非但生之而
已，乃復長養成熟。」疑河上本亦無「德」字。晚出眾
本皆有此「德」字，今可考者惟嚴本與帛書合。

即知其母，[52：47]

島邦男曰：〈指歸〉曰：「聖人得之與物反矣，故能達道之
心。」則嚴本作「得」，與想本同。

案：帛書二本「知」均作「得」，嚴本同；王本受嚴本影
響，字亦作「得」。河上作「知」，與眾本異。

使我介然有知，[53：48]

高明曰：甲本「使我有知」，乙本作「使我介有知」，世傳
本皆作「使我介然有知」，「介」下有「然」字。

案：〈指歸〉釋此文曰：「是以玄聖處士，負達抱通，提聰
明。」谷神子〈注〉引曰：「然有知，行於大道者，唯
施是畏也。」可證嚴本正文「介然」作「然」，字與帛
書甲本合，至為可貴。今嚴本正文作「介然」者，後人

改之也。其後諸本皆作「介然」，無一例外。

子孫祭祀不輟，[54：49]

案：帛書乙本「輟」作「絕」；甲本殘，蓋亦作「絕」字。
韓非〈解老〉釋此曰：「為人子孫者體此道，以守宗廟
不滅之謂祭祀不絕。」韓子所見者作「絕」，蓋無可
疑。〈喻老〉引作「子孫以其祭祀，世世不輟」，蓋
〈喻老〉既添「世世」以解經文，又易「絕」為「輟」
以釋之，非〈喻老〉所據者作「輟」，與〈解老〉有異
也。嚴本正文作「子孫祭祀不輟」，然〈指歸〉曰：
「子孫祭祀不絕。」可知正文本作「絕」明矣。今本作
「輟」者，蓋淺人據晚出本回改也。自先秦至漢初，而
後至嚴本，「絕」字一脈相承，其後始易為「輟」字
耳。

吾何以知天下之然？[54：50]

嚴本「天下之」作「其」，島邦男曰：「天下」字今本作
「其」，〈指歸〉曰：「天下俱然。」則嚴本作「天下」，
同〈解老〉。

案：據〈指歸〉，嚴本此文作「吾何以知天下之然」，與帛
書乙本合（甲本此句殘）；韓非〈解老〉引亦作「吾奚以
知天下之然也」，是知自先秦至漢代，此句皆有「天
下」一字。今嚴本作「其」，蓋後人所改也。

含德之厚，[54：51]

> 島邦男曰：〈指歸〉曰：「含德之士。」則嚴本有「者」
> 字，與王本合。

> 案：帛書乙本作「含德之厚者」，甲本「者」字殘；惟據缺
> 文推之，亦當有「者」字。嚴本有此字，與帛書合。其
> 後惟傅、范本有此字，蓋受嚴本影響。

毒蟲不螫，猛獸不據，鳥不搏，[55：52]

> 案：此三句歷來傳本出入頗大，類型甚多，高明於《帛書老
> 子校注》已有所論述。郭店本作「蜂蠆蛇弗
> 扣」，帛書作「蜂蠆虺蛇弗螫，鳥猛獸弗搏」，此當是
> 本書最原始之貌，作六六型。據〈指歸〉，嚴本作「蜂
> 蠆蟲蛇不螫，鳥猛獸不搏」，作六六型，與郭店本及帛
> 書本合；蓋嚴本去古未遠，故能維持舊貌。其後或變為
> 三句，部分維持六字型，如河上公本及王本等；或化為
> 三句，每句四字，如傅本、玄宗本，皆非老文原貌矣。
> 今嚴本作三句，句四字，蓋淺人據晚出本改之耳。諸本
> 之中，惟嚴本與帛書合，至為可貴。

終日號而不嗄，[55：53]

> 范本作「終日號而嗌不嗄」，島邦男曰：今本作「嗥而嗌不
> 嗄」，與《莊子》同。〈指歸〉曰：「啼號不嗄。」則嚴本
> 「嗥」作「號」，無「嗌」字，與想本同，今本係改易。

> 案：郭店本作「終日乎而不憂」，帛書作「終日號而不

嘎」；「嗄」，即嗄也。據〈指歸〉，嚴本原作「終日
號而不嗄」，與帛書合。《老子》此文當有二傳本，一
作「終日號而嗌，不嗄」，此《莊子》〈庚桑楚〉所見
及所引者；一作「終日號而不嗄」，此帛書所依據者。
嚴本與帛書合，其後王本及部分河上公本皆來自此系
統；傅、范皆有「嗌」字，則又來自前一系統也。今嚴
本有「嗌」字，蓋淺人據後一系統亂之也。

解其忿，[56：54]

傳本「忿」作「紛」，島邦男曰：「紛」字今本作「忿」，
與河本同。〈指歸〉曰：「解其所思，散其所慮。」則嚴本
作「紛」，與〈道應〉同。

案：帛書皆作「紛」，《淮南子》〈道應〉引亦作「紛」，
郭店本同，蓋古本已如此。嚴本亦作「紛」，與古本
合。其後各本皆易作「忿」，或「分」；惟傅、范及玄
宗本保留古本面貌。

吾何以知其然以此。[57：55]

島邦男曰：〈指歸〉曰：「……金玉成積，國愈不安，民益
少利，飾智相愚。」則嚴本如今本作，無「無以」字。

高明曰：帛書與嚴遵等世傳今本均無「以此」二字，說明無
「以此」二字是符合《老子》書中通例的。

案：諸本之中，惟嚴本無此二字，與郭店本、帛書本合，最
為可貴。河上公曰：「此，今也。老子言：我何以知天

意然哉？以今日所見知之也。」則經文有此二字，為時甚早。五十四章曰：「吾何以知天下之然，以此。」諸本蓋受五十四章之影響而衍此二字。

人多伎巧，[57：56]

島邦男曰：《文子》作「民多智巧」，想本亦作「民多知巧」，則知後漢時如此作。〈指歸〉曰：「飾智相愚，以詐相要……作方遂伎，雕琢文采……巧故滋起……」則嚴本作「智巧」。

案：帛書甲本「伎巧」作「知」，下奪一字，乙本殘；帛書蓋作「知巧」也。古書往往「知」、「巧」連文。嚴本正文作「伎巧」，島邦男據〈指歸〉考訂嚴本當作「知巧」，其說蓋是。若此，則嚴本與帛書及《文子》引合矣。除傅、范本外，自河上公及王本以下，皆改作「伎巧」，與古本不同。

法物滋彰，[57：57]

王本「法物」作「法令」，島邦男曰：「令」字想本作「物」，〈指歸〉曰：「令速賞深。」則嚴本作「令」，與《淮南子》同。

案：郭店本作「法物」。帛書乙本存「物滋章」三字，甲本全殘；帛書蓋作「法物」。嚴本作「法令」，與郭店本及帛書不同。《文子》〈道德〉、《淮南子》〈道應〉及《史記》〈酷吏傳〉引皆作「法令」，與嚴本合。

故聖人云：[57：58]

　　嚴本「聖人」下有「之言」二字，島邦男曰：「之言」二
　　字，獨今本有。〈指歸〉曰：「故聖人之言云……。」則嚴
　　本有「之言」二字。

　　案：郭店本有「之言」二字。帛書乙本作「是以聖人之言
　　　　曰」；甲本殘，蓋亦有此二字。嚴本與郭店本及帛書
　　　　合，至為可貴。其後晚出眾本皆奪此二字。

我無慾，人自樸。[57：59]

　　案：帛書乙本「我無慾」作「我欲無慾」，「無慾」上有
　　　　「欲」字。六十四章：「是以聖人欲不欲。」多一
　　　　「欲」字，是也。〈指歸〉曰：「人主誠能欲不欲之
　　　　欲，則天下心虛志平。」是嚴本亦作「欲無慾」明矣。
　　　　今嚴本作「我無慾」，蓋後人所刪。郭店本亦作「我欲
　　　　不欲」。諸本之中，惟嚴本與郭本店、帛書合，至為可
　　　　貴。

人之迷，其日固久。[58：60]

　　傅本首句作「人之迷也」，范本次句作「其日固已久矣」，
　　島邦男曰：「也」字今本無，應嚴本有「也」字。「已」字
　　今本無，而〈解老〉有「以」字，王本、范本有「已」字，
　　應嚴本有「已」字。又「矣」字今本與〈解老〉、王本、古
　　本同。

　　案：帛書乙本作「人之迷也，其日固久矣」（甲本殘），有

　　「也」、「矣」二字。《韓非子》〈解老〉引作「人之
　　迷也，其日故以久矣」，故、固古通，有「也」及
　　「矣」二字，多一「以」字。據島邦男考訂，嚴本作
　　「人之迷也，其日固已久矣」，與帛書最近，而與韓子
　　所見者全同（已、同同）。其後各本或奪「也」字，或缺
　　「矣」字，或省「以」字，去古遠。

是以聖人方而不割，[58：61]

　　島邦男曰：古本「其日固已久矣」下有「是以聖人」四字，
　　今本無，蓋〈指歸〉以此句畢此章，以下為次章，故固當無
　　之……嚴本非省之，乃知此四字係後漢以降增益。
　　高明曰：乙本無「聖人」二字，今本除嚴本外其它皆有
　　之……從而可見，乙本無「聖人」二字，似與經文內容更為
　　貼切。
　　案：嚴本無「是以聖人」四字，且此句以下別為一章。帛書
　　　　乙本作「是以方而不割」，甲本此節全殘，蓋帛書僅無
　　　　「聖人」二字。本書從未將「是以」、「是以聖人」作
　　　　為一章之起句，竊疑嚴本原文亦有「是以聖人」四字，
　　　　〈指歸〉曰：「故王者與師動利則民欲，民欲而以
　　　　方……人主獨立……是以明王聖主……是故明王聖
　　　　主……。」說解本章，動輒云「王者」、「人主」及
　　　　「明王聖主」，可為明證。其後嚴本於此處別為一章，
　　　　格於本書體例，後人乃刪「是以聖人」四字；後世眾本
　　　　有此四句，蓋不於此處另分為一章也。嚴本有「是以聖

人」，視帛書多「聖人」二字。

是謂早服。[59：62]

嚴本作「服」，島邦男曰：與〈解老〉同，想本作「早
伏」，王本作「早復」，河本作「早服」，〈指歸〉曰：
「未攻而天下服。」則嚴本作「服」。

案：韓子引作「服」，帛書乙本同（甲本殘）；嚴本作
「服」，可知其來歷遠古矣。其後或作「早伏」、「早
服」、「早復」，皆與古本不同。「是謂」，韓子引、
郭店本及帛書皆作「是以」，嚴本同。其後除想本、
傅、范本外，各本皆作「是謂」。嚴本之古舊，於此可
知。

早服謂之重積德，[59：63]

案：嚴本無此句，其下作「重積德則無不克，莫知其極，可
以有國」。與諸本相校，蓋嚴本無「重積德」、「無不
克」及「莫知其極」三句耳。以嚴本之情況而言，此句
當讀作「……夫唯，是以服，是以重積德，則無不克，
則莫知其極，（則）可以有國……」（是以，是謂也），
「服」、「重積德」、「無不克」及「莫知其極」皆不
重疊，不用頂針句式，而與諸本不同。韓非〈解老〉所
據者作「夫謂，是以服，服是謂重積德，重積德則無不
克，無不克則莫知其極，莫知其極則可以有國」，蓋老
書最初傳本此節已用頂針句法矣。島邦男不知嚴本之簡

易，為嚴本補上「服謂之重積德」、「無不克」及「莫知其極」，誤甚；王德有點校嚴本，斷句作「夫唯是以服。重積德則無不克。莫知其極，可以有國」，幾不知嚴本讀法，非甚。高明謂嚴本缺「無不克則」四字，亦不明嚴本之簡耳。

深根固蒂，長生久視。[59：64]

島邦男曰：「之道」二字今本無。〈指歸〉曰：「聖人所保也。」則嚴本有此二字，同〈解老〉。

案：島邦男之說是也。〈指歸〉曰：「一以物然，與天同道，根深蒂固，與神明處。」則嚴本有此二字明矣。韓子引及帛書皆有，晚出眾本同，嚴本不當獨缺耳。

治大國若烹小鮮，[60：65]

嚴本「大國」下有「者」字，島邦男曰：「者」字今本有，與〈解老〉及《文子》同。〈指歸〉曰：「明王聖主之治大國也……。」則嚴本有「者」字。

案：帛書乙本與此同（甲本殘），嚴本「大國」下有「者」字。韓子〈解老〉及《文子》〈道德〉所據者皆有「者」字，可知嚴本之古舊。後世傳本惟范本有此字，蓋受嚴本影響。

非其神不傷人，聖人亦不傷人，[60：66]

案：帛書二本次「不傷人」皆作「弗傷也」，均無「人」

字。〈指歸〉曰：「是故天之所胞，地之所涵……周流萬物，莫之可傷。」疑嚴本亦無「人」字。

大國者下流，[61：67]

嚴本作「大國者，天下之所流」，島邦男曰：今本作「天下之所流」，而古本作「天下之下流」，諸本但作「下流」。〈指歸〉曰：「故天下之所欲歸，將相之所欲附。」則嚴本作「天下之下流」。

案：帛書甲本無「天下之」三字；乙本殘，蓋亦無此三字耳。〈指歸〉曰：「故天下之所欲歸，將相之所欲附。」據此，嚴本當有「天下之」三字，今嚴本正文有此三字，是也。後世傳本中，惟傅、范有此三字；即受嚴本影響也。帛書無「天下之」三字，嚴本有；此嚴本之異於帛書也。又嚴本正文「下流」作「所流」，據〈指歸〉釋文，亦知嚴本作「所流」，與帛書及眾本不同。

故大國以下小國，則取小國，[61：68]

傅本次句「小國」上有「於」字，島邦男曰：「於」字傳本有，今本無。〈指歸〉曰：「明王聖主之處也……重靜而下之，則彼修身慎行，改過自新……。」則似嚴本有「於」字。

案：帛書本無「於」字，嚴本同。島邦男據〈指歸〉謂嚴本有「於」字；然自〈指歸〉釋文中，無法考見嚴本有此

　　字，島邦男之說未可必。

小國以下大國，則取大國。[61：69]

　　案：帛書二本皆作「小邦以下大邦，則取於大邦」（乙本
　　　　「邦」作「國」），多一「於」字。〈指歸〉曰：「上而
　　　　取人者……下而取於人者……。」則嚴本亦有此「於」
　　　　字，與帛書合。晚出諸本中，惟傅本有「於」字，蓋受
　　　　嚴本影響也。

故或下而取之，或下而取於人。[61：70]

　　島邦男改作「或上而取人，或下而取於人」，曰：今本及諸
　　　　本「或」上有「故」字，但傅本無。又諸本「上」字作
　　　　「下」，無「人」，今作「之」。〈指歸〉曰：「上而取人
　　　　者，形大勢豐。」則嚴本無「故」字，作「上」字，又有
　　　　「人」字。

　　案：帛書作「故或下以取，或下而取」，晚出諸本，率與此
　　　　合。據〈指歸〉，則嚴本上句當作「或上而取人」，與
　　　　諸本不同。〈指歸〉曰：「上而取人者……下而取於人
　　　　者……故不戰而壞人之邑，不攻而降人之城……是大國
　　　　之所期也。」嚴本亦自為一說耳。

此兩者各得其所欲，[61：71]

　　島邦男曰：「兩者各」三字，今本作「皆」，諸本如此，從
　　　　之。

　　案：帛書甲本作「夫皆得其欲」（乙本「皆得」二字殘），亦無
　　　　「所」字。嚴本作「夫皆得其所欲」，多一「所」字，
　　　　餘皆與帛書合。嚴本之古，於此可見。疑嚴本「所」
　　　　字，乃淺人據晚出本妄加。

美言可以市，尊行可以加人。[62：72]

　　島邦男曰：《淮南子》作「美言」、「美行」。《史記》脫
　　　　下文「美」字，作「美言」、「尊行」。〈指歸〉曰：「辭
　　　　動天下，各得所欲。」又曰：「至於無極，天下應之。」則
　　　　嚴本作「可以市」、「可以加人」，與《史記》及想本同。
　　案：帛書作「美言可以市，尊行可以加入」，嚴本同。《淮
　　　　南子》〈道應〉及〈人間〉引皆作「美言可以市尊，美
　　　　行可以加入」，是知西漢初年老文有作「美言」、「美
　　　　行」者；嚴本出於西漢末年，猶能與帛書合，維持「美
　　　　言」、「尊行」之舊貌，至為可貴。

天下難事，必作於易；天下大事，必作於細。[63：73]

　　島邦男改嚴本作「天下之難事必作於易，天下之大事必作於
　　　　細」，曰：「天下之」三字，今本無。「天下」二字，諸本
　　　　有，「之」字〈喻老〉及古本有。應嚴本有此三字，下同。
　　案：帛書甲本作「天下之難作於易，天下之大作於細」（乙
　　　　本有殘文）；嚴本作「難事作於易，大事作於細」，兩
　　　　句皆無「天下之」三字，簡甚。《韓非子》〈喻老〉及
　　　　晚出諸本二句皆有此三字。島邦男據《韓非子》及諸本

於嚴本補「天下之」三字，不可必。

夫輕諾必寡信，多易必多難。[63：74]

嚴本「輕諾」及「多易」下各有「者」字，島邦男曰：「者」字今本與古本同。〈指歸〉曰：「言多諾者，事眾而信不可然也。」則有「者」字，下同。

案：帛書甲本殘存「必多難」三字；乙本殘「必寡」二字，餘九字俱全；此西漢一本也。嚴本「輕諾」及「多易」下皆有「者」字，此漢季另一傳本也。

其安易持，其未兆易謀，其微易散。[64：75]

案：帛書乙本全殘，甲本存「其安也，易持也」及「易謀」八字而已。以甲本推之，此文「安」、「持」、「兆」、「謀」、「脆」、「破」、「微」及「散」諸字之下，均當有「也」字。《韓非子》〈喻老〉引「持」、「謀」下有「也」字，所據本與帛書近。〈指歸〉曰：「未疾之人，易為醫；未危之國，易為謀也；萌芽之患，易事也；小弱之禍，易憂也。」說解此四句，每句句末皆著一「也」字，恐有來歷。

千里之行，始於足下。[64：76]

嚴本首句作「百仞之高」，島邦男曰：諸本或作「千里之行」，〈指歸〉曰：「百仞之高。」則嚴本如此作，今本同。

案：帛書二本作「百仞之高，始於足下」，與諸本不同。
《文子》〈道德〉曰：「十圍之木，始於把；百仞之
台，始於下。」化用此二句，字亦作「百仞」。嚴本作
「百仞之高」，與帛書合，存西漢古本原貌，至為可
貴。其後，河上本受「足下」聯想而改作「千里之
行」，晚出眾本相率從之，失老義矣。

民之難治，以其多智。[65：77]

島邦男改嚴本作「民之難治，以其治也」，曰：今本作「知
之」，王本作「多知」，〈指歸〉曰：「民之所以離安去生
而難治者，以其知也。」則嚴本作「知也」，與想本同。

案：帛書次句作「以其智也」；蓋謂民有智，即不易治理，
不在於其智之多與寡也。嚴本作「以其知也」，無
「多」字，與帛書合，最為可貴。諸本或作「多智」，
或作「智多」，皆非老義。

國之福。[65：78]

島邦男曰：「福」字想本作「德」。〈指歸〉曰：「萬物長
生，非天之福。」則嚴本作「福」。

案：帛書「福」均作「德」，《文子》〈道原〉引同。嚴本
作「福」，與帛書不同。蓋西漢古本有作「德」者，亦
有作「福」者，其後作「福」者流行，作「德」者惟想
爾本系統耳。

玄德深遠，與物反；[65：79]

嚴本前句作「玄德深矣，遠矣」，島邦男曰：兩「矣」字想本無。〈指歸〉曰：「玄德深矣，不可量測；遠矣，不可窮極。」則嚴本有兩「矣」字，《文子》同。〈指歸〉曰：「與物反矣，莫有能克。」則嚴本有「矣」字。

案：帛書並作「玄德深矣，遠矣，與物反矣」，有三「矣」字；嚴本與帛書合。王本、河上本、傅、范本亦有三「矣」字。

江海所以能為百谷王，[66：80]

島邦男改嚴本作「江海所以能王百川者」，曰：〈指歸〉作「百川」。又「王」字，《淮南子》引作「長」，〈指歸〉曰：「百川並流，而江海王之。」則嚴本作「王」，而作「王百川」。

案：帛書「百谷」同；嚴本作「百谷」，惟〈指歸〉曰：「百川並流，而江海王之。」是知嚴本原作「百川」，與帛書不同，而與《後漢書》〈南匈奴傳〉載肅宗所引者合。古本蓋一作「百谷」，一作「百川」，帛書與嚴本所據者不同耳。今嚴本作「百谷」，淺人據晚出本改之也。島邦男改作「王百川」，《淮南子》〈說山〉曰：「江河所以能長百谷者。」《後漢書》曰：「江海所以能長百川者。」嚴本行文是否與彼等相同，殊難遽斷。

以其善下之，[66：81]

　　嚴本無「善」字，島邦男曰：今本無「善」字，〈指歸〉
曰：「百川非聞海之美，被其德化，歸慕之也。」則嚴本無
「善」字，與肅〈詔〉同。

　　案：帛書甲本有「善」字（乙本殘，以字數度之，亦有此字），嚴
　　　　本無；嚴本與帛書不同。

故能為百谷王。[66：82]

　　島邦男曰：今本有「百谷」二字，〈指歸〉曰：「江海處
下，不為廣大，故能王而不休。」則嚴本無「百川」二字。

　　案：帛書「百谷王」同；島邦男謂嚴本此句當作「故能為
　　　　王」，無「百川」（嚴本上文「百谷」作「百川」）二字。
　　　　郭店本作「是以能為百谷王」，與帛書合，知「百谷」
　　　　二字當有，島邦男之說不可從。〈指歸〉云云，嚴本是
　　　　否即無此字，殊難論斷。

是以聖人，[66：83]

　　島邦男曰：嚴本無「聖人」。河上本有「聖人」二字，是係
後漢以降增益。

　　案：帛書均無「聖人」二字，嚴本與帛書合。此節蒙上文而
　　　　言，上文既有「聖人」二字，此節不必重複。

處上而人不重，處前而人不害，[66：84]

　　嚴本作「在上而民不重，居民之前而民不害」，島邦男曰：

今本「患」作「害」，〈指歸〉曰：「在前而民以安……民
以安故後之，而不以為患。」則嚴本作如此。「患」字，
《文子》、想本作「害」，是後漢所改。

案：帛書二「處」字俱作「居」，《文子》〈道原〉及《淮
南子》〈原道〉首句皆作「處」，次句皆作「居」；據
〈指歸〉云云，嚴本二句皆作「在」；河上本及王本二
句並作「處」（島邦男謂河上古本二句皆作「在」）；蓋自西
漢以降，此文用字頗有參差耳。郭店本兩句皆作
「在」，嚴本與郭店本合，至為可貴。

天下樂推而不厭，[66：85]

案：嚴本作「天下樂推而上之，而不知厭」，多「而上之」
及「知」四字。〈指歸〉曰：「喜而不倦，樂而不
厭。」竊疑嚴本當無「知」字，與諸本合。嚴本多「而
上之」，與諸本最不同。

舍後且先，死矣。[67：86]

嚴本「死矣」上有「則」字，島邦男曰：「則」字今本如
此，諸本無。〈指歸〉曰：「大命以絕……非命薄也，非人
賊也，安樂勢，廢道而上力也。」依之，則似嚴本有「則」
字，今本為是。

案：帛書甲本作「則必死矣」，乙本作「則死矣」，皆有
「則」字。諸本之中，惟嚴本有此字，與帛書合，最為
可貴。

古之善為士者不武，[68：87]

> 案：帛書甲本無「古之」，乙本作「故」。〈指歸〉曰：
> 「故賢佐勝將之立身也……剛弱畏武……。」似嚴本正
> 文「善」上有「故」字，與帛書乙本合。諸本之中，惟
> 嚴本與帛書乙本合。

天下莫能知，[70：88]

> 案：帛書甲本作「而人莫之能知也」，乙本作「而天下莫之
> 能知也」，句首皆有「而」字。嚴本作「而天下莫能
> 知」，有「而」字，與帛書合。諸本之中，惟傅、范本
> 有此字。

則我者貴。[70：89]

> 島邦男曰：想本有「者」字，而王本、古本無。應嚴本無
> 「者」字。

> 案：帛書乙本作「則我貴矣」，甲本殘「則」字；「我」下
> 皆無「者」字。嚴本無「者」字，與帛書合。其後晚出
> 諸本，除傅、范本外，皆有「者」字，當是別一源流
> 耳。

被褐懷玉。[70：90]

> 案：帛書二本「懷玉」上皆有「而」字，嚴本同，與帛書
> 合。晚出諸本除傅、范本外，皆無「而」字。《淮南
> 子》〈繆稱〉曰：「被褐懷玉。」亦無「而」字，與帛

書、嚴本不同源流。

自知不自見，自愛不自貴，[72：91]

島邦男曰：「而」字今本無。〈指歸〉曰：「身重天地而不
自高，德大陰陽而不自彰。」則嚴本有「而」字，與古本
同。下同。

案：島邦男據〈指歸〉謂嚴本「自知」及「自愛」下皆有
「而」字，是也。帛書乙本作「自知而不自見也，自愛
而不自貴也」（甲本此二句殘存「而不自貴也」），嚴本與帛
書合。晚出眾本中，除傅、范本外，皆無此二字。

知此兩者，[73：92]

嚴本作「常知此兩者」，島邦男曰：今本有「常知」二字，
與景福碑同。〈指歸〉曰：「故知生而不知殺者，逆天之紀
也；知殺而不知生者，反地之要也。」蓋依之補此二字，非
是。

案：帛書乙本作「此兩者」（原文「此」字殘），甲本殘；蓋
帛書無「知」字耳。嚴本有「常知」二字，此嚴本與帛
書不同也。河上公景福碑本有「常知」二字，蓋受嚴本
影響。島邦男據〈指歸〉謂嚴本無「常知」二字，恐未
必然。

不爭而善勝，[73：93]

案：帛書乙本「爭」作「戰」，甲本殘。嚴本作「爭」，與

帛書不同。自嚴本以下，各本皆作「爭」矣。

坦然而善謀，[73：94]

島邦男改「坦然」作「默然」，曰：「默」字今本作「坦」，〈指歸〉曰：「寂然蕩蕩，無所。」陳景元〈纂微〉曰：「嚴君平本作默。」則宋初嚴本作「默」，於古本同。

案：帛書甲本作「彈」，乙本作「單」；彈、單，皆當釋為「繟」，或當釋為「墠」；彈及「墠」，皆從單得聲，故可通用。河上〈注〉曰：「繟，寬也。」此蓋云天道寬平，若有善謀也。嚴本作「坦然」；據〈指歸〉云云，則嚴本原作「默然」。默然，與「不戰」、「不言」及「不召」，同合天道。據此，知嚴本與帛書不同，說解亦有異。其後，河上公本系統從帛書，傅、范本從嚴本。

夫代大匠，[74：95]

島邦男於句末補「者」字，曰：「者」字今本、想本無。《淮南子》、〈文子〉並有。〈指歸〉曰：「不於方圓，而處大堂者，任大匠面身無作也。」則嚴本有「者」，與古本同。

案：帛書甲本下有「者」字，乙本無。《文子》〈上仁〉及《淮南子》〈道應〉引皆有「者」字，與甲本合。島邦男據〈指歸〉謂嚴本有「者」字；其說若可信，則嚴本

亦與甲本合。晚出諸本，大部分均有此字。

希有不傷其手。[74：96]

島邦男曰：河本「希」下有「有」字，與《文子》同。今本、想本、古本無，與《淮南字》同。應嚴本無「有」字。

案：帛書咸無「有」字，《淮南子》同，蓋西漢古本一無此字。《文子》〈上仁〉用老文，有「有」字，此西漢別一古本。嚴本與帛書合。

民之饑，[75：97]

嚴本句末有「也」字，島邦男曰：今本有「也」字，古本作「者」，河本無。

案：帛書「饑」下皆有「也」字，嚴本亦有，與帛書合。晚出諸本皆無此字，傅、范二本作「者」。

以其上食稅之多，[75：98]

嚴本無「以其」二字，島邦男曰：今本無「以其」二字。

高明曰：帛書作「以其取食稅之多也」，今本多作「以其上食稅之多」，彼此各異。

案：嚴本作「上食稅之多」，島邦男謂當有「以其」二字，是也。〈指歸〉曰：「過分取大，身受不祥……嗜欲不厭，食窮五味……衣食之費，倍取兼人也。」說解此文時，屢以「取」為動詞，疑嚴本原本作「以其取食稅之多」，與帛書合。

是以難治。[75：99]

嚴本作「是以不治」，島邦男曰：「不」字諸本作「難」，
今本與想本同，應嚴本作「不」字。

案：帛書皆作「不治」，上文「民之難治」，亦皆作「不
治」。嚴本此處作「不治」，與帛書合；惟上文作「難
治」，又與帛書異。竊疑嚴本此處上、下句皆當作「不
治」，與帛書合；晚出眾本皆作「難治」。

以其生生之厚，[75：100]

案：帛書「生生」俱作「求生」；《文子》〈九守〉及《淮
南子》〈精神〉則引作「生生」，是西漢之際，此文有
「求生」及「生生」之不同。嚴本作「求生」，與帛書
合。晚出眾本，皆依違於兩者之間。

強大處下，柔弱處上。[76：101]

島邦男曰：〈指歸〉曰：「強大居下……小弱居上者。」則
嚴本作「居」。

案：帛書兩「處」字皆作「居」；據〈指歸〉，嚴本二字亦
皆作「居」，與帛書合。除想本外，晚出眾本均作
「處」，惟嚴本與帛書合。

天下柔弱莫過於水，[78：102]

案：帛書乙本作「天下莫柔弱於水」，甲本存「天下莫柔」
四字，造語蓋亦與乙本同。《文子》〈道原〉引作「天

下莫柔弱於水」，與帛書合。《淮南子》〈原道〉引作
「天下之物，莫柔弱於水」，雖有「之物」二字，句型
亦與帛書合。據此，則老子古本此文當作「天下莫柔弱
於水」明矣。嚴本雖出於西漢末，惟經文作「天下莫柔
弱於水」，與西漢初古本合，至為可貴。其後諸本皆作
「天下柔弱，莫過於水」，去古遠矣。

故弱勝強，柔勝剛，[78：103]

　　高明曰：乙本「水之勝剛也」，嚴遵本作「夫水之勝強」，
　　均與今本異。證之古籍，《淮南子》引作「柔之勝剛也，弱
　　之勝強也」。除「水」字作「柔」外，句型語序皆同乙本，
　　足證《老子》原本當為「柔之勝剛也」，乙本「水」字因涉
　　前文而誤。嚴本不僅「夫水」二字訛誤，語序亦顛倒。
　　案：帛書乙本作「水之勝剛也，弱之勝強也」，甲本殘存
　　　　「勝強」二字；帛書除語序與今本不同外，「柔」作
　　　　「水」。嚴本作「夫水之勝強，柔之勝剛」，語序與今
　　　　本合，首句尚有「水」字。〈指歸〉曰：「故水之滅
　　　　火，砥之利金。」可證嚴本「水」字不誤。竊疑嚴本
　　　　「水」字有來歷，而帛書乙本「水」字恐非誤文。

是謂社稷主；[78：104]

　　嚴本「主」上有「之」字，島邦男曰：「之」字今本有，下
　　同。傅本與之同，想本無。〈指歸〉曰：「受國之垢，為社
　　稷主。」

案：帛書均作「社稷之主」，有「之」字，嚴本同。晚出眾
本除傅本外，咸無此字，蓋後人刪省以就五千言之數
也。下句「是謂天下王」，帛書、嚴本及傅本皆作「天
下之王」。

使有什佰之器而不用。[80：105]

帛書甲本作「使十百人之器母用」，乙本作「使有十百人器
而勿用」，高明曰：甲、乙本雖各有奪文，唯「十百」之下
皆有「人」字，同作「十百人之器」，而非「十百之器」。
此絕非偶合，《老子》原本即當如此。

案：帛書「佰什」之下有「人」字，為十倍、百倍人工之器
也（此高明說）；此當是漢人之一種說法。嚴本作「使人
有什佰之器」，〈指歸〉曰：「什伯鄰國，以固民
心。」蓋謂使其人民有十倍、百倍於鄰國之器用也；此
漢人又一種講法矣。蓋兩漢之際，此處自有一「人」
字，或在「使」下，或在「什伯」之下耳。嚴本雖與帛
書不同，有「人」字則一。其後傅、范二本即受嚴本影
響，「使」下有「民」字。晚出其他眾本，已不復有此
字矣。

雖有舟輿……雖有甲兵……。[80：106]

案：帛書皆無二「雖」字，〈指歸〉曰：「家有舟輿，無所
運乘；戶有甲兵，無有施力。」疑嚴本正文亦無二
「雖」字，與帛書合。想本系統、景龍寫本及天寶神钞

本並無二「雖」字，恐有來歷。

使人結繩而用之。[80：107]

> 島邦男曰：今本無「復」字，〈指歸〉曰：「百姓不擾，損
> 知棄偽，復歸太古，結繩而識。」則嚴本又有「復」字。
>
> 案：帛書均有「復」字；據〈指歸〉云云，嚴本恐亦有
> 「復」字，與帛書合。《莊子》〈胠篋〉用老文，曰：
> 「當是時也，民結繩而用之……甘其食，美其服，樂其
> 俗，安其居……。」《老子》原始本蓋無此「復」字
> 乎？

甘其食，美其服，安其居，樂其俗。[80：108]

> 高明曰：《莊子》〈胠篋篇〉引作「甘其食，美其服，樂其
> 俗，安其居」，語序異於今本而同於帛書，說明「食」、
> 「服」、「俗」、「居」是《老子》原有之次序，今本已有
> 錯亂。
>
> 案：帛書「樂其俗」並在「安其居」上，嚴本同。竊疑古本
> 「樂其俗」自在「安其居」上，除帛書及嚴本可為證
> 外，《莊子》引亦可為佐證；《史記》〈貨殖傳〉引作
> 「安其俗，樂其業」，「俗」字尚在前句，可證所據者
> 距古本猶未遠。傅、范本及彭本「居」均作「俗」，尚
> 存古之殘跡。晚出眾本之中，惟嚴本與帛書合，最為
> 可貴。

雞狗之聲相聞。[80：109]

> 島邦男曰：今本作「犬」，〈指歸〉曰：「雞狗之音相
> 聞。」則嚴本作「狗」。

> 案：帛書甲本「雞狗之聲」同，乙本作「雞犬之聲」。嚴本
> 正文作「雞犬之聲」，〈指歸〉曰：「雞狗之音相
> 聞。」島邦男謂嚴本「犬」當作「狗」。《莊子》〈胠
> 篋〉兩用均作「狗」，嚴本與帛書甲本合，皆作
> 「狗」。

善者不辯，辯者不善；[81：110]

> 案：嚴本此二句在「知音」、「博者」之後，與諸本獨異。
> 與帛書相校，兩「多」字雖誤作「辯」，惟語序則與帛
> 書全合，獨保存古本之跡，至為可貴。

三、小結

根據校文來觀察，嚴本有下列幾種情形：

第一、嚴本與西漢古本合

嚴本在用字用詞方面，有時與西漢古本相合；所謂西漢古本，指《文子》、《淮南子》及《史記》等書所見之《老子》傳本，今傳嚴本屢與這些古本相同，如本文第 5、28、57、102 及 103 諸條，都是這種情形。

第二、嚴本與先秦古本合

無論是用字用詞，或是字詞之有無方面，嚴本往往有與先秦古

本相合之處；這些古本，主要是《莊子》及《韓非子》所見之《老子》傳本，而嚴本屢屢與之相合，如本文第 37、39、43、44、49、50 及 65 諸條，都是最好的例子。

上述兩種情形的合理解釋是，嚴本的底本和這些古籍所依據者相合，例子雖然不很多，卻足以說明嚴本的古舊。當然，我們也可以倒過來說，後人根據這些古籍的引文修改了嚴本，以達欺售嚴本的目的；然而，這樣的情形恐怕比較困難，所以，我們認同前者的解釋。

第三、嚴本與帛書合

嚴本與帛書合，是論證嚴本為嚴君平真著的最佳材料，筆者在〈論嚴遵及其道德指歸〉中已論及此點，且舉過若干例子。根據校文，這種情形可析分兩小類：

第一小類是嚴本與帛書合，晚出眾本中有一小部分亦同時與此二本相同。換句話說，在此小類中，嚴本不但與帛書相合，嚴本同時也與小部分晚出本相合；如本文第 2、8、15、及 33 條，即為此種情形。我們也許可以解釋為，後人根據這些小部分晚出本修改嚴本，而修改後之嚴本恰巧和帛書相合；然而，我們不認同此說。比較合理的解釋應該是：嚴本是嚴君平的真著，非常古舊，所以和帛書相合；晚出小部分傳本受嚴本影響，接納了嚴本的內容，而和其他大部分傳本不同。

第二小類為只有嚴本與帛書合，晚出眾本皆與嚴本、帛書不同。其內容包括用字用詞、字詞之有無、句字之有無、造句及句序之不同等等，例子非常多，總計在五十條之譜，讀者觀校文即知，此不贅引。這些例子是論證嚴本為西漢古籍之最佳材料，而例子之

多，適足以證明絕非偶然、巧合的現象。第 84 條嚴本兩「在」字，與帛書兩「居」及西漢古籍引兩「處」皆不相同，而與郭店本相合，恐怕也不是一種巧合，可一併歸入此小類中。

第四、嚴本獨異

嚴本與帛書、西漢古籍引完全不相同。甚至與後來傳本也不同，是很值得注意的一種情形。例子有 6、14、61、63、67、70、73、85 及 94 等諸條。如果說嚴本是後人偽造的，為甚麼要造出這些很特別的差異使人產生懷疑呢？偽造者豈不是自露偽跡嗎？比較合理的理解是，嚴本很古舊，所據底本後來沒流傳開來，所以，我們無法溯源。

第五、嚴本影響傅、范本

唐代傅奕本及宋代范應元本是兩個相當特殊的傳本，它們往往與其他晚出傳本不相同，而與嚴本相合；校文第 12、13、20、21、22、32、33、40、51、56、65、67、69、88、90、91、93、94 及 105 等，都屬於這種情形。這種情形可有二解釋：嚴本影響了它們，或者後來人根據它們修改了嚴本。前文既已證明嚴本為西漢舊籍，那麼，我們當然認同前一解釋。

筆者認為，上述幾種情形強烈地說明一個事實：嚴本是西漢的古籍，非後人所能偽造，《四庫提要》的懷疑是不能成立的。

韓非與荀卿

　　《史記》〈李斯列傳〉說：「李斯者，楚上蔡人也。……乃從荀卿學帝王之術。學已成……。」謂李斯乃荀卿的學生，學習的重點是「帝王之術」。《荀子》〈王制〉說：「王奪之人，霸奪之與，強奪之地。奪之人者臣諸侯，奪之與者友諸侯，奪之地者敵諸侯。……。臣諸侯者王，友諸侯者霸，敵諸侯者危。」荀卿分析治國有王、霸、強之別，那麼，他對達到王、霸、強之「術」都分別應該具有心得及理論，李斯學習的恐怕只是荀卿一部分的學問而已。《史記》〈韓非列傳〉又說：「韓非者，韓之諸公子也。……與李斯俱事荀卿，斯自以為不如非。」並未說明韓非向荀卿學習什麼，不過，從韓非往後學問的發展以及思想內容來考察，韓非學的恐怕是「強霸之術」了。

　　韓非和李斯都是荀卿的學生，學習重點不是史有明載，就是有跡可尋，歷代學者對於他們的師生關係也都率無疑詞；然而，日本學者貝塚茂樹獨持疑義，認為韓非不是荀卿的學生。他的理由是：

　　1.荀卿在〈議兵〉裏，與李斯有過「末世兵」及「仁義兵」的討論，荀卿而且以「女」的口氣來稱呼李斯，可證明李斯是荀卿的學生；然而，作為荀卿學生的韓非，荀卿在作

品裏完全沒有提及他。

2. 〈李斯列傳〉不但明言李斯是荀卿的學生，荀卿及韓非的〈列傳〉裏也提及此事；然而，在荀卿及李斯的〈列傳〉裏，卻完全沒有提及韓非是荀卿的學生。

3. 韓非在〈難三〉裏說：「燕子噲賢子之而非孫卿，故身死為僇。」燕王噲推賢子之，當在讓位子之之前；燕王噲讓位子之，在即位後三年（公元前 318 年）；則燕王噲推賢子之，當在即位之前三年，即公元前三二〇至三一八年之間。《史記》〈春申君列傳〉謂「春申君死而荀卿廢，因家蘭陵」，春申君廢相在楚考烈王二十五年（公元前 236 年）。由公元前二三六年上溯至公元前三一八年，得八十二年；燕王噲非孫卿之時，荀卿至少在三十歲以上，那麼，至公元前二三六年，荀卿得壽豈不是超過一百歲？這是不可能的事，只能說韓非〈難三〉的記載有誤了。若韓非是荀卿的入室弟子，當不致有此錯誤。

4. 《韓非子》〈顯學〉說：「自孔子之死也，有子張之儒……有孫氏之儒……。」此「孫氏」是公孫尼子，而不是荀卿。

根據上述四個理由❶，貝塚茂樹否定了荀韓的師生關係，否定了歷來學者率無疑義的傳統說法。

筆者完全不同意貝塚茂樹的見解。

---

❶ 見貝塚茂樹著《韓非》，頁 38-49，日本株式會講談社出版，1982 年。

　　韓非是荀卿的學生，〈韓非列傳〉已記載得非常清楚明白；即使荀子、李斯〈列傳〉未提及此事，也不足以成為否定荀韓師生關係的一個理由。另一方面，韓非思想受荀卿的啟發和影響，前賢及時人具論甚多；若說韓非不是荀卿的學生，如何解釋這種現象呢？

　　除了史有明載的師生關係以及思想聯繫之外，根據筆者個人的淺見，在先秦諸子書裏，《韓非子》和《荀子》是關係最密切之兩部書，有不可分割的「內在聯繫」，足以證明二書作者具有師生關係。

　　茲分六方面論述二書的「內在聯繫」，以顯示他們的密切關係。

第一、襲用師字

　　韓非在五十五篇作品中，有許多地方用字與其師相合，足以證明二人關係之密切。如：

　　　㈠《荀子》〈儒效〉：「屑然藏千溢之寶。」案：《韓非子》〈說林下〉曰：「而理其毀瑕，得千溢焉。」韓非亦用「溢」；溢，古鎰字。

　　　㈡《荀子》〈勸學〉：「端而言，蝡而動，一可以為法則。」楊〈注〉：「一，皆也。」案：一可以為法則，謂一一皆可以為法則也。《韓非子》〈內儲說上〉曰：「一聽責下。」一聽，謂一一聽之也；高亨有說。韓非用「一」字，取義與其師相同。

　　　㈢《荀子》〈富國〉：「故文飾聲樂恬愉，所以持平奉吉

也；醜惡哭泣憂戚，所以持險奉凶也。」❷楊〈注〉：「持，扶助也。」〈解蔽〉：「鮑叔、甯戚、隰朋仁知且不蔽，故能持管仲，而名利福祿與管仲齊；召公、呂望仁知且不蔽，故能持周公，而名利福祿與周公齊。」楊〈注〉：「持，扶翼也。」案：「持」乃荀子習詞，作「扶助」、「扶翼」解。《韓非子》〈內儲說下〉載白圭謂暴譴曰：「子以韓輔我於魏，我請以魏持子於韓，臣長用魏，子長用魏。」❸輔、持互文；持，亦扶助、輔翼之謂也。韓非用字與師合。

(四)《荀子》〈儒效〉：「故人無師法而知，則必為盜；勇，則必為賊；云能，則必為亂。」〈法行〉：「詩曰：涓涓源水，不離不塞；轂已破碎，乃大其輻；事已敗矣，乃重大息。其云益乎。」王念孫謂二「云」字當解「有」，謂有能、有益也。案：《韓非子》〈外儲說左上〉曰：「如是，羹且美，錢布且易云也。」此「云」字即作「有」字解，陳其猷《集釋》有說。韓非用字與師同。

(五)《荀子》〈勸學〉：「蟹八跪而二螯。」❹楊〈注〉：「跪，足也。」案：《韓非子》〈內儲說下〉曰：「門者刖跪請曰。」刖跪，即刖足也。〈外儲說左下〉：「刖危引之而逃之門下室中……子皋問刖危曰……刖危

---

❷ 「惡」本作「衰」，從王先謙校改。
❸ 今本「持」誤作「待」，孫人和有說，詳見陳奇猷《集釋》內。
❹ 「八」本作「六」，從盧文弨校改。

曰……。」又曰：「齊有狗盜之子與刖危子戲而相誇。」

危，即跪之省文；刖危，即足之被刖者。韓非謂足為跪，

用字與師合。

㈥《荀子》〈正論〉：「凡刑人之本，禁暴惡惡，且徵其末

也。」楊〈注〉：「徵，讀為懲。」案：《韓非子》〈難

一〉曰：「當世之行事，都丞之下徵令者，不辟尊貴，不

就卑賤。」陳奇猷引《荀子》謂徵、懲通，曰：「徵令，

懲罰之令也。此文謂小官如行事都丞奉法而下懲令，則尊

貴亦所不避。」韓非借徵為懲，用字之法與其師相同。

上舉六例，都是韓非子在撰寫五十五篇的過程中，用字與其師相合
者；這種「內在的聯繫」，適足以證明《韓非子》與《荀子》關係
的密切了。

第二、襲用師詞

除了用字與師相合之外，在此五十五篇作品中，韓非用詞也有
與其師相同者，此類例子相當多。

㈠《荀子》〈議兵〉：「立法施令，莫不順比。」楊
〈注〉：「比，親附也。施令，則民親比之。」案：《韓
非子》〈難言〉曰：「言順比滑澤，洋洋灑灑然。」盧文
弨曰：「順比，不拂逆也。」乖順親附，即不拂逆也。韓
非襲用師詞。

㈡《荀子》〈正論〉：「捶笞臏腳，斬斷枯磔。」案：《韓

非子》〈難言〉曰:「田明辜射。」辜射,即「枯磔」;
《周禮》〈掌戮〉:「殺王之親者辜之。」〈注〉:「謂
磔也。」枯與辜,射與磔,聲近相通,俞樾有說。《韓非
子》〈內儲說上〉又曰:「則雖辜磔,竊金不止。」或做
「辜射」,皆用師詞。

(三)《荀子》〈富國〉:「故君國長民者,欲趨勢遂功,則和
調累解,速乎急疾。」俞樾曰:「累解,與和調,皆二字
平列,……殆猶平正矣。」案:《韓非子》〈揚權〉曰:
「若天若地,是謂累解。」文中「累解」一詞,因襲自其
師。

(四)《荀子》〈解蔽〉:「凡萬物異則莫不相為蔽,此心術之
公患也。」楊〈注〉:「公,共也。」案:《韓非子》
〈孤憤〉曰:「萬乘之患,大臣太重;千乘之患,左右太
信;此人主之所公患也。」韓非「公患」一詞,襲自其
師。

(五)《荀子》〈王霸〉:「欲得善馭,及速致遠,則莫若王
良、造父。」〈君道〉:「欲得善馭,及速致遠者,一日
而千里。」❺案:《韓非子》〈喻老〉:「凡御之所貴,
馬體安於車,人心調於馬,而後可以追速致遠。」❻〈難
勢〉:「使手中御之,追速致遠,可以及也。」韓非「追
速致遠」,本於其師。《國語》〈晉語二〉:「往言不可

---

❺ 「速」上原無「及」字,從王念孫校補。
❻ 「追速」本作「進速」,此從松皋圓校改。

及。」韋〈解〉：「及，追也。」荀子作「及速致遠」，韓非作「追速致遠」，正解師說也。

㈥《荀子》〈富國〉：「故為之出死斷亡以覆救之。」〈王霸〉：「為之出死斷亡而不愉。」〈臣道〉：「出死無私，致忠而公。」楊〈注〉：「出死，謂出身致死。」案：「出死」，蓋荀子習詞，故荀書屢見。《韓非子》〈守道〉：「戰士出死，而願為賁、育。」亦有此詞，蓋襲自其師。

㈦《荀子》〈王制〉：「賢能不待次而舉。」楊〈注〉：「不以官之次序。」案：《韓非子》〈詭使〉曰：「女妹私義之門不待次而宦。」韓非「不待次而宦」，襲自其師，易「舉」為「宦」耳。

㈧《荀子》〈修身〉：「善在身，介然必以自好也。」案：《韓非子》〈顯學〉：「世主必從而禮之，以為自好之士。」韓非「自好」一詞，蓋來自其師耳。《孟子》〈萬章上〉：「鄉黨自好者不為。」趙〈注〉曰：「自好，自喜好名者也。」亦有「自好」一詞，惟非韓非所本。

上舉八例，都是《韓非子》和《荀子》用詞相同者；這些「血肉的聯繫」，最足以說明二書的作者具有密切的關係了。

第三、襲用師義

韓非在論著的過程中，有時不但襲用師字師詞，某些字詞的特別含義也來自荀卿的著作中，不是其他講法可以解釋得通的。如：

㈠《荀子》〈非相〉：「遠舉則病繆，近世則病庸。」案：
《韓非子》〈難言〉曰：「言而近世，辭不悖逆，則見以
為貪生而諛上。言而遠俗，詭躁人間，則見以為誕。」近
世，則近世俗之言；前句云「世」，後句云「俗」，二字
互文。荀子「近世」亦當作「近世俗之言」解，楊倞謂
「下舉近世之事」，俞樾謂「近世」當作「近舉」，梁啟
雄謂「近世」即「近抴」，皆不能從。韓非受學荀卿，不
但襲用師詞，也沿用師義。

㈡《荀子》〈儒效〉：「履天子之籍。」❼下文又曰：「周
公反籍於成王。」〈正論〉：「以桀紂為常有天下之籍則
然，親有天下之籍則不然。」〈強國〉：「夫桀紂執籍之
所存，天下之宗室也。」王念孫謂諸「籍」當作「位」
解；履天子之籍，即履天子之位也。案：《韓非子》〈三
守〉：「因傳柄、移籍，使殺生之機、奪予之要在大臣，
如是者侵。」藉、籍古通；移籍，即移易君位也。〈八
經〉曰：「權籍不失，兄弟不侵。」權籍，即權位、君位
也。荀書「籍」作君位、君阼解，韓非亦用師義。

㈢《荀子》〈富國〉：「輕非譽而恬失民。」楊〈注〉：
「恬，安也。言不顧下之毀譽而安然忘於失民也。」案：
《韓非子》〈解老〉：「所謂廉者，必生死之命也，輕恬
資財也。……雖死節、輕財……。」輕恬，即輕忽之、安
然淡忘之也；〈解老〉下文又曰：「其輕恬鬼也甚。」亦

---

❼　「天子」本作「天下」，從王念孫校改。

以「輕恬」屬辭。荀子輕、恬互文；恬，亦輕也；韓非則「輕」、「恬」合詞，亦保存師義。因襲之痕跡，昭然甚明。

㈣《荀子》〈修身〉：「以善先人者謂之教……以不善先人者謂之諂。」楊〈注〉：「先，首唱也。」案：「先」有「首唱」義，他書罕見。《韓非子》〈解老〉：「故竽先則鐘瑟皆隨，竽唱則諸樂皆合。」先、唱互文；先，即首唱也。所用詞義，與其師相同。

㈤《荀子》〈富國〉：「時其事，輕其任，以調齊之。……故明君不道也，必將修禮以齊朝，正法以齊官，平政以齊民；然後節奏齊於朝，百事齊於官，眾庶齊於下。」楊〈注〉：「齊，整也。」案：《韓非子》〈安危〉曰：「以無功御不樂生，不可行於齊民。」齊民，即無貴賤等第之平民也。荀子有「齊朝」、「齊官」及「齊民」等詞，諸「齊」字皆當作「整齊」解，謂調整使無差別也。韓非用「齊民」一詞，其義正襲自荀卿。《莊子》〈漁父〉：「上以忠於世主，下以化於齊民。」《呂氏春秋》〈謹聽〉：「諸眾齊民，不待知而使。」亦有「齊民」一詞，惟非韓非所本。

㈥《荀子》〈正論〉：「故桀、紂無天下，而湯、武不弒君，由此效之也。」楊〈注〉：「由，用也；效，明也。」久保愛曰：「效，驗也，徵也。」案：《韓非子》〈內儲說上〉：「厚賞之使人為賁、諸也，婦人之拾蠶，

漁者之握鱣，以是效之。」❸效，明驗之謂也；用字取
義，皆與其師合。

(七)《荀子》〈致仕〉：「程者，物之準也。」楊〈注〉：
「程，度量之總名。」案：《韓非子》〈難一〉曰：「中
程者賞，弗中程者誅。」韓非文中之「程」字，其義與荀
卿相合，蓋本其師。《商君書》〈修權〉：「中程者賞
之。」〈定分〉：「不中程，為法令以罪之。」朱〈解
詁〉曰：「程，法式也。」詞義與《荀子》相同，然非韓
非所本。

上舉七例，都是韓非在撰著五十五篇時，不但採用荀卿用過的字
詞，而且也因襲了這些字詞的特別含義；如果二人不是具備了密切
的關係，作品中怎麼會有這種「血肉的聯繫」呢？

第四、襲用師典

除了字詞之外，在採用典故方面，韓非有時也因襲其師，使他
們的著作具有更密切的關係。如：

(一)《荀子》〈議兵〉：「莊蹻起，楚分為三四。」案：《韓
非子》〈喻老〉曰：「莊蹻為盜於境內而吏不能禁，此政
之亂也。」莊蹻為盜，始見於《荀子》；《商君書》〈弱
民〉曰：「莊蹻發於內，楚分為五。」〈弱民〉非商鞅親

---

❸ 「以是」本作「是以」，從俞樾校改。

著，作成時代亦甚晚，說詳拙著《商鞅及其學派》❾。韓
非於〈喻老〉用莊蹻，蓋取典於其師。《呂氏春秋》〈誠
廉〉曰：「莊蹻之暴郢也。」亦云莊蹻，然非韓非所本。

㈡《荀子》〈解蔽〉：「奚仲作車。」楊〈注〉：「奚仲，
夏禹時車正。黃帝時已有車服，故謂之軒轅，此云奚仲
者，亦改制耳。」案：《韓非子》〈用人〉：「去規矩而
妄意度，奚仲不能成一輪。」〈難勢〉：「夫棄隱栝之
法，去度量之術，使奚仲為車，不能成一輪。」輪乃車之
一部分，韓非蓋以輪概括車；奚仲為車，典出自其師。

㈢《荀子》〈宥坐〉：「太公誅華仕。」案：《韓非子》
〈外儲說右上〉有齊東海居士狂矞及華士二昆弟，「不臣
天子，不友諸侯，耕作而食，掘井而飲之」，無求於人，
太公以「不為主用」而誅之，蓋典出於其師。

㈣《荀子》〈仲尼〉：「齊桓，五伯之盛者也。……外事則
詐邾襲莒，並國三十五。」楊〈注〉：「詐邾，未聞；襲
莒，謂桓公與管仲謀伐莒，未發為東郭牙先知之是也。並
國三十五，謂滅譚、滅遂、滅項之類，其餘所未盡聞
也」。案：《韓非子》〈有度〉：「齊桓公並國三十，啟
地三千里。」三十，蓋「三十五」之整數也；典出自其
師，當無可疑。

㈤《荀子》〈正論〉：「子宋子曰：明見侮之不辱，使人不
鬥，人皆以見侮為辱，故鬥；知見侮之為不辱，則不鬥

❾　《商鞅及其學派》，台北學生書局出版，1987年。

矣。」案：《韓非子》〈顯學〉：「宋榮子之議，設不鬥
爭……。」宋榮子，即宋銒，亦即荀子之「子宋子」；韓
非所云「設不鬥爭」之「議」，即指《荀子》所載子宋子
云云耳。典出其師，昭然甚明。

㈥《荀子》〈議兵〉：「魏氏之武卒，以度取之，衣三屬之
甲，操十二石之弩，負服矢五十箇，置戈其上，冠冑帶
劍，贏三日之糧，日中而趨百里，中試則復其戶，利其田
宅。」此荀卿敘述魏國選拔武士之事也。案：《韓非子》
〈八說〉：「登降周旋，不逮日中奏百。」奏、趨古通；
日中奏百，即荀書中「日中而趨百里」選拔武士之事也。
登降周旋，不逮日中奏百；謂習禮不如講武之實用。若無
荀書，則韓非云云，恐不知其意矣。

㈦《荀子》〈正論〉：「彼楚越者，且時享歲貢終王之屬
也，必齊之日祭月祀之屬然後曰受制邪？是規磨之說。」
楊〈注〉：「規磨之說，猶言差錯之說。規者正圓之器，
磨久則偏，盡而不圓，失於度程也。」案：據楊〈注〉，
規磨之說，即有偏差、不準確之說法也。《韓非子》〈八
說〉曰：「先聖有言曰：『規有摩，而水有波，我欲更
之，無奈之何！』此通權之言也。」韓非「規有摩」，即
謂正圓之器經久磨損而有偏差；取典自其師甚明。日人豬
飼彥博注《荀子》彼文曰：「水雖平，必有波；衡雖正，
必有差。」斯又本韓非為說矣。

上舉七例，都是《韓非子》取典於荀子，有的甚至於非依賴《荀

子》，即無法解說《韓非子》原文；然則二書作者關係的密切，於此可見矣。

第五、襲用師喻

有時，在運用比喻時，《韓非子》也採納《荀子》；例子雖然不多，也可顯示二書關係的密切。

㈠《荀子》〈勸學〉：「假輿馬者，非利足也，而致千里；假舟楫者，非能水也，而絕江河。」案：《韓非子》〈奸劫弒臣〉曰：「托於犀車良馬之上，則可以陸犯阪阻之患；乘舟之安，持楫之利，則可以水絕江河之難。……猶若陸行之有犀車良馬也，水行之有輕舟便楫也，乘之者遂，得之者成。」❿以車馬及舟楫為例，比喻治國必須有法術賞罰，立論雖然與荀卿不同，用喻則全本師說。

㈡《荀子》〈性惡〉：「直木不待隱括而直者，其性直也；枸木必將待隱括，烝矯然後直者，以其性不直也。」楊〈注〉：「隱括，正曲木之木也。」〈大略〉又曰：「示之隱括……君子之隱括，不可不謹也。」楊〈注〉「隱括，矯燥木之器也。」案：《韓非子》〈難勢〉：「夫棄隱括之法，去度量之數……。」〈顯學〉：「隱括之道用也，雖有不恃隱括而有自直之箭……。」韓非好用隱括為喻，與其師相同。《大戴禮》〈魏將軍文子〉：「外寬而

---

❿　「乘之者遂，得之者成」，本作「乘之者遂得其成」，此從陶鴻慶校改。

內直，自設於隱括之中。」亦有「隱括」之喻，然，非韓非之所本。

襲用師喻的例子雖然很少，不過，韓非如果不是荀卿的學生，並且熟讀荀卿的著作，肯定不會這麼做的。

第六、襲用師說

《韓非子》有許多說法，和《荀子》相同相合。例子最多，最能顯示二書的密切關係。如：

(一)《荀子》〈成相〉：「三伍明謹施賞刑。」楊《注》：「三伍，猶錯雜也。謂或往三之，或往伍之，皆使明謹施其賞刑，言精研不使僭濫也。」案：韓非屢言「三伍」，為韓非重要學說之一。〈揚權〉：「三伍比物，事之形也。」〈難三〉：「不察三伍之政。」〈孤憤〉：「不以三伍審罪過，而聽左右近習之說。」皆其比。韓非不但襲師詞，亦襲其師之說。

(二)《荀子》〈君道〉：「今人主有大患⓫，使賢者為之則與不肖者規之，使智者慮之而與愚者論之，使修士行之則與迂邪之人疑之，雖欲成立得乎哉？」案：《韓非子》〈孤憤〉曰：「人主之左右不必智也，人主於人有所智而聽之，因與左右論其言，是與愚人論智也。人主之左右不必

⓫ 「大」本作「六」，從俞樾校改。

賢也，人主於人有所賢而禮之，因與左右論其行，是與不
肖論賢也。……人臣之欲得官者，其修士且以精絜固
身……不以功伐決智行，不以參伍審罪過，而聽左右近習
之言，則無能之士在廷，而愚污之吏處官矣。」韓非此處
所論，不但內容大義本於其師；所舉之例如賢者、智者及
修士，亦皆出自其師。

㈢《荀子》〈解蔽〉：「周而成，泄而敗，明君無之有也；
宣而成，隱而敗，闇君無之有也。」案：《韓非子》〈說
難〉曰：「夫事以密成，而以泄敗，未必其身泄之也，而
語及所匿之事，如此者身危。」《史記》本傳「語以泄
敗」作「而以泄敗」，當從之，陳奇猷有說。韓非「事以
密成，而以泄敗」，用字與其師相同，立義雖相反，惟其
說法因襲自其師，昭然若揭。荀、韓學說之不同，於此細
微處最見分明。

㈣《荀子》〈解蔽〉：「人生而有知，知而有志；志也者，
藏也。然而有所謂虛，不以所已藏害所將受謂之虛。」⓬
楊《注》：「見善則遷，不滯於積習也。」案：《韓非
子》〈解老〉曰：「所以貴無為無思為虛者，謂其意無所
制也。」無所制，即無所拘制牽纏也，即楊〈注〉「不
滯」之意。荀卿謂見善思遷，不以心中所藏牽制眼前之
善，即所謂「虛」；韓非解釋「虛」，正與荀子完全吻
合，蓋因襲師說耳。

⓬　「所已藏」本作「所以藏」，從王念孫校改。

(五)《荀子》〈性惡〉屢言「文理」，如「是故淫亂生而禮義
文理亡焉」、「故義將有師法之化，禮義之道，然後出於
辭讓、合於文理而歸於治」、「且化禮義之文理，若是則
讓乎國人矣」，皆其比。文理，楊〈注〉謂「節文條
理」，蓋禮藝之次層文采也。案：《韓非子》〈解老〉
曰：「事有理而理有文，理者義之文也。」⑬又曰：「理
者，成物之文也。」是韓非亦云「文理」，其義與荀卿
合，蓋本師說也。

(六)《荀子》〈子道〉：「雖有國士之力，不能自舉其身，非
無力也，勢不可也。」案：《韓非子》〈觀行〉曰：「有
烏獲之勁，而不得人助，不能自舉。」烏獲，秦武王時多
力之士；韓非意謂雖多力之士，若不得他人相助之勢，亦
不能自舉其身也。襲用師說，昭然明著。

(七)《荀子》〈勸學〉：「登高而招，臂非加長也，而見者
遠；順風而呼，聲非加疾也，而聞者彰。」案：《韓非
子》〈功名〉曰：「故立尺材於高山之上，則臨千仞之
谿，材非加長也，位高也。」⑭句法、取喻不但與其師相
同，說法亦與其師相合。

(八)《荀子》〈性惡〉：「凡性者，天之就也，不可學，不可
事；禮義者，聖人之所生也，人之所學而能，所事而成者
也。」案：《韓非子》〈顯學〉云：「夫智，性也；壽，

---

⑬　諸「理」本作「禮」，陶鴻慶謂皆當作「理」；其說是，從之。
⑭　「非」下本無「加」字，從陳奇猷校補。

命也。性命著，非所學於人也。」荀卿蓋謂人性乃天生，
不可學而成者，猶目明耳聰，亦天生而成，不可學者也；
所可學者，惟聖人所訂製之禮義耳。韓非則謂個人才智及
壽命，猶人之性與命，不可學而成也；用師說而又滲入個
人之思想。

㈨《荀子》〈非相〉：「凡言不合先王，不順禮義，謂之奸
言……故君子之於言也，志好之……。凡說之難：以至高
遇至卑，以至治接至亂。未可直至也，遠舉則病繆，近世
則病傭……。」案：韓非有〈難言〉，極言為臣遊說人君
之難；又有〈說難〉，極言遊說之士發言之難；蓋韓非因
襲《荀子》〈非相〉此段之說法而加以發揮耳。韓非〈說
難〉曰：「凡說之難……凡說之難：……所說出於為名高
者也，而說之以厚利，則見下節而遇卑賤，必棄遠矣。」
其因襲之痕跡，昭然可尋。

㈩《荀子》〈不苟〉：「君子行不貴苟難，說不貴苟察，名
不貴苟傳，唯其當之為貴……然而君子不貴者，非禮義之
中也。」楊〈注〉：「當，謂合禮義也。禮義之中，時止
則止，時行則行，不必枯槁赴淵也。」案：荀子蓋謂合乎
禮義者最為可貴；禮義之外，其行雖難，其說雖聰，其名
雖可傳，皆不以為貴也。《韓非子》〈八經〉：「明主之
道，臣不得以行義為榮，不得以家利為功，功名所生，必
出於官法；法之外，雖有難行，不以顯焉，故民無以私
名。」韓非蓋謂人君合乎法規者最為貴；法規之外，其行
雖義且難，其功雖利且有功，皆不以為顯貴也。韓非之

　　說，與其師如出一轍，惟荀卿自儒家禮義立說，韓非自法
　　家法規立論；儒法之異，雖因襲，亦見其分歧耳。

上舉十例，都是《韓非子》書中某些說法，與《荀子》相同相合
者，最能顯示二書的密切關係了。

　　根據上文所論證的，無論從字、詞、字義、用典、用喻以及說
法等角度來觀察，《韓非子》和《荀子》有著非常密切的內在聯
繫，再加上《史記》〈韓非列傳〉明載韓非及李斯都「俱事荀
卿」，那麼，韓非是荀卿的入室弟子，簡直是鐵案如山了。你可以
根據其他理由質疑司馬遷的記載，甚至可以根據其他材料否定〈韓
非列傳〉「事荀卿」一事，但是，你卻無法否定二書具有內在聯繫
的關係；至於由此內在聯繫而證成其作者必定具有師生的「血肉關
係」，就更無法加以否定了。

　　因此，筆者完全不同意貝塚茂樹的看法。

（原刊於《學術論文集──馬來亞大學中文系創系四十週年紀年專
號》第七輯，2005）

先秦諸子與自然環境

一

　　自然環境，古時統稱為「天」；人類和環境的關係，就是人類和天的關係。

　　在人類還沒法子「主宰」大自然之前，自然界各種動、植物原本有其均衡的生態關係；在那個時候，人類是順著天而生存的。自從人類掌握威力無比的科技以後，人類不但要干涉天，而且還要主宰天、製作天，天和人相互倒置，關係不但惡化，而且破壞了天、人原有的秩序大律。今天在這個地球上，我們看到土地的流失、大氣層的破壞、空氣及河流的嚴重污染、森林的嚴重銳減、野生動物的絕種以及能源資源的枯竭，種種現象無不是人類挾科技以干涉、主宰及製作天所造成的現象。

　　在以農業立國的東方傳統裡，人類和天的關係實際上是溫和的，互相信賴的，甚至是合一的。人類依賴天而生存，在利用天之餘，如何與天維持一種良性的關係，似乎是我們今天所面臨最迫切的問題了。對於今天的人類而言，先民的言論和經驗還是有非常的

意義和價值，值得我們深思和學習。茲爬梳諸子❶在這方面的思
想，條理為下列若干項，用做討論。

(一)開發封禁，按時而動

《荀子》〈王制〉說：「天之所覆，地之所載，莫不盡其美、
致其用。上以飾賢良，下以養百姓，而安樂之；夫之謂大神。」天
作四時氣候，地生草木百獸，人類宅寓其中而安居樂業，似乎是天
經地義的事理。然而，在這極平常的事理中，有一條規律卻鮮為普
通百姓所知：開發必須按時，封禁也必須按時。因此，在提呈施政
計劃時，諸子都極強調這一點。《管子》〈山國軌〉載：

> 桓公曰：「何謂官天財？」管子對曰：「泰春民之功徭，泰
> 夏民之令之所止，令之所發。泰秋民令之所止，令之所發。
> 泰冬民令之所止，令之所發。此皆民之所時守也，此物之高
> 下之時也，此民之所以相並兼之時也。」

這裏的「天財」可作「自然資源」講；作者的意思是：春天百姓忙
於耕農、徭役無法兼顧之外，其他夏、秋、冬，政府必須明令規定
開發及封禁自然資源的時間，唯有如此，才是一個善於管理資源的
國家。〈戒〉也記載管仲與桓公「明盟為令」，令中有一條說：
「山、林、梁、澤，以時禁、發而不正也。」無論開山、伐林、捕
魚，都下令按時開發和封禁，不必課稅。〈幼官〉說：「四會諸侯

---

❶　儒家著作在本文內亦列入諸子。

令曰：……藪澤以時禁、發之。」所說的也是同一件事。類此的言論，《管子》各篇屢見不鮮。

孟子也有相同的主張；當他在接見梁惠王時，他這麼說：

> 不違農時，穀不可勝食也；數罟不入洿池，魚鱉不可勝食也；斧斤以時入山林，木材不可勝用也。穀與魚鱉不可勝食，木材不可勝用，是使民養生喪死無憾也。養生喪死無憾，王道之始也。五畝之宅，樹之以桑，五十者可以衣帛矣。雞豚狗彘之畜，無失其時，七十者可以食肉矣。百畝之田，勿奪其時，數口之家可以無饑矣……。❷

當他在討論養老時，他說：

> 五畝之宅，樹牆下以桑，匹婦蠶之，則老者足以衣帛矣。五母雞，二母彘，無失其時，老者足以無失肉矣。百畝之田，匹夫耕之，八口之家足以無饑矣。所謂西伯善養老者，制其田里，教之樹畜，導其妻子使養其老。❸

這兩段文字，無不是在反覆說明：一、自然資源的培養種植必須按時，不可違時奪時；二、自然資源的取用採伐，也必須有所節制封禁，不可無常無度。可見資源的開發和封禁，孟子也有一套符合自

---

❷　當孟子在謁見齊宣王時，所說的也與此相同；事皆見《孟子·梁惠王上》。
❸　見《孟子·盡心上》。

然規律和均衡生態的主張。

即使主張「戡天」的荀子，也不敢違背這個規律和生態情況；他在〈王制〉裡說：「王者之法……山林、澤梁以時禁、發而不稅……。」這幾句話，簡直和《管子》的完全相合；〈王制〉又說：

> 春耕、夏耘、秋收、冬藏，四者不失時，故五穀不絕，而百姓有餘食也。污池、淵沼、川澤，謹其時禁，故魚鱉代多，而百姓有餘用也。斬伐、長養，不失其時，故山林不童，而百姓有餘材也。

春耕、夏耘是開發，秋收、冬藏是封禁；斬伐是開發，長養是封禁；惟有禁發依時，五穀才不絕，魚鱉才代多，山林才不童，各種物資才「有餘食」、「有餘用」和「有餘材」。〈王制〉又說：

> 君者，善群也。君道當，則萬物皆得其宜，六畜皆得其長，群生皆得其命。故養長時，則六畜育；穀生時，則草木殖；政令時，則百姓一，賢良服。

國家領導重要任務之一是使資源的封禁必須符合自然規律，使自然生態維持均衡狀態，如此的話，「六畜育」、「草木殖」、「賢良服」。《管子》〈八觀〉說：「行其田野，視其耕芸，計其農事，而饑飽之國可以知也。」訪問一個國家只要巡視其田野，瞭解耕耘狀況及生產數額，即知其貧富了。領導如果在禁發方面不符合自然

規律，破壞生態平衡，生產必然下降，農耕必定歉收，國家必定貧困。荀子將此列為國君要務之一，自有其道理。

有些思想家不但禁發必須有時，而且還認為必須委任專司分工掌理其職。《管子》〈立政〉說：

> 修火憲，敬山澤林藪積草；天財之所出，以時禁發焉，使民足於宮室之用，薪蒸之所積，虞師之事也。……行鄉里，視宮室，觀樹藝，簡六畜，以時均修焉；勸勉百姓，使力作毋偷，懷樂家室，重去鄉里，鄉師之事也。

山林、梁澤的禁發，執行者是虞師；家畜百樹的畜植，執行者是鄉師；他們是生態均衡的維護官員，也可說是最早的環保者了。《荀子》〈王制〉有一段文字，和《管子》所言幾乎完全相同，可見這股思想之備受重視了。到了《周禮》的時代，環保分工制度就有更詳細的描寫了：

> 山虞掌山林之政令，物為之厲，而為之守禁。仲冬，斬陽木；仲夏，斬陰木。凡服耜，斬季材，以時入之。令萬民時斬材，有期日。凡邦工入山林而掄材，不禁。春秋之斬木，不入禁。凡竊木者有刑罰。若祭山林，則為主而脩除，且蹕。若大田獵，則萊山田之野，及弊田，植虞旗於中，致禽而珥焉。
> 林衡掌巡林麓之禁令而平其守，以時計林麓而賞罰之。若斬木材則受法於山虞，而掌其政令。川衡掌巡川澤之禁令而平

其守，以時舍其守。犯禁者執而誅罰之。祭祀、賓客，共川
奠。

山虞是山林的保護者，山衡是山麓的環保者，而川衡是川澤的環保
者；似此分工負責，應該是受了諸子的影響而加以發揮的。

(二)節用禁奢，避免浪費

先秦的古代中國，本來就有一股儉樸節約的思想流行於學術界
及文化界，而以墨家為大宗，所以墨翟有〈節用〉、〈節葬〉及
〈非樂〉諸篇之作。環境困頓時過著儉樸節約的生活，那是迫於形
勢不得不如此；當物資條件獲得改善時，還主張節約儉樸的生活，
那就出於一番心意了。諸子各家之中都或先或後發表這番言論，有
的甚至和生態環境結合在一起，成為環保的最早理論家。

《呂氏春秋》〈去私〉載黃帝之言曰：「聲禁重，色禁重，衣
禁重，香禁重，味禁重，室禁重。」這番言論未必出自黃帝本人，
不過其時代性也應甚早。黃帝節用禁奢的目的是什麼，我們不得而
知，可能和修身養性有關，不過，其做法卻達到環保的效用。如果
人人皆如此，則物資不浪費，也不需剝削自然、破壞生態了。先秦
並無環保的口號，但是，百家卻有節用禁奢的思想，只要加以實
踐，就達到環保的目標；這就是古代中國環保的特色。

《晏子春秋》雖非晏嬰所撰，不過，有些事件恐怕已經數代流
傳，淵源有自，值得重視。第三卷〈內篇問上〉有則故事說：

……晏子對曰：「晏聞之，古者先君之干福也，政必合乎

民，行必順乎神；節宮室，不敢大斬伐，以無偪山林；節欲
食，無多畋漁，以無逼川澤……。今君政反乎民，而行悖乎
神；大宮室，多斬伐，以偪山林；羨飲食，多畋漁，以偪川
澤。是以民神俱怨！而山川收祿，司過薦罪，而祝宗祈福，
意者逆乎！」

晏嬰批評齊景公大宮室，多斬伐，羨飲食，多畋漁，最終會招致
「民神俱怨，山川收祿」的下場。據他所知，大宮室及多斬伐就會
「逼山林」，使森林消失、山丘童禿；羨飲食及多畋漁的結果是
「逼川澤」，使池澤枯竭、河川污染。據此，可知晏嬰實際上已知
生態均衡這回事，所以，他才勸諫景公，要他節用禁奢。

　　在資源比較匱乏的農業時代，節用禁奢幾乎是政治上的座右
銘。《管子》在這方面發表了許多言論，值得我們重視。〈牧民〉
說：

　　　上無量則民乃妄，文巧不禁則民乃淫，不障兩原則刑乃繁。

認為居上位的揮霍無度，百姓就胡作非為；為政不禁奢絕巧，百姓
就放縱淫蕩；這兩件事不加以堵塞，罪犯就會增加。〈牧民〉乃首
篇，作者就提出節用禁奢，可見其備受重視了。〈治國〉說：

　　　凡為國之急者，必須禁末作文巧。末作文巧禁則民無所游
　　　食，民無所游食則必農。民事農則田墾，田墾則粟多，粟多
　　　則富。國富者兵強，兵強者戰勝，戰勝者地廣。是以先王知

　　民眾、強兵、廣地、富國之必生於粟也，故禁末作，止奇
　　巧，而利農事。

在這裏，作者不但將禁奢列為治國的首要工作，而且還認為民眾、
兵強、地廣及國富，都是由末作禁、奇巧止而來。〈重令〉說：

　　菽粟不足，末生不禁，民必有飢餓之色，而工以雕文刻鏤相
　　稚也，謂之逆。布帛不足，衣服毋度，民必有凍寒之傷，而
　　女以美衣錦繡纂組相稚也，謂之逆。

〈重令〉提出六逆；為首的是雕文刻鏤，末生不禁，以及錦繡纂
組，衣服毋度。可知奢侈浪費是倒行逆施，必須嚴厲禁止。將禁奢
列為治國第一要務，將奢侈浪費當作政治上的逆行，可知作者對節
用禁奢的重視了。

　　墨子是儉樸節約的力倡者，他不但用了很多篇幅來闡發這股思
想，而且還將這股思想運用到生活的各方面去，成為一位名副其實
的簡約實行家。〈辭過〉說：

　　聖王作為宮室……室高足以辟潤濕，邊足以圉風寒，上足以
　　待雪霜雨露，宮牆之高足以別男女之禮，謹此則止，凡費財
　　勞力，不加利者，不為也。……聖人作誨，男耕稼樹藝，以
　　為民食，其為食也，足以增氣充虛，強體素腹而已矣。故其
　　用財節，其自養儉，民富國治。今則不然，厚作斂於百姓，
　　以為美食芻豢，蒸炙魚鱉，大國累百器，小國累十器，美食

> 方丈，目不能遍視，手不能遍操，口不能遍味，動則凍冰，
> 夏則飾饐，人君為飲食如此，故左右象之，是以富貴者奢
> 侈，孤寡者凍餒，雖欲無亂，不可得也。

墨子將古今聖王衣、食、住三方面的不同，作出批判性的對比；他
認為，古代聖王在這三方面只「謹此則止」，從不作過度的要求，
然而，當今的統治者卻「費財勞力」、「大國累百器，小國累十
器」，住盡天下奇宮怪榭，穿盡天下錦繡靡衣，吃盡天下山珍海
味，「富貴者奢侈，孤寡著凍餒」，破壞了社會均衡的生態，使國
家「雖欲無亂，不可得也」。

　墨子不但注意自然界均衡生態，對社會均衡生態也特別關心，
這應該說是由於他力倡儉樸節約的關係。他批判厚葬，認為送死者
就如一次大搬家，把所有的財物都陪葬，生者還得再造鐘鼎壺鑑、
帷幕帳幔等用具，結果對死者無益，對生者卻財失屋空❹；他批判
戰爭，認為打戰不但把國家平時儲蓄的財力、物力及人力全部消耗
殆盡，戰後城郭墟廢、百姓死傷、田畝荒蕪、國庫空虛，更不知要
花費多少財力、物力、人力及時間才能恢復過來❺；似此社會均衡
生態的批判，是墨家的特色。

　節用自然資源對儒家而言，也完全不陌生。孔子早就說過：
「君子食無求飽，居無求安。」孔子的目的固然在「好學」、「就
有道」，然而，無可否認的，他卻達到維持自然生態的目的。孟子

---

❹　見《墨子》〈節葬下〉。
❺　見《墨子》〈非攻〉。

說：「食之以時，用之以禮，財不可勝用也。」❻按時而食，裁禮而用，不作窮奢極奢的浪費，那麼，財物就取不盡用不竭了。荀子在〈富國〉裏說：

> 故為之雕琢刻鏤、黼黻文章，使足以辨貴賤而已，不求其觀；為之鐘鼓管磬、琴瑟竽笙，使足以合歡定和而已，不求其餘；為之宮室台榭，使足以避燥濕養德而已，不求其外。

生活上無論穿的、住的、聽的，只求「足」，不追逐非份。孟、荀沒有直接提出社會均衡生態的觀念，不過，依循他們的做法，也達到環保的目標了。

其他諸家也有此觀念，《說苑》〈反質〉載李克的言論說：「雕文刻鏤、害農事者也；錦繡纂組，傷女工者也。農事害，則饑之本也；女工傷，則寒之原也。饑寒並至，而不能不為奸邪者，未之有也。……故上不禁技巧，則國貧民侈；國貧民侈則貧窮者為奸邪，而富貴者為淫佚，則驅民而為邪也。」李克是法家人物，在推行政治時，他主張禁技巧，要恢復儉樸節約的生活；似此想法，不是和環保的理想相符合嗎？

《呂氏春秋》〈重己〉說：「昔先聖王之為苑囿園池也，足以觀望勞形而已矣；其為宮室台榭也，足以避燥濕而已矣；其為輿車衣裘矣；足以逸身暖骸而已矣；其為飲食酏醴也，足以適味充虛而已矣，其為聲色音樂也，足以安性自娛而已矣。」似此知足克己的

---

❻ 見《孟子》〈盡心〉上。

思想，不管是為著養性，還是為著社會財富的均分，卻已達到環保的效益了。

(三)鑑定土質，因地栽植

　　鑑定土質的優劣和性質，順著其差異來種植適當的農作物，可說是善於利用自然環境，也可說是避免浪費自然資源，所以，廣義來說，也是愛護自然、維護生態均衡的一環。

　　雖然〈禹貢〉的製作時代迄今尚無法完全解決，不過篇內所載恐怕頗有淵源，尤其是水力的治理、土質的鑑定以及農作物的進貢，應該是經過長期累積而後才筆之為文字的。試讀下列文字：

> 冀州：厥土為白壤，厥賦為上上錯，厥田為中中。兗州：厥土黑墳，厥草為繇，厥木為條，厥田惟中下，厥賦貞。青州：厥土白墳，海濱廣斥，厥田惟上下，厥賦中上。徐州：厥土赤植墳，草木漸包，厥田惟上中，厥賦中中。揚州：厥土為塗泥，厥田惟下下，厥賦下上上錯。……

這段文字交代了各州的土質、植物的情況、田畝的等級以及貢賦的等別，不但詳盡清楚，而且富有現代管理的精神，如果不是長期積累，大概很難做得到。對土質有深刻的認識，對田畝有深刻的劃分，無疑的，在栽植農作物時一定會更加注意其效益和收成，因而也就考慮到其貢賦的等級了。似此因地栽植納貢的傳統，應該淵源久遠的。范子《計然》說：「五穀者萬民之命，國之重寶。東方多麥稻，西方多麻，北方多菽，中央多禾。五土之宜，各有高下。高

而陽者多豆，平而陰者多五穀。」❼正是代表這種思想。

《管子》一書在這方面有驚人的發揮，使我們知道先民在因地栽植方面已經出現許多寶貴的見解。其〈地圓〉就是一篇傑出的代表作；試讀下文：

> 瀆田息徒，五種無不宜。其立後而垂實，其木宜蚖、蒼與杜、松，其草宜楚棘。……赤壚，歷強肥，五種無不宜。其麻白，其布黃，其草宜白茅與雚，其木宜赤棠。……黃唐，無宜也，唯宜黍秫也。宜縣澤。行廥落，地潤數毀，難以立邑置廥。其草宜朮與茅，其木宜櫄、擾、桑。……斥埴，宜大菽與麥。其草宜萯、蓷，其木宜杞。……黑埴，宜稻麥。其草宜萃、蓨，其木宜白棠。

在這裏，作者認為土有衝擊土（瀆田息土）、黑土（赤壚土）、泥漿土（黃唐）、鹽黏土（斥埴）及黑黏土（黑埴）之別，它們適宜種植的米糧及林木都不相同；似此「鑑定土質，因地栽植」的認知，若不是對自然環境有所愛惜，恐怕不能做到的。

然而更驚人的是下文，作者花了很長的篇幅討論上級、中級及下級的土壤的鑑別方法及其所適宜的農作物；文長不錄，謹製表如下：

---

❼　見《初學記》二十七引。

級別	土壤名稱	土壤情況	宜種者
上級	栗土（每等分五種，下同）	濕而不黏，乾燥而不瘠薄	大稺、細稺
	沃土	堅實，細密有孔竅，易藏蟲類，細潤	大苗、細苗
	位土	不硬不灰，色青細密而有青苔	大蕈無、細蕈無
	隱土	土上有黑苔，色青細密而肥沃，粉狀	櫺葛
	壤土	粉狀，如皮葉，如糞土	大小腸稻、細水腸稻
	浮土	堅硬如米	忍薏
中級	恋土	如鹽粒，保有潤濕狀態	大稷、細稷
	纑土	土質強而堅硬	大邯鄲、細邯鄲
	壏土	粉狀，如米糠而比較肥沃	大荔、細荔
	剽土	如百粉，土質較脆	黑黍、細秬
	沙土	細碎如粉塵之飛動	大蕢、細蕢
	塥土	團粒如蝸牛	大穆秠、細穆秠
下級	猶土	外貌如糞	大華、細華
	壯土	如鼠肝	青梁
	殖土	疏鬆，有裂隙，貧瘠	菰、朱跗
	觳土	空疏，不耐水旱	大豆、細豆
	舄土	堅實而不太硬	陸稻、黑鵝、馬伕
	桀土	味極鹹且苦	白稻

作者將土壤劃分成九十等，除了題上不同名稱外，土質個別的情況及所宜栽種的農作物，都解說得清清楚楚；試想，作者如果不是愛惜民力、禮敬自然、節用資源，如何會對自然環境觀察得如此細微呢？如何會如此「順用」各種不同的土質呢？

　　《呂氏春秋》有〈辨土〉，討論不同土質的耕種方法，作者提

到的土壤雖然只有黑色土（壚）、白黏土（鞠）、水分飽和的濕土（堬）及硬土（堅）等數種，卻也代表著這股「愛惜自然，愛護資源」的思想。《荀子》〈王制〉說：「相高下，視肥墝，序五種，省農功，謹蓄藏，以時順修，使農夫樸力而寡能，制田之事也。」荀子所謂「相高下，視肥墝，序五種」，其實就是鑑定土壤，因地栽種的意思，只是說得比較籠統；據此，亦可知「惜物」思想之普遍人心了。

(四)觀察入微，體恤自然

作為一個農業國家，中國先民對自然界很早就有很細微的觀察和瞭解，這是愛惜自然、護育環境的第一步；缺乏這一步，一切環保無從談起。對自然環境觀察細微可能會產生兩種效果，一種是反過來霸佔竭盡自然資源，把私慾「淋漓盡致」地發揮在自然的身上，為自然造成巨大的破壞；另一種是正面的，從觀察到瞭解，從瞭解到愛護體恤，進而節制自己的私慾，使自然在養育人類之餘，尚能孳乳衍生。中國先民所走的，就是後一條路子。

先秦諸子能對護育自然發出多種言論，不得不歸功於先民對自然的觀察及體恤的一種傳統。這種傳統淵源非常久遠，試讀《詩經》諸多篇章，即知遠在西周的時代，中國先民對自然已經有很詳細的觀察和諒解；茲以〈七月〉為例：

> 七月流火，九月授衣，一之日觱發，二之日栗烈………。
> 七月流火，八月萑葦，蠶月條桑，取彼斧斨，以伐遠揚，猗
> 彼女桑，七月鳴鵙，八月載績……。

> 四月秀葽，五月鳴蜩，八月其獲，十月隕蘀……。
>
> 五月斯螽動股，六月莎雞振羽，七月在野，八月在宇，九月在戶，十月蟋蟀入我床下……。
>
> 六月食郁及薁，七月亨葵及菽，八月剝棗，十月獲稻……。

這首詩充分反映出古代先民對自然界動植物的細微觀察及深入瞭解；在上的火星的流動，在下的蟋蟀的搬遷，無形的秋風的吹刮，有形的瓜果的結實，靜默的植物的生長，有聲的鳥蟲的鳴叫，幾乎都依時記錄，按時出現。有觀察和瞭解，才能夠體恤，才能夠愛護，進而提出各種環保的言論。

這個傳統一直延續到戰國末年，似乎一直沒有中斷過。《呂氏春秋》〈開春論〉說：「開春始雷則蟄蟲動矣，時雨降則草木育矣。」對冬眠動物及嫩芽初育的觀察，只不過一個小例子而已。試讀〈十二紀〉：

> 孟春之月，東風解凍，蟄蟲始振，魚上冰，獺祭魚，候雁北。
>
> 仲春之月，始雨水，桃李華，蒼庚鳴，鷹化為鳩。
>
> 季春之月，桐始華，田鼠化為鴽，虹始見，萍始生。
>
> 孟夏之月，螻蟈鳴，蚯蚓出王菩生，苦菜秀。
>
> 仲夏之月，小暑至，螳螂生，鵙始鳴，反舌無聲。
>
> 季夏之月，涼風始至，蟋蟀居宇，鷹乃學習，腐草化為蚈。
>
> 孟秋之月，涼風至，白露降，寒蟬鳴，鷹乃祭鳥。
>
> 仲秋之月，涼風生，候鳥來，玄鳥歸，群鳥養羞。

> 季秋之月，候雁來，賓爵入大水為蛤，菊有黃華，豺則祭獸
> 戮禽。
>
> 孟冬之月，水始冰，地始凍，雉入大水為蜃，虹藏不見。
>
> 仲冬之月，冰益壯，地始坼，鶡鳴不鳴，虎始交。
>
> 季冬之月，雁北鄉，鵲始巢，雉雊雞乳。

舉凡氣候、天象、動物、植物的各種現象，全部都在觀察之內，有
樹木的開花結果，有動物的遷移作息，有虹霓的出沒，動物的胎化
交尾等等，都依時觀察、記錄；試問，如果沒有如此深刻的觀察，
怎能培養出敬愛之心？怎能提出環保的言論呢？《禮記》〈月令〉
的文字與此非常相近；到了西漢初年，劉安將它錄入《淮南子》
〈時則〉內，可見此傳統深入民心及備受重視了。

(五)護惜自然，嚴禁破壞

愛護及珍惜自然其實應該包含兩種意義：一種是在消極上不要
主動地、人為地、非份地去破壞自然，使自然無辜受殃，平白浪費
資源；一種是積極上要採取行動，有意識地去護育自然，使自然維
持均衡的生態，生生不息，《呂氏春秋》〈應同〉說：「覆巢毀
卵，則鳳凰不至；刳獸食胎，則麒麟不來；干澤涸魚，則龜龍不
往。」對先民來說，破壞大自然是一種不祥的舉動，他招來的是大
凶大禍，所以鳳凰、麒麟、龜龍等祥瑞平和的動物都不至。〈諭
大〉說：「空中之無澤陂也，井中之無大魚也，新林之無長木也，
凡某物之成也，必由廣大眾多長久，信也。」〈功名〉：「泉深則
魚鱉歸之，樹木盛則飛鳥歸之，庶草茂則禽獸歸之。」這兩段話其

實是上一段話的另一種說法而已：愛護、珍惜大自然，使各種生物有所寄托有所長，祥瑞就出現，平和就降臨了。

孔子很早就擁有這種思想，《論語》〈述而〉載孔子說：「子，釣而不網；弋，不射宿。」不用網罟捕魚，不射棲宿巢內鳥，應該是不願意「趕盡殺絕」的一種行徑。試問，當一切生物被網盡射絕以後，天下還有鳳凰、麒麟及龜龍嗎？《孟子》〈離婁上〉載孟子說：「爭地以戰，殺人盈野。爭城以戰，殺人盈城，此所謂率土地而食人肉，罪不容而死。故善戰者服上刑，連諸侯者次之，辟草萊、任土地者次之。」所謂「辟草萊，任土地」，應當作暴力使用資源、私占山林川澤來講；在孟子的觀念中，非份地、人為地破壞自然，其罪狀和好戰者、縱橫家相列，都是「率土地而食人肉」及「罪不容而死」的。

儒家除孔孟有這種思想之外，荀子也沒有例外；他在〈王制〉裡序列眾官時，曾說：

> 修堤梁，通溝澮，行水潦，安水臧，以時決塞，歲雖凶敗水旱，使民有所耕艾，司空之事也。……修火憲，養山林藪澤，草木、魚鱉、百索，以時禁發，使國家足用，而財務不屈，虞師之事也。順州裡，定廛宅，養六畜，間樹藝，勸教化，趨孝弟，以時順修，使百姓順命，安樂處鄉，鄉師之事也。

值得注意的是，司空、虞師及鄉師所掌理的工作，上焉者都是主動地、積極地及有意識地去護育自然，使自然環境生生不息地繁殖榮

盛；下焉者都是消極地嚴禁人為地及非份地破壞自然生態，平白地
浪費了資源。

法家在這方面也發表了許多言論和看法，《管子》〈立政〉有
一段文字和《荀子》〈王制〉非常相似，這裡就不引述了。我們所
要提的是〈四時〉的另一段文字：

> 東方曰星，其時曰春。其事：制堤防，耕芸樹藝，正津梁，
> 修溝瀆，甃屋行水……無殺麑夭，毋蹇華絕萼……。
> 南方曰日，其時曰夏。其事：令禁罝設禽獸，毋殺飛
> 鳥……。
> 西方曰辰，其時曰秋。修牆垣，周門閭……。
> 北方曰月，其時曰冬。效會計，毋發山川之藏……。
> 信能行之，五穀蕃息，六畜殖，而甲兵強。

作者固然頗有陰陽五行的思想，不過，所論各種四時禁發卻很值得
我們注意；比如，春天必須修堤治防，正津架橋，修溝通瀆，不可
剖殺懷孕的動物，不可摘花採萼等；又比如，夏天禽獸開始發育茁
壯，不可設網捕獸，不可彎弓射鳥等；這些，都一再告誡我們，當
自然界正在發育成長之際，我們要愛惜他們，保護他們，不可破壞
其長育之生態。《管子》還有〈五行〉，以五行配合四時，討論政
治上各種措施，包括自然環境的禁發，文中云：「衡順山林，禁民
斬木，所以愛草木也。」又云：「羽卵者不段，毛胎者不贖」都很
值得我們注意和重視。〈禁藏〉說：

當春三月……毋殺畜生，毋拊卵，毋伐木，毋夭英，毋拊竿，所以息百長也。

〈七臣七主〉說：

四禁者何也？春无殺伐，无割大陵，倮大衍，伐大木，斬大山，行大火，誅大臣，收穀賦。夏无過水達名川，塞大谷，動土功，射鳥獸。秋毋赦過、釋罪、緩刑。冬无賦爵賞祿，傷伐五藏。故春政不禁則百長不生，夏政不禁則五穀不成，秋政不禁則奸邪不勝，冬政不禁則地氣不藏……。

這兩段所說的，其實也是相同的一回事，不過，文中所說「所以息百長也」、「春政不禁則百長不生，夏政不禁則五穀不成，秋政不禁則奸邪不勝，冬政不禁則地氣不藏」，與〈五行〉「所以愛草木也」一樣的，都是從護惜自然、保護環境的角度來立論，可見作者這股思想是積極的、有強烈意識的。

除了嚴禁非份、非時的破壞，法家也很注重火患，認為縱火、失火也是一項大罪。《管子》〈輕重己〉說，在秋天時，天子必須發出號令：「毋行大火，毋斬大山，毋塞大水，毋犯天之隆。」將森林火患和大伐林木、大塞川水同列，都是侵犯「天之隆」，可見其嚴重性了。李悝的《法經》也說：「諸失火及非時燒田野者，笞五十。」❽將失火、縱火山林者例為罪犯，一律笞五十。

---

❽ 見黃奭輯《黃氏逸書考》。

莊子在這方面也提出一些意見，〈胠篋〉說：

> 夫弓、弩、畢、弋、機辟之知多，則鳥亂於上矣，鉤餌、罔
> 罟、罾笱之知多，則魚亂於水矣；削格、羅落、罝罘之知
> 多，則獸亂於澤矣……故上悖日月之明，下爍山川之精，中
> 墮四時之施；惴耎之蟲，肖翹之物，莫不失其性。甚矣，夫
> 好知之亂天下也！自三代以下者是已。捨夫種種之民，而悅
> 夫役役之佞；釋夫恬淡无為，而悅夫啍啍之意，啍啍已亂天
> 下矣。

作者反對的雖然是機械之心智，而且對破壞生態的禁忌也說得不具
體，不過，從「惴耎之蟲，肖翹之物」恢復太古時代的「性」來
說，作者還是站在維護自然、珍惜環境的立場來說的。如果說文明
就是破壞自然，如果說進步就是毀滅生態均衡，那麼，毋寧還是回
復到「種種」及「恬淡無為」的太古「至德」時代，讓天下所有生
物自由自在生長蕃息。

護育生物、嚴禁破壞的思想到了戰國末年，由呂不韋的門客結
合了其他思想，重新安排配搭，成為布政施治時的最高指導原則；
試讀下列摘文：

> 孟春：命祀山林川澤，犧牲無用牝，禁止伐木，無覆巢，無
> 　　　殺孩蟲、胎夭、飛鳥，無麛無卵。
> 仲春：無竭川澤，無漉陂池，無焚山林。
> 季春：時雨將降，下水上騰；循行國邑，周視原野；修利堤

防，導達溝瀆，開通道路，無有障塞；田獵畢弋，置
罘羅罔餧獸之藥，無出九門。

孟夏：無有壞墮，無起土功，無發大眾，無伐大樹。

仲夏：無刈藍以染，無燒炭，無暴布。

季夏：令漁師伐蛟取鼉，升魚取黿。乃命虞人入材葦。……
樹木方盛，仍命虞人入山行木，無或斬伐。

孟秋：命百官使收斂，完堤防……。

仲秋：視全具，安芻豢，瞻肥瘠，察物色……。

季秋：草木黃落，乃伐薪為炭。❾

這些摘文清楚地告訴我們一種思想：隨著季節的轉移及氣候的推運，生物自有其生養滋乳的過程，人類在食用之時，務必不可破壞其過程，易而言之，人類必須尊重其過程、愛護其生命，自然界均衡生態才不被破壞，人類才得以長久享用不絕。這些文字，又見於《禮記》〈月令〉，所言大同小異；其後劉安編撰《淮南子》時，又錄入〈時則〉內，可見其備受重視，也可見其影響深遠了。

㈥自然人文，配搭允當

人類寄生於自然，但是，自然對人類的荷負也有某種限度，超過某種限度，不是發生人禍，就是自然遭受嚴重破壞，兩者必有一傷。因此。自然和人文的配搭也應該是環保的一環。

中國很早就注意到這一點，《周禮》記載大司徒的職守是：

掌建邦之土地之圖，與其人民之數，以佐王安擾邦國。以天
下之土地之圖，周知九州之地域廣輪之數，辨其山林、川
澤、丘陵、墳衍、原隰之名物，而辨其邦國都鄙之數，制其
畿疆而溝封之，設其社稷之壝而樹之田主，各以其野之所宜
木，遂以名其社與其野。

這段文字雖只論及邦國封疆的封界、田壝及植木等，距離自然人文
配搭還頗遠，不過，卻也證明先民在建立邦國時，對其他自然狀況
也甚為留意，並且委任官員司掌其職。

到了法家，對自然及人口的配合才提出新的主張；《商君書》
〈算地〉應該是這方面的重要著作。作者提出「土地分配計劃」，
他說：

故為國任地者，山林居什一，藪澤居什一，溪谷流水居什
一，都邑蹊道居什一，惡田居什二，良田居什四❿，此先王
之正律也。故為國分田，小畝五百⓫，足待一役，此地不任
也。方土百里，出戰卒萬人者，數小也。此其墾田足以食其
民，都邑遂路足以處其民，山林藪澤溪谷足以供其利，藪澤
堤防足以畜，故兵出糧而財有餘，兵休民作而畜長足，此所

---

❿ 原文無「什一，惡田居什二，良田居什」數字，俞樾曰：「『都邑蹊道』下
　有闕文，今據〈徠民篇〉補云：『都邑蹊道居什一，惡田居什二，良田居什
　四。』」俞說是，今據增。

⓫ 此句「小畝」上本有「數」字，高亨曰：「此句『數』字似涉下文而衍。」
　高說疑是，今據刪。

謂任地待役之律也。

這份土地分配計劃，以現代的眼光來觀察，幾乎就是一份「鄉市規劃書」、「自然人文配合書」了。

書中，百分之六十的土地屬於農耕地，其他山林、藪澤、溪水及邑道各佔百分之十；其調配如下：

土地項目～單位	調配	供養目的
每 500 小畝（即 50,000 方步）	每年支援一次戰役	供應糧食
每 100 平方里	每年徵調一萬名軍人	提供軍力
山林	占總單位面積百分之十	供其利
藪澤	同上	
溪水	同上	
邑道	同上	供其居
惡田	占總單位面積百分之二十	養其民
良田	占總單位面積百分之四十	

從這配搭方式來看❷，無疑的，作者完全考慮到環保的問題：人口的多寡和土地內的山林、藪澤、溪水、邑道及田畝要恰到好處，這是「先王之正律」。

---

❷ 此說可參考拙作《商鞅及其學派》，頁 190-191；上海古籍出版社出版，1989年。

二

在先秦的時代，中國人已經培養出和天維持至善的關係的一個傳統。

中國人對天的態度和看法，絕大部分受他們宗教的影響。

西周繼承殷商，認為天是至高無上的神祇的，它統帥著眾神，也主宰著整個宇宙。天不但有意志，而且還會獎善懲惡，《尚書》〈多士〉記載周公諄諄告誡亡國後的殷人說：「爾殷遺多士，弗弔旻天，大降喪於殷，我有周佑命，將天明威，致王罰，敕殷命終於帝。咨爾多士！非我小國敢弋殷命，唯天不畀允、罔、固、亂，弼我。我其敢求位，唯帝不畀，惟我下民秉為，惟天明畏。」在周人的觀念中，天不但會獎善懲惡，而且還擁有威赫強烈的意志力，可以在人間另擇「明主」，替天行道。似此天道觀，自然和他們的宗教有密切關係。

天既能獎善懲惡，且又擁有威赫的意志力，那麼，天不但非常可敬可畏，天本身當然也擁有一切的美德。《詩》〈皇矣〉說：「皇矣上帝，臨下有赫，監視四方，求民之莫。」皇天既然能夠監臨下民，觀求民瘼，那麼皇天當然具有一切美德了。《墨子》〈非命〉引〈泰誓〉說：「天有顯德，其行甚章，為鑒不遠，在彼殷王。」天擁有顯赫的德行，普照天下，它可以懲罰暴虐的殷王，讓世人警戒。《尚書》〈召誥〉記載召公說；「嗚呼！天亦哀於四方民，其眷命用懋，王其疾敬德。」天不但有德行，而且還具有一顆仁愛之心，哀憫體恤在下的小民，所以，才獎善懲惡，革掉殷商的政權，讓有德的周王代之。〈召誥〉載周公說：

我不可不監於有夏，亦不可不監於有殷。我不敢知曰：有夏
服天命，惟有歷年。我不敢知曰：不其延。惟不敬厥德，乃
早墜厥命。我不敢知曰：有殷受天命，惟有歷年。我不敢知
曰：不其延。惟不敬厥德，乃早墜厥命。今王嗣受厥命，我
亦惟茲二國命，嗣若功。

這段話，顯然的在告誡成王及世人：天具有全能的德性及至善的道
德操守，世人必須認同此德性及操守，也必須時時刻刻丕顯、敬畏
此德性及操守，才能夠獲佑於天，延年不墜。似此有德性、有操守
的天，顯然的，也和他們的宗教有密切的關係。

　　自然界至高的神既然具備著無限的美和至善的德性，那麼，神
所統率的萬事萬物自然也具備此美和德性。因此，自中國先民的眼
光來觀察，自然界小至一花一草，大至一山一川，都無不具有此至
美至善的價值者，唐君毅先生稱此為「價值內在於自然萬物之宇宙
觀」❸，實在非常正確。《禮記》〈鄉飲酒義〉說：「天地嚴凝之
氣，始於西南，而盛於西北，此天地之尊嚴氣也，此天地之義氣
也。天地溫厚之氣，始於東北，而生於東南，此天地之盛德氣也，
此天地之仁氣也。」冬天的氣流謂之尊嚴氣、義氣，夏天的氣流謂
之盛德氣、仁氣；天地間連虛無縹緲的氣流都有仁義之美德和價
值；那麼，其他有實體、可觸摸的事事物物，更無不具美德、含仁
和了。

　　天地間萬事萬物都可敬可畏；畏則能鎮攝人心，敬則可產生憫

---

❸　見唐著《中國文化之精神價值》，頁80；台北中正書局，1959年。

愛，在類似這樣的宗教心態和情懷之下，中國先民和自然環境之間於是維持著一份和諧的至善的關係，而且成為中華文化的一個傳統。

展開先秦諸子的著作，我們可以發現，由於他們對自然界萬事萬物懷有一顆敬畏之心，所以，在開發及利用自然界物資時，都能保持「適可而止」的態度，避免戕害大自然，進而破壞了自然界的均衡生態。《孟子》〈盡心下〉載孟子曰：「君子之於物也，愛之而弗仁；於民也，仁之而弗親。親親而仁民，仁民而愛物。」所謂仁民，所謂愛物，皆由敬畏之心產生；在此情景之下，才會憐惜萬物、惜用民力。朱《注》說：「物，謂禽獸草木。愛，謂取之有時，用之有節。」可謂確解。諸子之中有農家一類，雖然他們的著作大部分已經亡佚，不過，我們深信他們在飽浸「敬物愛物」的傳統思想下，對於開發及利用土地，應該是大自然生態的積極護衛者。其他儒家、墨家、道家及法家，也莫不如此。

三

戰國是先秦史的一個新局面，在縱橫家及法家的推動下，一切的發展是突飛猛進，只有迎著歷史浪頭勇猛前進的國家才生存下來，違背歷史潮流、棧戀過去的榮華者將殘酷地慘遭沒頂，為時代所淘汰。縱橫家憑「三寸不爛之舌」運籌天下，雖然曾經縱橫捭闔呼風喚雨過一個時代，不過，他們缺乏具體的富國強兵的理論，他們汲汲奔走的也只是維持住七國稱雄的局面而已。只有法家，他們有很實在的理論，有很具體的步驟，他們要推行的是向歷史的前方

繼續發展下去，然後稱雄稱霸地施行兼併，進而一統天下。因此，法家是戰國時代的新舵手，他們指揮著戰國歷史的前進方向。

　　跨進戰國以後，法家在各國裏推行了一系列的變法革新運動，為各國歷史注入一帖強心劑。所謂變法革新，綜合起來不外搞經濟、搞軍事兩件大事，一切政體、制度、政令、法律、疆界等的重訂重擬，都是為著配合這兩件大事。而二事之中，又以經濟為首要；只有把經濟搞上去，軍事才有辦法發展，有了軍事才能兼併天下，一統四海。在以農業為重點的戰國時代，搞經濟就等於搞農業。因此，法家變法改革的內容裏，沒有不明列大力發展農業為首要項目的。誠如《史記》〈平準書〉所說：

> 魏用李克，盡地力，為強君。自是之後，天下爭於戰國，貴詐力而賤仁義，先富有而後退讓。故庶人之富者或累巨萬，而貧者或不厭糟糠；有國強者或並群小以巨諸侯，而弱國或絕祀而滅世。

這裏「盡地力」三個字很值得注意。我們可以這麼說，大部分法家都是經濟學家，或是農業家，他們為著累積國家財富，極力主張以「盡地力」的方式來暴用地利，盡量剝削土地的利益，所以，我們也可以說，大部分的法家是土地強暴的剝削者。

　　以商鞅為例，他在《商君書》裡就一再提出「盡地力」，〈算地〉說：「夫民之情樸則生勞而易力，窮則生知而權利；易力則輕死而樂用，權利則畏罰而易苦；易苦則地利盡，樂用則兵力盡。」認為當政者必須強迫百姓耐勞吃苦，使他們盡力剝削土地，盡土地

之利。〈算地〉又說「夫治國者，能盡地利而致民死者，名與利交至。」認為當政者必須迫使百姓為國賣命，才能盡量發掘土地的利益，為國家帶來名和利。〈去強〉說：

> 國富而貧治，曰重富，重富者強。國貧而富治，曰重貧，重貧者弱。……貧者使以刑則富，富者使以賞則貧。治國能令貧者富、富者貧，則國多力，多利者王。

在這裏，作者提出施政的新策略：國家不論貧窮或富有，都必須以貧窮的態度和方法來治理；對於百姓，貧者迫其勞動，使其致富；富者迫其獻捐，使其貧窮，然後，逼迫貧窮的百姓去剝削土地。在這樣的策略下，老百姓等於變相的奴隸，等於剝削土地的暴徒。試問，在此政策下自然環境怎麼維持均衡的生態呢？《史記》〈商君列傳〉說：「大小戮力本業、耕織，致栗、帛多者復其身。」當一切向經濟看，自然環境的均衡生態還維持得住嗎？

荀子是諸子中第一位打破宗教意識形態的天的思想家，他強調自然界是客觀存在的，本身是無意識、無意志，也不受人類主觀意志和願望的影響。〈天論〉說：「天行有常：不為堯存，不為桀亡，應之以治則吉，應之以亂則凶。」認為堯舜的天和桀紂的天完全相同，只是幸與不幸而已。在荀子的思想裡，天已由崇高禮敬的神壇上走下人間來，成為一種沒有意志、情感和意識的物質。「列星隨旋，日月遞炤，四時代御，陰陽大化，風雨博施，萬物各得其

和以生，各得其養以成。」❶自然界一切生物的長養生育，只不過是這物質的生態而已，人類用不著對它感激和禮敬。

在這股思想影響下，作為荀子的學生的法家重要人物韓非，更是變本加厲地發揮法家「暴用地力」的傳統，主張利用天、剝削自然資源。試讀〈難二〉這段文字：

> 舉事慎陰陽之和，種樹節四時之適，無早晚之失，寒溫之災，則入多；不以小功妨大務，不以私慾害人事，丈夫盡於耕農，婦人力於織紝，則入多；務於畜養之理，察於土地之宜，六畜遂，五穀殖，則入多；明於權計審於地形舟車機械之利，用力少，致功大，則入多。利商市關梁之行，能以所有致所無，客商歸之，外貨留之，儉於財用，節於衣食，宮室器械，周於資用，不事完好，則入多。入多，皆人為也。……人事、天功，二物者皆入多，非山林澤谷之利也。

這段文字主張，一切施政都向「入多」看齊；逼迫百姓搶山奪林，霸海占澤，舉國上下搞經濟；試問，在這樣的政治指示之下，自然環境不會遭殃嗎？「非山林澤谷之利也」，真是一針見血。

暴用民力、暴用地力、暴用物資，這是法家的一貫作風。在此政策下，一切政治、經濟、建設都出現「過熱」，生態失去均衡，反而戕害了自然。天地間的物質資源本來就足夠養育人類的，誠如荀子所說：

---

❶　見《荀子》〈天論〉。

今是土地之生五穀也，人善治之，則畝數盆，一歲而再獲
之；然後瓜桃棗李一本數以盆鼓，然後葷菜百疏以澤量，然
後六畜禽獸一而剮車，黿鼉魚鱉鰌鱣以時別一而成群，然後
飛鳥鳧鷹若煙海，然後昆蟲萬物生其間，可以相食養者不可
勝數也。夫天地之生萬物也，固有餘足以食人矣；麻葛繭絲
鳥獸之羽毛齒革也，固有餘足以衣人矣。❶⑤

只要「善治之」，一切資源都「固有餘足以食人」、「固有餘足以衣
人」的，在高速發展之時，摒棄私慾，開發降溫，回復古代愛護
自然、禮敬萬物、珍惜環境之心，應該是環保的第一步。然而，在
法家加速推動歷史巨輪下，在代表自然界的天的神靈形象被扯破
下，自然界遭受到一段「強取暴奪」的歷史，的確是一件遺憾的
事。

（原刊於《東亞文化的探索》，黃俊傑、町田三郎主編，台北正中
書局，1996。）

---

❶⑤ 見《荀子》〈富國〉。

論《老子》原始本與校勘方法

　　先秦子書，大多成於眾人之手；或暮年之時，與學生共同編纂，略成規模，再傳子弟逐次增訂；或學派內眾徒分頭纂集，最後合編成書；很少有作者於生前獨自纂定刊行，如今日圖書之編寫及出版一樣。此乃先秦子書編纂及流傳之通例。嚴可均〈書管子後〉說：「先秦諸子，皆門子弟，或賓客，或子孫纂定，不必手著。」❶余嘉錫說：「古之諸子……既是因事為文，則其書不作於一時，其先後亦都無次第。隨時所作，即以行世。……迨及暮年，或其身後，乃聚而編次之。其編次也，或出於手定，或出於門第子及其子孫，甚或遲至數十百年，乃由後人收拾叢殘為之定著。」❷二家所云，都是通達之論。

　　古籍既成於眾人之手，而且經過不同人、不同次數的纂集及編訂，那麼，它們在開始流通之際，無論是在纂訂之前，或之後，或過程之中，恐怕都不是只有一種傳本而已。這些不同傳本，彼此之間字句的差別、章節的參差，乃至於章次的不同，應該都時時可見。由於抄寫人手的不同，時間的不同，篇章多寡的不同，以及傳

---

❶　見嚴著《鐵橋漫稿》卷八。
❷　見余著《古書通例》卷三〈論編次〉，上海古籍出版社，1985。

抄者主觀意識的不同，因而同一種書容許有若干傳本，而它們都被視為原始本，參差不同地流傳開來。因此，先秦子書在後來定型之前，恐怕存在著一段相當不穩定的時期，情況相當複雜。

在面對如此複雜的情況時，筆者認為，校勘學者應該抱著謹慎的態度，分辨不同傳本之間的「佳勝」、「遜略」，並且保存其差別；而不是帶著訂正「是非」、「正誤」的方式，否決其他傳本。先秦子書在早期定型之前，除了明顯錯訛之外，各種不同情況都代表著某種傳本的淵源、流播及影響，不能以後來淺人意改妄移視之。換句話說，校勘學者應該瞭解原始古籍流傳的複雜性、多樣性，以及各傳本的意義性，而以「兩可兩存」的方法來處理這些差異，而不是罔顧這些情況，抱著「定於一尊」的執著態度，保留一個「正統」本，否決其他各本。

本文將以《老子》為例，來論證這個看法。為清楚說明起見，茲略分六項，論析其原始本的情況，並各舉二、三例，以明從事校勘者不可執著一本而否決眾本，以至於忽略了不同傳本的源流、意義和價值。

《老子》作為先秦古籍之一，時代也非常早❸。在審視帛書本之後，我們發現，它在先秦流傳的那個階段裏，恐怕也經過許多人手在不同時間、不同地點加工整理，然後，甚至以不同的幾個源流傳進了西漢來。高亨、池曦朝在論帛書《老子》時，曾說：「甲、

---

❸　李學勤先生根據《黃帝書》成書於戰國中期，推論「《老子》其書不晚於戰國早期」；見所著〈申論老子的年代〉，在陳鼓應主編《道家文化研究》第六輯內，上海古籍出版社，1995。

乙兩本文字相同的地方很多，但也有許多歧異。由此可見，帛書
《老子》乙本不是抄自甲本，兩本是根據不同的傳本而抄寫的。」
❹日人今谷治根據助詞之有無、假借字之不同等，說：「甲、乙兩
本一致處甚多，就此而言，兩者屬於同一系統是明確的；但在另一
方面，也有可說明二者不是直接關係，也並非由甲本變化而成為乙
本的關係點。也就是說，兩者是同一系統的異本。」❺帛書二本既
然彼此有歧異，而它們都各有所本，那麼，比它們更早的原始本，
也當有幾個不同源流，分別以不完全相同的內容流傳於各地，是可
以肯定的。

　　實際上，這種歧異恐怕不能全部說是傳抄者誤抄誤寫，而是另
有複雜的原因。先秦古籍在始傳之時，文字修辭等各方面都不十分
穩定，因此，「兩可兩存」的現象經常出現，不可執著一端否定另
一端。就《老子》而論，這種現象是普遍存在的。比如第二十六章
曰：

　　　　是以君子終日行，不離輜重。

《韓非子》〈喻老〉引「離」字同，帛書甲本亦作「離」，可知古
本自有一本作「離」字；然而，帛書乙本作「遠」，「不離輜重」
與「不遠輜重」，意思非常接近，乙本「遠」字當有來歷。先秦之

---

❹　見《文物》1974 年第十一期刊載高、池合著〈試談馬王堆漢墓中的帛書老
　　子〉。

❺　見今谷治著〈關於帛書老子──其資料性的初步探討〉，刊於《道家文化研
　　究》第三輯內，上海古籍出版社，1993。

際，《老子》原始本蓋一本作「離」，韓子即據此本；另一本作「遠」，影響至西漢初年。兩本之不同，只能說古籍始傳之時，成於眾人之手，還不十分穩定，所以留下這個痕跡。古棣說「遠」乃「離」字之誤❻，不明這種原委，才有如此執著的說法。又比如第六十四章曰：

> 學不學，復眾人之所過。

帛書甲、乙本「復眾人之所過」，與此本相同，可證原始本自有一本如此作者。《韓非子》〈喻老〉述其義，並引作「復歸眾人之所過也」，「復」下有「歸」字；劉師培從《韓非子》，又引十四章「復歸於無物」、二十八章「復歸於嬰兒」、「復歸於無極」及「復歸於樸」為證，補一「歸」字，以符合《老子》文例。然，帛書二本並無「歸」字，說明更早的原始本亦有作「復眾人之所過」者，與韓非所據者不同。實際上，「復眾人之所過」，與「復歸眾人之所過」取義相同，不一定要符合他處的文例，也補一「歸」字。劉師培的說法，恐怕太執著了。兩書之不同，正說明古籍始傳之時，由於成於眾人之手，因而情況並不十分穩定。如果一定要說何者是、何者非，恐怕很不妥當。

這種情形，出現在虛字方面就更多了。茲舉一例以明之。比如第二十六章說：「如何萬乘之主，以身輕天下？」帛書二本「如何」作「若何」，傅奕本、范應元本作「如之何」，想爾本作「如

---

❻　見古棣、周英合著《老子通》上冊頁325，吉林人民出版社，1991。

何」，河上公本及王弼本作「奈何」，其差異竟有四種之多。實際上，「如何」、「若何」及「奈何」，取義皆同，而各本皆有淵源，難有是非之別，也不必有誤抄誤寫之考辨。

原始古籍即使由眾手「統一」編纂為一本，我們也不排除有他本、別本由生徒們傳抄流傳出來的可能性，尤其是不被列入儒家聖典的子書，這種情形恐怕就更多了。因此，文字修辭等各方面不十分穩定的現象，應該是可以理解的。前文所舉的，不過是順手拈來的幾個小例。

所謂「不十分穩定」，實際上應該進一步討論和分析。以《老子》本書而言，經各本比較研究之後，我們發現，造成原始本不穩定的原因，大約有下列數端：

一、原始本用字未必推敲

原始本由於抄者抄時不同，文字上不免有差別。這種差別，自會有用字「佳勝」、「遜略」的等第，在經過後人選汰之後，遜略者自然被淘汰。然而，原始本是不是一定用字佳勝？若原始本用字本來佳勝，就沒有理由出現遜略本了。因此，情形往往是原始本用字較遜，經過後人的推敲改易，才出現佳本。比如第十六章曰：

> 夫物云云，各歸其根。

《莊子》〈在宥〉用此文，作「萬物云云，各復其根」；所見本「歸」作「復」，與此本不同。「各歸其根」，「各復其根」，

意思完全相同，蓋原始本自有此二本並行兩存。然而，「復歸」乃本書習辭，十四章曰：「復歸於無物。」二十八章曰：「復歸於嬰兒。」《莊子》〈知北遊〉亦曰：「欲復歸根本。」皆以「復歸」屬辭，蓋《老子》原始本亦有作「各復歸其根」者流通於世耳。帛書二本並作「各復歸於其根」，即此本之後繼者。三本並行，不必有是非。然而，後之傳抄者因「各復歸其根」乃五字句，與上下文四字句不同，乃刪「各」字，作「復歸其根」，《文選》江淹〈雜擬詩〉李〈注〉引作「夫物云云，復歸其根」，所據者即此本；而校者如高亨等乃據此為說，或是此非彼。實際上，原始本文字並不穩定，並不注重用辭一律，也未必注重上下文皆為四字句，上述三種情況都可能同時存在，並且同時流通。一定要堅持是非正誤，恐怕昧於原始本的面貌了。

又比如第三十八章曰：

> 前識者，道之華，而愚之始。

《韓非子》〈解老〉引「始」作「首」，帛書二本字亦作「首」，可知先秦古本有作「愚之首」者，與今本不同。惟上文曰：「夫禮者，忠言之薄，而亂之首。」兩「首」字重複，故古棣曰：「應以作『始』為是。作『首』與上句『而亂之首』重複，既有『始』字可用以達意，講究作文的老子必用『始』字，而不用『首』字。」❼實際上，原始本此文一本作「首」，一本作「始」；前者與上文

---

❼　古棣、周英合著《老子通》，頁280。

不避重複，後者易字而維持原義，兩本並行，不必相非。學者不知兩存兩通的情況，求全心切，以後人推敲文字的眼光視之，乃謂「講究作文的老子必用『始』字」，恐怕過分執著了。

二、原始本造句未必講究

在文句的鋪排方面，學者們屢好以後來講求對偶、相應及整齊的眼光來看待原始本古籍，以為古人作文也像後代文人一樣，文句方面多所講究，以垂典範。以《老子》而言，我們看到的就不完全如此。

比如第二十九章曰：

> 天下神器，不可為。為者敗之，執者失之。

《文子》〈道德〉用此文，作「天下大器也，不可執也，不可為也，為者敗之，執者失之」，與今本相較，多「不可執」一句。蓋先秦古本有作「天下神器，不可為，不可執；為者敗之，執者失之」者，《文子》所據者，當即此本；「不可為」與「為者敗之」相應，而「不可執」乃與「執者失之」相應耳。有此一句，上下文相應相契如符節；是以自劉師培據王輔嗣〈注〉考訂有此一句之後，易順鼎、馬敘倫、高亨、朱謙之及嚴靈峰等皆是其說；而陳鼓應、王垶、古棣、黃釗及楊丙安等，且為補此一句。

然而，原始本《老子》上下文是否如此整齊相應呢？今本無此一句，是否有所殘缺呢？這是值得注意的。考《淮南子》〈原道〉

引作「故天下神器，不可為也；為者敗之，執者失之」，是漢初流傳之古本蓋無此一句也；又考帛書甲本作「……器也，非可為者也；為者敗之，執者失之」，乙本作「夫天下神器也，非可為者也；為之者敗之，執之者失之」，是帛書所據先秦古本亦無此一句矣。筆者認為，《老子》原始本此文當有兩個源流，而其不同就在此一句的有無了。換句話說，《老子》原始本對於文句的對偶、相應及整齊，有時並不講究；校勘學者喜愛以後來作文的眼光視之，恐怕必須斟酌。

又比如第八十章曰：

故弱勝強，柔勝剛，天下莫能知，莫能行。

《淮南子》〈道應〉引作「柔之勝剛，弱之勝強也，天下莫不知，而莫之能行」，除語序及一、二虛字不同之外，「柔勝剛」與「弱勝強」二句兩兩相對，與此本合。

然而，帛書乙本此二句作「水之勝剛也，弱之勝強也」（甲本存「勝強」二字），「剛」與「強」對舉，而「水」則與「弱」不相對，可知乙本二句不若今本講究也。考嚴遵本作「水之勝強，柔之勝剛」，〈指歸〉曰：「故水之滅火。」可知嚴本與乙本相合，而作「水」者蓋淵源甚古矣。竊謂先秦《老子》原始本此文蓋有二源流，一作「柔勝剛」，一作「水勝剛」，前者文句講求相對，後者則否，不可一概而論。高明謂帛書、嚴本作「水」者，乃「涉前文

而誤」❽，島邦男則以為是「筆誤」❾，恐怕都是以後人講求文句相對的眼光律之，值得重新考慮。

三、原始本韻讀未必周密

宋代吳棫謂：「《老子道德經》，周柱天下史老聃所作，多韻語，今往往失其讀。」《老子》為一協韻之舊籍，學者頗多論說。近人朱謙之贊為「哲學詩」❿，謂「此一唱三歎，以聲論聲，即置之《三百篇》中，亦不知有何分別」⓫，可見《老子》用韻之周詳及綿密，與《詩》無甚差別了。然而，韻腳的周密是不是原始本，祖本是否已是如此呢？今日所見用韻的情況，是否當初「一蹴而成」呢？這是值得深思的問題。

根據筆者個人的淺見，今日用韻的周密，恐怕是經過眾手在不同的時間內逐漸修改易訂而成的。茲舉例申論如次，比如第二十二章曰：

曲則全，枉則正。

此文「正」字自來有兩個源流；一作「正」，王弼本、想爾本、傅本、范本、遂州本及館本等即屬於此源流，作「正」者，與下文

---

❽　見高明著《帛書老子校注》頁 211 內，中華書局，1996。

❾　見島邦男《老子校正》該章內，東京汲古書院，1973。

❿　見朱著《老子校釋》頁 201，台北世界書局，1961。

⓫　同上，頁 208。

「全」、「盈」及「新」協韻；一作「直」，作「直」則失其韻讀。因此，近代學者如張舜徽、古棣及楊丙安等，皆認為當作「正」，「從義理上和音韻上看，可知作『正』無疑」❷。竊謂此說不可必，河上公本作「直」，其來歷不可輕非；《淮南子》〈道應〉引亦作「直」，則西漢初期劉安所據者已是如此矣。根據這兩點來推測，西漢初年《老子》流通本此文並不十分穩定，有作「正」者，亦有作「直」者，而它們都源自先秦原始本，似亦無可疑。疑當初此文原本作「直」，與下文並不協韻，後來編輯者或傳抄者易字作「正」，以求用韻更加周密；如此推測，也許比較接近事實。

比如第三十六章曰：

> 將欲翕之，必故張之；將欲弱之，必故強之；將欲廢之，必故舉之；將欲奪之，必固與之……。

自今本觀之，此節蓋兩句相間成韻；翕與弱為韻，張與強，廢與奪，舉與與，亦皆為韻。

然而，原始本《老子》此文韻腳是否如此綿密，卻頗可懷疑。先看直接的材料，《韓非子》〈喻老〉引「將欲奪之」作「將欲取之」；若「奪」作「取」，則此節最後兩句不成韻矣。再看間接的材料，《韓非子》〈說林〉上、《戰國策》〈魏策〉一引《周書》，字皆作「取」。蓋當時自有古諺作「將欲取之，必固取之」

---

❷　古棣、周英合著《老子通》，頁 206。

者，故《周書》用之，《韓非子》及《戰國策》引之；《老子》云云，即來自此古諺矣。若此，則原始本《老子》此文蓋作「將欲取之」，其後流傳者或編輯者格於上文相間成韻，乃於流傳過程中，加工調整，使韻讀更加綿密。

根據上舉二例，即知原始本《老子》在韻腳方面未如今本周密；今本用韻的情況，是在流傳的過程中，由不同人手在不同時間內逐漸加工而成的。這種情形，到了兩漢、魏晉時代，依然時而出現；比如第十九章曰：

> 此三者，為文不足，故令有所屬。

河上公本及王弼本「此三者」同，然而，帛書二本皆作「此三言也」，想爾本、索洞本及伯希和二五八四等皆如此，猶存古本之真。今本作「者」，蓋流傳過程中，傳抄者講求韻腳周密，易「言」作「者」，以便與「足」與「屬」協韻耳；河上公本及王弼本即從此本而來。此類例子，為數頗多，都是後人牽合韻腳而留下的斧鑿痕跡。

校勘學者若不明此理，以求全求勝的方式處理之，則有執著之嫌了。朱謙之說：「惟《老子》為哲學詩，其用韻較《詩經》為自由，則誠有之；若謂其手筆差易，文不拘韻，則不但不達五千言鏗鏘之妙，且不足語諸子之文矣。」⑬竊謂五千言鏗鏘之妙，斷非當初一蹴而成，乃後人在流傳過程中，陸續修訂易改而成的；學者若

---

⑬　朱謙之撰有〈老子韻例〉一文，在《老子校釋》卷末附錄內，引文見文末。

從「鏗鏘之妙」的立場，以求周密求佳勝之方式處理之，恐怕有違古籍流傳的法則了。

四、原始本行文未必緊湊

今本《老子》五千言，給人們的印象是文句簡練，韻讀鏗鏘，字句相對，而且行文緊湊，字不虛發，句不拖杳，前後呼應，儼然是一部結構、組織非常成熟的古書。持此觀點者似乎忽略了古籍流傳過程中的有機作用，而以「最終」及「最完好」的觀點視之。實際上，作為先秦舊籍的《老子》，是經過後人加工，才有今天「十全十美」的面貌。就其行文方面來說，也不莫如此，茲舉三例以論之。

第十六章曰：

> 歸根曰靜，靜曰覆命，覆命曰常，知常曰明。

《老子》此節皆四字句，且以「靜」、「命」及「明」為韻，從行文方面來說，可謂緊湊嚴密了。然而，原始本恐非如此。帛書甲本作「……靜，是謂覆命。覆命，常也；知常，明也」；甲本除「靜」前有缺文外，其他皆與乙本相合；比較二本，可知它們所據者此節文字亦完全相同，蓋無可疑。然則，遠古時代之原始本，此處行文與今本緊湊嚴密者幾乎完全不同，除末二句「覆命，常也」、「知常，明也」略為整齊之外，「曰靜。靜，是謂覆命」完全是散文的句型了。

比如第二十六章曰：

> 重為輕根，靜為躁君，是以聖人終日行，不離輜重……。奈
> 何萬乘之主，而以身輕天下？輕為失本，躁則失君。

此節主句在首兩句「重為輕根，靜為躁君」，謂靜重為立身處世之
根本。中間「君子不離輜重」及「萬乘之主身輕天下」不過舉例說
明及詰問而已，而結尾「輕則失本，躁則失君」又回說主題，再三
申論本義。

然而，末尾一句「輕為失本」頗不穩定，《韓非子》〈喻老〉
引「本」作「臣」，《永樂大典》引作「根」，皆與此本不同。學
者頗從《大典》，謂當作「根」；蓋「輕為失根」與「重為輕根」
兩「根」字相應，猶「躁則失君」與「靜為躁君」，兩「君」字相
扣。俞樾首倡此說，馬敘倫及蔣錫昌等附和之，蓋以《老子》行文
緊湊，宜如此也。然而，《韓非子》引作「輕則失臣」，即遠承此
古本；可知先秦之際，自有一本「本」字作「臣」者，不可輕非。
張松如謂韓非「顯係從法家立場演義生出，未必老氏原義」 ❹，高
明謂「上言『臣』下言『君』，君臣倒置，違反常理」 ❺，恐未必
然。竊疑先秦原始本此文當有一本作「輕為失臣」，行文未必緊湊
嚴密，韓非所據以論說者，即此本也；西漢之時，此本猶流通，故
嚴遵本得以據之。

---

❹　見張著《老子說解》該章內案語，吉林人民出版社，1981。
❺　見高明《帛書老子校注》，該章內。

又比如第三十一章曰：

> 夫佳兵者，不詳之器，物或惡之，故有道者不處。君子居則
> 貴左，用兵則貴右。兵者不祥之器，非君子之器，不得已而
> 用之，恬淡為上，勝而不美。而美之者，是樂殺人。夫樂殺
> 人者，則不可以得志於天下矣。吉事尚左，凶事尚右。偏將
> 軍居左，上將軍居右，言以喪禮處之。殺人之眾，以哀悲泣
> 之。戰勝，以喪禮處之。❻

由於本章暢論戰爭事件，與老子思想頗不相契，所以，本章在思想
上最先啟人疑竇。王弼不注，並且還說：「疑此非老子之作也。」
❼宋代晁說之題王注《道德經》也說：「弼知……非老子之言。」
都是這個道理。

此外，本章啟人疑竇的另一點是：章節散漫，行文不緊湊。章
內許多句子長短不齊，用詞也不相對，顯然是一篇相當鬆弛的散
文，與其他篇章頗有差別。因此，懷疑的學者頗多，紀昀懷疑自
「兵者不祥之器」至「言以喪禮處之」七十餘字，「似有注語雜
入」，然而，因河上公及其他各本皆有此經文，「今仍之」。嚴可
均認為章末「言以喪禮處之」六字，乃「注語羼入正文」；易順鼎
附和嚴說，並且認為「此章語頗冗復」；到了譚獻，他更擴大懷疑
的範圍，以為「偏將軍居左，上將軍居右，言以喪禮處之」三句都

---

❻　此章文字各本略有差異，此據王弼本。
❼　見《道藏》集注本章末引。

是注文，後人傳抄時誤入經文。其後，劉師培、奚侗、馬敍倫及蔣錫昌等都有類似的說法。朱謙之更移易經文，重新訂正為❽：

> 夫佳兵者，不祥之器（兵者不祥之器，非君子之器。），物或惡之，故有道者不處（不得已而用之，恬淡為上。）。君子居則貴左，用兵則貴右（吉事尚左，凶事尚右，是以偏將軍居左，上將軍居右。）。殺人眾多，以悲哀蒞之（勝而不美，若美之，是樂殺人。夫樂殺者，不可得意於天下。）戰勝以哀禮處之（言居上世，則以喪禮處之。）。

經過如此激烈的改動之後，「此章舊說以文多錯亂，故不言其韻。實則此章以者、器、惡、處為韻（魚部），右、之、之為韻（之部）……知文多相協，只中間所插入注語可刪」❾，由散漫不協韻的散文，一變而為精簡的韻文了。

　　然而，實際情況是不是如此呢？檢帛書二本，除個別語次略有顛倒之外，全章迥無差別，可知先秦以前，本章就已如此。《老子》原始本或行文不緊湊，章節不嚴謹，此章最具代表性了。

五、原始本結構未必整飭

今本《老子》非唯韻讀綿密，行文緊湊，而且結構整飭，隨處

---

❽　括號內乃雙行注文。
❾　此乃朱謙之語，見朱著該章內。

可見。比如第一章：「道可道，非常道；名可名，非常名。無名，天地始；有名，萬物母。常無，欲觀其妙；常有，欲觀其徼……。」可謂整飭嚴謹，無一贅語。又比如第二章：「…故有無相生，難易相成，長短相形，高下相傾，音聲相和，前後相隨……。」鋪排連綴，環環相生，亦結構嚴謹。這種情形固然是寫作者執筆時既已如此，然而，有些很明顯是經過後人異時異地加工而成，並不一定全部都是當初「一蹴而成」的。換句話說，原始本未必整飭如今本。比如第四十一章曰：

> 上士聞道，勤而行之；中士聞道，若存若亡；下士聞道，大
> 笑之。

這三組文字，皆各為二句，每句四字；惟獨最後一組第二句只有三個字，讀起來頗為「美中不足」。王念孫據《牟子》〈理惑〉及《抱朴子》〈微旨〉謂此句亦當四字句，作「大而笑之」。若此，則三組為字皆兩兩相儷，整飭嚴謹。因此，自王念孫以後，俞樾、馬敘倫、高亨、蔣錫昌、朱謙之及嚴靈峰等皆附同此說，以為句末當作「大而笑之」。

　　然而，古本是不是完全如此呢？〈指歸〉曰：「而下士之所大笑也……下士所笑……。」河上公〈注〉曰：「見道質樸，謂之鄙陋，故大笑之。」可證嚴本及河上公本並無「而」字。《史記》〈酷吏列傳〉引作「下士聞道，大笑之」，帛書乙本同，可知西漢初期此文有作「大笑之」者，其後嚴本及河上公本即承此本而來。帛書及史遷所據者當是先秦傳本，然而先秦原始本此文未必整飭嚴

謹矣。

比如第四十五章曰：

> 大成若缺，其用不弊；大盈若沖，其用不窮。大直若屈，大
> 巧若拙，大辯若訥……。

此文首半截是兩組四句，每句四字，兩兩相對；後半截是三句鋪
排，一句牽引一句。然而，「大直」、「大巧」及「大辯」，終究
只有三句，不能相對並儷，似乎美中不足。《韓詩外傳》九引「大
辯」句下，又有「其用不屈」四字；如此的話，後半截湊足四句，
而且，「大辯若訥，其用不屈」，句型造語與前半截「大成」、
「大盈」相同，所以，孫詒讓認為當從《外傳》，「韓所據者，猶
是先秦西漢古本，故獨完備，魏晉以後本皆脫此句」。

　　實際上，這個說法是有問題的。試想，前半截四句兩組句型造
語相同，末後兩句一組句型造語也相同，然而，中間夾著兩句「大
直若屈，大巧若拙」，卻是另一種句型造語，豈不是很突兀嗎？因
此，張舜徽根據帛書乙本謂「大辯若訥」下必有「大贏若絀」一
句，「然後四句兩兩相對，順理成章」❷。張松如、許抗生、王垶
及楊丙安也都附和此說。如此的話，則此文前半截兩組四句自成一
種句型造語，後半截四句又自成一種鋪排之形式了。

　　考帛書乙本此文後半截殘存三字，作「……如拙……絀」，甲

---

❷　見張舜徽著〈老子疏證〉該章內，該文刊載於張著《周秦道論發微》內，北
　　京中華書局，1982。

本作「大直若詘，大巧若拙，大贏如炳」，兩本合觀，可知帛書後半截僅有三句，與今本作三句者相合，此當是《老子》先秦古本面貌。高明謂今本「大辯若訥」，乃「後人竄改」，其說甚是。據此，可知此文後半截乃三句鋪排，文句突兀，與《老子》它處不盡相同。

又比如第六十二章曰：

美言可以市，尊行可以加人。

首句五字，次句六字，上下句並不整飭。《淮南子》〈道應〉及〈人間〉引皆作「美言可以市尊，美行可以加人」，「行」上多「美」字，「尊」屬上讀，與此本大異。自俞樾以下，皆以《淮南子》所據者為是；奚侗曰「二句蓋偶語，亦韻語也。」張松如曰：「今眾本皆奪去『美行』之『美』字，蓋自帛書已然。」其他張舜徽、陳鼓應、任繼愈、王垶及古棣等，皆附同此說。

然而，古本此兩句是否整飭如《淮南子》所引者？當時流行本是否完全統一？是值得考慮的。考嚴本作「美言可以市。尊行可以加人」，〈指歸〉曰：「是故，尊美言行，事無患矣……言不美，行不敬……。」據〈指歸〉所言，可知嚴本經文「美言」、「尊行」，自來即已如此矣。河上公〈注〉曰：「人有尊貴之行。」王弼〈注〉曰：「尊行之，則千里之外應之。」是河上、王本亦皆作「美言可以市，尊行可以加人」明矣。再考帛書，二句作法完全與此本相同。根據這些證據來推測，先秦之時，自有一原始本此文並不整飭如《淮南子》所引者，這是可以肯定的。

六、原始本思想較樸直

在初編之際，或在早期流傳的過程中，古籍不但形式上表情達意的文字不斷地在加工之中，涉及內容思想的文句也時而被移易增減，藉以符合及適應時代或傳抄者心目中的理想。像《老子》流傳這麼廣、影響這麼深的一本書，這種情形的出現，恐怕是很自然的事。茲舉三例以申論之。

比如第十七章曰：

> 太上，下知有之。

老子此章乃論治世有四種境界；「太上，下知有之」，謂最佳上之境界，下民僅知有一人君之名目而已，過此之外，即一無所知，更與人君不發生任何關係。其後，王弼解「太上」為「大人」，意即人君；吳澄又改「下知」作「不知」，亦即毫無所知；「太上，不知有之」，謂下民根本不知道有人君之存在。若「太上」維持原意，則二句解為：治世最佳上之境界，是使到下民根本不知道有人君的存在。如此講法，則與前者相較，其意義更為精進矣。自此以後，從此說之學者頗多，如紀昀、胡適、朱謙之、嚴靈峰及陳鼓應，都主此說。

《老子》原意蓋謂但知有人君之名目，非謂根本不知道有人君之存在；《韓非子》〈難三〉、《文子》〈自然〉及《淮南子》〈主術〉引用此文，字皆作「下知」；帛書二本、《淮南子》高〈注〉引皆同，是其明證。作「下知者」，思想樸直，蓋《老子》

本來面貌。

比如三十七章曰：

道常無為而無不為。

帛書二本此句均作「道恆無名」，「為」作「名」，無「而無不為」四字。「道常無名，侯王若能守（之），萬物將自化」，與三十二章「道常無名。……侯王若能守之，萬物將自賓」，非特句法相同，語義亦全合。據帛書本來推測，《老子》原始本此文本作「道常無名」，非惟文字不同，思想亦有異，與今本差別甚大。

考《莊子》〈庚桑楚〉曰：「虛則無為而無不為。」〈至樂〉曰：「天地無為也而無不為。」〈則陽〉曰：「道……無名，故無為而無不為。」蓋當時思想界自有一派主張「無為而無不為」者，時代在《莊子》外、雜篇著成之時代，而淵源自內篇著成之時代，勢力恐不小。然而，此思想初與《老子》無關，故《老子》原始本此文尚能維持「道常無名」之面貌，廣為流傳，甚至影響西漢初年之帛書本。戰國末年，「無為而無不為」派之思想大為盛行，抄傳者乃改易此文作「道常無為而無不為」，使《老子》思想與此派融合，而且更上層樓，「此乃完全在人事利害得失上著眼，完全在應付權謀上打算也」❷。老子樸直的思想，一變而為權謀法術了。

又比如三十八章曰：

---

❷　錢賓四先生著有《莊老通辨》一書，香港新亞研究所，1957；引文見書內卷中〈道家政治思想〉內。

上德無為而無以為，下德為之而有以為。

上句「上德無為而無以為」，河上本、王本並同。惟《韓非子》〈解老〉引作「上德無為而無不為」，若非韓子有所改動，則當時《老子》已有一本作「上德無為而無不為」矣。

考帛書乙本作「上德無為而無不以為也」，甲本作「上德無無以為也」，則漢初古本此文自作「上德無為而無以為也」，而其淵源當來自先秦之原始本矣。「上德無為而無以為」、「上仁為之而無以為」乃同一境界，而「無為而無以為」高於「為之而無以為」，境界雖同，前者為上德，後者為上仁，同中亦有高低之別。二句之後，境界逐次降低，而以「上禮」為最低下，故攘臂而喧叫也。蓋《老子》原始本思想樸直，並非後來法家學派之富於權謀也。學者不知，乃謂《韓非子》所引作「上德無為而無不為」為古本，當從之；俞樾倡之在先，陶方琦、馬敘倫、高亨、蔣錫昌及嚴靈峰等附和之在後，於是，《老子》乃變為一權謀之書矣。

上文所論，可說是《老子》在始傳時所出現的各種「不穩定」的原因；由於這些原因，使當時流通的傳本出現文字及文句上的差異。對原始本來說，除了明顯為訛錯字之外，這些差異都相當珍貴，因為它們代表著不同的古本源流，也反映了一個事實：今天所見到的《老子》，是經過多人多時加工潤色而成。

對於這個原始本，筆者認為校勘學上的是非判斷並不適用，因為它抹煞了原始本多樣性及複雜性的事實，也忽略了各傳本的歷史淵源。因此，學者在審察這些差異時，應該以「兩可兩存」的態度處理之，不必有是是非非的判斷，才比較合理。

《老子》的情形是如此，其他古籍諒亦如此。

（原刊於台北故宮博物院《故宮學術季刊》第十七卷第一期，1998秋）

論賈誼《新書》今傳本的真偽

　　賈誼《新書》，《漢書》〈藝文志〉儒家類著錄為「賈誼五十八篇」，《隋書》〈經籍志〉儒家類著錄為「賈子十卷，錄一卷」，可知本書❶原名作「賈誼」、「賈子」；李唐之際，「新書」之名興，但舊名依然流行。其後「新書」行，舊名乃廢。〈漢志〉著錄本書為五十八篇，〈隋志〉著錄為十卷；今傳本皆作十卷五十七篇❷，大致與舊志所著錄相合。

　　《漢書》本傳載賈誼曾數度「上疏陳政事」，欲「多所匡建」，而且錄下他的三篇疏文❸。這些疏文和本書大部分篇章的文字互見；情況如下：

（〈疏一〉段落❹：本書篇章）

　　第一、二段：數寧

　　第三段首四句：藩傷

　　第三段「今或親帝」至第五段「有所必不能矣」：宗首

---

❶　下文賈誼《新書》，一概改稱「本書」，以省篇幅。

❷　若卷一〈過秦〉分為上、中、下，則五十八篇矣。

❸　以下就其出現的先後，簡稱〈疏〉、〈疏二〉及〈疏三〉。

❹　本文有關〈疏〉各篇各段落的起訖，一概以中華書局標點本《漢書》為依據。

第五段「假設天下如昔時」至「已然之效也」：親疏危亂

第五段「其異姓負強而動者」至第六段：制不定

第七段「國小則亡邪心」之前：藩強

第七段「令海內之勢如身之使臂」以下：五美

第八段：大都

第九段：解縣

第九段「夷狄征令」至「猶為國有人乎」：威不信

第十段「非所以為安也」之前：勢卑

第十段「德可遠施」以下：威不信

第十一段：孽產子

第十二段：「今轉而為漢矣」之前：時變

第十三段：俗激

第十四、十六段：保傅

第十八至二十段：階級

（〈疏三〉段落：本書篇章）

第一段：益壤

第二段「此二世之利也」之前：屬遠

第二段「當今恬然」以下：權重

（〈疏三〉段落：本書篇章）

全段：淮難

本書和三篇〈疏〉互見的文章，有如上列二十章，幾佔全書一半的篇幅；此外，〈瑰瑋〉、〈銅布〉、〈憂民〉、〈無蓄〉及〈鑄錢〉，也都與《漢書》〈食貨志〉部分文字互見；可見本書與《漢書》文字互見情況相當嚴重。

到底是班固在撰寫《漢書》時，大量採錄本書呢？或者是本書原本已亡，今本本書乃後人割裂增減《漢書》相關文字而重新偽造的呢？換句話說，今本《新書》和《漢書》相關文字存在著甚麼關係？是本書因襲《漢書》？還是《漢書》抄襲本書？問題的解決，對於本書的地位和價值有很大的關係，所以，討論此課題的學者相當多，所得結論也不同。

為省篇幅，本文僅討論本書和三篇〈疏〉的關係。

※　　　　※　　　　※　　　　※

最早對本書的真實性產生懷疑的，是宋代的陳振孫；他在《直齋書錄解題》裏說：

> 《賈子》十一卷……今書首載〈過秦論〉，末為〈吊湘賦〉，餘皆錄《漢書》語……其非《漢書》所有者，輒淺薄不足觀，絕非誼本書也。

根據陳的看法，本書原本已亡佚，今本與〈疏〉相同的文字，都是抄錄自〈疏〉；〈疏〉所無的，都「淺薄不足觀」，是後人偽造的，「絕非誼本書」，無價值可言。

到了明代，學者又有不同的看法，何孟春在《賈太傅新書目錄》中說：

> 誼書散佚多矣，世本不知傳至誰氏，篇章即如此，其名篇又淺陋可笑，此豈生之所自名者耶？春固嘗謂「事勢」、「連

語」、「雜事」之云，特其五十八篇之三篇名耳，如「事
勢」之云，蓋〈治安〉一疏，首有「事勢」字，其疏盡名於
是篇矣。後人因書散佚而幸掇其僅存者，無復倫次，篇析而
章裂之，以求足所謂五十八篇之數，遂以「事勢」概及〈過
秦〉，繼乃創「宗首」、「數寧」等名。此豈生之所自名？
豈劉子政所刪定？班孟堅所據者哉？今不得已，且假以分篇
耳。

今本本書分三個部分，前面四卷為「事勢」，共三十一篇；中間卷
五至卷八為「連語」，共十八篇❺。後面卷九及卷十為「雜事」，
計八篇❻。何認為「事勢」、「連語」及「雜事」的名目應當是五
十八篇中的篇名，因為原書散佚甚多，後人乃掇取其倖存者，離
析、割裂其篇章，以求足五十八篇之數，並另創「宗首」及「數
寧」等現在的篇名，而原來的「事勢」等篇名卒告廢置，殘存於篇
目之中。根據何的說法，本書是個殘本，篇目「無復倫次」，篇名
也成問題，不過，材料並非抄襲自〈疏〉，是真實可靠的。

清代盧文弨的看法和何有些相似，他在〈書校本賈誼新書後〉
中說❼：

《新書》非賈生所自為也，乃習於賈生者萃其言以成此書

❺ 卷五〈問孝〉，今本缺。
❻ 卷十〈禮容語上〉，今本缺。
❼ 見《抱經堂文集》卷十。

·360·

耳……〈過秦論〉史遷全錄其文。〈治安策〉見班固書者乃
一篇，此離而為四五，後人以此為是賈生平日所草創，豈其
然歟？〈修政語〉稱引黃帝、顓、嚳、堯、舜之辭，非後人
所能偽撰。〈容經〉、〈道德說〉等篇，辭文典雅，魏晉人
決不能為。吾故曰：是習於賈生者萃而為之……。

盧認為是距離賈誼不太遠的後人所編的，可見他承認其材料是可靠
的，非後人所能偽造。不過，其中一些篇章被後人根據〈疏〉離
「為四五」，今本面貌絕非當日「賈生所草創」。如此說來，今本
該是個殘本，後人又抄錄自〈疏〉，離析一些篇章，以足五十八篇
之數。這樣的說法，與何孟春略為相似。

　　到了《四庫全書總目提要》，基本上是折衷及總結前人的說
法；它說：

　　……其書多取誼本傳所載之文，割裂其章段，顛倒其次序，
而加以標題，殊瞀亂無條理……然決無摘錄一段立一篇名之
理，亦決無連綴十數篇合為奏疏一篇上之朝廷之理。疑誼
〈過秦〉、〈治安策〉等本皆為五十八篇之一，後原本散
佚，好事者因取本傳所有諸篇，離析其文，各為標目，以足
五十八篇之數，故餖飣如此。其書不全真，亦不全偽……。

《四庫》「不全真」、「不全偽」的態度，實際上是折衷於陳、何
及盧之間；「原本散佚，好事者離析以足五十八篇之數」，則來自
何、盧二家；基本上而言，《四庫》是集前說之大成。《四庫》

說:「決無摘錄一段立一篇名之理，亦決無連綴十數篇合為奏疏一篇上之朝廷之理。」筆者認為這兩個說法恐怕都無法成立；將自己十數篇相關的文章「連綴」成一篇上之朝廷，為什麼「決無是理」？摘錄、割裂舊聞，一段立一篇名，為什麼也「決無是理」？討論本書真偽之前，似不應先有「成見」。

姚鼐的態度轉激，他在《姚姬傳全集》內說：「賈生書不傳久矣，世所有云《新書》者，妄人偽為者耳。班氏所載賈生之文，條理通貫，其辭甚偉；乃為偽作者，分晰不復成文，而以陋詞聯廁其間，是誠由妄人之謬，非傳寫之誤也……若其文辭卑陋，與賈生懸絕，不可為量，則知文者可一見決矣。」儘管他也舉出一些證據來支持他的說法，不過，斷然判定本書為偽造者，姚的態度比陳振孫堅決。

所謂偽書，大部分即指今本本書乃後人割裂增減自〈疏〉而成；所謂真書，即今本本書雖有殘缺，材料卻是可靠真實，〈疏〉所載與今本文字相同者，乃班固抄錄及重組本書篇章，輯纂成篇，是〈疏〉抄輯本書。前舉各家，陳振孫及姚鼐是偽書說的主張者，盧文弨及《四庫》游離於二說之間，真中滲偽，而何孟春卻主張真書說。一直到清末，大部分學者對本書的考訂都滯留在「印象觀察」之中，未能對二書作細緻及深入的對比研究，藉以得出比較準確及可靠的結論。陳振孫一句「淺薄不足觀」，姚鼐「妄人之謬」在前，「文詞卑陋」在後，都憑印象打分，不是客觀研究。

其實，宋代的王應麟對本書的研究已經是個很好的範例了。他在《漢書藝文志考證》裏說：

班固作傳，分散其書，參差不一，總其大略。自「陛下誰憚
而久不為此」已上，則取其書所謂〈宗首〉……凡七篇而為
之。自「天下之勢方病大瘇」以下，以為痛哭之說，與其書
合。至於流涕二說，其論足食、勸農者，是其一也。而固載
之〈食貨志〉，不以為流涕之說也；論制匈奴，其實一事，
凡有二篇，其一書以流涕，其一則否，是與前所謂足食、勸
農而為二也；固既去其一，則以為不足，固又分〈解懸〉、
〈匈奴〉二篇，以為流涕之二……

《漢書》賈誼陳政事有「可為痛哭者一，流涕者二，長太息者
六」；王應麟認為此乃班固綜合纂集本書各篇而成者。他對痛哭者
一、流涕者二及長太息者六有很詳細的「追本溯源」，若他對本書
及《漢書》未經過詳細的對比，是無法得出如此精確的結論。清以
前研治二書的關係，王應麟是很好的典範。

一直到近代的余嘉錫，才繼承王的遺風，對兩書的關係作更細
緻的比較研究。他的《四庫提要辯證》有相當詳細的考訂；這裏摘
錄部分如下：

班固於誼本傳錄其〈治安策〉……夫曰「大略」，則原書固
當更詳於此矣……班固於其所上之疏，凡以為疏而不切者，
皆不加采掇；其他泛陳古義，不涉世事者，更無論也。故凡
載於《漢書》者，乃從五十八篇中擷其精華……其書又傳寫
脫誤，語句多不可解，令人厭觀，偶一涉獵，覺其皆不如見
於《漢書》者之善，亦固其所……謂《新書》為取本傳所

載，割裂其章段，顛倒其次序，則尤不然。

余認為〈疏〉只是一篇「大略」的文章，由本書若干文章綜合而成；本書因為傳寫脫誤，語句難通，令人厭觀，卒誤為割裂自〈疏〉；而〈疏〉因擷取原書精華，保存也較好，卒誤以〈疏〉為原始材料；顯然的，余是經過對比才作出如此的結論。

對讀二書文字，本來是解決其先後、真偽的最佳途徑，然而，事實並不如此簡單。

祁玉章在他的〈賈子探微〉❽裏說：「今考其文雖多增竄，猶時存古文之舊，頗足正《史》、《漢》諸家之疏。」他對比二書，發現本書文意合於〈疏〉者有〈數寧〉等十八篇，合乎〈食貨志〉者有〈無蓄〉等三篇，合乎〈大戴記〉者有〈保傳〉等四篇，合乎《史記》者有〈過秦〉一篇，於是，他說：「可知班氏雜糅《賈子》五十八篇之文，以成《漢書》。」斷定〈疏〉抄襲本書。為了證實他的看法，他抽取〈疏〉的一段文字，和本書對照，發現本書「語文古茂質樸，如完璞之未雕」，而〈疏〉則「文詞暢達，繁簡得中，顯較《賈子》為圓熟」，可見本書為原始材料，〈疏〉乃據此材料而改寫者。

然而，也有學者對讀二書後，卻得出相反的結論；陳煒良及陳炳良合著的《賈誼研究》❾，就是一個值得注意的例子。首先，他們從整體的情況來議論：第一、《漢書》本傳載賈奏疏凡三次，所

---

❽　見拙編《續偽書通考》，頁 1237-1241，台北學生書局。
❾　香港求精印務公司，1958。

謂「數上疏陳政事」，自當包括後二次，非指〈治安策〉及包括多次奏疏。至於所云「大略」，乃謂班固有所刪削點竄。若謂只有〈治安策〉是「陳政事，欲匡建」，那麼，後二次上疏又是所為何事呢？第二、奏疏固可各有篇名，然各奏疏至少亦須陳述一事，方為合理，今《新書》卻每有二、三篇始合言一事者，將一事分言於各篇，分篇上疏，甚不合理。第三、兩書對讀，斧鑿痕不在《漢書》，而在《新書》；且班固之轉引他人文章者，俱全篇照錄，間或稍加刪削。他們的結論是：與其謂班固合本書二十四篇而成〈疏〉，莫若謂後人肢解〈疏〉而成本書之二十四篇較為合理。其後，他們又提出十三點「可疑」，並且一一加以分析，結論說：「今本《新書》顯然非賈誼原作，疑為後人增補割裂而成；然唐人所見，已大略與今本同，則其流傳亦已久矣。」

　　二陳經過細緻的對讀比較，而且從《漢書》全面「採用」本書考慮問題，結論恰好和余嘉錫等相反，這是很值得注意的課題。

　　緊接二陳之後，是王洲明撰有〈新書非偽書考〉❿，對本書有深刻的看法。

　　首先，他考察了本書的流傳及對比古今各本的目次，然後他說：「今本《新書》的篇目次序，和古本《新書》的篇目次序基本一致，它們同出一個系統；也完全能證明，今本《新書》基本保存古本《新書》的內容……我初步認為，《新書》中的事勢部分出自賈誼之手，其連語、雜事部分，除〈先醒〉、〈勸學〉篇外，也基本肯定出自賈誼之手，《新書》不是一本偽書。決不是後人雜抄

---

❿　　已收在拙編《續偽書通考》內，頁 1258-1273。

《漢書》而纂成，相反，倒是《漢書》選用了《新書》中的材料。」接著，他又舉二例對比〈疏〉及本書相關的文字，證明〈疏〉刪削本書，鞏固了他的說法。

王洲明最特出的貢獻是尋找出本書為賈誼手著的三種證據。第一種是賈經常使用相同的文字、內容；他尋出六個例子，不是「文字基本一致」，就是「文字與內容也基本一致」。第二種是賈經常使用「至……」的句式，強調某種現象，用來表達憤激的感情，他舉了五個例子。第三種是習慣性用詞，他認為賈習慣用「慮」字來表達不太肯定的語氣，相當於「大率」、「大抵」之意，他舉出五例。他的結論是「有非常充分的理由肯定它不是一部偽書」，顯然的，他是站在「〈疏〉抄襲本書」這一邊。

1961 年，魏建功等人❶也發表了他們的高見。他們分別對讀了〈藩傷〉、〈權重〉與〈疏〉相關文字，結語說：「這樣一排比，便可以看出班固概括、刪削的痕跡……從此比較中，我們可以看出《漢書》的刪削，改變了賈文原義，甚至改得語句不連貫，文意晦澀，觀點矛盾。」他們也對讀了〈淮難〉，結語也相同。最後，他們總結地說：

> 今本的文章與《漢書》引文的差異，無論內容的多出部分也好，文字的不同部分也好，聯繫上下文，從思想內容、邏輯

---

❶ 魏聯合陰法魯、吳競存及孫欽善，發表了〈關於賈誼《新書》真偽問題的探索〉，見北京大學學報《人文科學》，1961 年第三期；下文討論到這篇論文時，僅舉魏建功為代表。

　　結構看，都是非常合理的，決不是後人割裂《漢書》引文，
憑空敷衍、改動所能做到的。

根據這幾句結論，可知他們認同王應麟的看法：「班固作〈傳〉，
分散其書，參差不一，總其大略。」換句話說，是班固抄錄本書，
加以改造成〈疏〉，並不是後人根據〈疏〉，割裂增減，偽造成本
書。

　　閻振益、鍾夏合撰《新書校注》❷，在〈前言〉中，他們從版
本、內容及偽托的一般情況等三個角度來考察這個課題，結語是
「可以肯定，傳世《新書》沒有作偽的確證，是可信的真本」，也
認同王應麟的看法。

　　　※　　　　　※　　　　　※　　　　　※

　　要瞭解及解決本書和〈疏〉的關係，最徹底的辦法便是從文章
的內部文理去尋求內證；也就是說，通過兩者逐字逐句的對讀，去
考察二者各自內部文理的合理性，或者比較兩者內部文理的優劣，
藉以推斷其先後因襲的關係，才是解決此課題的最佳途徑。王應麟
已垂範在前，後來的學者雖然也沿用此法，卻沒做得徹底。

　　底下筆者即嘗試徹底採用此對讀比較的方法，從文理的內證來
解決此課題。

---

❷　中華書局 2001 年出版，在《新編諸子集成》之內。

一、宗首

本篇與〈疏〉第三、四及五段❸互見。對讀二文後，其詳略差別有：

㈠本篇「漢之所置傅歸休而不肯住，漢所置相稱病而賜罷」，〈疏〉作「漢之傅、相稱病而賜罷」。顯然的，〈疏〉將兩句減省成一句，將「傅」、「相」合於一處。考本篇前文云：「漢所置傅、相方握其事。」亦「傅」、「相」並舉，且省為一句，與〈疏〉的句式一律；如果本篇是後人割裂〈疏〉而偽造的，他何必將前文句式一律的句子加造成兩句呢？如此加造，豈不是自露破綻？

㈡〈疏〉無「臣故曰：時且過矣，上弗蚤圖，疑且歲聞所不欲焉」，亦無「且謂天何？權不甚奇而數制人，豈可得也」，更無「心竊踴躍，離今春難為已……甚在上幸少留計焉」一小段。考本條，更顯出〈疏〉抄襲之痕跡。本篇特別強調「時」的重要性，一曰「此時而乃欲為治安」，二曰「時且過矣」，三曰「時且失矣」，四曰「時傾」，五曰「傾時之失」；五「時」首尾連貫，前後呼應。〈疏〉因為刪省關係，僅存「此時而欲為治安」，其他四「時」皆無，完全喪失本篇之重要點。反過來說，若本篇抄襲〈疏〉，偽造者如何增加另四「時」，以彰顯本篇之觀點？

---

❸　本文〈疏〉的分段，依據北京中華書局《漢書》標點本。

二、數寧

本篇與〈疏〉第一、二段互見。

㈠〈疏〉無「或者曰:『天下已治矣。』臣獨曰:『未治。』恐逆意觸死罪。雖然,誠不安,誠不治,故不敢顧身,敢不昧死以聞」一小段。本段以「安」、「治」二事並舉;首言已安、未安;已治、未治;誠不安、誠不治;其次言「天下安且治」、「因謂之安,偷安者也」、「胡可謂治」;最後言「因陳治、安之策」;「安」、「治」二事前後相隨,文章組織嚴密。惟〈疏〉缺少中間「或曰天下已治,臣獨曰未治,誠不安不治,故死諫」一節,使首節「安」事獨存,且使中間「胡可天下安且治」、「胡可謂治」及末節「因陳治、安之策」之「治」字無根,其刪節之跡,昭然若揭。

㈡本篇曰:「因加以常安,四望無患。因諸侯附親軌道……因上不疑其臣……因德窮至遠……因天下富足……因民樸素……因官事甚約……因王為明帝……因觀成之廟……因卑不疑尊……因經紀本於天地……因使少知治體者……。」連續出現十二個「因」之句子。〈疏〉將首個「因」改作「而」,鍾夏❹說:「諸家未言『因』字作何解,《漢書》僅改此『因』為『而』,義差近之,以下諸『因』字皆已刪去,亦不害義。竊以為此當係賈誼獨有之用辭風格,毋須強解。」案:諸「因」字作「使」解,〈疏〉及《前漢紀》〈孝文紀上〉抄錄本篇「因顧成之廟」皆作「使顧成之廟」,

---

❹　見閻振益、鍾夏合著前揭書,頁33注文。

即解「因」作「使」；下文本篇曰：「因使少知治體者得佐下風。」〈疏〉及《前漢紀》同；因使，即「使」也，皆為明證。此十二「因」句之用法，當是賈誼用辭及行文獨有之個人風格，〈疏〉大部分刪去，僅保留其中一處，蓋不明賈文之風格矣。若謂本篇割裂自〈疏〉，作偽者如何知道賈文之風格乎？

三、藩傷

本篇與〈疏〉第三段互見，惟〈疏〉只錄四句。

㈠本篇首段❺原有九句：「夫樹國必審相疑之勢，下數被其殃，上數爽其憂。凶饑數動，彼必將有怪者生焉。貨之所雜，豈可預知。故甚非所以安主上，非所以活大臣者也，甚非所以全愛子者也。」〈疏〉只有四句：「夫樹國固必相疑之勢，下數被其殃，上數爽其憂，甚非所以安上而全下也。」魏建功曾列表對讀二文，結論是：本篇「凶饑數動……豈可預知」，在〈疏〉中被刪削了。〈疏〉「甚非所以安上而全下也」是概括本篇「故甚非所以安主上，非所以活大臣者也」等三句而成的。

案：魏說甚是。本篇首段曰：「故甚非所以安主上，非所以活大臣者也，甚非所以全愛子者也。」以「活大臣」、「全愛子」相儷。第二段曰：「而無上下相疑之禍，活大臣，全愛子，孰精於此。」「活大臣」與「全愛子」亦相儷。〈疏〉首段作「故甚非所以安上而全下也」，既刪「活大臣」一事，使無法與「全愛子」相

儷，又將「全愛子」改作「全下」，無法表達原意；其刪節之痕跡，不待贅言矣。

四、大都

本篇與〈疏〉第八段互見。

本篇兩段文理緊湊，前呼後應。首段言「輕本而重末」、「尾大不掉，末大必折」、「本細末大，弛必至心」，次段言「尾大不掉，末大必折」、「枝拱苟大，弛必至心」，語氣一貫，重複強調，可見兩段作者相同，不可分割。如果說是後人從〈疏〉摘錄第二段成為〈大都〉，並再增補第一段湊足成文，語氣當不會如此一貫，行文也難以如此相應。

五、益壤

本篇與〈疏二〉首兩段互見。

㈠第二段曰：「布衣者，飾小行，競小廉，以自托於鄉黨邑里。」其下又曰：「故大人者，不怵小廉，不牽小行，故立大便以成大功。」上下節「小行」及「小廉」互相呼應。〈疏二〉無「不怵小廉」，僅存「不牽小行」，則「小廉」前後缺乏對應矣。據此，可知〈疏二〉乃刪節本。

㈡〈疏二〉無首段「唯皇太子之所恃者，亦以之二國耳」，亦無第三段「今所恃者，代、淮陽三國耳，皇太子亦恃之」。在首段中，賈誼蓋謂朝廷所恃者有代、淮陽二國，皇太子所恃者亦此二國

⓯；下文乃言代、淮陽之形勢。第三段「今所恃者，代、淮陽二國耳，皇太子亦恃之」，亦重申此意。此皇太子，即文帝之子劉啟也。前後文義相應，為本篇不可缺之主題，非後人所能增造者。〈疏二〉一併刪去，非矣。

六、權重

本篇與〈疏二〉第二段互見。

㈠本篇首段曰：「諸侯勢足以專制，力足以行逆……勢不足以專制，力不足以行逆……。」乃從「勢」、「力」正反兩面論其效用；下文「力當能為而不為」，下段「今陛下力制天下」，兩「力」皆從首段「力足以行逆」及「力不足以行逆」而來。〈疏二〉無第一段第一節「諸侯勢足以專制……猶之無傷也」四十餘字，亦無下半節「豈不苦哉！力當能為而不為……甚可謂不知且不仁」三十餘字，僅保留「今陛下力制天下」數句，則「力」字失其根矣。

㈡第二段曰：「難以言知矣。」又曰：「可謂仁乎？」〈疏二〉亦有此二語。惟二語乃源自第一段之末句：「甚可謂不知且不仁。」蓋賈誼前段批評漢文帝「不知」、「不仁」，後段乃舉例論之，言其難以言知，且亦不仁。前呼後應，行文緊湊。〈疏二〉無首段次節三十餘字，並「甚可謂不知且不仁」亦刪去，則第二段

⓯ 劉師培謂「唯皇太子之所恃者，亦以之二國耳」當在「以代、淮陽耳」之下，此說可從，今據以為說。

「難言知」、「可謂仁」無根矣。魏建功亦有此說。

七、五美

本篇與〈疏〉第七段下半部互見。

㈠本篇第二段曰：「齊為若干國，趙、楚為若干國，制既各有理矣。」重言「若干國」。〈疏〉作「割地定制，齊、趙、楚各有理矣」，簡煉甚矣。此乃〈疏〉刪省賈文；若賈文來自〈疏〉，沒理由從簡煉改寫為重言，更無由增加「制既各有理矣」一句。

㈡下文又曰：「於是齊悼惠王之子孫王之，分地盡而止。趙幽王、楚元王之子孫，亦各以次受其祖之分地，燕、吳、淮南佗國皆然。」一言齊「分地」，再言趙、楚「分地」，最後言燕、吳、淮南「皆然」。一唱三歎，語有重沓。〈疏〉作「使悼惠王、趙幽王、楚元王之子孫，亦各以次受其祖之分地，地盡而止，燕、吳佗國皆然」，將齊、趙、楚之「分地」合併言之，且省去「淮南」國名；若本篇來自〈疏〉，偽造者何必將齊、趙、楚之「分地」重沓言之，更不可能增加「淮南」一國。且〈疏〉「悼惠王」前缺一「齊」字，不小心刊落之跡尤顯。此必〈疏〉來自本篇無疑。

㈢第二段曰：「其分地眾而子孫少者，建以為國，空而置之，須其子孫生者，舉使君之。」又曰：「諸侯之地其削頗入漢者，為徙其侯國及封其子孫於彼也，所以數償之。」第一節言分地多而子孫少，則當空其國，待其子孫生後再行封之；第二節言被削而後分地少者，則當徙其國於他處，且就當削減之土地原數於他處償還之。第一節乃就原封地封之，第二節言封於他處。〈疏〉無第二節

「於彼」，蓋班固不明上下文理而刪之。本篇有此二字，其為原稿無疑。

八、制不定

　　本篇與〈疏〉第五段後小節及第六段互見。

　　㈠本篇第一段下半節曰：「且異姓負強而動者，漢已幸而勝之，又不易其所以然。」此文所云「異姓」，指前半節淮陰侯、韓王信、陳豨、彭越、黥布及盧綰等諸異姓王。下半節又曰：「同姓襲是跡而處，骨肉相動，又既有徵矣，其勢盡又復然。」所云「同姓」，指前半節濟北、淮南及吳諸同姓王。可見前半節及後半節「異姓王」及「同姓王」緊緊相扣，〈疏〉無前半節，卒使後半節「異姓」、「同姓」無根矣。第二段前半節不當無，有者為完整本。

　　㈡第三段以髖髀比喻諸王，謂勢已定，權已足，可施以仁義恩厚，如此，則德布而天下有慕志；今諸王皆髖髀，人主乃釋勢權（斤斧），而以仁義恩厚（芒刃）應之，無乃不可乎！賈誼從正、反兩面議論之，條理清晰。〈疏〉無「勢已定，權已足矣，乃以仁義恩厚因而澤之，故德布而天下有慕志」數句，缺乏正面之議論，文意不完，刪省之痕可見。

九、階級

　　本篇與〈疏〉第十八至第二十段互見。

本篇首段起首曰：「人主之尊，辟無異堂❼。階陛九級者，堂高大幾六尺矣。若堂無陛級者，堂高治不過尺矣。天子如堂，群臣如陛，眾庶如地」，對讀二文，即知〈疏〉無「階陛九級者」五句，本文更顯精煉簡要。若本篇乃割裂增減〈疏〉而成，造偽者不可能增添此五句自露破綻矣。

此外，本篇「此其辟也」，與第二句「辟無異堂」之「辟」字正相應；〈疏〉無「此其辟也」，正露刪省之痕跡。

十、俗激

本篇與〈疏〉第十三段互見。

㈠本篇分三段。第二段引《管子》語「四維不張，國乃滅亡」，為本篇行文主調，故第二段末尾曰：「是類《管子》謂『四維不張』者也與！竊為陛下惜之。」第三段又曰：「秦滅四維不張……今而四維猶未備也……。」皆應《管子》文而申論之，皆當為賈文。〈疏〉無第二段末尾「是類《管子》……惜之」數句，正可證明〈疏〉乃刪節本。

㈡第三段屢言「上下」、「父子」及「六親」，如「君臣等上下，使父子有禮，六親有紀」，如「上下亂僭而無差，父子、六親殃傺而失其宜」。〈疏〉「故君臣乖而相攘，上下亂僭而無差，父

---

❼ 吳雲、李春台《賈誼集校注》曰：「辟無異，譬如。此句中『堂』下原有『陛』字，與下文『天子如堂』不類。《漢書》作『堂』，是。」中州古籍出版社，1989。

子、六親殊僇而失其宜」作「故君臣乖亂，六親殊戮」，無「上下」及「父子」，與上下文不一律，可知乃刪節本。

十一、時變

本篇與〈疏〉第十二段互見。

時變，即時俗之轉變。本篇論秦、漢兩個時代；前者篤信並兼之法，遂行進取之業，終因不知反廉恥之節、仁義之厚，而十三歲後社稷為墟；後者則進取之時已去矣，並兼之勢已過矣，故世俗無孝弟、仁義，邪風流行，可謂不知守成之術也。本篇分三段，首段論「秦轉而為漢」，第二段論漢代進取已去、並兼已過，第三段論秦代信並兼、行進取，條理分明。〈疏〉無第二段，〈疏〉過錄時刪省也，斷非後人錄〈疏〉，再補入第二段。

且第二段曰「進取之時去矣，並兼之勢過矣」，第三段曰「並心於進取……信並兼之法，遂進取之業」，其「並兼」及「進取」前後相應，可見當是作者之原稿，偽造者難以作出如此一致的內在呼應。

又案：《漢書》〈貢禹傳〉載貢禹上疏曰：「故俗皆曰：『何以孝弟為？財多而光榮。何以禮義為？史書而仕宦。何以謹慎為？勇猛而臨官。』故黥劓而髡鉗者，猶復攘臂為政於世，行雖犬彘，家富勢足，目指氣使，是為賢耳。故謂居官而置富者為雄桀，處奸而得利者為壯士，兄勸其弟，父勉其子，俗之壞敗，乃至於是！」本篇第二段曰：「胡以孝弟循順為？善書而為吏耳。故以行義禮節為？家富而出官耳，驕恥偏而為榮尊，黥劓者攘臂而為榮政。行為

狗彘，苟家富財足，隱機盱視而為天子耳……居官敢行奸而富為賢吏，家處者犯法為利為材士。故兄勸其弟，父勸其子，則俗之邪至於此矣！」兩文相對讀，即知關係密切；當是貢文出自本篇。考本篇此段文字不見於〈疏〉；若如學者所云，謂《新書》各篇乃後人割裂增減〈疏〉而成，除非此造偽者在貢禹之前，否則，貢禹焉得見此割裂增減之偽作？又焉得引入自己〈疏〉內？據此，可知本篇非後人所能偽造矣。

十二、孽產子

本篇與〈疏〉第十一段互見。

本篇分三段，最後一段曰：「……然而獻計者類曰『無動為』耳。夫無動而可以振天下之敗者，何等也？曰：為大而❸治，可也；若為大而❹亂，豈若其小？」所謂「無動而可以振天下之敗者，何等也」，意謂無採取行動而可以整頓敗壞之習俗，何有此事哉？故下文接著說，採取大行動而天下治，可也；若採取大行動而天下亂，則莫若小行動。這段話顯然應前文「無動為大」來說的。〈疏〉無「夫無動而可以振天下」以下數句，則「無動為大」之後無反面申論矣。此〈疏〉刪節，蓋無可疑。

---

❸　「而」，各本皆作「夫」，從陶鴻慶校改。
❹　各本皆無「而」字，從陶校補。

十三、親疏危亂

本篇與〈疏〉第五段下半部互見。

本篇分兩主題：首先論關係疏遠者如淮陰侯楚、黥布王淮南、彭越王梁等「六、七公諸皆無恙，案其國而居」[20]；在此情況之下，「陛下即天子之位，勢能自安乎哉」？對文帝能否安治天下提出反問質疑。其次，關係親匿者又如何？賈誼乃舉齊悼惠王齊、楚元王楚、中子王趙等為例，謂設若此眾王「六、七貴人皆無恙，案其國而居」；在此情況之下，「陛下即天子之位，能為治乎」？亦提出反問質疑。兩主題井然有序，條理可觀。

針對第一主題，賈曰：「勢能自安乎哉？」對第二主題，賈曰：「能為治乎？」一云「安」，一云「治」；故結尾曰：「陛下之因今以為治、安……。」亦「治」、「安」並舉，回應前文。〈疏〉無此結尾。若本篇乃割裂增減〈疏〉而成，偽造者難有如此前後呼應之文理。

十四、解懸

本篇與〈疏〉第九段互見。

本篇首段自「凡天子者，天下之首也」至「猶為國有人乎」一節，又見於〈威不信〉，文幾全同。若本篇乃割裂增減〈疏〉而成，偽造者不當於二篇中造作一節相同文字以自露破綻明矣。此

---

[20] 閻振益〈校注〉曰：「《正字通》曰：案，據也。」

外，〈疏〉有此節，惟無「是倒縣之勢也，天下」八字，蓋〈疏〉減省本篇文字而成，〈威不信〉有此八字，可證〈疏〉乃刪省本。

又本篇「足反居上，首顧居下，是倒縣之勢。天下倒縣」，〈疏〉作「足反居上，首顧居下，倒縣如此」，文有省略；核諸〈威不信〉，與本篇相合，可證〈疏〉乃刪節本。

以上是筆者將十四篇《新書》和三篇〈疏〉逐字逐句對讀後所做的論斷；這些論斷，無不顯示這十四篇《新書》都應該是班固在撰述《漢書》時，曾經採錄及重編過，使它們成為三篇長短不一的〈疏〉。換句話說，今本《新書》這十四篇作品，應該是賈誼的原作，班固當年採錄及重編所用的材料，就是這十四篇了。從對讀後所顯示出來的文理內證，無論是從合理性或優劣性來觀察，它們都不應該是後人根據〈疏〉割裂增減所能偽造的。

在諸多論述中，特別引人注意的是第十一條〈時變〉的問題：由於《漢書》貢禹〈疏〉有一段文字和《新書》該篇互見，對讀後發現《新書》該篇時代早，而該段文字又不見於賈〈疏〉，這證明了貢禹看到了該篇，該篇不會是後人據賈〈疏〉而偽造的，除非這個偽造者在貢禹之前完成偽造的工作，這是不可能的一件事。這條證據，使本書十四篇更加可靠了。

論賈誼〈治安疏〉的編輯

一、前言

筆者在〈論賈誼《新書》今傳本的真偽〉一文中，以今傳《新書》與《漢書》本傳所載三篇〈疏〉作逐字對讀相互比較，論證今傳《新書》各篇在文理方面有其合理性及優勝處，因而證明今傳《新書》乃賈誼當年的原作，《漢書》三〈疏〉乃班固採錄及重編今傳《新書》而成，斷非後人割裂增減三〈疏〉而成《新書》。本篇所欲討論者，是班固如何以《新書》為材料，採錄及編輯成為《漢書》中的三〈疏〉。

《漢書》本傳〈疏〉❶前曰：「誼數上疏陳政事，多所欲匡建，其大略曰……。」於〈疏二〉前曰：「誼復上疏曰……。」可見賈誼上疏不但是多次多篇❷，而且班固曾經對這些「多所欲匡建」的「疏」進行重編，使它們成為《漢書》內的〈疏〉。〈疏二〉的情形也如此。

---

❶　班固本傳謂賈誼先後有〈疏〉三篇，為行文方便，仿前篇以其先後稱〈疏〉、〈疏二〉及〈疏三〉。

❷　《史記》本傳亦說：「賈生數上疏……。」

二、班固的編輯工作

為了理解《新書》各篇如何被重組改編為三〈疏〉，底下即逐篇逐段考察班固的編輯工作。

㈠〈疏〉

在《漢書》本傳中，〈疏〉是賈誼陳政事的第一篇，全文分二十段；班固組合《新書》各篇重新編輯：

第一段：「臣竊惟事勢……試詳擇焉。」❸

本段完全過錄自〈數寧〉而有所減省。起句曰：「臣竊惟事勢，可為痛哭者一，可為流涕者二，可為長太息者六……。」班固以此數語作為本〈疏〉之起句，很明顯的，有意以痛哭一、流涕二及長太息六作為其綱領；易而言之，往後所論各事，都統括在此數點之下。賈誼又說：「若其它背理而傷道者，難遍以疏舉。」除此九點之外，可資批評者尚多，只是「難」「以疏舉」，就一概不論。

〈數寧〉「痛哭者」作「痛惜者」；《新書》「惜」字屢見，「惜」字當是賈誼舊文。

第二段：「夫射獵之娛……亡以易此。」

本段完全過錄自〈數寧〉的第二、三段❹，不過，原書引晏子

---

❸ 本文各〈疏〉的分段，一律依據北京中華書局《漢書》標點本。
❹ 本文所言《新書》各篇的分段，一律以閻振益、鍾夏的《新書校注》為根據，北京中華書局 2000 年版。

及發子等語，皆被刊落，並濃縮為一段。原書第三段有「獨太息、悲憤，非時敢忽也」，所言「太息」之事，可能就是賈〈疏〉諸太息事之一件；班固過錄時，刪去此二句。

第三段：「夫樹國……且十此者虜。」

本段首四句錄自〈藩傷〉第一段；保留首三句，第四句以下至「甚非所以全愛子者也」，則刪節為一句「甚非所以安上而全下也」。

自第五句「今或親弟謀為東帝」至段末最後一句，則完全過錄自〈宗首〉之第一段，惟「權勢」易作「權力」耳。

第四段：「然而天下少安……雖堯舜不治。」

本段過錄自〈宗首〉第二段，文字有刪省。

第五段：「黃帝……後世將如之何。」

本段分三小節。第一小節錄自〈宗首〉之第三段，有刪省，〈宗首〉「至此則陛下誤甚矣」以下七十二字，全被省略。

第二小節錄自〈親疏危亂〉。〈親疏危亂〉有兩段，班固在轉錄首段時，將開首的兩個句子「陛下……陳事制」刪掉，自己加上「臣又以知陛下有所必不能矣」一句；又將首段最後一句「陛下獨安能以是自安也」，改作「故臣知陛下之不能也」；使與前所加句子相對應。在轉錄〈親疏危亂〉的第二段時，也刪省許多句子。原本〈親疏危亂〉在首段內有「臣有以知陛下之不能也」，次段內亦有「臣又竊知陛下之不能也」；班固過錄之後，在開首處加「臣又以知陛下有所必不能矣」，又改首段末句作「故臣知陛下之不能也」，使四句「陛下之不能」一唱三歎；班固善於編輯賈文，於此可見。

　　第三小節「其異姓負強而動者……後世將如之何」僅有十句，過錄自〈制不定〉第二段的後半截，而略有刪省。在接駁此半截文字之前，班固增「已然之效也」一句五字，作為第二小節之結語。

　　第六段：「屠牛坦……勢不可也。」

　　本段過錄自〈制不定〉第三段，而略有刪省。

　　第七段：「臣竊跡前事……久不為此。」

　　本段班固抄錄〈藩疆〉及〈五美〉而成。前半截自首句至「國小則亡邪心」，完全抄錄〈藩疆〉前後二段而有所刪省，〈藩疆〉最後數句亦被省略。後半截自「令海內之勢如身之使臂」以下，皆取自〈五美〉而多刪節。

　　第八段：「天下之勢……此病是也。」

　　〈大都〉有兩段。首段載楚靈王與范無宇之問答，亦載楚靈王不聽諫，總結曰：「為計若此，豈不痛也哉？悲夫！……時乎，時乎！可痛惜者此也。」班固不採此段，棄「痛」及「痛惜」而不用。第二段經刪節後，班固採錄之，作為本段文字。

　　結語「可痛哭者，此病是也」，與〈疏〉首「可為痛惜者一」相呼應。〈數寧〉原文作「可為痛惜者一」，〈大都〉首段結語「時乎，時乎！可痛惜者此也」，與此段結語「可痛哭者，此病是也」，皆為「可為痛惜者」之「一」事，班固改「可為痛惜」作「可為痛哭」，乃棄「可痛惜者此也」而不用，獨存「可痛哭者，此病是也」，使與所改者相合。

　　第九段：「天下之勢……可為流涕者此也。」

　　〈疏〉首段言「可為流涕者二」，本段為第一件流涕者。

　　本段採錄情況比較支離複雜：首九句「天下之勢……何也？下

也」採錄自〈解縣〉;「今匈奴嫚辱侵掠……致金絮采繪以奉之」
五句,採錄自〈勢卑〉;「夷狄征令」至結尾「可為流涕者此
也」,又採錄自〈解縣〉;如此穿插接駁,班固可謂用心苦矣。惟
〈解縣〉首段結尾曰:「天下倒縣甚苦矣,竊為陸下惜之。」班固
刪第一句「天下」,改「竊為」句作「可為流涕者此也」,易
「惜」為「流涕」,非賈誼本意明矣。

第十段:「陛下何忍……可為流涕者此也。」

這是兩件「流涕者」中的第二件。

本段採錄情況也比較支離複雜:開首四句「陛下何忍……長此
安窮」,錄自〈勢卑〉第一段,而頗變易及前後其文;「進謀
者……亡具甚矣」三句,又錄自〈解縣〉第二段;「臣竊……以主
匈奴」四句,錄自〈勢卑〉第二段,亦頗變易及前後其文;「行臣
之計……唯上之令」三句,又轉錄自「解縣」;「今不獵……非所
以為安也」四句,亦錄自〈勢卑〉;「德可遠施……可為流涕者此
也」四句,又轉錄自〈威不信〉之結尾。如此左轉右錄,交叉穿
插,可謂費盡心思。

〈威不信〉有兩段,班固棄首段,第二段亦大部分被放棄,只
保留「德可遠施」以下數句,再刪省、改易,接入本段作為結語。
文是義非,接駁之痕,斑斑可見。

第十一段:「今民賣僮者……可為長太息者此也。」

本段過錄自〈孽產子〉,刪節頗多,結尾「可為長太息者
也」,亦錄自該篇。此為第一件「長太息」之事。

第十二段:「商君……竊為陸下惜之。」

本段採錄情況頗為支離。

自首句至「遂進取之業」，過錄自〈時變〉第三段，頗多刪節。「天下大敗……今轉而為漢矣」十一句，過錄自〈時變〉之首段，亦頗刪節其文。〈時變〉第二段完全被遺棄。

「今世……此其亡行義之尤至者也」，則過錄自〈俗激〉第二段下半節，文頗刪省；原段結尾曰：「竊為陛下惜之。」班固一併刪之。「而大臣……因恬而不知怪」六句，班固抄錄自同篇首段。在「今世……」之前，為銜接上下文，班固加入「然其遺風餘俗，猶尚未改」二句十字，以足其義。

本段最後一節「慮不動於耳目……竊為陛下惜之」，則過錄自〈俗激〉第三段之首幾句，存「竊為陛下惜之」。〈俗激〉原本於第二、三段皆有「竊為陛下惜之」之語，前後呼應；班固一刪一存。

第十三段：「夫立君臣……可為長太息者此也。」

此為第二件「長太息」之事。

本段全錄自〈俗激〉，惟前後穿插倒易。「夫立君臣……不修則壞」十句，錄自〈俗激〉第三段之中間部分；「管子曰……不為寒心哉」八句，錄自同篇第二段前半節；「秦滅四維」至終，則錄自第三段下半節。其穿插倒易如此。

賈誼於第三段結尾曰：「悲乎，備不豫具之也，可不察乎」，班固改作「可為長太息者此也」，賈誼無此義，班固私增之耳。

第十四段：「夏為天子……且明有仁也。」

此一大段過錄自〈保傅〉首五段，文字大致相同，少有變動。

第十五段：「夫三代……非其理故也。」

此段抄自〈保傅〉第六段末二句及第七段全段，文同。

第十六段：「鄙諺……此時務也。」

此段抄自〈保傅〉第八段，文亦相同。

第十七段：「凡人之智……以觀之。」

此段文頗長，賈書無此文，不知班固抄錄自何處。

第十八段：「人主之尊……投鼠而不忌器之習也。」

此段過錄自〈階級〉之首二段，略有刪省。

第十九段：「臣聞之……頓辱之哉。」

此段錄自〈階級〉之第三段，文大致相同。

第二十段：「豫讓……可為長太息者此也。」

此段頗長，錄自〈階級〉之第四至六段，文少有變易。末曰：「故曰：可為長太息者此也。」班固亦錄之。此為〈疏〉中第三件「可長太息」之事。

(二)〈疏二〉

班固在賈誼本傳中既然說他「數上疏陳政事」，那麼，他自然不可以只有上文一篇〈疏〉，也不可以只「陳」上文幾件事而已；〈疏二〉是在「勝死，亡子」之後呈上的。其編輯情況如下：

第一段：「陛下即不定制……以成大功。」

此段過錄自〈益壤〉首二段，有刪省、濃縮。

第二段：「今淮南地遠者……惟陛下財幸。」

此段過錄自〈益壤〉及〈屬遠〉，交替銜駁，情況複雜；列表如下：

(〈疏二〉第二段：《新書》)

1.「今淮南地遠者……而縣屬於漢」三句：〈益壤〉第三段首

二句。

2.「其吏民徭役往來長安者」一句：〈屬遠〉第三段中間「徭使長安者」。

3.「自悉而補，中道衣敝」二句：〈屬遠〉第三段「自悉以補，行中道而衣」。

4.「錢用諸費稱此，其苦」二句：〈屬遠〉第三段後半節「錢用之費稱此，苦甚」。

5.「逋逃而歸諸侯者已不少矣」一句：〈益壤〉第三段「所至逋走而歸諸侯，殆不少矣」。

6.「其勢不可就」一句：〈屬遠〉第三段「其勢終不可久」、〈益壤〉「此終非可久」。

7.「臣之愚計……此二世之利也」十餘句：〈益壤〉第三段後半節，有刪省。

8.「當今恬然……不可謂仁」十六句：〈權重〉兩段，有刪節。

9.「臣聞聖主……唯陛下財幸」三句：〈益壤〉最後四句。

〈疏二〉第二段過錄自〈益壤〉、〈屬遠〉及〈權重〉，穿插接駁，曲盡能事，班固編輯，幾同新造，令人歎為觀止。

(三)〈疏三〉

本〈疏〉只有一段，節錄自三段的〈淮難〉，濃縮甚。

三、討論

　　班固在編輯這三篇〈疏〉時，特別是第一篇，其方法及方式是相當複雜和艱辛的。部分文字照抄照錄，如〈疏〉第十四至十六段，幾乎全抄自〈保傅〉；大部分文字都經過班固甄選、刪節及篩汰的工作。即使是今天，我們也認為其剪裁熔鑄，真是煞費苦心❺。在整個工作的過程中，有幾點值得我們討論。

(一)預先設定主題

　　班固是在覽讀賈誼《新書》絕大部分篇章之後，根據篇內各要點重新編輯。大致上他依循賈意，並根據其內容及所需，而預先設定主題，然後再根據這些主題，尋覓、甄選、刪節及篩汰這些篇章內的段落，加以編輯而成〈疏〉及〈疏二〉；這些主題，包括諸侯權勢太重、匈奴有可制之策而不用、勸農足食及庶人上僭等等。

　　在編輯的時候，將這些主題內相關的文字，分別繫於「痛惜」一、「流涕」二及「長太息」六之下，使〈疏〉頭尾一貫，成為一篇完整及可讀性高的論政文。除照抄照錄及部分文字刪省節選之外，最費匠心的編輯就是交叉穿插了；比如〈疏二〉第二段，他就運用這種方式，將〈益壞〉、〈屬遠〉及〈權重〉三篇鎔鑄在一起，有時採摘半句一句，有時濃縮十幾二十句，東採西錄，前移後綴，雖曰編輯，幾同新造，令人眼花繚亂，目不暇給。

---

❺　此余嘉錫語，見所著《四庫提要辨證》子部儒家類《新書》條下。

㈡主題內文的安排

主題設定之後，班固乃將相關的文字選錄其下；並且根據賈誼的意思，參以己意，依其輕重，分派錄入一「痛哭」、二「流涕」及六「長太息」之中。其情況如下：

1. 痛哭者一：本主題討論削弱同姓王的權勢，以加強中央力量，〈疏〉從第二段至第八段皆討論此課題，班固選錄了〈數寧〉、〈藩傷〉、〈宗首〉、〈親疏危亂〉、〈制不定〉、〈五美〉及〈大都〉等的文字而編成，其中以〈親疏危亂〉採錄較多。結束時，班固依據賈意，結語作「可痛哭者，此病是也」。

2. 流涕者一：本主題討論匈奴寇邊、北方危急，〈疏〉以第九段實之；班固以〈解縣〉及〈勢卑〉兩篇的文字編成。結束時，班固按上「可為流涕者此也」。

3. 流涕者二：本主題記載賈誼提建議，並謂依此建議，可繫單于頸而制其命；〈疏〉以第十段當之，班固採錄〈勢卑〉、〈解縣〉及〈威不信〉等文字而編成。結語曰：「可為流涕者此也。」兩件流涕者所討論的，實際上非常接近；前者謂匈奴犯邊，騷擾百姓，後者提出裁製的建議，關係難分。

4. 長太息者一：本主題討論富者出賣奴僕之不正常現象，〈疏〉以第十一段實之；班固刪節〈孽產子〉而編成。

5. 長太息者二：本主題討論風俗敗壞、上下失禮，若不及時匡正，必如嬴秦之凋敝；〈疏〉以第十二及十三段當之。班固採錄〈時變〉及〈俗激〉穿插倒易而編成，並私增文字以銜

接之。結語曰：「可為長太息者此也。」

6. 長太息者三：本主題所論者皆與禮相關；論禮，論禮與國家
之關係，論秦亡於失禮及禮生廉恥等，文長三千餘字，自第
十四段至結束的二十段。前三段班固抄錄自〈保傅〉，後三
段抄錄自〈階級〉，中間一段為班固所增以銜接上下文。結
語曰：「故曰：可為長太息此也。」

根據這六個主題，班固就完成了〈疏〉的編輯工作。六個主題的文
字長短不一，大致上每個主題分配到的字數是：痛哭者一得七段，
約 2,000 字；流涕者一得一段，約 220 字；流涕者二得一段，約
180 字；長太息者一得一段，約 280 字；長太息者二得兩段，約
660 字；長太息者三得七段，約三千餘字。作為一篇周密完整的論
政文，無可否認的，〈疏〉編輯得並不太完美，有的主題長達二、
三千字，有的只一、二百字，顯得太不平均了。賈誼〈過秦〉三篇
長短相差不遠，〈疏〉不會如此嗎？為什麼一篇文章內各不同部分
的文字相差這麼遠呢？此外，〈疏二〉兩段約 520 字，〈疏三〉一
段約 220 字，和近六千字的〈疏〉相較，未免相距如霄壤。賈誼
「數上疏」，這些〈疏〉的長短竟懸殊一至於此嗎？說《漢書》所
載的那篇〈疏〉是賈誼上奏的原本，從編輯的角度來看，實在使人
感到懷疑。六千字的〈疏〉一口氣就呈上，「萬言書」這麼早就有
了嗎？

　　西漢初年，陸賈也多次上書有所諫議，《史記》本傳說：「陸
生乃粗述存亡之徵，凡著十二篇。每奏一篇，高帝未嘗不稱善，左
右呼萬歲，號其書曰：《新語》。」《新語》雖十二篇，陸賈是分
批呈奏，而且每奏只一篇；今檢十二篇《新語》，除首篇略長之

外，其他各篇長短略同，蓋便於省覽。《漢書》賈誼本傳中的三篇〈疏〉，若是賈誼三次奏呈，第一篇應該長近六千字嗎？各主題文字應該如此懸殊嗎？班固加工，應可斷言。

(三)班固的改造加工

為了鎔鑄許多零散的篇章為一〈疏〉，班固的裁剪併合，的確是煞費苦心，看他併湊多篇文字，前移後倒，既濃縮又新添，使成為一篇前後相貫，一氣呵成的議政文，不得不讚許他有新造之功。

總覽及對讀之後，筆者認為班固的改造，重要的有下列幾點：

第一、改「痛惜」為「痛哭」

〈疏〉起句就說：「可為痛哭者一。」底下第一主題結束時即說：「可痛哭者，此病是也。」上下文相互呼應。實際上，賈誼原文作「痛惜」，不作「痛哭」，班固本主題採錄賈文〈大都〉，首段結語曰：「時乎，時乎！可痛惜者此也。」此「痛惜者」當與本〈疏〉起句之「痛惜」相互呼應。班固採錄〈大都〉時，棄首段而用第二段，第二段結語曰：「可痛哭者，此病是也。」字作「痛哭」。為了前後相應，班固不得不改起句「痛惜」為「痛哭」耳。

《新書》多篇出「痛」、「惜」之感歎。〈宗首〉第三段：「竊為陛下痛之。」（班固刪）〈大都〉首段：「豈不痛也！」（刪）〈俗激〉第二、三段（前刪、後存）、〈解縣〉首段（刪）及〈無蓄〉第二段（存，入載《漢書》〈食貨志〉上），皆出「竊為陛下惜之」之句子。「痛惜」語氣比「痛哭」輕；賈書中有「痛」、「惜」之感喟者多篇，不限於第一主題內所言者而已。

第二、拼湊私造二件「流涕者」

〈疏〉中所陳兩件「流涕者」，有重沓復出的嫌疑，竊疑賈文不如此也。

〈疏〉第一件「可為流涕者」，說的是天子和蠻夷在形勢上互為顛倒，天子反為臣下，而蠻夷反居上位，此可以為流涕者也。班固此主題內文字盡錄自〈解縣〉第一段；然〈解縣〉第一段結語僅說：「天下倒縣甚苦矣，竊為陛下惜之。」班固刪「天下」句，改「竊為」句作「可為流涕者此也」，造成第一件「流涕」的事件。此乃班固私造，完全不是賈誼的本意了。

〈疏〉第二件「可為流涕者」，說的是匈奴不過一縣，不可畏，若行其建議，單于必可虜，今計不出此，漢家威令不伸，實可為流涕者也。此亦非賈誼「可為流涕」之第二事。班固此文錄自〈勢卑〉、〈解縣〉，曲盡穿插之能事，結尾又從〈威不信〉最後一段抄入七、八句，並「可為流涕者此也」也抄入。賈誼不曾在〈勢卑〉及〈解縣〉裏說勢卑、計不行使威令不伸是可為流涕的一件事，班固因引入〈威不信〉文，強加「可為流涕者」在勢卑及計不行之上，恐非賈誼本意。班固有拼湊之嫌。

由於此二「流涕」事件，一出於班固私造，一出於拼湊，所以，二事有重沓復出的現象。主題安排不妥，於此可見。

〈無蓄〉最後一段結語曰：「可以流涕者又是也。」說的是天下無儲蓄，難以久治長安，此乃賈誼以為流涕之事。今〈疏〉中不見此事，班固入之於《漢書》〈食貨志〉上之內。賈誼本意既可任意移挪，又焉不能拼湊私造乎？

第三、「長太息六」所引起的問題

〈疏〉起句謂「可為長太息者」有六，今傳本《新書》〈數寧〉同，然而，偏數〈疏〉內所言「可為長太息」者，僅得三件。到底「可為長太息」者是三件？還是六件呢？如果是六件的話，為什麼〈疏〉內僅得三件？另三件去了哪裏呢？

王先謙《漢書補注》引了王應麟的一段話❻，對此問題有一個解說：

> 庶人上僭（夏案：即本書〈孽產子〉❼），班氏取為太息之一。〈秦俗〉（即本書〈時變〉）、〈經制〉（即本書〈俗激〉），班氏取為太息之二。論教太子（即本書〈保傅〉），是為太息之三。體貌大臣（即本書〈階級〉），是為太息之四。又〈等齊〉論名分不正，又〈銅布〉論收銅鑄錢；此二者，皆太息之說。

歷數賈誼「可長太息」者六事，清楚明曉；然而，〈銅布〉的「長太息」已歸入〈食貨志〉，豈可計入〈疏〉六事之中乎？是王應麟之解說有不當。吳汝綸曰❽：

> 疑當作「三」，作「六」者誤耳。「民之賣僮」至「經制不

---

❻　見閻振益、鍾夏《新書校注》頁 32，北京中華書局。王應麟《漢書藝文志考證》亦有相類的說法。

❼　此乃鍾夏之案語，下同。

❽　見閻、鍾《新書校注》，頁 32 引。

定」為一事，教太子為一事，禮義、刑罰共為一事，則適三
事而已。《魏志》高堂隆〈疏〉：「賈誼以為天下……可為
長歎息者三。」古本正作「三」。

根據〈疏〉內所言，索性改「六」作「三」，認為當年賈誼所言者
僅三事而已。然而，是不是就只有三事而已呢？恐怕未必然。〈銅
布〉內所言「長太息」當是賈誼原來的文字，只因為經過班固加工
「整型」之後，被移入〈食貨志〉內，可見〈疏〉內「長太息」的
六事，已非賈誼原本面貌了。

　　實際上，在「長太息」的事件上，班固也如同「痛惜」、「流
涕」者一樣，私撰強加入〈疏〉內。比如第二件「長太息」事，班
固錄了〈俗激〉的文字之後，將〈俗激〉的結語「悲乎，備不豫具
之也，可不察乎」改作「可為長太息者此也」，就是一個很明顯的
例子。此外，今傳本《新書》內，依然保留了未被錄用的「長太
息」，如〈等齊〉結語：「而此之不行，沐瀆無界，可謂長太息者
此也。」此亦當是賈誼〈疏〉諸「長太息」之一件，但是，班固棄
而不取。

　　〈數寧〉最後一段話：「獨太息、悲憤，非時敢忽也。」也言
及「太息」，班固亦刪棄。

　　說「長太息」有六件固然不正確，說只有三件，恐怕也有問
題。造成如此「進退兩難」的困境，主要的原因是班固加工「再
造」之後，把賈誼原著的面貌淆亂了。

四、小結

綜合前文所論，歸為六點：

第一、賈誼當年呈奏政見時，和陸賈一樣，是多時多次及多篇的。這些政見的原貌，大致上還保存在今本《新書》內；而《漢書》內的〈疏〉，應該是經過班固加工整理及重新編輯過的另一個本子。

第二、這些零散的議政文，經過漫長歲月的流傳，訛字奪句不但時而可見，甚至一些篇章被割裂為二恐怕也不可避免，因此，既難讀，亦頗有重複，甚至同一主題的文字被分散為多篇。

第三、反過來看，《漢書》內的〈疏〉不但因為經過班固重組新造，而且也保存得比較完好，所以，各部分主題明確，前後一貫，可讀性很高。

第四、在這樣的分頭流傳之下，本是母子關係的二者，卻演變為兄弟關係而已，兩者不但距離頗遠，而且頗難分辨出誰是母誰是子了。

第五、《漢書》本傳中所採錄的〈疏〉，表面上說是賈誼撰寫的，實際上是班固的再造本。這個再造本的各個主題是班固根據《新書》，並附加己意，然後「填入」的；賈誼當年各主題的內容是不是完全如此，已經很難論斷了。

第六、筆者以為，《漢書》本傳內的〈疏〉，很可能是班固因應自己時代的需要，至少是滲入個人的觀點，而「新造」的，說它是班本賈〈疏〉，恐怕並不完全誇張。

論重文現象與屈宋作品年代考釋

　　游國恩在論證屈、宋作品時，時常舉「句子鈔襲」、「字面鈔襲」及「語意相同」的例子，作為兩篇作品的先後及個別篇章真偽的證據。比如他在討論〈大招〉摹仿〈招魂〉❶時，就舉出〈大招〉中一段「死板的摹仿，毫無文學的價值」❷的文字，說明〈大招〉「在藝術上是極笨拙的」❸，所以，它「非秦以前」❹「楚人」❺的作品。比如他在討論〈遠遊〉是偽托的時候，舉了八節〈遠遊〉在詞句上鈔襲〈離騷〉的例子，然後說：「此外零碎的鈔襲和句法的摹仿還有好幾處。屈原作品中也有相同的辭句和字面，但沒有這麼多。而且一則為偶然的相同，一則為整句的死鈔，這是顯然看得出的。試問一個人的作品中，如何會有這樣死鈔的字句呢？」❻最後，他判定〈遠遊〉「一定是拿〈離騷〉做底本」❼，

---

❶　游主張〈招魂〉作者為屈原，見游著《楚辭概論》，頁 175-187，商務印書館，1939。

❷　同上，頁 194。

❸　同上，頁 196。

❹　同上，頁 193。

❺　同上，頁 191。

❻　同上，頁 207。

❼　同上，頁 207-208。

作者當然不是屈原了。又比如他在討論〈九辯〉的作者時,他舉了四個例子,說明〈九辯〉在句子上鈔襲〈離騷〉及〈九章〉,所以,作者當然不是屈原,而是宋玉。這些例子和論證,都頗具說服力,所以,不少學者都深信不疑,樂於採用和摘錄。❽

實際上,在創作的過程中,「句子鈔襲」、「字面鈔襲」及「語意相同」是有相當差別的。作者因襲前人某一個詞(即游所說的「字面」),是很平常的事;但是,如果將前人的句子整句抄進來,那事態就嚴重了。前者恐怕不能當作「鈔襲」來看待,而後者之為鈔襲恐無可疑了。游國恩在討論此課題時,沒有加以區別,更沒區開討論。

根據筆者的淺見,所謂文字、句子相互鈔襲,就是文句或句子上的重複,筆者稱之為「重文」。重文可以細分為詞重、句重及意重三種。所謂詞重,就是游國恩所說的「字面鈔襲」,比如〈離騷〉的「中情」一詞,在「荃不察余之中情兮」、「苟中情其好修兮」及「孰云察余之中情」都出現過,此謂之「詞重」。所謂句重,就是游國恩所說的「句子鈔襲」,比如〈離騷〉「載雲旗之委蛇」,〈九歌·東皇太一〉有句「載雲旗兮委蛇」,除了「之」、「兮」不同外,其它用字完全相同,存在著「句子鈔襲」的關係,此之謂「句重」;兩句用字略異而意義相同的,也屬此類。所謂意重,就是游國恩所說的「語意相同」,比如〈離騷〉「長太息以掩涕兮」,〈九辯七〉有句「長太息而增欷」,二句「長太息」全

---

❽ 參看拙文〈宋玉作九辯的論證〉,在拙著《辭賦論集》內,台北學生書局,1998。

同，「掩涕」與「增欷」義近，它們可能存在著語意相襲的關係，此之謂「意重」。

在此三「重」中，詞重最普遍，但是，嚴格來說也最不可靠。比如「從容」一詞，見於〈九章‧抽思〉「尚不知余之從容」句中，〈九辯六〉：「信未達乎從容。」也有此詞；我們很難斷定後者「從容」一定是因襲自前者。〈九章‧懷沙〉「孰知余之從容」及〈悲回風〉「寤從容之周流兮」，也都分別出現過。它很可能是當時流行的熟語，〈九辯〉用上它，不過用了當時的熟語，情形與〈懷沙〉、〈悲回風〉及〈抽思〉相同，怎麼可以一概說〈九辯〉一定鈔自〈抽思〉呢？所以，詞重雖然最普遍，但是，在作品的先後及真偽的課題上，恐怕作用不大。游國恩在討論〈九辯〉因襲屈賦時，曾舉了二十個〈九辯〉「字面鈔襲」的例子作為證據❾，恐怕都必須重新檢討。

比較可靠的應該是句重及意重。如果兩篇作品有相當的句子完全相同或句意極為近似，那麼，我們實在很難說它們完全是巧合了。比如〈遠遊〉「叛陸離其上下兮，游驚霧之流波」，「命天閽其開關兮，排閶闔而望予」，和〈離騷〉「紛總總其離合兮，斑陸離其上下。吾令帝閽開關兮，倚閶闔而望予」，不但後一組句重，前一組也有意重之處；這種情形，大概很難說是巧合。說〈遠遊〉鈔襲〈離騷〉，應該是比較可靠的。

因此，在利用重文來觀察古籍的年代及其關係時，我們應當盡

---

❾　見游著〈楚辭九辯作者的問題〉，在游著《楚辭論文集》內，香港文昌書局，1974。

量放棄詞重，充分採用句重及意重的標準，庶幾乎得出比較可靠的結論。

屈、宋二人作品間的重文現象相當普遍，他們自己的作品內也有重文的現象；這些，代表甚麼意義呢？透露些甚麼訊息呢？在探討二人作品的關係上，起了些甚麼作用？這些訊息和作用，對古籍年代的考訂有甚麼積極的意義？

首先，讓我們考察〈離騷〉本身的重文。游國恩說屈原作品相同的辭句和字面「沒有這麼多」，恐怕有些低估了。實際上，單是〈離騷〉，其重文可並不少：

    1.荃不察余之中情兮
     孰云察余之中情

    2.苟余情其信姱以練要兮
     苟余情其信芳

    3.固時俗之工巧兮
     固時俗之流從兮

    4.忽反顧以遊目兮
     忽反顧以流涕兮

    5.孰云察余之中情
     孰云察余之善惡

    6.日康娛而自忘兮
     日康娛以淫游

    7.紛總總其離合兮
     紛總總其離合兮

8.心猶豫而狐疑兮

　心猶豫而狐疑

9.好蔽美而嫉妒

　好蔽美而稱惡

10.折瓊枝以繼佩

　折瓊枝以為羞兮

這十組重文，除第七、八組為「死鈔」的句重之外，其它八組都只是意重。第一組「察余之中情」全同；惟「孰云」乃質問之詞；荃，朱熹曰：「荃，亦香草，故時人以為彼此相謂之通稱，此又藉以寓意於君也。」部分意義不同；可知二句屬意重。第二組一作「苟余情其信姱以練要兮」，一作「苟余情其信芳」，洪興祖〈補注〉曰：「信姱，言實好也；與信芳、信美同意。」就前半句而言，它們是句重，不過，差別在於一句無「以練要兮」下半句，所以，第二組也當屬意重。其他各組為意重，不必贅言。

　〈離騷〉重文有十組；句重兩組，意重八組。據此，我們就可以知道，在撰述過程中，即使必須重複內容，屈原大部分也會更換字眼或意思，很少「死鈔」舊句。

　這種情形也出現在屈原其它作品裡。

　比如以〈九歌〉十一篇為例，它與〈離騷〉詞重者二十四處，句重及意重者為：

　1.老冉冉其將至兮（離）

　　老冉冉兮既極（歌。司）

   2.步余馬於蘭皋兮（離）

    朝馳余馬兮江皋（歌。夫）

   3.結幽蘭而延佇（離）

    結桂枝兮延佇（歌。司）

   4.九疑繽其並迎（離）

    九疑繽兮並迎（歌。夫）

   5.邅吾道夫崑崙兮（離）

    邅吾道兮洞庭（歌。湘）

   6.載雲旗之委蛇（離）

    載雲旗兮委蛇（歌。東）

其中一、二、三及五組皆意重，句重者只四及六組；至於〈九歌〉十一篇本身的重文，除了〈湘君〉與〈湘夫人〉一節「捐余袂兮江中」至「聊逍遙兮容與」為「古詩重疊章法」❿完全重複之外，只有〈少司命〉與〈河伯〉「與女游兮九河」為句重，其它兩組：

   1.望夫君兮未來（歌。湘）

    望美人兮未來（歌。少）

   2.思公子兮未敢言（歌。夫）

    思公子兮徒離憂（歌。山）

都是意重。〈九章〉的情形也如此，九篇中屬於句重的有「心絓結

---

❿　此孫志祖《文選李注補正》語。

而不解兮」（哀、悲）、「思蹇產而不釋」（同上，〈抽思〉又有「思蹇產而不釋兮」）、「惟郢路之遼遠兮」（哀、抽）、「憍吾以其美好兮」（抽二見）、「未改此度」（同上）、「深固難徙」（橘二見）、「世溷濁而莫余知兮」（涉）「世溷濁而莫吾知」（懷）及「登大墳以遠望兮」（悲）「登石巒以遠望兮」（悲）等八組；其他重文都屬意重：

1. 專為君無他兮（惜）

   疾親君而無他兮（惜）

2. 又眾兆之所讎（惜）

   又眾兆之所咍（惜）

3. 又何以為此伴也（惜）

   又何以為此援也（惜）

4. 心鬱結而紆軫（惜）

   鬱結紆軫兮（懷）

5. 固煩言不可結貽兮（惜）

   言不可結而貽（思）

6. 固將愁苦而終窮（涉）

   固將重昏而終身（涉）

7. 遵江夏以流亡（哀）

   遵江夏以娛憂（思）

8. 心憚媛而傷懷兮（哀）

   心鬱鬱之憂思兮（抽）

9. 望長楸而太息兮（哀）

　　　臨流水而太息（抽）

　10.尚不知余之從容（抽）

　　　孰知余之從容（懷）

　11.陷滯而不濟（懷）

　　　陷滯而不發（思）

　12.惜壅君之不昭（惜往）

　　　惜壅君之不識（惜往）

　13.莽芒芒之無儀（悲）

　　　罔芒芒之無紀（悲）

　14.唯佳人之永都兮（悲）

　　　唯佳人之獨懷兮（悲）

　　總計有十四組之多。據此即知，〈九歌〉及〈九章〉在重文方面，句重占的比數很少，意重占的比數很大，情形完全與〈離騷〉相同。

　　根據上文的分析，我們可以這麼說，屈原作為一位極有創意的作家，他在創作時，即使需要重複過去的意思，也會改用不同的詞彙或句子來表達，很少會「死鈔」過去的句子。這樣的結論，很符合一般文學創作的原則。

　　現在，我們就根據這個標準，來考察《楚辭》中兩篇有爭議的篇章，也許可以補充前人的說法。

　　首先考察〈九辯〉：

　　〈九辯〉的作者自來有屈原作及宋玉作二說，晚近自游國恩考訂之後，學者頗傾向於宋玉作；這裏，我們根據上述的標準為它重

新作一番考察。首先，讓我們考察〈九辯〉和〈離騷〉的重文：

1. 聊逍遙以相羊（離）

   聊逍遙以相羊（辯三）

2. 固時俗之工巧兮（離）

   何時俗之工巧兮（辯五、六）

3. 偭規矩而改錯（離）

   背繩墨而改錯（辯五）

   滅規矩而改鑿（辯六）

4. 非余心之所善兮（離）

   非余心之所樂（辯六）

5. 長太息以掩涕兮（離）

   長太息而增欷（辯七）

6. 世幽昧以眩曜兮（離）

   世雷同而眩曜兮（辯八）

7. 乘騏驥以馳騁兮（離）

   騏驥之瀏瀏兮（辯九）

8. 載雲旗之委蛇（離）

   載雲旗之委蛇兮（辯九）

這八組文字，有四組是句重，即一、二、四及八；第一及第八組用字全同，可謂「死板鈔襲」。第二組〈九辯〉將〈離騷〉「固」改作「何」，由肯定易為疑問，意思實際上還是相同；第四組〈九辯〉將「善」改作「樂」，意思相同；所以，這兩組也是「死板鈔

襲」。其它四組都是意重的重文。

其次，我們考察〈九辯〉和〈九章〉的重文關係：

    1.終長夜之曼曼兮（章。悲）

      襲長夜之悠悠（辯三）

    2.忽翱翔之焉薄（章。哀）

      忽翱翔之焉薄（辯九）

    3.妒被離而鄣之（章。哀）

      妒被離而鄣之（辯九）

    4.－7.堯舜之抗行兮，瞭杳杳而薄天；眾讒人之嫉妒兮，被
      以不慈之偽名（章。哀）

      堯舜之抗行兮，瞭冥冥而薄天；何險巇之嫉妒兮，被
      以不慈之偽名（辯八）

    8.－11.憎慍倫之修美兮，好夫人之慷慨。眾踥蹀而日進兮，
      美超遠而逾邁（章。哀）

      憎慍倫之修美兮，好夫人之慷慨。眾踥蹀而日進兮，
      美超遠而逾邁（辯八）

    12.願寄言於浮雲兮（章。思）

      願寄言夫流星兮（辯八）

這十二組文字，第二至五、七、八至十一等九組，可以說是「死板鈔襲」的句重；此外第十二組〈九章〉作「浮雲」，〈九辯〉作「流星」，詞不同而意卻甚近，可視為句重。意重者只有兩組，第一組〈九章〉「終」，〈九辯〉作「襲」；朱熹曰：「襲，入

也。」洪興祖曰：「襲，因也。」義與終略有不同；第六組〈九章〉作「眾讒人」，〈九辯〉作「何險巇」，《楚辭註釋》❶曰：「險巇，艱險，這裏指險惡的人。」義與「眾讒人」略有分別；故此二組當為意重。

考察〈九辯〉的寫作情形，我們發現，它「死鈔」〈離騷〉及〈九章〉的情況非常嚴重；它和前者的關係，意重者四組，句重者亦四組；和後者的關係，意重者二組，句重者竟十組；換句話說，句重的重文不是和意重相等，就是比意重多出許多倍。這樣的寫作作風，和前文所論屈原者完全不相同，所以，〈九辯〉恐怕不應該是屈原的作品。游國恩考訂其作者為宋玉，恐怕是正確的。

其次，我們考察〈遠遊〉。

〈遠遊〉的作者，迄今還是個爭論的課題。以近代學者而言，堅持舊說，主張屈原所作的，有梁啟超、姜亮夫、陳子展❷等人，否決屈原著作權的有胡適、陸侃如、游國恩、郭沫若❸、鄭振鐸及劉永濟等人。馬茂元主編的《楚辭註釋》，在〈遠遊〉題解中說：「〈遠遊〉不是屈原的作品，它大約產生在戰國後期和秦漢之間，至晚不過西漢初年。」也認為本篇非屈原之作。現在，我們根據上述所得之標準來衡量它。它和〈離騷〉的重文有：

---

❶　《楚辭註釋》，馬茂元主編，楊金鼎等編撰，湖北人民出版社，1985。

❷　陳說見〈楚辭遠遊篇試解〉，在《文史哲》1962 年第六期內；陳著《楚辭直解》，同。

❸　郭說：「〈遠遊〉基本上是神仙家語，與屈原思想不合。」見郭著《屈原賦今譯》〈後記〉。

1.日月忽其不淹兮（上句為〈離〉，下句為〈遠〉；下同）
　春秋忽其不淹兮
2.春與秋其代序
　恐天時之代序兮
3.長太息以掩涕兮
　長太息而掩涕
4.唯草木之零落兮
　唯芳草之先零
5.因時俗之先工巧兮、因時俗之流從兮
　悲時俗之迫厄兮
6.前望舒使先驅兮
　風伯為余先驅兮
7.吾令帝閽開關兮
　命天閽其開關兮
8.倚閶闔而望予
　排閶闔而望予
9.路曼曼其修遠兮
　路曼曼其修遠兮
10.朝濯髮乎洧盤兮
　朝濯髮於湯谷兮
11.聊浮游以逍遙
　聊仿佯而逍遙
12.鳳皇翼其承旂兮
　鳳皇翼其承旂兮

13.屯余車之千乘兮

　屯余車之萬乘兮

14.齊玉軑而並馳

　紛容與而並馳

15.駕八龍之婉婉兮

　駕八龍之婉婉兮

16.抑志而弭節兮

　聊抑志而自弭

17.忽臨睨夫舊鄉

　忽臨睨夫舊鄉

18.僕夫悲余馬懷兮

　僕夫懷余心悲兮

這十八組重文中，屬於「死鈔」的句重的，有第三、九、十二、十五及十七等五組，但是，其他第一、二、四、六、七、十、十一、十三、十六及十八等十組，也都屬於句重。第一組〈遠遊〉「日月」作「春秋」，用字略異而所欲表達之意思全同；第二組「春與秋」作「天時」，第四組「草木」作「芳草」，第七組「帝閽」作「天閽」，第十一組「浮游」作「仿佯」，第十三組「千乘」作「萬乘」，第十六組「弭節」作「自」，也都和第一組一樣，用字略異而意思全同。至於第六組「望舒」作「風伯」，前者為月御，後者為風神，所言者雖不同，句義實無差別；第十組「洧盤」作「湯谷」，情況亦如此。第十八組「悲」、「懷」互易，句義無異。所以，嚴格來說，這三組也屬於「死鈔」性質。

總括來說，〈遠遊〉和〈離騷〉的重文關係，句重者十五組，意重者只三組，差別很懸殊。像這樣的寫作方式，豈是屈原的「一貫作風」嗎？《楚辭註釋》說：

> 〈遠遊〉中大段抄襲了〈離騷〉等篇的詞句，也可以看出是後人的模擬之作。……這類模擬的語句，不僅表明了作者寫作技巧的低劣，而且表現出思想的蒼白貧乏。很難想像，一個偉大作家當他最需要宣洩情感時，在一篇之中的「畫龍點睛」處，會重複自己早已使用過的語句，而且是多次的重複。

爬梳〈遠遊〉和〈離騷〉重文後，我們更發現，這種重複不但次數相當多，而且「死板鈔襲」的句重佔了大比數；似此情況，一般作家是不屑為的，何況屈原！因此，〈遠遊〉非屈作，應該可以肯定的。

根據文句抄襲的情況來考訂屈、宋作品，是游國恩的強項，不過，如果考慮到屈原也時而抄襲自己的作品時，我們就會懷疑這個方法是否完全靠得住，是否有無限的價值。本文繼游國恩之後，進一步將鈔襲析分為詞重、句重及意重三種；根據創作的常理，只有句重這樣的「死板鈔襲」，才為偉大作家所不屑為。本文發現，屈原雖然時而鈔襲舊作，但是，大部分都是意重，〈離騷〉、〈九歌〉及〈九章〉這些屈原作品都是如此；相反的，〈九辯〉及〈遠遊〉的重文卻絕大部分為句重，作風和〈離騷〉等完全不相同。這一現象不但清楚地證明〈九辯〉及〈遠遊〉不是屈原的作品，而且

也補充了游國恩在論證時忽略了屈原也自我鈔襲、而這鈔襲與死板鈔襲不可同日而語的不足。

在考訂古籍真偽及其年代的方法上，根據「因襲」、「抄襲」來考慮問題是過去學者經常採用的一種。實際上，這方法有程度及情況的差別，這些差別也影響了結果的判斷。因此，本文嘗試將它分為詞重、句重及意重三種，並且以屈、宋作品為研究對像，展現這個研究方法的運用，作為日後古籍年代考訂的借鑒。⓮

（原刊於《漢學研究國際學術研討會論文集》，國立雲林科技大學漢學資料整理研究所，2002）

⓮　關於古籍年代考訂，可參看拙著《古籍辨偽學》，台北學生書局出版；《諸子著作年代考》，北京北京圖書館出版社，2002。

論荀賦

一、前言

　　荀卿是文學史上第一位以「賦」命名其作品的文學家，《文心雕龍》〈詮賦〉說：「於是荀況〈禮〉、〈知〉，宋玉〈風〉、〈釣〉，爰錫名號，與詩劃境，六義附庸，蔚成大國。」謂荀子以「賦」名篇，使「賦」與「詩」劃分界線，並且從六義的附庸地位獨立出來，成為一種新興的文體，故荀子地位崇高。

　　歷代學者同此說者甚多，如摯虞《文章流別志論》曰：「前世為賦者，有孫卿、屈原……。」蕭統〈文選序〉曰：「古詩之體，今則全取賦名，荀、宋表之於前……。」白居易〈賦賦〉曰：「賦者，古詩之流也，始草創於荀、宋……。」皆其比。近人徐志嘯說：「從賦的特徵上看，荀卿是最早的賦家，這無疑義，因為從文學史上看，最早以賦命名作品的，即起始於荀卿，且他的〈賦篇〉已具備了賦體的基本特徵。」❶姜書閣也說：「他首創以『賦』名

---

❶　徐著有〈賦說〉，見所編《歷代賦論輯要》，復旦大學出版社，1991，頁127。

篇,而為楚辭發展成賦之主要過度作家。」❷也都認同荀卿在賦史裡崇高的開創地位。

奠定荀子在賦史中地位的是他的兩篇作品—〈賦〉及〈成相〉。〈賦〉今存其書中,劉向〈敍錄〉本編在最後一篇,即第三十二篇,楊倞〈注〉本列在第二十六篇;〈成相〉亦存書中,劉本在第八篇,楊本在第二十五篇。楊於〈成相〉篇題下注曰:「《漢書》〈藝文志〉謂之『成相雜辭』,蓋亦賦之流也。」楊認為〈成相〉亦賦作,所以,荀賦存世者有此二篇。

二篇賦作存在的問題相當多,本文摘要討論之。

二、〈賦〉的篇數

〈賦〉列於第二十六篇,包含了〈禮〉、〈知〉、〈雲〉、〈蠶〉、〈箴〉、〈佹詩〉及〈小歌〉等幾個小單篇。首五小單篇有三個共同的寫作特點:一、它們都可分為三個部分,第一部分為詩式韻語,第二部分為有韻的散文疑問句,這兩部分皆用隱語(謎語)暗示事物;第三部分大多數又是詩式韻語,前幾句仍是隱語,最後一句道出謎底。❸二、虛構人物,以問答方式組成小賦;所虛構人物有君王和臣子、老師和學生等。三、托物寓意,假象盡辭,含有很深刻的諷刺作用。五小賦既然都有此特點,它們彼此之間有

---

❷ 姜書閣〈荀子賦篇平議〉,在姜著《先秦辭賦原論》中,齊魯書社,1983,頁196。

❸ 參見馬積高著《賦史》第二章第五節,上海古籍出版社,1987,頁49。

密切的關係，當是可以肯定的。

〈佹詩〉是一短篇作品，篇幅與五小篇相似，不過，它不設隱語，也沒有明顯的虛構人物❹，更沒有明顯的問答對話❺，與前面五小賦在寫作上略有不同。

對於這幾個小單篇的組合，歷代學者有不同的看法：

(一)五篇說

五篇說的學者認為〈賦〉只有為首的五小篇，〈佹詩〉及〈小歌〉不在內。

梁啟雄《荀子柬釋》在〈箴〉末有案語說：「《荀子》〈賦〉篇的原文，至此似已結束了；以下的〈佹詩〉，好像本來是另外一篇獨立的篇章，不是〈賦〉篇的卒章；它的標題或是〈佹詩〉，或是〈詩篇〉。」梁啟雄認為所謂〈賦〉，只包括〈禮〉、〈知〉、〈雲〉、〈蠶〉及〈箴〉五篇而已；後面的〈佹詩〉等，非本篇原文。游國恩等主編的《文學史》❻說：「又有〈賦〉篇，包括禮、

---

❹ 最後兩句「與愚以疑，願聞反辭」，方孝博《荀子選》注曰：「這兩句是托為弟子的答辭，意謂我們愚昧之人，對你上面所說的話，還是不能無疑，願意聽你進一步的反覆敘說之辭。」北京大學出版社，1958，頁 133。李滌生《荀子集釋》注曰：「弟子承荀子勉學之訓後問道：弟子皆愚且疑，希望聽聽您的反辭。」台北學生書局，1984 第三版。筆者認為此乃師生問答之詞，情形如〈雲〉，未必為荀子師生。

❺ 最後兩句乃弟子對言者提問，被問者來不及回答就結束。有的學者謂下文〈小歌〉云云，就是被問者的答辭。

❻ 游國恩、王起、蕭滌非、李鎮淮及費振剛聯合主編《中國文學史》第四章第三節，北京人民文學出版社，1982。

知、雲、蠶、箴五首小賦，篇末附〈佹詩〉二首。」認為〈佹詩〉
是附錄，不在五篇小賦之內。

(二)六篇說

六篇說認為〈佹詩〉與〈小歌〉乃一篇，合前五小賦共得六
篇。

姜書閣是此說的主張者，他說❼：

> 〈佹詩〉之編在〈賦〉篇，既出於荀卿本人，或劉向依《孫
> 卿書》之舊，則作者或第一個編者當初即是以〈佹詩〉與
> 〈禮〉、〈知〉、〈雲〉、〈蠶〉、〈箴〉為同體之賦，故
> 編在同篇，而題名曰〈賦〉篇……。

為了證明他的推斷的正確，他舉出三個證據：第一、《韓詩外傳》
四〈客有說春申君者〉條，述春申君使人請荀子，荀子❽為書謝春
申君，末段引〈佹詩〉的〈小歌〉，與〈賦〉所載者基本相合，其
起句即云「因為賦曰」，可證包含〈小歌〉的〈佹詩〉也是一篇賦
作。第二、《戰國策》〈楚策〉四有〈客說春申君〉一條，末尾也
說「因為賦曰」，然後即引〈佹詩〉末段。第三、劉向本書〈敘
錄〉說：「春申君使人聘孫卿。孫卿遺春申君書，刺楚國，因為歌
賦以遺春申君。」此「歌賦」即指〈佹詩〉而言，可證漢人即以

---

❼　見姜著前揭書，頁 189。
❽　《韓詩外傳》原作「孫子」：孫子，即荀子。

〈佹詩〉為賦作❾。

　　魯迅也有相同的看法，他說：「（荀況）亦作賦，《漢書》云十篇，今有五篇在《荀子》中……又有〈佹詩〉，實亦賦……。」❿五篇加上一篇「實亦賦」的〈佹詩〉，自是六篇；惟魯迅沒舉證論說。

(三)七篇說

　　七篇說的學者認為〈佹詩〉及〈小歌〉皆為獨立二小賦，加上前五篇，合為七篇。

　　主張此說的有陸侃如及馮沅君，他們說⓫：

> 〈賦〉的後兩篇的標題為〈佹詩〉及〈小歌〉，猶屈平〈抽思〉有〈少歌〉，有〈唱〉，又有〈亂〉……。這七段合成一整篇，並非如前人所謂五賦末附一詩。「賦」字乃是這一段的總題，「賦」訓「直陳」，言直陳作者對政治的意見。這意見用五種比喻來說明，而以〈佹詩〉與〈小歌〉作結。

他認為〈佹詩〉和〈小歌〉分別也是獨立的作品，它們總結前面五小賦的議論，就如屈原〈抽思〉結尾有〈少歌〉，有〈倡〉，有〈亂〉一樣；所以，〈佹詩〉與〈小歌〉是前五賦的一個部分，合

---

❾　見姜書閣前揭書，頁 189-190。

❿　見《漢文學史綱要》第四篇〈屈原與宋玉〉。

⓫　見《中國詩史》第三篇第五章，北京人民出版社，1983，頁 151。

計共七篇。高光復也主張七篇，他說⓬：

> 全篇七個部分在〈賦〉的統一題目下構成一個完整的篇什。
> 前五段各賦一物，從正面作假物寓意的鋪陳，後兩段「直陳
> 今之政教善惡」，從反面作較為直接的批判……至於末尾的
> 兩首「佹詩」，則意在歸結全篇，類似《楚辭》中常有的
> 「亂辭」。

認為後面的「佹詩」共有兩篇，意在歸結全篇的大意，合計為七
篇，成為「一個完整的篇什」。

《漢書》〈藝文志〉著錄荀賦有十篇，學者們認為這十篇賦今
天還保存下來，它們就是〈賦〉和〈成相〉。〈賦〉有五篇、六篇
及七篇三種說法，〈成相〉也有三篇、四篇和五篇三種不同的說
法。學者們的處理方式往往是：從十篇賦中減去〈賦〉的篇數，就
是〈成相〉的篇數；相反的，從十篇中減去〈成相〉的篇數，就是
〈賦〉的篇數；很明顯的，這樣的處理方式基本上受〈漢志〉「十
篇」的掣肘。顧實認為〈漢志〉「十篇」當作「十一篇」，因為
〈賦〉有五篇，再加上〈佹詩〉一篇，共六篇；〈成相〉有五篇；
所以，「合為十一篇」⓭。突破〈漢志〉「十篇」的制約，是個例外。

如果我們擺脫〈漢志〉「十篇」的制約的話，〈賦〉到底有多

⓬　見高光復《賦史述略》，東北師範大學出版社，1987，頁23。
⓭　見顧實《漢志講疏》，引自陳國慶《漢書藝文志註釋匯篇》，北京中華書
　　局，1983，頁173。

少篇呢？〈佹詩〉及〈小歌〉算不算呢？它們是一小篇還是兩小篇呢？要解答〈賦〉的篇數，必須先解答〈佹詩〉及〈小歌〉和它的關係。

先討論〈小歌〉。

〈小歌〉一共二十句，每句四言，共八十個字；為討論上的方便，茲轉錄如下：

> 其小歌曰：念彼遠方，何其塞矣。仁人絀約，暴人衍矣。忠臣危殆，讒人服矣。琁玉瑤珠，不知佩也。雜布與錦，不知異也。閭娵子奢，莫之媒也。嫫母、力父，是之喜也。以盲為明，以聾為聰。以危為安，以吉為凶。嗚呼上天，曷維其同。

〈小歌〉隔句押韻，首六句以「矣」為韻，次八句「也」為韻，後六句「聰」、「凶」及「同」為韻；短短的二十句，用了三種不同的韻。最令人關注的是，「琁玉瑤珠」以下至結束十四句，又見於《戰國策》〈楚策〉四〈客說春申君〉章及《韓詩外傳》四，文雖小異，其為同一來源，當無可疑。《韓詩外傳》時代晚，抄錄自先秦文獻，自可不討論；《戰國策》時代早，為什麼也抄錄了〈小歌〉呢？

《戰國策》〈客說春申君〉章記載客遊說春申君，使春申君謝絕荀子❹，荀子乃離楚往趙，且為趙之上卿。客又往說春申君，說

---

❹　《戰國策》原作「孫子」。

以「賢者所在，其君未嘗不尊，國未嘗不榮」，春申君乃使人之趙，邀荀子返楚。荀子乃為書辭謝，書約三百五、六十字，上引《春秋》，下引李兌餓死主父、淖齒擢髆閔王等故事；書畢，《戰國策》說：

> 因為賦曰：寶珍隋珠，不知佩兮。雜布與錦，不知異兮。閭妹、子奢，莫之媒兮。嫫母、力父，是以喜兮。以瞽為明，以聾為聰。以是為非，以吉為凶。嗚呼上天！曷惟其同？

顯然的，這段「賦」就是荀賦〈小歌〉的後十四句。

是《戰國策》抄荀賦〈小歌〉？還是荀書抄《戰國策》？如果是前者，為什麼《國策》只抄〈小歌〉的後十四句呢？為什麼捨棄前面的六句呢？

審閱《戰國策》〈客說春申君〉章，筆者認為該章恐是縱橫之徒所編造的，理由有三：

一、文中說：「孫子去之趙，趙以為上卿。」考荀子並未任趙上卿，《春秋後語》改「上卿」為「上客」，正因為荀子未任上卿故也。姚宏說：「荀子未嘗為上卿。」所言甚是。今正文作「上卿」，不符史實，正暴露編造之破綻。

二、荀子致春申君書，占本章一半以上的篇幅；此三百五、六十字的謝書，又見於《韓非子》的〈奸劫弒臣〉。從其言臣子劫殺人君、弒賢長而立幼弱之內容及立意來考

慮，這三百多字應該是韓非的文字，不會是荀子的謝書。汪中《荀子通論》說：「春申君請孫子，孫子答書，或去或就，曾不一言，而泛引前世劫殺死亡之事，未知其意何屬？且靈王雖無道，固楚之先君也，豈宜向其臣子斥言其罪，不知何人鑿空為此！……此書自『厲憐王』以下，乃《韓非子》〈奸劫弒臣〉篇文，其言刻核舞知以御人，固非之本志。」從內容而論，本文乃「非之本志」；從寫作意旨而言，荀子泛引前世劫殺諸事，是何意旨？汪中所疑有理，可證本書非荀筆，乃後人所編造。

三、客忽而遊說辭謝荀子，忽而遊說邀返荀子；玩春申君於掌上如同兒戲，春申君果如此愚鈍乎？此當為縱橫之徒編造以售其遊說之技倆，不可輕信。

根據這三個理由，筆者認為《戰國策》〈客說春申君〉章是一篇雜抄的作品。

第一部分是縱橫之徒所編造，客既遊說春申君辭謝荀子，又能遊說春申君返邀荀子，一送一迎，盡展說客的辯才。接下來是好事者的增飾，他從《韓非子》那裡雜抄「厲憐王」三百多字進來，附在文末，並冠上「孫子為書謝曰」六字，成為今天〈客說春申君〉章另一主體部分。

至於結尾「因為賦曰」那十四句五十六字呢？有兩種可能：一、好事者從他處雜抄進來；二、好事者從〈賦〉抄過來。如果是後者的話，雜抄者應該連前面的六句也一道抄進來，沒有理由二十

句〈小歌〉只抄後十四句，偏把前六句摒棄掉。因此，筆者認為前一種可能性比較高；換句話說，是好事者從他處雜抄進來，後來，〈賦〉的編者再從〈客說春申君〉抄過去，附在〈小歌〉的後面，成為今天的樣子。

這個說法如果成立的話，那麼，〈小歌〉實際上應當分成前六句及後十四句兩個部分。前一部分六句和〈佹詩〉合為一體，是弟子「原聞反辭」的「反辭」；荀子向弟子反覆申說忠仁者困頓、讒暴者當道，和〈佹詩〉起句「天下不治」前後呼應，是〈佹詩〉的延續，也可以說是〈佹詩〉的總結。其結構形式，就如〈雲〉「弟子不敏，此之願陳。君子設辭，請測意之，曰……」一樣。過去學者都將〈佹詩〉和〈小歌〉分開，當作兩篇作品來看待，是受「琁玉瑤珠」以下十六句的影響，恐怕是不正確的。

三、爰錫名號

荀卿是文學史上第一位以「賦」命名其作品的文學家，地位崇高，成為賦作的開山祖。然而筆者認為荀子以「賦」命其篇名，卻有甚可疑之處。

考「賦」乃《詩》六義之一，「鋪采摛文，體物寫志」**⓯**，是詩歌的一種寫作方法，無形無象，如何當作一種「物」來托「志」呢？白居易有〈賦賦〉，前〈賦〉字為名詞，指賦體之作；後「賦」字為動詞，謂賦誦；「賦賦」，即賦作之賦誦也。今荀子命

⓯ 此《文心雕龍》〈辨騷〉語。

其篇為「賦」；若作名詞解，則篇內包含的是禮、知、雲、蠶及箴等物體，沒有一件物體是「賦」；若作動詞解，則「賦」前顯然缺了一個字。因此，荀子以「賦」命篇名，實在有甚可疑之處。

筆者認為，本篇名為「賦」，恐非荀子所題。

班固〈漢志〉將賦作劃分為屈原賦之屬、陸賈賦之屬、荀卿賦之屬及雜賦四大類。在著錄這些賦作時，有兩條體例特別值得注意：一、凡是有作者的賦作，班固都提上作者的名姓，下箸「賦」字及其篇數，不出其賦作之篇名，如屈原賦二十五篇、唐勒賦四篇等等。審覽首三類賦作的著錄情形皆如此，完全沒有例外。二、凡是不知作者的賦作，班固則著錄其篇名及其篇數，如〈客主賦〉十八篇、〈雜行出及頌德賦〉二十四篇等；雜賦類賦作的著錄就是如此，亦無例外。班固〈漢志〉乃刪省自劉向的〈七略〉，那麼，班固此不成文的體例也應當是繼承自劉向，是劉向的「一家之學」了。

今荀卿這幾篇小賦，或云〈禮〉、〈知〉，或云〈雲〉、〈蠶〉等，篇名可知，作者也得詳，以班固著錄的體例來推測：第一、〈漢志〉「孫卿賦十篇」內的「賦」字，正如「屈原賦二十五篇」、「唐勒賦四篇」一樣，諸「賦」字皆非作者賦作的篇名，而只是他們作品的體裁的一種泛稱，所以，根據〈漢志〉的著錄而謂荀子有題名為「賦」的賦作十篇，是不確實的。第二、〈漢志〉賦作著錄的體例既來自劉向，那麼，劉向在編纂荀子書的時候，對這幾篇有作者的小賦題名為「賦」，作為它們的泛稱，也是很自然的事。劉向《荀卿新書》〈敘錄〉最後一篇「賦篇第三十二」，就是在這種情形之下題寫下的。

　　這個推測如果成立的話，荀卿就不是文學史上第一位命名自己
的作品為「賦」的文學家了。

　　張小平 1996 年發表了〈荀子賦篇的真偽問題及研究〉❻；他
說：

> 考〈詩賦略〉中的行文格式是：「○○賦○篇」。比如「唐
> 勒賦四篇」、「宋玉賦十六」等，無一例外。班固編〈藝文
> 志〉〈詩賦略〉，其形式來源於劉向父子所編《七略》〈詩
> 賦略〉，當初劉向搜集荀賦篇數時，一定也是這麼編寫目錄
> 的。本來的書寫格式是「荀卿賦○篇」，由於古代沒有標點
> 符號，行文一錯訛，就成了「荀卿賦篇」的格式，後人沿用
> 不疑，一經標點，就成了「荀子〈賦篇〉」。這雖然是一種
> 推測，但為〈賦篇〉擬題之難以索解找到了較為合情合理的
> 依據。這一推斷如果成立，〈賦篇〉就是〈賦○篇〉的縮寫
> 錯訛，那麼它原只是表示篇數，而不是表示篇題；不是表示
> 篇題，顯然荀子就不是「以賦名篇」的始祖，也不是賦體之
> 始祖。

「荀卿賦○篇」怎樣會因為「古代沒有標點符號」，因而「行文一
錯訛」，就變成「荀卿賦篇」呢？根據張小平的說法，應該是
「篇」前的數字有奪文。筆者以為，即使「篇」前數字有奪文，訛
作「荀卿賦篇」，讀者也輕易可以發現「賦篇」下缺少篇數，與前

---

❻　見《江淮論壇》，1996 年 6 月。

後各條的著錄有差異，對本條所言有所懷疑。張小平的懷疑是可取的，不過，他未能從〈漢志〉著錄的體例去考察問題，所以，無法得出「荀卿賦」的真相。實際上，〈漢志〉〈荀卿賦之屬〉明明著錄了「孫卿賦十篇」，「賦」為篇題，「篇」為篇數單位，清楚瞭然，沒有標題及縮寫的訛誤，張小平顯然過慮了。

荀卿逝世之後，他的幾篇賦作開始流傳，當時並沒題上「賦」的名號，司馬遷在《史記》〈屈原賈生列傳〉裡說：「屈原既死之後，楚有宋玉、唐勒、景差之徒者，皆好辭，而以賦見稱。」序列賦家，僅及屈原、宋玉、唐勒及景差，不及荀卿，可知當時荀卿的幾篇賦作並未題上「賦」名，否則，以司馬遷對辭賦的嗜好和關注，對於第一位作品提上「賦」的荀卿，他沒有理由不提上一筆的。到了劉向時代，他整理荀書，並撰寫七略，才根據他撰述的體例，為這幾篇作品按上一個「賦」字。班固撰寫〈藝文志〉，也就繼承了劉向的傳統。

四、真偽

最早對荀賦的內容作出概括的，應該是班固；他在〈漢志〉裡說：「大儒孫卿及楚臣屈原，離讒憂國，皆作賦以風，咸有惻隱古詩之義。」將荀卿和屈原並稱，說他們「離讒憂國」，賦作有「惻隱古詩之義」。其後，皇甫謐〈三都賦序〉說：「是以孫卿、屈原之屬，遺文炳然，辭義可觀；存其所感，咸有古詩之意……。」摯虞〈文章流別志論〉說：「前世為賦者，有孫卿、屈原，尚頗有古詩之義……。」亦皆荀、屈並舉，並許「有古詩之義」，與班固同意。

　　到了梁朝的劉勰，他開始對荀賦作比較細緻的描寫，《文心雕龍》〈詮賦〉說：「觀夫荀結隱語，事數自環。」〈才略〉說：「荀況學宗而像物名賦，文質相稱，固巨儒之情也。」他從寫作技巧來描寫荀賦，說它們是「像物名賦」、「事數自環」的「隱語」；和班固撮其內容大義相比，顯然的，劉勰的概括角度是不相同的。

　　註解《荀子》的楊倞在題解裏說：「所賦之事，皆生人所切而時多不知，故特明之。」作為註解家，顯然的，楊倞是在向讀者解釋荀子寫作這幾篇賦的原因，比如〈禮〉下他說：「言禮之功用甚大，時人莫知，故荀卿將為隱語，問於先王云，臣但見其功，亦不識其名，唯先王能知，敢請解之，先王因重演其義而告之。」因為「禮」之用特大，時人又莫知，所以，荀子設此隱語，並採用問答方式來陳述闡明之。所謂「皆生人所切」、「功用甚大」及「因重演其義而告之」，幾乎就是班固「作賦以風，咸有惻隱古詩之義」的另一種近似的說法；所謂「為隱語」，則完全採用劉勰的意見了。令狐德棻在《周書》❼裏說：「大儒荀況，賦〈禮〉、〈智〉以陳其情；含章郁起，有諷諭之義。」他的說法，基本上也是楊說的延續，不過更精簡而已。

　　元朝之後，學者們對荀賦開始出現負面的批評。祝堯在《古賦辨體》卷二〈荀卿禮賦注〉下說：「（荀）卿五篇一律全是隱語，描形寫影，名狀形容，盡其工巧，自是賦家一體，要不可廢。然其辭既不先本於情之所發，又不盡本於理之所存，若視風騷所賦，則

------

❼　見《周書》〈王褒庾信傳論〉。

有間矣。吁！此楚騷所以為百代詞賦之祖也歟。」認為荀賦「不本
於情」、「不盡於理」，與「百代詞賦之祖」的「楚騷」有一段距
離。顯然的，祝堯的批評和班固等人「有惻隱古詩之義」相背千
里。

　　明代徐師曾〈文體明辨序說〉說：「趙人荀況……所作五賦，
工巧深刻，純用隱語，若今人之揣謎，於詩之義，不啻天壤，君子
蓋無取焉。」王世貞〈藝苑卮言〉說：「荀賦〈成相〉諸篇，便是
千古惡道。」不是斥之「無取」，就是惡言相向，無視於班固語。

　　為什麼元朝以後會有如此不同的批評呢？近人張小平在他的大
作中認為，班固等人的材料顯示荀賦含有「古詩之義」，後人的批
評則認為「無取」、「千古惡道」及「視風騷所賦，則有間矣」；
這種差別正顯示班固所看到的荀賦和劉勰以後所看到的是兩種不相
同的文本。換句話說，今本荀賦〈禮〉及〈知〉等五篇是後人偽作
的。正因為後人偽作了這幾篇荀賦，完全喪失了「古詩之義」，所
以，後人才會有如此之惡評。

　　張小平舉出兩個證據來支持他的說法：

第一、劉向編纂時，已有偽作雜湊其中

　　張小平說：「在漢初，托名先秦諸子進行創作，是一種時代風
氣，而荀子是被人托名最多者之一。」劉向編荀子「書錄」，從三
百二十二篇署名荀子的文章中才選定三十二篇，其托名的情形可以
想見。這種情形，至唐代楊倞第一次為《荀子》作注時還未改變，
「編簡煉脫，傳寫謬誤」的地方很多。可見，劉向「書錄」中雜湊
的文字很多，非荀子所作的作品羼雜其中是在所難免的。」

第二、荀書皆兩字名篇，〈賦〉獨單字

張小平說：「劉向《孫卿書錄》中的篇名，除〈非十二子篇〉外，皆用兩字名篇擬題，如〈榮辱篇〉、〈非相篇〉、〈富國篇〉，〈賦篇〉夾雜其中，顯得有些不倫不類。賦，是一種體裁，如果以此可以名篇，那麼同理可用其他體裁名篇，作出〈辭篇〉、〈論篇〉等可笑的『書錄』來。這從一個側面反映出〈賦篇〉的可疑。」

筆者認為，張小平此二說頗有問題。關於〈賦〉的得名，前節已有所論述，可解其疑慮，不再贅言。張認為劉向編輯荀書時，從三百二十二篇署名荀子文章中選定三十二篇，可見「其托名的情況」很嚴重；在這樣的情形之下，被劉向編入書中的，一定「雜湊的文字很多」。顯然的，張小平暗示今傳荀子的幾篇賦作也是在這樣的情況下入編的。

考劉向〈敘錄〉說：「所校讎中孫卿書凡三百二十二篇，以相校，除復重二百九十篇，定著三十二篇。」根據筆者的瞭解，那些被刪除的二百九十篇是因為復重的關係，不是如張小平所說的「雜湊的文字很多」。試讀《晏子春秋》劉向的〈敘錄〉：「凡中外書三十篇為八百三十八章，除復重二十二篇六百三十八章，定著八篇二百一十五章……。」似此刪除復重的篇章，幾乎是劉向校書的通例，與「雜湊文字」恐無關係。也許有人會說，劉向編定的這些篇章，難道就沒有「雜湊文字」嗎？有。以《晏子》為例，被編在〈內篇雜〉及〈外篇〉的篇章，都是比較雜的。古人編書都有此通例，《莊子》分內、外、雜，就是一個好例子。至於《荀子》，後面的幾篇如〈堯問〉及〈哀公〉等比較不純正，這也是學界所公認的；這是劉向對真著和駁雜的篇章的一種安排，和刪省多寡兩不相

涉。

張說其實還有一個矛盾，既然認定荀賦是在劉向校書時雜湊進去，是旁人托名的偽作，那麼，因襲劉向〈七略〉的班固在撰寫〈藝文志〉時，看到的當然也應當是這個雜湊本，根據張小平的邏輯，他又怎會作出「有惻隱古詩之義」的佳評呢？

張小平又說：

> 如果劉向「書錄」中的〈賦篇〉即是今日見到的〈禮〉、〈知〉、〈雲〉、〈蠶〉、〈箴〉諸篇，班固在〈詩賦略〉中會如何處理呢？班固分賦為四類，其中有一類是「雜賦」，它包括「成相雜辭」和「隱書」等體裁。而〈禮〉、〈知〉、〈雲〉、〈蠶〉、〈箴〉諸篇，「工巧深刻，純用隱語」，其歸類應當列在「雜賦」類的「隱書」中。班固列「隱書十八篇」，其中是否包含了〈禮〉、〈知〉諸篇「隱語」也未可知，但可能性是很大的。

這個說法顯然是不正確的。正如前文所說的，有作者的賦在著錄的時候，班固都著明作者名姓，下題「賦若干篇」；不知作者的時候，班固只好著錄篇名；這是〈詩賦略〉著錄的通例。今〈禮〉、〈知〉及〈雲〉等賦既有主名，怎樣會去著錄在雜賦類的〈隱書〉中呢？

〈賦〉內的六篇小賦，是不是偽作呢？是不是如張小平所言，因為後人所看到的文本不同，才會概括出和班固相異的「惡評」呢？筆者認為這是個仁智互見的問題，很難有一客觀的標準；以近

人來說，陸侃如及馮沅君的看法就和張小平相反❶：

> ……這標題似乎不倫不類，但他的意見不過是借物寓意，以
> 諷諫春申君。例如〈雲〉說「功被天下而不私置」，〈蠶〉
> 說「功成而身廢，事成而家敗」，〈箴〉說「以能合從，又
> 善連衡」，都是雙關語……表面上好像詠物，實際上卻是說
> 理……〈賦〉的後二篇的標題為〈佹詩〉及〈小歌〉……較
> 前五篇激烈而顯露，其主旨與〈懷沙〉「變白以為黑兮，倒
> 上以為下」相似……可知〈賦〉篇乃是荀況失意後所作。

根據陸、馮的分析，這幾篇小賦是「借物寓意」，分別含有諷諫的
深義，大率採委婉的說理方式，或用雙關語的暗示效果，把失意後
的理想、憤慨化在這些作品上；照他們的分析，它們正含義深遠，
極富惻隱古詩之意。前人譏其「無取」，或評其「千古惡道」，只
是個人主觀之見。

我們再看近人對這五賦的解評❶：

> 禮：賦禮是宣揚古代的禮義道德和等級制度的。禮義道德是
> 　　修身齊家、治國安邦的根本，這就是〈禮賦〉反覆強調
> 　　的主題。

❶　陸侃如、馮沅君合著《中國詩史》卷一篇三〈楚辭〉，北京人民文學出版
　　社，1956，頁 150-151。
❶　見畢萬忱、何沛雄及羅慷烈合注《中國歷代賦選》先秦兩漢卷，江蘇教育出
　　版社，1990。

智：《荀子》論治論學皆以禮以智為宗，故〈賦篇〉首論
　　禮、次論智……此賦闡述人的智慧正反兩方面的作用，
　　強調君臣隆禮重智方能「禁暴足窮」，使天下太
　　平……。

雲：〈雲賦〉也是借物言志的賦。陸侃如、馮沅君……這話
　　是對的。〈雲賦〉借雲表達了作者對仁政禮治的美好政
　　治理想的嚮往和追求。這就是〈雲賦〉賦雲的意義所
　　在。

蠶：這篇短賦……言簡意深，構思識巧……富有生活氣息。
　　劉勰說：「荀況學宗，而像物名賦，文質相稱，固巨儒
　　之情也。」這評價完全符合〈蠶賦〉的實際。

箴：〈箴賦〉通過多角度地對針的描寫表達了作者的政治理
　　想……希望君王能具備針的品格，像針那樣銳利有生
　　氣，合縱連橫，縫表連裡，消除諸侯割據，實現天下統
　　一；這可視為此賦的主題。

這些解評，不但把〈賦〉中含意合情合理地發掘出來，而且也把它
們和荀子的思想聯繫在一起，使我們領悟到它們不但和荀子有思想
上的血肉關係，而且在荀子整體的作品中也具有其重要的地位；以
「無取」及「千古惡道」評之，實在不近情理。

　　除了這五篇小賦頗含深義之外，筆者認為，〈佹詩〉的一唱再
唱不但是本篇的總結，而且「有古詩之義」的恐怕也在此篇之中。
試讀下列數節的分析：

(a)天地易位，四時易鄉。列星殞墜，旦暮晦盲。幽晦登昭，
日月下藏。公正無私，反見從橫。

此節蓋言天地變位，四時失向，星宿旦暮皆失常，天地間一片晦
暗，以喻百官廢弛，小人在位，天下不治，正直遭受誣謗。「公
正」及「縱橫」二句，亦可作為荀子自況之詞，謂自己公正無私，
反被誣為縱橫小人。

(b)道德純備，讒口將將。仁人絀約，敖暴擅強。

首二句言道德精純完備者，讒言反叢集其身；後二句言仁德純備者
絀退，暴戾恣睢者稱強；荀子蓋極力描寫仁道者與強暴者之遭遇適
成相反，藉以諷喻時代之黑暗。

(c)螭龍為蝘蜒，鴟梟為鳳凰。比干見刳，孔子拘匡。

時代之黑暗，竟將螭龍當作蝘蜒，將鴟梟當作鳳凰，宜乎比干剖
心，孔子困於匡，「昭昭乎其知之明也，鬱鬱乎其遇時之不祥
也」，像比干、孔子皆有昭昭之明智，竟拂違不順，生於黑暗之
世，真令人「憂無疆」矣。最後，荀子訓勉弟子亂久必治，此乃古
之常道，豈可不積學奮進，以俟天時乎！

接下來是弟子們自認愚純及疑慮，願請夫子反覆申說之。於

是，為師者❷乃將前言簡要地編成「小歌」：

> (d)念彼遠方，何其塞矣。仁人絀約，暴人衍矣。忠臣危殆，
> 讒人服矣。

「念彼遠方」；遠方，遠方不名之國，荀子蓋托遠以喻楚國。「仁人絀約」，見前文；「暴人」，指前文「敖暴」之人；「忠臣」，指「公正無私」及「志憂公利」等人。「讒人服矣」；服，用也；讒人見用，申述前文「讒口將將」，亦暗示前文「螭龍」及「鴟梟」之在位。從這些分析中，即知〈小歌〉正表達一個身被讒言所害，忠誠無法奉獻者的苦悶，他惟有藉文以托志，掇詞以諷諭；班固所謂「有惻隱古詩之義」，信而有徵。

魯迅說❷：「又有〈佹詩〉，實亦賦，言天下不治之意……詞甚切激，殆不下於屈原，豈身臨楚邦，居移其氣，終亦生牢愁之思乎？」可謂平實允當的批評了。近人方孝博在《荀子選》❷的〈題解〉中說：「至於〈佹詩〉，則是對當時楚國政治混濁狀態的尖銳批評與諷刺，比〈成相〉篇中所言更為坦率而激切。〈佹詩〉的末尾附有〈小歌〉，詞意尤至悲惋。」所言亦符實情。清人魏源❷說：「荀卿賦蠶非賦蠶也，賦雲非賦雲也。誦詩論世，知人闡幽，以意逆志，始知三百篇皆仁聖賢人發憤之所作焉，豈第藻繪虛車已

---

❷　〈雲〉也是師生問答之辭，與此篇同。
❷　見魯迅《漢文學史綱要》第四篇〈屈原與宋玉〉。
❷　1958 年北京人民文學出版社。
❷　魏源〈詩比興箋序〉，在《魏源集》上冊內。

哉！」將荀賦和三百篇並列，簡直就是班固「古詩之意」的另一種
說法。

五、〈成相〉的性質及其篇數

荀子又有〈成相〉，楊倞篇題下說：「雜論君臣治亂之事，以
自見其意……蓋亦賦之流也……舊第八，今以是荀卿雜語，放降在
下。」認為是荀子理論性以外的其他文字，討論君臣治亂的各種問
題，內容比較「雜」，所以，楊倞說是「雜語」；不過，它始終是
一篇賦作。

這篇賦作的寫作方式比較特殊，王念孫❷說：「蓋此篇通例：
兩三字句，一七字句，一四字句，又一七字句，如此五句為一章
也。」換句話說，本賦每章五句，起首兩句為三字句，然後是七字
句一句，四字句一句，最後是七字句一句；共五句二十四字。偶而
字數小有增減，那是例外。全篇五十六章，大約一千三百八十餘
字。

篇名「成相」的含義有多種說法，筆者以為陸侃如、馮沅君及
姜書閣的說法比較可取。陸、馮的說法❷是：

> ……從「成相竭，辭不蹶」及「托於成相以喻意」等句看
> 來，「成相」二字為連文，不能把「成」字當作動詞。這種

---

❷　見王念孫《讀書雜誌》〈荀子〉「阪為先」條下。
❷　見《中國詩史》卷一，頁151-152。

> 民歌自然是很短，荀詩則與〈賦篇〉同為政治的說理
> 詩……。

認為「成相」二字當是一個詞，不可撤開來解說；如楊倞引或人之
語「成功在相」，如王引之解作「成此治」❷，將「成」及「相」
分開解釋。支持陸、馮說法的有姜書閣，他說❷：

> 「成相」二字連文應是戰國後期南方楚地的一種民間歌曲調
> 名，如〈陽春〉、〈白雲〉、〈下里〉、〈巴人〉、以及
> 〈蒿裡〉、〈薤露〉、〈苦寒〉、〈精列〉，乃至後世的彈
> 詞、說唱等俚曲小調，若〈山坡羊〉、〈打棗竿〉、〈寄生
> 草〉之類，荀況取其格調，以寫自己的政治理想，積若干章
> 而成一篇，自具首尾，可用一調反覆重疊吟誦或歌唱。

姜書閣認為「成相」乃是戰國後期南方楚地一種民間歌曲調名，屬
於相助勞役的謳歌，所以，曲調簡短。荀子將它當作一種文體，依
曲造詞，並且依然題名為「成相」。

　　班固〈漢志〉〈雜賦〉下著錄了十二種賦作，其中十種的篇題
都有一個「雜」字，如「雜行出及頌德賦」、「雜四夷及兵賦」及
「雜中賢失意賦」等。這些雜賦，都以內容及篇題相同相似而組合
在一個總篇題之下；比如「雜四夷及兵賦」，應該是一些敘寫周邊

---

❷　見《讀書雜誌》，「成相」條下。
❷　見姜書閣前揭書，頁 161。

部落文化及一些不同兵器的賦作，共有二十篇之多；故總題為「四夷及兵賦」。再加一個「雜」字，表示此二十篇篇幅之多、內容之眾。又比如「雜禽獸六畜昆蟲賦」，應該是一些描寫動物、昆蟲的賦作，共十八篇，它們因為內容相同相近而總題為「禽獸六畜昆蟲賦」，「雜」字則表示其篇幅多、內容眾。以此類推的話，「成相雜賦」當是以「成相」為歌調，依調造詞而寫成的一些賦作，共十一篇；題「雜」字，亦表示其篇幅多、內容不純。

荀子的〈成相〉，應當就是「成相雜賦」的一種，只不過因為它被編入荀書，是荀子的作品，內容比較一致，篇幅也不很多，所以，少了一個「雜」字，「辭」字也就相應省略了。這個說法如果成立的話，對姜說有強化的效果。

本賦的分篇歷來有三篇❷❽、四篇❷❾及五篇❸⓿三種不同的說法；其中三篇及四篇說，頗受〈賦〉篇數的多寡的影響❸①。

筆者認為本賦當以劃分五篇為宜；其分法如下：

第一篇：

自第一章「請成相」至第十二章「基必施」。

第二篇：

---

❷❽ 楊倞及朱熹都分為三篇，朱熹《楚辭後語》一〈成相第一〉下，〈敘〉曰：「此篇在〈漢志〉，號『成相雜辭』，凡三章。」朱熹稱「篇」為「章」。

❷❾ 王先謙《荀子集解》雖未明言篇數，不過，依據他的分段，可知他將本賦分為四篇。姜書閣為此說之支持者。

❸⓿ 胡元儀〈郇卿別傳考異〉認為當分為五篇，見王先謙《荀子集解》〈考證下〉引；陳汝衡《說書史話》附和此說。

❸① 見姜書閣前揭書，頁 165-166。

　　自第十四章「凡成相」至第二十二章「成相竭」。

第三篇：

　　自第二十三章「請成相」至第三十三章「天乙湯」。

第四篇：

　　自第三十四章「願陳辭」至第四十四章「觀往事」。

第五篇：

　　自第四十五章「請成相」至第五十六章「君教出」。

首先從內容來論證。

　　五篇所論內容，各有不同，而且涇渭分明，很難混淆。第一篇起句「請成相，世之殃」，所言的都是人世間的各種禍殃；全篇十三章，大部分都在敘述國君忽略賢聖所造成的禍殃，最後，以「賢者思」及「辨賢罷」回應主題而作結。第二篇起句「凡成相，辨法方」，言辨別治國之良方；篇內五舉「君子」治國之道、三舉「聖人」見用之功。第三篇起句「請成相，道聖王」，篇內多言古聖王治國之效益，可為後世榜樣。第四篇「願陳辭，□□□」，起句有缺；不過，篇內言治國之道一經迷失，則國家昏亂、百姓遭殃，明顯的卻是通篇主題。結尾「觀往事，以自戒」，更道明本篇「鑒往知來」的寫作目的。最後一篇「請成相，言治方」，言治國之方向，篇內言「五約」❸❷，及其他治國的守則。五篇的篇旨既如此分明清楚，如何合為四篇、三篇呢？

　　其次，各篇起訖文字也證明了五篇說的正確。

---

❸❷　即下文所言「臣下職，莫游食」、「守其職，足衣食」、「君法明，論有常」、「君法儀，禁不為」及「刑稱陳，守其銀」。

　　第一篇起句「請成相」，謂請讓我依「成相」的曲調來造詞，表達我的思想；第二篇起句「凡成相」，謂凡是歌唱起「成相」的曲調。第二篇雖然和首篇分為兩篇，但是，它卻是首篇的延續，所以它的起句是「凡成相」，不是「請成相」；而其結尾為「成相竭」，謂「成相」曲調收尾矣，總結第一篇首句「請成相」而言。它的最後一句「辨為殃孽□□□」，其「殃」字和首篇起句「世之殃」的「殃」字互相呼應。它的最後第二句「宗其賢良」，與第一篇開首第三句「愚闇愚愚墮賢良」，兩「賢良」也前後呼應。因此，第一、二篇應該是一個整體，中分二篇。

　　首二篇既然「成相」曲調收結了，所以，第三篇起句又是「請成相」，請讓我依調造詞，表達心意。

　　第四篇「願陳辭」，雖不用「請成相」起句，但是，「願陳辭」也是一個開始的句子；「成相」是曲，文字是「辭」。第二篇結尾云「成相竭，辭不蹶」，「成相」是曲，「辭」是文字，就是一個明證；所以，「願陳辭」其實就是「請成相」的另一種說法。結尾最後一句「托於成相以喻意」，就曲而言「成相」，不就字而言「辭」，亦可證「辭」即「成相」的另一種說法了。胡元儀說：「願陳辭」上當有「請成相」三字，以補其下之三奪字；「請成相，願陳辭」，意重辭費，不可從。

　　第五篇「請成相」，又是另一篇的新開始。

　　五篇首尾句的起訖文字既交待得如此清楚，如何合為四篇、三篇呢？

（原刊於《文獻》2005 秋季號，北京圖書館出版社）

論賈賦

　　《漢書》〈藝文志〉著錄賈誼有賦七篇，在屈原、唐勒、宋玉、趙幽王及莊夫人之後，屬屈原賦之類。七篇之中，今存〈吊屈原〉、〈鵩鳥〉、〈惜誓〉、〈旱雲〉及〈虡〉等五篇；惟〈虡〉殘，實存四篇有餘。

一、〈吊屈原賦〉

　　本賦為賈賦中之名作，蓋作於漢文帝三年（公元前 177 年），賈誼被貶為長沙王太傅，初抵長沙之時。賈誼於賦中對屈原之不幸遭遇寄與高度同情，表達其無限之哀慟，並深刻地認為其不幸乃黑暗社會所造成；賦內運用大量比喻，將屈原比作鸞鳳、騏驥、莫邪、神龍及周鼎，將奸妄小人比喻為鴟梟、鉛刀及螻蟻等，以反襯對比的手法，凸顯屈原高潔之人格及非凡之才華。中國文學史上第一個撰文悼念屈原，當為賈誼矣。

　　本賦可分為三段，用韻，大部分隔句用「兮」字。

　　首段僅八句，概述被貶長沙與悼念屈原之因緣，類似緣起。次段始於「嗚乎哀哉」，終於「獨離此咎兮」，共二十四句。本段循前段「遭世罔極」加以引申鋪述，概述屈原所遭逢之時代如何「罔

極」——鴟梟翱翔、方正倒植等，故起段即歎以「嗚乎哀哉」，再歎以「逢時不祥」；收段又歎以「嗟苦先生，獨離此咎兮」。咎，災禍也；謂此災禍非特不祥，且不祥至極，極言災禍之深重也。次段乃就屈原之遭遇作客觀性之狀寫。

第三段乃本賦重點所在：在這裏，賈誼提出兩個想法。第一、「鳳凰翔於千仞兮，覽德輝而下之。見細德之險征兮，遙曾擊而去之」，謂鳳凰見人君有德，才肯下來，否則是遠走高飛的。換句話說，賢者是擇木而棲，擇人而事，見人君無德則離開。第二、「般紛紛其離此尤兮，亦夫子之故也。歷九州而相其君，何必懷此都也」，謂屈原不遠走高飛，周遊列國，擇君而事，正是屈原遭遇災禍的內在原因。根據此二想法來看，賈誼認為屈原應該離開楚國，到其他國家去，才可避免投河自盡。

賈誼一生言行，蓋非純粹儒家人物。方其年少時，《史記》本傳說：「吳廷尉為河南守，聞其秀才，召置門下，甚幸愛。孝文皇帝初立，聞河南守吳公治平為天下第一，故與李斯同邑而常學事焉，乃徵為廷尉。」賈誼年少時除了「能誦詩屬書」之外，還向河南守吳廷尉學習過一段時間；吳廷尉和李斯同鄉，是李斯的學生。換句話說，賈誼是李斯的再傳弟子；其為法家人物，蓋無可疑。

本傳又說：「廷尉乃言賈生年少，頗通諸子百家之書。」實際上，賈誼學問甚廣，除儒、法之外，諸子百家皆通，為一雜家人物。吳雲及李春台曾分析《賈誼集》的具體內容有六點❶：

---

❶ 見吳、李合注《賈誼集校注》的〈前言〉，中州古籍出版社，1989。

1. 削弱同姓王的力量，以加強中央集權；
2. 使民歸農，加強糧食儲備；
3. 執行省刑薄賦的政策；
4. 反對上層統治者的侈靡之風；
5. 以禮治國，使上下有序；
6. 抗擊匈奴，解除邊患。

這些內容，涉及儒、法、農及兵家的知識，只有學問廣博者才能應付。再讀一讀〈鵬鳥賦〉，全篇充滿老莊消極避世的思想；顯然的，他也通老莊。賈誼為一「百家皆通」的人物，於此可見。

賈誼既然是一名「百家」人物，那麼，他責問屈原為什麼不遠走高飛，擇君而事，就如鳳凰擇木而棲一樣，乃是從「百家」的立場來提問的。對先秦諸子而言，包括儒家人物在內，周遊列國、擇君而事是很平常的事，賈誼以此責求屈原，是符合戰國的實際情況的。畢萬忱、何沛雄及羅慷烈在註釋本賦之後，說❷：

> 我們應該深知賈誼責怪屈原的背後，還蘊含有更深沉的感情。屈原的時代，賢人志士可以周遊列國擇明君而相之……真可謂天高任鳥飛，海闊憑魚躍！而今，天下一統……哪裡還有「遙增擊而去之」的條件！被貶後的賈誼，宛如拘徒，只能在卑濕之地，傷悼其壽命不得久長了。賈誼的懷才不遇

---

❷ 畢、何及羅合注《中國歷代賦選》（先秦兩漢卷），江蘇教育出版社，頁171-172，1990。

　　的苦悶，政治上受挫而走頭無路的抑鬱，確實加重了這篇賦
　　內容上的傷感和情調上的悲涼。

謂賈誼責求屈原不周遊列國、擇君而事，乃是因為自己的時代已無
此條件，所以，悲悼屈原，乃是悲悼自己「國家一統，走投無路」
的困境。這個說法固然可以加深賈誼悲悼的內涵，然而，它必須建
立在「忠君愛國」的儒家文化之上；賈誼是不是有此思想？從他的
學問及言論上來看，筆者頗感懷疑。

　　賈誼既非單純的儒家人物，就不會有濃烈的「忠君愛國」思
想；實際上，如果他真的是單純的儒家人物，他正可以利用此「國
家一統，走投無路」來表達自己的忠貞不二，如屈原以身殉國一
樣，用不著去責怪屈原為什麼不遠走高飛，擇君而事。因此，說悲
悼後面有很深的內涵，恐怕是根據後來儒家文化及立場加以粉飾，
有過譽之嫌。從賈誼的學問及言論來考察，他寫本賦時不會有此思
想的。

二、〈鵩鳥賦〉

　　本賦始見於《史記》，再見於《漢書》，三見於《文選》。
《史記》曰：「楚人命鴞曰服。」《漢書》曰：「有服飛入誼
舍……服似鴞。」竊疑本賦原題為「服賦」，今《史》、《漢》所
錄文本皆作「服」，是其明證。

　　服，以音得字，難顯鳥名，後人乃作「鵩」，加「鳥」旁；
《文選》錄《漢書》「服似鴞」作「鵩似鴞」，可以為證。其後，

又易作複音詞「鵩鳥」，《文選》引《漢書》「有服飛入誼舍」作「有鵩鳥飛入誼舍」，《文選》又題本賦為「鵩鳥賦」，是其例。《文心雕龍》〈詮賦〉曰：「賈誼〈鵩鳥〉，至辨於情理。」〈事類〉曰：「唯賈誼〈鵩賦〉，始用《鶡冠》之說。」或作「鵩鳥賦」，或作「鵩賦」，可見單音詞及複音詞之並行互用。

本賦分三段。首段十八句，類如前言。次段四十句，與《鶡冠子》〈世兵〉相同相似者二十二句；第二段五十句，與《鶡冠子》相同相似者二十一句。第二、三段為本賦重點所在，然而，超過半數之句子與《鶡冠子》相同相似；如果它們是抄襲自《鶡冠子》，本賦還有價值嗎？答案當然是否定。

最早懷疑賈誼的，今所知者當是劉勰，他在《文心雕龍》〈事類〉裏說：「唯賈誼〈鵩賦〉，始用《鶡冠》之說。」認為是賈誼錄用《鶡冠子》的文字。其實，劉勰是相當嘉許賈誼的，前引〈詮賦〉贊賈誼本賦「至辨於情理」；〈才略〉也讚他「陵軼飛兔，議愜而賦清，豈虛至哉」；如果本賦二、三段半數以上句子抄自《鶡冠子》，如何會「至辨情理」、「豈虛至哉」？劉勰之說雖有自相矛盾，但是，本賦和《鶡冠子》有密切關係卻是事實。

和劉勰的看法相反的，是柳宗元；他在〈辨鶡冠子〉裡說❸：

> 余讀賈誼〈鵩賦〉，嘉其詞，而學者以為盡出《鶡冠子》。余往來京師，求《鶡冠子》無所見，至長沙始得其書。讀之，盡鄙淺言也。惟誼所引用為美，餘無可者。吾意好事者

---

❸　見《柳河東集》卷四。

偽為其書，反用〈鵬賦〉以文飾之，非誼有取之決也。太史
公〈伯夷列傳〉稱賈子曰：「貪夫徇財，烈士徇名，誇者死
權。」不稱《鶡冠子》。遷號為博極群書，假令當時有其
書，遷豈不見耶？假令真有《鶡冠子》書，亦必不取〈鵬
賦〉以充入之者；何以知其然耶？曰：不類。

根據這段文字，可知當時認為〈鵬鳥賦〉出自《鶡冠子》者，尚大
有人在。柳宗元在長沙求得此書，展讀之後，始知該書「盡鄙淺
言」，是好事者據〈鵬鳥賦〉偽造《鶡冠子》。司馬遷引賈誼語又
見於《鶡冠子》，但是，他不說出自《鶡冠子》，可見他未見此
書，僅見〈鵬鳥賦〉，然則此書之晚出，抄錄賈賦，蓋可斷言矣。

韓愈有〈讀鶡冠子〉，曰：「《鶡冠子》十有九篇，其詞雜黃
老刑名。其〈博選〉篇，四稽五至之說當矣……〈學問〉篇稱賤生
於無所用……余三讀其辭而悲之……。」❹嘉許〈博選〉及〈學
問〉二篇，於本書資料之來源，未遑論及。

是賈誼到長沙之後，利用《鶡冠子》的材料，寫成本賦（以下
簡稱「賈襲鶡」）？還是後來的好事者，抄襲本賦編寫成《鶡冠子》
〈世兵〉呢（以下簡稱「鶡抄賈」）？柳宗元以後學者頗多支持「鶡抄
賈」的說法。

晁公武《郡齋讀書志》說：「後兩卷有十九論，多稱引漢以後
事，皆後人雜亂附益之……宗元之評蓋不誣。」陳振孫、王應麟及

---

❹　見《韓昌黎文集校注》卷一，頁 21-22。

胡應麟❺等，皆附同此說。近人梁啟超說：「此書經後人竄亂，附益者多矣。今所存者，即中三卷，雖未必為〈漢志〉之舊，然猶為近古，非《偽關尹》、《偽鬼谷》之比也。」❻認為《鶡冠子》既多有附益，又「猶為近古」，態度略緩和。

《周氏涉筆》提出不同的看法，它說❼：「〈王鈇〉所載，全用楚制，又似非賈誼後所為。」〈王鈇〉乃《鶡冠子》中卷之第二篇；中卷第二篇既有賈誼以前之材料，那麼，其他篇章亦當有此情形，包括〈世兵〉。換句話說，〈世兵〉亦可能有賈誼以前的材料。《四庫全書提要》說：

> 柳宗元……據司馬遷所引賈生二語以決其偽。然古人著書，往往偶用舊文；古人引證，亦往往偶隨所見……司馬遷惟稱賈生，蓋亦此類，未可以單文孤證，遽斷其偽。惟〈漢志〉作一篇，而〈隋志〉以下皆作三卷，或後來有所附益，則未可知耳！其說雖雜刑名，而大旨本厚於道德。其文亦博辨宏肆，自六朝至唐，劉勰最號知文，而韓愈最好知道，二子稱之。宗元乃以為鄙淺，過矣。

不但否決了柳宗元的說法，還認為劉勰及韓愈對《鶡冠子》的態度才是正確的；果如此的話，等於說是「賈襲鶡」了。

---

❺　諸家之說，張心澂已備錄在所編著《偽書通考》內。

❻　同上。

❼　同上。

在涉及本賦與〈世兵〉的關係時，到底是「賈襲鶡」，還是
「鶡抄賈」呢？這不但影響到賈誼的寫作態度，也影響了〈鵩鳥
賦〉的評價。為了釐清這個課題，我們可以將本賦和〈世兵〉作逐
字逐句對讀，比較研究；這裏將對讀後發現的問題提出來討論：

(1)「精神」與「萬物」❽

　本賦：萬物迴薄兮，振盪相轉。

　〈世兵〉：精神回薄，振盪相轉。

本賦多次提到「萬物」、「物」，如「萬物迴薄兮」、「萬物變化
兮」、「大鈞播物兮」、「化為異物兮」、「萬物為銅」、「物無
不可」及「至人遺物」等，可見它們是本賦的習詞。這七個
「物」、「萬物」的句子，〈世兵〉出現了三個；其中，「達人大
觀兮，物無不可」，〈世兵〉作「達人大觀，乃見其可」；「至人
遺物」，〈世兵〉同；「萬物迴薄」作「精神回薄」；其他四句
「萬物變化」、「大鈞播物」、「化為異物」及「萬物為銅」，均
不見於〈世兵〉。

　　在同時出現的三個句子中，「物無不可」被改作「乃見其
可」；「萬物迴薄」被改作「精神回薄」。〈世兵〉有一句「精習
象神」，沒有「精神」一詞。如果說〈世兵〉改「萬物」為「精
神」，〈世兵〉又何必如此改作呢？如果原本作「精神」，賈誼為
配合全賦改作「萬物」，可能性更大。「乃見其可」被改作「物無

---

❽　以下對讀時，本賦據《文選》，《鶡冠子》〈世兵〉據百子全書本。

不可」，也是為著配合全賦的需要的。

（2）「天地」與「天道」
　　本賦：天不可預慮兮，道不可預謀。
　　〈世兵〉：天不可與謀，地不可與慮。

本賦「道」字多見，「道不可預謀」、「獨與道俱」、「獨與道息」及「與道翱翔」，為本賦習詞。道，即大道、天道之謂。其中，「道不可預謀」及「獨與道息」二句，又出現於〈世兵〉之內。

　　在同時出現的兩個句子中，「獨與道息」未改，「道不可預謀」被〈世兵〉改作「地不可與慮」。〈世兵〉屢見「天」、「地」；如「天不變其常，地不易其則」、「莫不天地」、「參之天地」、「受數於天，定位於地」及「天地不倚」等，或「天」、「地」分舉，或「天地」合詞。此文「天不可與謀，地不可與慮」，亦「天」、「地」分舉之例。

　　本賦曰：「天不可預慮兮，道不可預謀。」道即大道、天道；前句既有「天」字，此句再云大道、天道，於義重複矣。竊疑此二句本如〈世兵〉「天」、「地」分舉，賈誼為牽合賦內諸「道」字，乃易「地」為「道」，不知其與前句「天」字部分意義重複。

（3）「貪夫」、「烈士」及「誇者」
　　本賦：貪夫殉財兮，烈士殉名。誇者死權兮，品庶每生。
　　〈世兵〉：誇者死權，自貴矜容。列士徇名，貪夫徇財。

四句話中，三句對仗工整。以本賦來說，首三句對仗，不整齊的是最後一句；以〈世兵〉來說，第一、三及四句對仗，不整齊者在第二句。兩相對讀，本賦首三句排在一起，比較整齊；〈世兵〉插一句在中間，顯得略為凌亂。依常理而言，〈世兵〉比較原始，本賦經過加工，所以，不對仗者被移到最後去。

司馬遷稱引賈誼語，為什麼不稱引《鶡冠子》呢？學者謂當時《鶡冠子》尚未成書，無法稱引；並據以謂〈世兵〉乃後人抄襲本賦而成。筆者認為〈世兵〉此四句比較原始，中間夾一句不整齊的句子，稱引不方便；不若本賦把末句省掉，但引首三句即了事。在此對比之下，司馬遷當然引本賦了。此說若成立，則司馬遷稱引賈語，就不再是「鶡抄賈」的一條證據了。

　　⑷「禍與福如糾纏」
　　　本賦：夫禍之與福兮，何異糾纆。
　　　〈世兵〉：禍與福如糾纏。

〈世兵〉有一段文本說：「禍乎福之所倚，福乎禍之所伏。禍與福如糾纏。混沌錯紛，其狀若一。交解形狀，孰知其則。芴芒無貌，唯聖人而後決其意。斡流遷徙，固無休息。終則有始，孰知其極……。」這一段文本，除「芴芒無貌，唯聖人而後決其意」不整齊外，全都是上下句相儷。惟獨「禍與福如糾纏」，單句無對，甚為突兀。

本賦有「禍兮福所倚，福兮禍所伏」二句，又有「夫禍之與福兮，何異糾纆」二句；顯然的，和〈世兵〉「禍乎福之所倚，福乎

禍之所伏」及「禍與福如糾纏」分別有關係。是「鵩抄賈」？還是「賈襲鵩」呢？如果是前者的話，〈世兵〉整段都是儷句，為著與前後儷句相配合，〈世兵〉為什麼不把「禍之與福，何異糾纏」完整地抄襲進去呢？反而要將儷句改為獨句，和前後文配合不上呢？反過來說，原本是獨句，賈誼在採錄的時候，為著前後文的需要，把獨句改寫為儷句。

這個推論如果成立的話，那麼，〈世兵〉的材料顯然比較原始，賈誼看過這批材料，並且據以作賦。

　　⑸「泛泛乎若不繫之舟」
　　　　本賦：澹乎若深泉之靜，泛乎若不繫之舟。
　　　　〈世兵〉：泛泛乎若不繫之舟。

〈世兵〉還有一段文本：「至得無私，泛泛乎若不繫之舟，能者以濟，不能者以覆。天不可與謀，地不可與慮。」每兩句為一對。第二及第三對並儷，惟獨首兩句長短句，不成對。

　　本賦有「天不可預慮兮，道不可預謀」，與〈世兵〉「天不可與謀，地不可與慮」有關，前已言之。本賦又有「澹乎若深泉之靜，泛乎若不繫之舟」，顯然和〈世兵〉「泛泛乎若不繫之舟」有關。如果是〈世兵〉出自本賦，則本賦既已並句，〈世兵〉為配合上下文，不應刪「澹乎若深泉之靜」一句，使「泛乎若不繫之舟」獨存。蓋賈誼因襲〈世兵〉時，見此句不儷，乃加「澹乎若深泉之靜」，使與前後文皆並儷相合。

　　　　※　　　　※　　　　※　　　　※

　　經過逐字逐句對讀之後，我們發現，證據一再顯示賈襲鶡的可能性非常大，鶡抄賈恐怕不可能。筆者懷疑賈誼被貶長沙之後，才有緣讀到《鶡冠子》，情形就如柳宗元「往來京師無所見」，「至長沙始得其書」一樣，展讀之餘，發現所言與自己謫居感受相彷彿，乃纂組其文，滲以己意，成此名篇。

　　實際上，本賦不但意識形態深受道家的影響，賦內的用詞、語句及典故等，都和《莊子》有密切的關係。試讀下列諸例：

　　1.「且夫天地為爐兮，造化為工。」

　　　案：《莊子》〈大宗師〉曰：「今一以天地為大爐，以造化為大冶，惡乎往而不可哉！」即本賦之所出典。

　　2.「合散消息兮，安有常則。」

　　　案：〈大宗師〉曰：「人之生，氣之聚也。聚則為生，散則為死。」聚散，即合散；本賦語意之所本。

　　3.「千變萬化兮，未始有極。」

　　　案：〈大宗師〉曰：「若人之形者，萬化而未始有極也。」此本賦「未始有極」之所本❾。

　　4.「達人大觀兮，物無不可。」

　　　案：達人，一作「通人」，皆《莊子》習詞。〈齊物論〉曰：「物固有所然，物固有所可，無物不然，無物不

────────────────

❾　《文選》本賦李〈注〉引《列子》曰：「千變萬化，不可窮極。」則本賦「千變萬化」源自《列子》。

可。」（又見〈寓言〉）此本賦「物無不可」之所本。

5.「大人不曲兮，意變齊同。」

案：大人，亦《莊子》習詞。齊同，即莊子齊物之思想。本賦此二句語意源自《莊子》。

6.「至人遺物兮，獨與道俱。」

案：〈田子方〉曰：「遺物離人而立於獨。」〈山木〉曰：「獨與道游於大漠之國。」此本賦二句之所本。又：至人，亦《莊子》習詞。

7.「真人淡漠兮，獨與道息。」

案：真人，亦《莊子》習語。

8.「釋知遺形兮，超然自喪。」

案：〈大宗師〉曰：「離形去知，同於大通。」釋知，即去知；遺形，即離形；二句本於《莊子》。

9.「其生若浮兮，其死若休。」

案：〈刻意〉曰：「其生若浮，其死若休。」本賦所本。

10.「德人不累兮，知命不憂。」

案：德人，不累，皆《莊子》習詞。

以上所舉十例，在在都證明本賦和《莊子》關係非常密切，不但語詞、文句，甚至典故，都因襲自《莊子》。賈誼既然能夠大量因襲《莊子》，為什麼不能因襲《鶡冠子》呢？

　　　　　※　　　　※　　　　※　　　　※

此文脫稿之後，閱吳光《古書考辨集》，內有〈《鶡冠子》非

偽書考辨〉❿，在討論〈鵩鳥賦〉與《鶡冠子》的關係時，曰：

> 至於賈誼〈鵩鳥賦〉與《鶡冠子》有某些文句相同（如「烈
> 士徇名，貪夫徇財，誇者死權」、「水激則旱，矢激則遠」等），只能
> 說明賈誼受了道家思想影響，而不能斷言《鶡冠子》剽竊了
> 〈鵩鳥賦〉。我們倒是認為，唐代學者以為〈鵩賦〉之言
> 「盡出《鶡冠子》」並非信口雌黃。……賈誼作賦時，正是
> 貶居長沙，心情悲觀之際，其思想容易與道家厭世思想發生
> 共鳴。《鶡冠子》作者是楚人，長沙居楚地，其書自然在楚
> 地流傳較多（柳稱「余往來京師，求《鶡冠子》無所見，至長沙，始
> 得其書」，是其證），這類話也可能成為當地人們的口頭
> 禪……他在賦中採用了當地流行的道家言語，不是合情合理
> 嗎？為什麼非要斷言是《鶡冠子》抄襲〈鵩鳥賦〉，並據此
> 定其為偽書呢？

吳先生之言，不但與筆者有巧合之處，經過筆者前文逐字逐句對
讀，比較分析，更可以證明吳先生所言正確：是〈鵩鳥賦〉因襲
《鶡冠子》。李學勤先生認為《鶡冠子》乃秦焚書前的作品❶，則
賈抄鶡更可確定了。

---

❿ 原文刊於《浙江學刊》，1983 年第四期。後編入吳著《古書考辨集》內，台
北允晨文化實業股份有限公司，1989。
❶ 見李著《走出「疑古時代」》。

三、〈旱雲賦〉

本賦始見於《古文苑》，在卷三內。《古文苑》二十一卷，不著編纂人。《四庫全書提要》引陳振孫《書錄解題》之說，謂孫巨源於佛寺經龕中「得唐人所藏」；何謂「唐人所藏」？此唐人為誰？何時藏於經龕中？都甚可疑。此書來歷不十分明確，書中所錄詩賦雜文，自有可疑之處。本賦是否賈誼所作，學者曾論及。

歐陽詢編《藝文類聚》，卷一百〈災異〉部「旱」類下，錄有東方朔〈旱頌〉一首，計十二句，與本賦同；學者認為本賦即〈旱頌〉，因謂本賦作者為東方朔。此說恐不可信，正如龔克昌所說的 ❷：

> 唐初虞世南編撰《北堂書鈔》，已引用〈旱雲賦〉之句，指出作者為賈誼，虞世南與歐陽詢為同時代人。稍後幾十年的大學者李善為《文選》作〈注〉，頻頻引用〈旱雲賦〉的文句，皆以為此賦為賈誼所作，故宜斷此賦為賈誼所作。

《文選》卷二十六潘安仁〈在懷縣作〉、卷二十七謝玄暉〈敬亭山〉及卷二十八樂府詩〈從軍行〉下李善諸〈注〉引本賦時，皆題為賈誼所作；此外，虞世南《北堂書鈔》卷一五六引本賦時，亦題為賈誼所作；是唐時學者已肯定本賦作者為賈誼。龔說甚是。《藝文類聚》題為東方朔所作，未詳何據。

❷　見《全漢賦評注》〈前漢〉卷，頁 21，花山文藝出版社，2003。

本賦末段曰：「何操行之不得兮，政治失中而違節；陰氣避而留滯兮，厭暴至而沈沒。」馬積高認為此數句把災異和政治聯繫起來，「這種現象是漢武帝以後才出現的事，當非賈誼所作」；他又認為東方朔「也不道天人感應之說」，所以，「恐亦難定為他所作」⑬。於本賦作者之判定，頗多猶疑。⑭

本賦可分三段。首二段一部分寫白雲之運行、屯積、騰躍、相搏，以及風吹雲散，一部分寫雲散雨收、砂石如煎、酷熱如蒸、禾苗焦枯、農夫泣淚等客觀情狀，作者以敏銳的觀察力，對旱天的各種現象作細緻的、逼真的描繪，展現了一幅災禍圖。正如龔克昌所說的：「這種對客觀事物細膩的描繪，在先秦文學中是不多見的，這說明以賈誼為代表的漢初賦作，已處在由以抒情為主要特徵的先秦文學開始轉向以描寫敘事為主要特徵的漢大賦的過渡階段。」⑮對客觀現象的描寫，是首二段的特色。

本賦重點當在第三段。〈漢志〉將賈賦列入屈原賦之屬，在於賈賦經常流露出作者憂國憂民的思想情懷；第三段借前文對旱天的描寫，對主政者「失中」、「違節」的批判，適當地表達出作者這份愛民愛國的情操，才是本賦的核心部分。「獨不聞唐虞之積烈兮，與三代之風氣。時俗殊而不還兮，恐功久而壞敗」，既感喟於三代之遠去，又感慨於淳樸風俗的敗壞。「何操行之不得兮，政治失中而違節」，造成這樣的情況，原來是當政者的過失；「忍兮嗇

---

⑬ 見馬積高《賦史》，頁62，上海古籍出版社，1987。

⑭ 馬接著又說：「唐李善注《文選》……已引『賈誼〈旱雲賦〉』斷句，則其為一篇較早的古賦，大概還是可以肯定的。」還是承認賈誼的著作權。

⑮ 見龔著《漢賦研究》，頁55，山東文藝出版社，1984。

夫，何寡德矣」，一般官吏也缺德無能。「白雲何怨，奈何人兮」，所謂旱災，原來是人自己造成的。賈誼傷民憂國，盡顯字裏行間。

本賦題作「旱賦」，詞義已足；《藝文類聚》錄本賦作「旱賦」，作者雖誤作東方朔，賦名作「旱賦」，則恐不誤，可為證。因賦中多寫白雲，結局又云「白雲何怨，奈何人兮」，後人乃添「雲」字，作「旱雲賦」。且本賦亦寫各種酷熱之情狀，非單寫白雲而已。

四、〈惜誓〉

本賦見於王逸編《楚辭》卷十一。有關其作者，王逸說：「〈惜誓〉者，不知誰作也。或曰賈誼，疑不能明也。」王逸是《楚辭章句》的編注者。本賦是由他搜羅編入，對其作者，王逸首先說「不知誰所作」，然後再引或人語，並對此說表示「疑不能明」；據此，可知王逸的態度是很不肯定的。持比較肯定的態度的是洪興祖，他在〈補注〉中說：

> ……以誼為長沙王太傅，意不自得，及度湘水，為賦以吊屈原，賦云：「所貴聖之神德兮，遠濁世而自藏，使麒麟可繫而羈兮，豈云異夫犬羊。」又曰：「鳳凰翔於千仞兮，覽德輝而下之，見細德之險征兮，遙增擊而去之。彼尋常之污瀆兮，豈容吞舟之魚。橫江潭之鱣鯨兮，固將制於螻蟻。」與此語義頗同。

他從〈吊屈原賦〉和本賦一些句子的語意上來比較，認為兩者有「頗同」之處；本賦曰：「彼聖人之神德乎，遠濁世而自藏。使麒麟可得羈而繫兮，又何異乎犬羊？」又曰：「黃鵠後時而寄處兮，鴟梟群而制之；神龍失水而陸居兮，為螻蟻之所裁。」兩段語義即與洪興祖所舉者「頗同」；特別是前一段，幾乎是全同。洪興祖蓋據此暗示本賦作者為賈誼。王夫之《楚辭通釋》說：「賈誼渡湘水，為文吊屈原，其詞旨略與此（〈惜誓〉）同……蓋誼所著作，不嫌復出類如此，則其為誼作審矣！」完全肯定了賈誼的著作權了。

近人陳子展在《楚辭直解》內說：「〈吊屈原賦〉，作者用己意、作己語吊之；〈惜誓〉，作者用屈意、作屈語惜之；其語意有同，而口吻則異。可謂異曲同工，不必故為甲乙，更不必妄辨真偽。」陳子展認為〈吊屈原賦〉及本賦都是賈誼作，只不過前者是賈誼用自己的思想和語詞完成的，而本賦則用屈原的思想及語詞來撰述的。這個說法等於加深了洪興祖的「語意頗同」說，並且鞏固了賈誼作的說法。

〈惜誓〉的作者用了些什麼「屈語」來表達他吊屈原之意呢？試讀下列「〈惜誓〉與屈賦詞同表」：

1. 已矣哉：已矣哉國無人莫我知兮。（離騷）
   已矣哉獨不見夫鸞鳳之高翔兮。（本賦）
2. 冉冉：老冉冉其將至兮。（離騷）
   壽冉冉而日衰兮。（本賦）
3. 四極：覽相觀於四極兮。（離騷）
   循四極而回周兮。（本賦）

4.使先驅：前望舒使先驅兮。（離騷）

　　飛朱鳥使先驅兮。（本賦）

5.忽忽：日忽忽其將暮。（離騷）

　　歲忽忽而不返。（本賦）

6.流從：固時俗之流從兮。（離騷）

　　俗流從而不止兮。（本賦）

7.崑崙：邅吾道夫崑崙兮。（離騷）

　　休息虖崑崙之墟。（本賦）

8.不猒：憑不猒乎求索。（離騷）

　　樂窮極而不猒兮。（本賦）

9.馳騖：忽馳騖以追逐兮。（離騷）

　　馳騖於杳冥之中兮。（本賦）

10.不察：荃不察余之中情兮。（離騷）

　　傷誠是之不察兮。（本賦）

11.四海：橫四海兮焉窮。（九歌·雲中君）

　　臨四海之沾濡。（本賦）

12.杳冥：杳冥冥兮以東行。（九歌·東君）

　　馳騖於杳冥之中兮。（本賦）

13.遺風：悲江介之遺風。（九章·哀郢）

　　右大夏之遺風。（本賦）

14.從容：尚不知余之從容。（九章·抽思）

　　願從容虖神明。（本賦）

15.沆瀣：食六氣而飲沆瀣兮。（遠遊）

　　吸沆瀣以充虛。（本賦）

表中所列十五例，有十個語詞來自〈離騷〉，兩個分別來自〈九歌〉及〈九章〉，一個來自〈遠遊〉，應該都是作者閱讀過屈原這些作品後，採進自己的作品中。像這樣的例子，為數還頗多，這裏一併省略。總而言之，這是一篇因襲〈吊屈原賦〉語意，又因襲屈原作品的語詞而作的一篇賦作。

　　屈原在創作辭賦時，經常抄襲自己過去作品內的語詞，其類似及重複之處，為數甚多❶。賈誼作為文學創作者，生當西漢初年，是不是也會因襲自己作品內的語意，以及抄襲屈原作品內的語詞，恐怕很難論斷。陳子展一句「可謂異曲同工，不必故為甲乙，更不必妄辨真偽」，實在很難令人信服的；除非有新證據，否則連王逸都「不知誰所作」，我們又怎能如此肯定呢？闕疑為上策。

五、〈虞賦〉

　　賈誼又有〈虞賦〉，今已亡，僅殘存數句，見《藝文類聚》卷四十四、《初學記》卷十六及《太平御覽》卷五八二內，句子有重複，內容亦有歧異。《古文苑》卷二十一錄有六句，蓋據《初學記》耳。

　　《初學記》所錄六句云：「妙彫文以刻鏤兮，像巨獸之屈奇兮。戴高角之峩峩，負大鐘而顧飛。美哉爛兮，亦天地之大式。」詞義較完整，惟「顧飛」當從《類聚》作「欲飛」。

---

❶　見拙作〈宋玉作九辯的論證〉，在拙著《辭賦論集》內，台北學生書局，1998。

論顧頡剛的學術歷程和貢獻

　　在中國近代學術界裡，擁有卓越成就的人物相當不少；擁有非常旺盛的學術生命力的，為數卻不太多，而顧頡剛，卻是這少數當中的一位。顧頡剛從一九二零年北大畢業留校擔任助教，開始了他的學術生命起，到一九八零年十二月逝世為止，一共擁有了六十年的學術生命；在這不算短的六十年裏，他以旺盛無比的生命力，在不同的學術領域裏焚膏繼晷地開新天地，培植無數的接班人。儘管他從開始就患上無法根治的失眠症和神經衰弱症，他還是堅持「用盡我的力量於掙扎奮鬥之中，為後來人開出一條大道」，❶然後，業績纍纍地走完他長達八十七歲的生命。

　　如果我們瞭解到日本軍閥侵犯華北時，顧頡剛因為名列逮捕的黑名單內，空手輾轉大後方缺乏研究資料的那種百無聊賴的生活；❷如果我們瞭解到他痛失祖母、兩度喪妻及一度被點名批判，❸以

---

❶　見《古史辨》第一冊（以下省稱《古一》）〈自序〉，頁 101。

❷　《浪口村隨筆一》〈前言〉云：「七七事變起，隻身南行，旋又西去，篋中稿本，一紙未攜，執管躊躇，若傾家產。前載到滇……鄉居書寨，獺祭無從。」見《責善》半月刊創刊號，頁 14。

至加劇他的失眠、神經衰弱症，以及後來併發出來的氣管炎，而帶來難以治療的痛苦和悲傷；如果我們瞭解到他除了閉門治學，還因為愛國的赤忱而踏出象牙塔，考察邊疆，創辦雜誌，組織學會，公開演講，儼然以「書生報國」的姿態出現在學術界裏；那麼，再回頭來看看他的著作和貢獻，我們才會真正地瞭解，他所擁有的那一股學術生命力，不但是旺盛如寒夜裏撲不滅的熊熊火炬，而且是北風料峭、白雪紛飛裏不肯熄滅的火炬，堅強柔韌無比。

在顧頡剛漫長的六十年的學術生命裏，至少曾經在下列四個不同的學術領域內起了領導的作用，並且結了豐碩的果實：第一、古史和古籍的考辨；第二、古代地理和邊疆的提倡和研究；第三、民俗學及民間文學的提倡和研究；第四、古籍的譯注和點校。這四個不同學術領域，一般學者只要介入任何一、二項的話，恐怕都要耗費他大半輩子的精力，然而，顧頡剛竟兼四者於一身，並且都擁有相當驚人的成就。說顧頡剛把整個學術生命同時都投入這四個學術領域，那又不盡然；他是在不同的時代和環境裏，分別向不同的學術領域進軍，有的領域耗費他整個學術生命，有的只幾年而已。因此，只要通過這四個不同的學術領域，觀察他不同學術生命的先後長短，以及如何發揮他不同的學術生命力，就可以瞭解他在學術上的貢獻了。

以下，我們就來論述他幾條不同的學術生命，藉以考察它的貢

---

❸ 五十年代早期，顧頡剛被批判為：「生在半封建半殖民地的中國，接受了開明地主階級的改良主義思想，又接受了買辦資產階級的試驗主義的方法，造成了他的疑古說法，因而沒有解決任何古史問題，反而造成了混亂。」此為楊向奎〈古史辨派的學術思想批判〉語，見《歷史教學》1952 年。

獻。

一、古史和古籍的考辨

顧頡剛考辨古史的興趣和努力，幾乎充滿了他整個的學術生命，無所不在，無時不有。從他一九二一年和錢玄同討論古史開始，一直到一九七九年發表《莊子和楚辭中崑崙和蓬萊兩個神話系統的融合》❹及《周公制禮的傳說和周官一書的出現》❺為止，無時不在注意古史，也無時不在研究古史，更無時不在撰述古史的論文。至於古籍的考辨，雖然佔有的學術生命的長短與前者略有不同，不過，對顧頡剛而言，其重要性不亞於古史考辨，因此，說它佔有顧頡剛的整條學術生命，似乎並不為過。

啟迪顧頡剛向古史的領域邁步進軍，是他的老師胡適之先生。他在《古史辨》第一冊《自序》裏，即如此自供地說：

> 那數年中，適之先生發表的論文很多，在這些論文中，他時常給我以研究歷史的方法，我都能深摯地瞭解而承受，並使我發生一種自覺心，知道最合我的性情的學問乃是史學。

《古史辨》第一冊編成時，顧頡剛將胡適之先生一封四十多字的短信置於卷首，毫無疑問的，就清楚地說明胡適之的啟蒙地位。《古

---

❹　見《中華文史論叢》一九七九年第二輯。

❺　見《文史》第六輯。

史辨》〈自序〉又說：

> 九年秋間，亞東圖書館新式標點本《水滸》出版，上面有適
> 之先生的長序，我真想不到一部小說的著作和版本的問題，
> 會得這樣的複雜，它所本的故事的來歷和演變，又有這許多
> 的層次的。……自從有了這個暗示，我更回想起以前做戲迷
> 時所受的教訓，覺得用了這樣的方法，可以討究的故事真不
> 知道有多少。……同時，又想起本年春間適之先生在〈建
> 設〉上發表的辯論井田的文字，方法正和《水滸》的考證一
> 樣，可見研究古史也盡可以應用研究故事的方法。……只要
> 用了角色的眼光去看古史中的人物，便可以明白堯舜們和桀
> 紂們所以成了兩極端的品性，做出兩極端的行為的緣故，也
> 就可以領略他們所受的頌譽和詆毀的積累的層次。

胡先生《水滸傳考證》發表於一九二零年秋天，這一年的夏天和冬
天顧頡剛分別忙著編纂《中國書籍目錄》和點校《古今偽書考》，
所以，顧頡剛這個時候腦海裡雖然已經閃爍出「古史累積的層次」
的火花，卻埋頭忙著目錄的整理和古書的點校，無暇深思，「對於
此事只是一個空浮的想現而已」。❻

　　這一年的十一月，胡先生致函顧頡剛，囑他點校《古今偽書
考》；這一工作，應該是顧頡剛一生中最重要的一件事情。雖然它

---

❻　見《古一》〈自序〉，頁41。

是一本份量很薄，「在學術上的價值可以說是很低微」，❼由於它是一部考辨古今偽書的專門著作，「敢於提出『古今偽書』一個名目，……使得初學者……知道故紙堆裡有無數記載不是真話，又有無數問題未經解決，則這本書實在具有發聾振瞶的功效」。❽顧頡剛受其影響之深，幾乎是空前的，「深深地注定了我的畢生的治學的命運」。❾因此，在十二月中旬寫給胡先生的信裏，他就建議在〈辨偽三種〉❿的〈跋〉裏加上一個〈根據了偽書而造成的歷史事實〉的附表；信中說：⓫

> 第五表很重要。中國號稱有四千年（有的說五千年）的歷史，大家從《綱鑑》上得來的知識，一閉目就有一個完備的三皇五帝的統系，三皇五帝又各有各的事實，這裏邊不知藏垢納污到怎樣。若能仔細的同他考一考，教他們渙然消釋這觀念，從四千年的歷史跌到二千年的歷史，這真是一大改造！

這一段話，強烈地暗示我們，顧頡剛「層累地造成的古史觀」這時似乎呼之欲出了。

有了胡先生的影響，再加上顧頡剛自己從《古今偽書考》得到

---

❼　見《古今偽書考》標點本，顧〈序〉。

❽　同上。

❾　同上。

❿　此處三種，指《諸子辨》、《四部正偽》及《古今偽書考》。

⓫　見《古一》，頁 13-14。

的聯想，「從僞書引渡到僞史，原很順利」，❷顧頡剛走上古史考辨的道路，只是時間上的問題而已。

加速及催促顧頡剛走上這條學術道路的，是崔適的入室弟子錢玄同。顧頡剛和錢玄同來往書信討論學問，應該是開始於一九二一年的春天，那個時候，錢玄同曾寫一信給顧頡剛，說：

> 先生所問：「我們的辨僞，還是專在『僞書』上呢，還是並及於『僞事』呢？」我以為二者宜兼及之；而且辨「僞事」尤為重要。崔東壁、康長素、崔觶甫師諸人考訂「僞書」之識見不為不精，只因為被〈僞事〉所蔽……。❸

錢玄同「辨僞事比辨僞書尤為重要」，相信對顧頡剛會有警策性的作用。無奈這個時候的顧頡剛，一面忙於點校〈辨僞叢刊〉，一面忙著搜羅《紅樓夢》的資料，似乎沒有太多的時間來注意這個問題。

第二年（1922）春天，顧頡剛返鄉奉侍祖母，而且為上海商務印書館編纂中學本國史教科書。對他來說，這是擺脫其他工作專心致力於歷史最佳良機；既然要他編纂歷史教科書，他正可利用這機會把上古史認真地整頓一下。顧頡剛這個人有一副很強烈的性格，任何一件事給他扯上之後，他一定打破沙鍋追究到底，不得圓滿結

---

❷　語在《古一》〈自序〉內。

❸　見《古一》，頁 24-25。

論不肯罷休。❶就在他發揮這副性格之下，終於完成了「層累地造成的古史觀」的理論；試看他如何回憶這段經過：

> 我想了許多法子要把這部教科書做成一部活的歷史，使得讀書的人確能認識全部歷史的整個的活動，得到真實的歷史觀念和研究興味。上古史方面怎麼辦呢？……思索了好久，以為只有把《詩》、《書》和《論語》中的上古史傳說整理出來，草成一篇〈最早的上古史的傳說〉為宜。我便把這三部書中的古史觀念比較看著，忽然發現了一個大疑竇——堯舜禹的地位的問題！〈堯典〉和〈皋陶謨〉我是向來不信的，但我總以為是春秋時的東西，那知和《論語》中的古史觀念一比較之下，竟覺得還在《論語》之後。……因為得到了這一個指示，所以在我的意想中覺得，禹是西周時就有的，堯舜是到春秋末年才起來的。越是起得後，越是排在前面。等到有了伏羲神農之後，堯舜又成了晚輩，更不必說禹了。我就建立了一個假設：古史是層累地造成的，發生的次序和排列的系統恰是一個反背。❶

儘管顧頡剛已經完成了他一生最著名的古史理論，不過，一九二二

---

❶ 胡適《崔東壁遺書》〈序〉說：「這樣一位『好求完備』的學者的遺著，在一百多年後居然得著一位同樣『好求完備』的學者顧頡剛費了十多年的精力來搜求整理，這真是近世學術史上最可喜的一段佳話！」舉此一例，即知顧頡剛「窮追」資料的性格和脾氣。

❶ 見《古一》〈自序〉，頁 51-52。

年往後的幾個月，他忙著辦理祖母的喪事，又忙著應付痛苦難挨的失眠症，根本就無心將它發表出來。

一直要到一九二三年的二月份，顧頡剛才將他這套理論用書信的方式，告知催促他往古史進軍的錢玄同；信中他說：

> 東周的初年只有禹，是從《詩經》上可以推知的；東周的末
> 年更有堯舜，是從《論語》上可以看到的。……從戰國到西
> 漢，偽史充分的創造，在堯舜之前更加上了多少古皇帝。於
> 是春秋初年號為最古的禹，到這時真是近之又近了。自從秦
> 靈公於吳陽作上時，祭黃帝……於是黃帝立在堯舜之前了。
> 自從《易》〈繫辭〉抬出了庖犧氏，於是庖犧氏又立在神農
> 之前了。自從李斯一輩人說「有天皇，有地皇，有泰皇，泰
> 皇最貴」，於是天皇、地皇、泰皇更立在庖犧氏之前
> 了。……自從漢代交通了苗族，把苗族的始祖傳了過來，於
> 是盤古成了開天闢地的人，更在天皇之前了。時代越後，知
> 道的古史越前；古籍越無徵，知道的古史越多。❶

這封信五月六日發表於《晨報》內胡先生主編的〈讀書雜誌〉第九期，顧頡剛並附有〈前言〉，云：「我很想做一篇《層累地造成的中國古史》，把傳說中的故事經歷詳細一說。這有三個意思：第一，可以說明『時代愈後，傳說的古史期愈長』。如這封信裡說的……。第二，可以說明『時代愈後，傳說中的中心人物愈放愈

---

❶　見《古一》，頁 59-66。

大』。如舜,在孔子時只是一個『無為而治』的聖君,到〈堯典〉就成了一個『家齊而後國治』的聖人,到孟子時就成了一個孝子的模範了。第三,我們在這上,既不能知道某一件事的真確的狀況,但可以知道某一件事在傳說中的最早的狀況。我們既不能知道東周時的東周史,也至少能知道戰國時的東周史,我們既不能知道夏商時的夏商史,也至少能知道東周時的夏商史。」❶這就是顧頡剛轟動學術界的「層累地造成的古史觀」的學說。

作為史學的嗜好者,顧頡剛幾乎在踏入門欄之際,就創造了一個驚動學界的學說,使他扶搖直上,登上史學專家的寶座。❸三年後的一九二六年,他出版了《古史辨》第一冊後,就到廈門大學擔任國學研究院的研究教授;這個時候的顧頡剛,不過是三十三歲的年輕人而已。如果我們形容顧頡剛「少年得意」的話,恐怕不會過分。

「層累地造成的中國古史」發表之後,顧頡剛並沒有停止學術的腳步,坐享這一次的成果;相反的,他忘記他人對他的誇獎和讚賞,不斷地和反對者辯難和駁詰。顧頡剛心胸廣大磊落,待人誠實懇切,不但可以接受旁人的讚賞,尤其喜愛聆聽相反的意見,而且絕不以此為忤。這是顧頡剛另一個了不起的性格,也是催使他能夠不斷進步的另一個原因。在往後一、二年的駁詰辯難中,顧頡剛把他的學說往前再推進,往上再發展,一九二三年六月他答覆劉掞藜

---

❶ 同上。

❸ 《古二》〈自序〉云:「還有一項,是『不虞之譽』。我出了一冊《古史辨》,在這學術饑荒的中國,一般人看我已經是一個成功的學問家了,於是稱我為歷史專家……。」(頁5)

及胡堇人的辯難時，提出下例四條法則：

(一)打破民族出於一元的觀念——……中國民族的出於一元，
俟將來的地質學及人類學上有確實的發見後，我們自可承
認他；但現在所有的牽合混纏的傳說我們決不能胡亂承
認。我們對於古史，應當依了民族的分合為分合，尋出他
們的系統的異同狀況。

(二)打破地域向來一統的觀念——……中國的統一始於
秦，……若說黃帝以來就是如此，這步驟就亂了。所以我
們對於古史，應當以各時代的地域為地域，不能以戰國的
七國和秦的四十郡算做古代早就定局的地域。

(三)打破古史人化的觀念——古人對於神和人原沒有界限，所
謂歷史差不多完全是神話。……我們對於古史，應當依了
那時人的思想和祭祀的史為史，考出一部那時的宗教史，
而不要希望考出那時以前的政治史，因為宗教是本有的事
實，是真的，政治是後出的附會，是假的。

(四)打破古代為黃金世界的觀念——古代的神話中人物「人
化」之極，於是古代成了黃金世界。……我們要懂得五帝
三王的黃金世界原是戰國後的學者造出來給君王看樣的，
庶可不受他們的欺騙。❶

這四條法則，與其說是推翻信史的幾項標準，不如說是考訂古史真

---

❶　見《古一》，頁 99-101。

偽之前所應該具備的基本信念和心理準備。有了這些信念和準備，我們在考察古史時，才不會被書本的文字所蒙蔽欺騙。這四條法則，是顧頡剛繼「層累地造成的古史觀」的學說後的新發現；有了這個新發現，「層累地造成的古史」就能解說得更圓滿和合理。

往後顧頡剛在古史方面所撰述的論文，幾乎都是這四條法則和「層累地造成的古史觀」學說的運用；〈秦漢統一的由來和戰國人對於世界的想像〉、〈春秋時的孔子和漢代的孔子〉、〈三皇考〉及〈鄒衍及其後繼者的世界觀〉等等，都莫不如此。

顧頡剛轉到中山大學後，從一九二七年到一九二九年的夏天，他的古史研究幾乎中斷了。一直到一九二九年秋天擔任燕京大學國學研究員兼歷史學系教授後，他才又恢復了過去在古史方面的活力。第二年，他發表了驚動學術界的〈五德始終說下的政治和歷史〉，成為他在史學方面的第二個絕響。

在這篇文筆流暢、敘述生動長達數十萬言的論文裡，顧頡剛很敏銳地指出：歷代的學者，包括孔子、先秦諸子、劉歆及康有為等等，為了推行自己心目中的政治理想，先後都曾經以當時流行的史學理論作為思想指導，紛紛地偽造古籍以便詮釋歷史；而西漢末年的劉歆，他為了協助王莽纂位，更是此中豪傑。顧頡剛並且指出，劉歆偽造古籍、私釋歷史的理論是傳統的五行相生說；易而言之，劉歆就是根據傳統的五行相生說，私心地偽造古籍、詮釋歷史。經過顧頡剛如此理論化和系統化之後，中國古代歷史的可信程度不但發生動搖，中國許多寶貴的經典也立刻發生強烈的地震。顧頡剛經過幾年的沉寂後，一出擊就是一石兩鳥：動搖了偽史，也震撼了偽經。

　　儘管當時一部分學者反對他的說法，例如錢賓四先生就曾寫了
一篇非常扎實的長篇論文〈劉向歆父子年譜〉，發表在《燕京學
報》上，**⑳**認為劉歆根本不可能遍造群經，不過，顧頡剛並不因此
而停止他學術上的腳步。一九三三年他完成的《漢代學術史略》
（後易名為《秦漢的方士與儒生》），以及後來完成的〈禪讓傳說起於墨
家考〉，都是這套理論的運用和發揮。

　　顧頡剛創造了這兩套學說，已經將他的古史研究推至巔峰境
界，以當時學術界的古史研究來說，幾乎無人可望其項背。第二次
大戰之前，他在古史研究方面暫時圈上一個句號，將興趣和精力轉
移到另一個領域去；抗戰期間，大後方藏書不多，他頂多也只是完
成一部《浪口村隨筆》，**㉑**已經算是不錯的成績了。勝利復員後，
他忙著清理家務，安頓生活，在一九四九年來臨之前，他在古史研
究的領域裡幾乎交了白卷。往後的幾年，他幾乎失去了過去旺盛的
精力和創造力；一直要到六十八歲的一九六一年，他才重新走回古
史的舊路去。從抗戰勝利到這一年，顧頡剛這一去就是十七年；對
古史研究乃至顧頡剛本人來說，無寧是一個重大的損失。

　　一九六一年，顧頡剛開始撰述〈周公東征史事考證〉；這是一
篇很長的巨構，一共消耗他六年多的時間，還沒法子完全殺青。在
這期間，他又帶病撰述〈由『烝』『報』等婚姻方式看社會制度的
變遷〉，也沒法完成。自此以後，顧頡剛在這個學術領域裏就宣告

---

⑳　又見《古五》，頁101-248。

㉑　此書原發表於《責善》半月刊，分期連載，後一部分稿件輯為專書，易名為
　　《史林雜識》。

封山收筆，一九七九年在《中國哲學》第二輯發表的〈我是怎樣編寫古史辨的〉，應該是他在這方面的學術生命的最後一個句號。

顧頡剛是以古史研究而名噪學林，綜觀他整條學術生命，可謂名實相副。抗戰之前，是他研究古史的黃金時代，精力之旺盛，想像之繁富，創獲之豐碩，使他年滿三十三即登上研究教授之寶座；盧溝橋事變之後，一直到他謝世為止，整整五十五年的時間，他在這領域裡頂多勉強地維持一個格局而已，和往昔的光芒四射實在不能相配。以他對古史的酷愛和耽溺，加上他旺盛的精力，他往後近乎三分之二的學術生命的成就，實在不應該只是一個普普通通的句號，而應該是一個驚人的感歎號。

二、古代地理和邊疆的研究

顧頡剛和地理學結上姻緣，開展他的第二學術生命，應該是在一九三一年。那一年的元月，他撰成〈研究地方志的計劃〉，發表於《社會問題季刊》第一卷第四期，就已經開始介入這個新的領域。第二年秋天，他在燕京大學及北京大學開設「中國古代地理沿革史」一課，主講〈禹貢〉，正式宣佈涉足這個領域，他說：

> 頡剛七年以來，在各大學任「中國上古史」課，總覺得自己的知識太不夠，尤其是地理方面，原為研究歷史者迫急的需要，但不幸最沒有辦法。……因此我就在燕京和北大兩校中改任「中國古代地理沿革史」的功課，借了教書來逼著自己讀書。預計這幾年中，只作食桑的蠶，努力收集材料，隨時

> 提出問題；希望過幾年後，可以吐出絲來，成就一部比較可
> 靠的「中國古代地理沿革史講義」……。㉒

可見顧頡剛涉足古代地理，在開始的階段，也不過是為了克服研究
上古史的一些問題和困難。

然而，不久之後，顧頡剛不只是「玩票」「客串」而已，他甚
至於全部精神投入這個完全陌生的領域去。一九三三年他發表〈兩
漢州制考〉、㉓〈州與岳的演變〉，㉔以及和鄭德坤聯名發表的
〈研究經濟地理計劃芻議〉，㉕似乎是他在這方面的第一大步。一
九三四年元旦，他發表個人全年讀書計劃，說：

> 如果我有非常的幸運，民國二十三年可以讓我安心治
> 學，……我希望能在這一個範圍裡做成下列各事：㈠〈禹
> 貢〉方面，能把胡渭的〈禹貢錐指〉細讀一遍，並隨時繪
> 圖。再下一年，我便搜集〈錐指〉以外的材料，編輯〈禹貢
> 問題集〉……。㈡〈職方〉方面，在孫詒讓的〈周禮正義〉
> 之外再集材料，準備在編〈禹貢問題集〉的時候，聯帶把
> 〈職方〉中的問題解決。㈢《漢書》〈地理志〉方面，能把
> 王先謙的《漢書補注》中的〈地理志〉部分細讀一過，更把

㉒ 見《禹貢》半月刊第一卷第一號〈編後〉。
㉓ 在中央研究院歷史語言研究所《慶祝蔡元培先生六十五歲論文集》下冊內。
㉔ 在《燕京大學史學年報》第五期內。
㉕ 見《東方雜誌》第三十卷第五號內。

楊宗敬的《前漢地理圖》翻寫在現代地圖之上……。**㉖**

他似乎已經將古史研究完全拋置於腦後，集中全部精神和力量於古代地理的鑽研之上了。如果我們說，一九三二年及一九三三年是顧頡剛正式開展他第二學術生命的話，應該是不會錯的。

一九三四的二月，顧頡剛開始走進古代地理研究的高峰。這個月，他和譚其驤聯合起來，以他所執教的燕大、北大及譚其驤執教的輔大的學生為基本幹部，組織一個專門研究地理的學會——禹貢學會，會址就設在成府蔣家胡同三號內，第二個月，由學會所出版的《禹貢半月刊》即宣告誕生。這是一本純粹為發表地理研究的文章的民辦雜誌，甚至於後來招收的廣告以及發表的新聞等等，都必須與地理有關聯；在這之前以及在這之後，我們再也看不到第二本類似的民辦雜誌，顧頡剛等人的勇氣，不得不令人欽佩激賞。

雜誌的主編當然是顧頡剛本人，於是，他不但要上課、研究，還要負責審稿、編排以及撰寫編後話；除此之外，經常還要自掏腰包，以特別捐的方式來支持這份雜誌的部分印刷費。如果說顧頡剛這個時候不是處於巔峰如癡如醉的忘我境界的話，又要作何解釋呢？

局限於發表古代地理研究的文章《禹貢半月刊》，出版幾期後，就發生了稿源匱缺的問題，顧頡剛不得不將他的園地「網開三面」——遊記、邊疆地理及地方風土人情，都一併歡迎；而顧頡剛也因此順著風勢，由古代地理研究捲入邊疆研究的領域內。自小就

㉖ 同上雜誌第三十一卷第一號。

酷愛旅行的顧頡剛，㉗這個時候，藉著主編《禹貢半月刊》的機
會，經常到邊遠的西北旅行考察。也許我們應該如此地說：顧頡剛
的第二學術生命是多姿多彩的，他不光是關在研究室裏做學問，而
且還在忙碌之中赴邊遠地區去旅行，以便充實自己的地理知識，進
而考察邊疆民族的風土人情。

(一)考察邊疆

一九三四年春天，與顧廷龍同至包頭旅行，盪舟黃河，顧頡剛
說：「因為沒有人認識，所以不曾打聽到什麼。」㉘同年七月，顧
頡剛和吳文藻、謝冰心夫婦等人，共游綏遠及察哈爾，為期約一個
月。此趟旅行最大的斬穫是，發掘了王同春開發河套的故實；往後
顧頡剛發表了〈王同春開發河套記〉，又整理了有關王同春的幾篇
資料，發表在《禹貢半月刊》上，對這位開發邊疆的民族英雄，寄
予無限的讚賞和欽仰。試讀他在〈王同春開發河套記〉修訂稿裏的
一段話：

> 王同春是一個民族的偉人，貧民靠了他養活了多少萬，國家
> 靠了他設立了三個縣。然而他的事業是及身而失敗了，他的
> 名譽除了綏遠一帶之外是湮沒了。如果我們再不替他表彰，
> 豈不是證明中國太沒有人了！所以我誠摯地懇求：凡是有人
> 知道他的事實的，對於這篇文字，請給以嚴格的糾正，或給

㉗　見《古一》，頁 16-17。
㉘　見《禹貢半月刊》第二卷第十二期〈王同春開發河套記〉〈前言〉。

以大量的補充，使得它可以逐年改正，由我的手寫成功一部
這位失敗英雄的傳記。

顧頡剛欽仰王同春的赤誠和發掘邊疆史料的認真，字裡行間，表露
得非常透徹，真的令人感動。

一九三六年的十一月，顧頡剛又與徐旭生、李淑華共同旅遊陝
西，除了出席陝西考古會第三次會議及中國西北植物調查所的開幕
典禮外，又到西安等地參觀各種古跡及其他建設。第二年冬天，他
到甘肅臨洮，憑弔秦始皇萬里長城。一九三八年，他舊地重遊，赴
臨洮參加講習會；這一趟，顧頡剛在西北滯留了將近一年之久，所
到之處包括甘肅、陝西、寧夏及青海，隨行者有王樹民等。後來，
他這麼回憶這段事：

> ……及蘆溝橋炮聲突發，遂列名於敵人之名單中。倉皇逃
> 出，篋中稿本一紙未攜。自是跋涉於洮、湟、西傾間者一
> 年，親接蒙、藏、回、土諸兄弟民族，視野為之大擴；以彼
> 地風尚證之中原古史，雅有同揆。❷⑨

顧頡剛原本計劃在西北安頓下來，以便深一層地考察其他民族的風
土人情及發掘邊疆史料文獻，無奈地方上有人不表贊同，旅行及生
活無法維持，不得不應雲南大學之聘，從西北轉到西南去，結束了
這段極富意義的學術旅行。

---

❷⑨　見《史林雜識》〈小引〉。

(二)組織學會、策劃講習班

顧頡剛獲得譚其驤共同討論地理問題後,「使我受益不少」,
❸進而組織禹貢學會,激勵新的接班人,共同向這個領域進軍。為
了擴大其影響的廣度,顧頡剛準備發揮他的組織能力,在各地成立
其他類似的學會,策劃有關邊疆史地的講習班,俾便從事類似的發
掘和研究。

一九三七年四月,顧頡剛在禹貢學會的三年工作計劃內,強烈
地表達了在各地組織學會的意願;該計劃書這麼說:

> 本會為促使國人對於邊疆之注意及謀實際開發上之便利計,
> 另有兩種計劃視為急切當行,惜非目下能力所及;茲試附志
> 於此,願求邦人之注意焉。此兩種計劃:一曰「邊疆民族博
> 物館」之設立……。二曰「邊疆文化研究所」之設立;此種
> 研究所之目的在造就研究邊疆之專門人才,與歐洲各大學
> 「伊斯蘭研究所」「印度研究所」頗相似。……蓋國內學人
> 諳達邊族語言者甚少,所以調查紀錄率皆耳食皮毛之事,求
> 其能深通某族文化者絕無僅有,以此而欲求與邊地民族有深
> 切之結合,恐不可能,故此種研究所之設立實為急需。❸

計劃書內雖然說「願求邦人之注意」,有意把籌組的工作讓給其他

---

❸ 見《禹貢》半月刊第一卷第一號〈編後〉。
❸ 見《禹貢半月刊》第七卷第一、二及三期合刊內之〈本會此後三年中工作計
  劃〉,頁 17-18;該計劃雖未署名,不過,顧頡剛當是主要之草擬人。

人士，但是，顧頡剛到底「忍耐不住性子」，自己跳進去了。這一年，他組織了邊疆研究會，實踐了計劃書中的「邊疆文化研究所」；第二年的夏天，他和段承澤在五原組織了西北移墾促進會，被推選為理事長，他的學生佘貽澤四月二十八日曾給他一封信，[32]說：「開發中國邊境首先應移民，移民的結果，不但以內地失業群眾得以安居，且邊地風習之改良、政治組織之改革、國防之鞏固、富源之開發等等，皆賴於此。故前日於報見先生主持西北移墾促進會，私心甚為欽佩及興奮。」可見這個組織也在實踐計劃中的「欲求與邊地民族有深切之結合」的構思。一九三八年，顧頡剛赴甘肅臨洮，參加寒假講習會，為時三周；他在〈序言〉裡說：

> 頡剛等來甘視察，所遇人士異口同聲，皆曰臨洮教育之發達為甘肅全省最。及親涉其地，愈欽挹之。遂邀約賢者來此，講習三周，以今日所需之知識相觀摩。夫此會所講特粗引起緒耳，至於深入研求，證以目睹，期於致用，是在諸君自得之。[33]

從〈序〉這段話來推論，講習會為顧頡剛所策劃及主持者，諒無問題；而所講習之內容，也應該是切中邊疆時弊，和計劃書「促使國人對於邊疆之注意及謀實際開發上之便利」相一致。

可惜這些學會和講習班，包括禹貢學會在內，都因第二次世界

---

[32] 見《禹貢》半月刊第七卷第五期，頁130-131。

[33] 見《文史雜誌》第二卷第九及十合刊，頁4。

大戰無法再活動下去了。

(三)撰述論文

在講授「中國古代地理沿革史」一課之前，顧頡剛已經開始撰述有關古代地理的論文；一九三一年他發表了〈研究地方志的計劃〉，一九三四年完成了〈從地理上證今本堯典為漢人作〉，就是很明顯的例子。在燕大及北大開設這門新課之後，由於經常和輔大譚其驤討論切磋，又由於禹貢學會及《禹貢半月刊》的先後創設，使他在這個領域裡邁開了更大的腳步。

一九三三年三月，與鄭德坤聯名發表〈研究經濟地理計劃芻議〉，七月完成〈州與岳的演變〉；一九三四年三月撰成〈古史中地域的擴張〉、〈寫在藪澤表的後面〉，四月發表〈說丘〉，七月發表〈五藏山經試探〉，九月發表〈讀爾雅釋地以下四篇〉；一九三六年三月與童書業合撰〈漢代以前中國人的世界觀念與域外交通的故事〉；一九三七年五月撰成〈九州之戎與戎禹〉及〈讀周官職方〉，六月撰成〈春秋時代的縣〉；這些論文，大致上來說，都是集中在上古的範圍內。根據顧頡剛自己的說法，他研究上古地理，完全是逼於研究上古史的形勢所不得不然者，他說：「總覺得自己的知識太不夠，尤其是地理方面，原為研究歷史者迫急的需要。」❸❹因此，他的地理論文，「古史性」的味道特別濃厚。

至於邊疆研究方面，顧頡剛在貫輸中原文物、培養邊疆接班人、鼓勵墾拓西北、振奮移民士氣方面的活動，似乎多過論文的撰

---

❸❹　見《禹貢半月刊》第一卷第一期〈編後〉。

寫。即以〈王同春開發河套記〉而言，雖然勉強算得上是一篇與邊
疆研究有關連的論文，不過，其重點也偏向於鼓勵墾拓西北、振奮
移民士氣，試讀該文的〈前言〉：

> 賀先生把王同春說給我聽，我才知道河套中曾有過這樣的民
> 族偉人，我就發願替他寫一篇傳。……凡是有人知道他的事
> 實的，對於這篇文字，請給以嚴格的糾正，或給以大量的補
> 充，使得它可以逐年改作，由我的手裡寫成功一部這位失敗
> 英雄的傳記。

顧頡剛此文的用意，言溢於表，無庸費辭贅言。

　　這三條小河流，交錯橫互地匯成一支大水，在日本侵華之前，
波浪壯闊地貫進顧頡剛的學術生命裏，成為他學術生命的一條主要
大江，萬里奔騰，洶湧彭拜。

　　顧頡剛一九三八年轉到大後方，擔任雲南大學教授後，並沒有
放棄這第二條的學術生命，只可惜戰亂中物質匱缺，經濟不振，無
法讓他左右開弓地發揮力量。雖然如此，他還是盡其所能地讓這塊
園地繼續開花結果，試看他的努力：

　　㈠考察邊疆──一九四零年，他考察了郫縣、溫江、雙流、瞿
上鄉、新津、大邑及邛崍等西南地區。他在《史林雜識》〈小引〉
裏說：「爰受雲南大學之聘，自北徂南，蓋又神遊於彝、傣、苗、
瑤諸族之境矣。」在〈古代西蜀與中原的關係說與其批判〉的〈前
言〉說：「我自己呢，到成都快兩年了，服務的餘暇曾游了郫縣的
望帝叢帝陵、溫江的魚鳧城、雙流的蠶叢祠和瞿上鄉，對於古代的

蜀國也浮動了重重的幻想。」㉟一九四四年，他又到合川、大足及
銅梁。

　　㈡組織學會、主編雜誌──一九三九年，他主編《責善半月
刊》；一九四零年他創辦中國邊疆學會，主編《邊疆週刊》；一九
四一年，他又主編《文史雜誌》。中國邊疆學會及《邊疆週刊》與
地理及邊疆研究有密切關係，自不在話下；《責善半月刊》及《文
史雜誌》經常刊載這方面的論文，並且編纂過這方面的專輯，更顯
示出顧頡剛在這方面的用心和努力。

　　㈢撰述論文──一九四零年他完成〈燕國曾遷汾水流域考〉，
一九四一年撰成〈古代巴蜀與中原關係說及其批判〉，似乎是他在
戰亂中完成的兩篇比較完整性的論文。《浪口村隨筆》是顧頡剛這
個時期蟄居浪口村百無聊賴完成的一部筆記，他說：「是時昆明城
區時有敵機侵擾，來也常以夜，予抱失眠痼疾，體不能任，乃憑屋
北部浪口村以居。其地距城二十里，盤龍江三面環之，危橋聳立，
行者悚惶，雨後出門，泥潦沒足，荒僻既甚，賓客彌希，一星期中
入城上課僅二日，余悉自由處置，因得復理舊弦，寫其聞見，而更
證之以古籍。然鄉居書寡，筆記但存端緒，未遑考核以歸於一是
也。」寫作過程的窘迫，生在今天的我們，尚且可以閉目想見。這
部書雖然是筆記式的單篇短文，然而，它卻是顧頡剛結合歷史、地
理和民俗等知識而撰成的一部巨著，將它劃歸這個項目，應該不
差。一九四六年，顧頡剛發表《西北考察日記》，那是戰後的事
了。

㉟　此文在《論巴蜀與中原的關係》中，四川人民出版社出版，1981，成都。

顧頡剛第二學術生命始於一九三一年，在一九三四年組成禹貢學會之後，這條學術生命開始掀展巔峰的活動狀態，發行刊物，旅行考察，主持講習，撰述論文，出錢出力，如癡如醉，真是多彩繽紛。這股活力一直維持到一九三八年秋天；轉進西南之後，由於時局環境所迫，這條學術生命即開始走下斜坡。抗戰一結束，顧頡剛很快地結束了這個領域裏的任何活動，等到最後一個小漣漪——一九四六年發表《西北考察日記》，輕輕地在這條大江最後的淺灘浮泛過之後，就完全離開這個學術領域。前後十五年，出現過風光旖旎的淺灣，也出現過萬馬奔騰的駭浪。

三、民俗學及民間文學的提倡和研究

在顧頡剛所有學術生命裏，以他的第三學術生命——民俗學及民間文學的提倡和研究的壽命為最短暫，前後不過十年的光景而已。

顧頡剛涉入這個學術領域，是非常偶然的；而啟迪他跨進這個新天地的，卻是五四運動的著名詩人劉半農。一九一七年，顧頡剛的元配吳夫人病逝，顧頡剛悲感過度，加劇了失眠症，工作和讀書完全停頓；顧頡剛說：

> 當民國六年時，北京大學開始徵集歌謠，由劉半農先生主持其事。歌謠是一向為文人學士所不屑道的東西，忽然在學問中闢出這一個新天地來，大家都有些詫異。那時我在大學讀書，每天在校中《日刊》上讀到一二首，頗覺得耳目一新，

但我自己是從小不會唱歌的，雖是聽小孩子唱的還有幾首能彀記得，可是真不多，所以不曾投稿。民國七年，先妻病逝，我感受了劇烈的悲哀，得了很厲害的神經衰弱的病，沒有一夜能彀得到好好的睡眠，只得休了學在家養息。我是一個喜歡翻書弄筆的人，在這時候，書也不能讀了，字也不能寫了，說不盡的悶悵；而《北大日刊》一天一天的寄來，時常有新鮮的歌謠入目。我想，我即經不能做用心的事情，何妨把這種怡情適性的東西來伴我的寂寞呢！想得高興，就從我家的小孩子的口中搜集起，又漸漸推至鄰家的孩子，以及教導孩子歌唱的老媽子。我的祖母幼年時也有唱熟的歌，在太平天國佔了蘇州之後又曾避至無錫一帶的鄉間，記得幾首鄉間的歌謠，我都鈔了。我的朋友葉聖陶、潘介泉、蔣仲川、郭紹虞諸先生知道我正在搜聚歌謠，也各把他們自己知道的寫給我，所以我一時居然積到了一百五十首左右。**❻**

如果吳夫人當時沒有病逝，想來顧頡剛不會有閒情去搜聚這些民歌；如果劉半農沒有主持徵集歌謠的工作，嗜好古史如命根的顧頡剛更不會瞧得起這種民間文學。

一九一九年五月，顧頡剛續絃，新夫人是角直人的殷履安；這次的婚禮，使顧頡剛往後寫成了一篇民俗學的小文章〈一個「全金六禮」的總禮單〉，記述婚禮的禮品及風俗。因此，我們可以這麼說，顧頡剛差不多在這個時期，也開始注意民俗學的一些問題，並

---

❻ 見《吳歌甲集》〈自序〉。

且著手搜聚有關的資料。

第二年,即一九二零年,也是在一個偶然的機會裏,以研究古史名噪天下的顧頡剛竟獲得一個「歌謠研究專家」的雅號,顧頡剛在《吳歌甲集》〈自序〉裡說:

> 民國九年,郭紹虞先生擔任撰述《晨報》的文藝稿件,他要求我把這些材料發表,我道:「我實在沒有工夫;你若要把他發表,只要你替我鈔出就是了。」他果然一天鈔出幾首,登入《晨報》。這時報紙上登載歌謠還是創舉,很能引起人家的注意,於是我就以搜聚歌謠出了名,大家稱我為研究歌謠的專家……。

如果郭紹虞沒有幫助顧頡剛,將他所搜聚的民歌抄去發表,他怎麼會有「歌謠研究專家」的美譽呢?

一個一個的偶然,迫得顧頡剛不得不走上這條路子了;試看他十一月三日發表在《晨報》的一篇〈吳歌集錄序〉,文中說:

> 我這件事情雖是經過了一二年,但終不敢宣佈出來,為什麼呢?因為這邊實在有許多解不出的句子,寫不出的文字,考不定的事實。我想,要徹底的弄清楚他,必得切切實實作一番文字學的工夫,把古今的音變,鄰地的方言,都瞭然於心,然後再來比較考訂,才可無憾,這件事情不是幾年裡所能做到的,所以,我已經拿了這部《吳歌集錄》算做我的終身之業了。

對古史有特別嗜好，而且認定研究歷史比較適合自己的習性的顧頡剛，怎麼會將民間文學當作「終身之業」呢！除非顧頡剛放棄古史的研究，否則的話，可以預測得到的，正如他自己對其他研究計劃所下的斷言：「像我這般忙亂的生活，向時所期望的各種終身之業只是束之高閣，說不到按日程功，一步一步地向前走去，那麼，這『終身之業』四個字，豈不是成了『從此停止』的托辭嗎？」❸❼

從一九二一年至一九二三年的三個整年中，顧頡剛除了發表著名的「層累地造成的古史觀」學說外，也致力於《詩經》的研究，在這段時期裡，他有一個很強烈的看法：部分《詩經》是徒歌的民謠。為了要證成這個論點，顧頡剛兼做民歌的搜求工作，以便和《詩經》比較研究。他在《小說月報》寫了不少有關《詩經》的短文，大部分都是這方面的成果。❸❽

另一方面，顧頡剛將他著名的古史學說「層累地造成的古史觀」，運用到民間文學的研究上，使他在這個學術領域裡有了突破性的創見，他對孟姜女故事的解釋就是一個最特出的例子。他為他表弟吳立模《孟姜女故事的轉變》寫〈跋文〉時，這麼說：

> 我久欲做一部「故事轉變錄」，只是得不到時間，不知何時
> 才可動筆。近與吳秋白先生同寓，把這層意思告訴了他，他
> 很欣然，就把孟姜女的故事作成了一篇。

---

❸❼ 同上。

❸❽ 例如一九二二年〈詩考〉、〈讀詩隨筆〉、〈詩瀋及碩人〉，一九二三年〈碩人是閔莊姜美而無子嗎〉、〈古詩與樂歌〉等，皆發表於《小說月報》內。

文章雖然是吳立模寫的，但是，觀念和思想卻是顧頡剛的，這是無庸置疑的事實。往後幾年，顧頡剛經常將這個古史學說運用過來，成為他研究民間文學的主要方法，也使他在這個領域裡成就了卓越不群的業績。

一九二三年底，顧頡剛離開了上海商務印書館，回到母校研究所擔任《歌謠週刊》的編輯工作；這是顧頡剛研究民謠第二次的開始。儘管他自己說：「老實說，我對於歌謠的本身並沒有多大的興趣，……我自己知道，我的研究文學的興味遠不及我的研究歷史的興味來得濃厚。」❸但是，一直到一九二八年年底為止，顧頡剛在這個領域裡卻是樂此不疲，愈鑽研愈有興致，要不是他驟然離開中山大學，恐怕真會以此為「終身之業」呢。

自供職北大《歌謠週刊》以來，顧頡剛不但專心從事民間文學的研究，也傾力從事民俗調查，對民俗學進行深入的探討。這裏，分兩方面來討論：

㈠民間文學

在一九二六年秋天轉任廈門大學研究院之前，顧頡剛在這個領域裏主要的工作有：一九二四年於《歌謠週刊》發表〈吳歌甲集〉，連載三個月，甚獲佳評。同年十一月，發表著名的〈孟姜女故事的轉變〉，❹這篇論文不但獲得很好的批評，而且，也獲得很熱烈的迴響，「許多同志投寄來的唱本、寶卷、小說、傳說、戲

---

❸　《古一》〈自序〉，頁75-77。
❹　見《歌謠週刊》第六十九期。

劇、歌謠、詩文⋯⋯已接疊而至，使我目迷耳亂」，最後，他不得不把這些資料及書信排成一系列的小題，以「孟姜女故事專號」的專題，在《歌謠週刊》及《國學週刊》連載發表，「世界的大，就是一件故事也不是我一個人的力量所能窮其涯際的⋯⋯我願意先把一個一個的小問題作上研究，等到這許多小問題都研究了時，再整理出一篇大論文。」❹

(二)民俗

一九二五年五月，顧頡剛和容庚、孫伏園、莊尚嚴、李景漢、白滌洲及容元胎等人赴妙峰山，進行歷時三天的社會民俗調查，是他跨入這個學術領域的一個大腳步。調查所得，成績斐然；不但資料豐富，而且從各人分撰的文章來看，連載了五個月。這次的民俗調查，在風氣未開的那個時代，似乎得到一些反效果，逼迫得顧頡剛不得不再三撰文加以辯護。❷

吳歌、孟姜女故事及妙峰山這三個研究範圍，在顧頡剛結束這條學術生命之前，都先後在北京、廣州出版成專書，在出版《吳歌甲集》之前，顧頡剛說：「我很快樂的，是這書竟成了歌謠專集的

---

❹　《古一》〈自序〉，頁68。

❷　顧頡剛《妙峰山進香專號》〈引言〉云：「第一，在社會運動上著想，我們應當知道民眾的生活狀況。本來我們一班讀書人和民眾離得太遠了，自以為雅人而鄙薄他們為俗物，自居於貴族而呼斥他們為賤民。⋯⋯近幾年中，『到民間去』的呼聲很高，即是為了這個緣故。⋯⋯第二，在研究學問上著想，我們應當知道民眾的生活狀況⋯⋯。」

第一種；我尤快樂的，是這書為我生平出版的作品的第一種。」❸
心情之愉快，溢於言表。啟迪顧頡剛跳入這個領域的劉半農，在
《吳歌甲集》〈序〉裡說：「前年，頡剛做出孟姜女考證來，我就
羨慕得眼睛裡噴火，寫信給他說：『中國民俗上的第一把交椅，給
你搶去坐穩了。』現在編出這部《吳歌集》，更是咱們『歌謠店』
開張七八年以來第一件大事，不得不大書特書的。」對顧頡剛的讚
譽，令人印象深刻。

　　一九二六年秋天，顧頡剛轉任廈門大學國學研究院教授；從這
一季到明年的夏季，為期大概六、七個月，是顧頡剛戰前生活裡
「最動盪不安」的一段。在這裡，他被人造謠，「說我陰謀倒
戈」，「想不到像我這樣瘦弱無才的人，驟然添了這許多排擠諂媚
的本領」；❹在這裡，他被魯迅認作死冤家，鬧到中山大學，又差
一點鬧上法庭，後來魯迅還寫小說挖苦諷刺他。❺因此，這一年的
學術生命等於是空白東流，毫無成績可言。「我真悲傷，難道我的
時間是命定的應該這樣耗費嗎」；多麼悲觀，這個時的顧頡剛。

　　一九二七年受傅斯年之召，轉任廣州中山大學教授之後，顧頡
剛立刻又恢復了學術上的旺盛活力。他擔任歷史系教授、主任，又
代理語言歷史學研究所主任，還兼圖書館中文部主任，主編中山大
學語言歷史學研究所週刊、圖書館週刊及民俗週刊，再加上自己的
研究、撰述和考察，各種各樣的學術活動，把精力旺盛的顧頡剛忙

---

❸　見《吳歌甲集》〈自序〉。

❹　語見一九二六年四月二十八日顧頡剛致胡適心信中，見《胡適來往書信選》
　　內。

❺　魯迅撰有小說〈理水〉一篇，文中「鳥頭先生」即暗喻顧頡剛。

得不亦樂乎。

　　來了廣州之後，顧頡剛在民俗學和民間文學的研究和倡導，還是不餘遺力。

　　首先，他那幾本與此有關的專書《孟姜女故事研究集》、《妙峰山及蘇粵的婚喪》，都在這裏由中山大學出版了。雖然都是薄薄的幾部書，不過，卻是時代的急先鋒，試讀《孟姜女故事研究集》的〈序〉：

> 無論什麼人，只要有方法去做，便可得到很好的收穫；初施
> 耕種的土地，地力正厚咧。孟姜女在故事中還是次第的（我
> 五六歲時已知有祝英台，但孟姜女到十餘歲方知道），費了年餘功夫
> 已有了這些材料，而且未發現的怕尚有十倍廿倍。像觀音、
> 關帝、龍王、八仙、祝英台、諸葛亮……等等大故事，若去
> 收集起來，真不知有多少的新發現。……這類故事如果都有
> 人去專門研究，分工合作，就可畫出許多圖表，勘定故事的
> 流通區域，指出故事的演變法則，成就故事的大系統。

這段話有兩點值得說明：第一、顧頡剛研究民間故事，最重視「演變法則」，通過這則法則，來認識故事的源頭、發展及變形；這個方法，無可置疑，是他「層累地造成的古史觀」的易地運用和借題發揮。今天，許多研究民間故事及俗文學的學者們，還是沿用這個

方法。㊻第二、文中提及的祝英台、觀音、及關帝等民間人物,給與後人很大的啟示,成為後人研究的對象。正如他在聖賢文化與民眾文化一文中所說的:「我們現在研究歷史……所標舉的本紀、世家、列傳等,都是關於貴族方面的材料……要找到一般民眾生活文化的材料,很不容易。我們現在所要調查收集的材料,約可分為三方面:風俗方面、宗教方面、文藝方面。」㊼對俗文學及民俗社會的調查和研究,這幾部書起了領航的作用,影響非常大。

其次,他聯合何思敏等人,於一九二七年十一月創設了民俗學會,成為中山大學語言歷史學研究所最早成立的一個學會。在顧頡剛等人的領導之下,他開辦過民俗學傳習班、風俗物陳列所,也曾經派員到韶關、雲南、瓊州等地實地考察,並且搜聚各種民間文學如唱本等等,㊽更出版叢書和週刊,成為語言歷史學研究所裡最活躍的一個學會。顧頡剛一九二九年秋天離開中山大學後,這個學會的活動還一直持續下去,單以出版而言,總共出版了一零一期的週

㊻ 至友陳鵬翔〈主題學研究與中國文學〉云:「前面已提到曾永義想給民間故事研究提供一些理論基礎。他曾在不同的場合提到故事的發展必經過『基型』、『發展』和『成熟』這三個階段。……這是顧頡剛未曾做出的歸納,當然非常有創意。……可是,假使讀者們眼光敏銳一些的話,必然會發覺他的概念多多少少已蘊藏在上引顧頡剛那段文字中……。」陳文在所主編《主題學研究論文集》內,台北東大圖書公司印行,1983。至友曾永義有《說俗文學》,台北聯經出版事業有限公司出版,1980;陳所指曾永義「理論」,即在此書內。

㊼ 見《民俗週刊》第五期。

㊽ 顧頡剛《湖南唱本提要》〈序〉云:「自從到了廣州,在中山大學裡創辦了民俗學會,設備了風俗物品陳列室,始竭力在廣東各地搜集唱本,先後得到數千冊。」此文在《民俗週刊》第六十四期內。

刊和三十四種叢書，成績的確可觀。

　　一九二九年顧頡剛轉任燕京大學後，這條學術生命立刻呈現萎縮的狀態；在日本軍閥淫虐東北之際，顧頡剛參加燕大教職員學生抗日會，創辦三戶書社，編寫及出版抗日宣傳通俗讀物，活用了這方面的知識，已經是這條學術生命的尾聲了。從一九二零年發表吳歌贏得「歌謠研究專家」，至一九二九年秋天離開民俗學會，前後十年的光景，總的來說，他不但親身搜集資料，分析問題，撰述論文，而且主編雜誌，主持學會，起了倡導性的作用，功勞非常卓越。

四、古籍的譯注和點校

　　在這個學術領域裏，顧頡剛的貢獻可以分為前後兩個階段；首個階段自一九二零年至一九三六年，第二個階段自一九五四年至一九七八年，前個階段是偏向於辨偽學，後個階段是偏向於史學，成就不俗。

　　顧頡剛的整個學術生命，實際上是始於古籍的譯注和點校；即使成就最卓著的古史研究，也莫不肇始於此。一九二零年的冬天，胡適之先生致函顧頡剛，叮囑他點校《古今偽書考》，顧頡剛說：

> 十一月中，他來信詢問姚際恆的著述。我就在圖書館中翻檢了幾部書，前後寫了兩封回信。他看了很高興，囑我標點《偽書考》。這一來是順從我的興趣，二來也是知道我的生

計不寬裕，希望我標點書籍出版，得到一點報酬。❹

這不但是顧頡剛這個學術領域的開端，也是顧頡剛整個學術生命第一頁。顧頡剛這條充滿旺盛精力的巨龍，經過胡先生點睛，自此以後，就不停地在各個不同的學術領域裡飛躍奔騰，萬里長空，永不止息。

姚際恆《古今偽書考》不過薄薄的一部小書，頂多幾天就可以點校完畢，然而，偏愛打破沙鍋問到底的顧頡剛，卻是越點校越繁忙，越點校越多問題；「做了一二個月，註解依然沒有做成，但古往今來造偽和辨偽的人物事跡倒弄得很清楚了，知道在現代以前，學術界上已經斷斷續續地起了多少次攻擊偽書的運動，只因從前人信古的觀念太強，不是置之不理，便是用了強力去壓服它，因此若無其事而已」。❺眼界擴大以後，顧頡剛發奮編纂及點校一大套辨偽叢刊，把《古今偽書考》列為其中的一種，「因為這樣，我便把前人的辨偽的成績算一個總賬。我不願意單單註釋《偽書考》了，我發起編輯辨偽叢刊」。❺

第二年，也就是一九二一年，顧頡剛在一月份立刻寫信給胡先生，把編纂辨偽叢刊的構思全部提出，「現在標點的三種喚做叢刊第一集，以後續得續刊，凡滿十萬字時，就成一個單行本。」❺

一九二一年，顧頡剛不斷地和胡先生及錢玄同討論辨偽叢刊的

---

❹　見《古一》〈自序〉，頁 41-42。

❺　見《古一》〈自序〉，頁 42。

❺　同上。

❺　同上。

事情，包括選書、體列、輯錄及點校等問題，而且，也都得到相當
滿意的結論。一直到一九三六年為止，前後十五年間，先後經過顧
頡剛點校出版的古籍，計有下列十種之多：

1926：宋濂《諸子辨》點校畢，由樸社出版；

1928：高似孫《子略》點校畢，由樸社出版；

1929：胡應麟《四部正訛》點校畢，由樸社出版；

1930：王柏《詩疑》及姚際恆《古今偽書考》點校畢，由景山
書社出版；

1932：劉逢祿《左氏春秋考證》點校畢，出版；

1933：朱熹等《書序辨》及《詩辨妄》點校畢，由樸社出版；

1936：《史記》白文及《尚書通檢》點校畢，後者由燕京學社
出版。

除《史記》白文及《尚書通檢》兩種單獨出版外，其他八種都列入
辨偽叢刊。顧頡剛不但自己點校古籍，他的朋友、學生也都受他的
影響，在這方面盡心盡力；張西堂輯點《唐人辨偽集語》、白壽彝
輯點《朱熹辨偽書語》及趙貞信輯點《論語辨》，都是其佼佼者。
此外，一部學術界迄今猶樂於採用的辨偽工具書──張心澂《偽書
通考》，其編纂及出版，更是受了顧頡剛這時的學風的影響。

最值得我們在這裡大書特書的，莫過於顧頡剛搜羅崔東壁的著
作，點校及編纂成為一大套的崔東壁遺書。這件大工程，也還是胡
先生起的頭；一九二一年元月二十四日胡先生致函顧頡剛，告知獲
得《東壁遺書》；㊿一九二二年，胡先生將此書交給顧頡剛，請他

㊿　見《古一》，頁 19。

加以點校，以便出版。自此以後，這部書和這件工作就如影之附形，永遠陪伴顧頡剛，有時在北京，有時在上海，有時在蘇州，把顧頡剛忙上十幾年。

《崔東壁遺書》雖然於一九二六年點校完畢，而且排版校對完畢；雖然當時上海及北京其他書局紛紛模仿顧頡剛，將《崔東壁遺書》點校出版了；但是，顧頡剛卻不願意將自己點校完畢的加以出版發行。為什麼呢？這就是顧頡剛的性格和脾氣——他要把有關崔東壁的全部資料網羅進來，出版一部最完整的《崔東壁遺書》。為了達到這個目的，顧頡剛一九三一年和容庚、洪業等人考察河北、河南、陝西及山東時，特地抽出五天的時間到崔東壁的故鄉大名去探訪；他和洪業合撰《崔東壁先生故里訪問記》說：

> 兩三月來，我們討論崔東壁遺著，興致正濃，故趁著這一次邯鄲旅行道過之便，要往大名調查崔東壁先生故里，並希望能得到點新材料。(54)

經過這次的訪問，無疑的，顧頡剛已在大名那裡安置了一些「線人」，協助他搜羅有關的資料。試讀顧頡剛一九三五年三月的一段話，就可知此行的意義了；他說：

> 前年輾轉傳聞，知尚有東壁之弟德皋先生（邁）所作之《尚書辨偽》藏於廣平縣某家。雖切囑大名友人探詢，卒未覓

(54) 在《崔東壁先生遺書》第一冊卷末，世界版。

得。……去冬在北平，接張文納先生自成安漳河店貽書，知
廣平楊氏藏有德皋全集之原抄本，大喜欲狂，亟覆書請索
寄。今年二月在杭，得平寓轉寄張先生函，發之，份量之重
遠出我想像，凡衲菴筆談二卷、尚友堂詩說一卷、文集二
卷、寸心知詩集二卷，綜七萬言，是誠一大創獲也！❺

如果我們說顧頡剛在治學方面有一副很強烈的性格和脾氣，那麼，
《崔東壁遺書》事件就是一個典型的例子了。為了達到圓滿的境
地，他堅持他的性格，他拗執他的脾氣，不惜奔波到資料的發源地
去考察，並且建立關係，然後再等上幾年，才送廠出版。在該書的
〈自序〉裏，他說：

> 常有人對我說：「你這書出版時，已成了過時貨了！」唉，
> 我擔心這良心上的罪過已有九年了，除了對於出版者和讀者
> 們鄭重道歉伏罪之外，更有什麼話可說！但有一件事比較可
> 以自慰的，就是為了出版期的延長，收集的材料也逐漸增多
> 了。

這不是顧頡剛自我安慰的說法，而是一位篤實的學者內心裡的話。

---

❺　見《禹貢半月刊》第三卷第四期內崔邁之〈禹貢遺說〉，頁 8-14。

崔東壁地下有靈的話，也應該感激的。❺⑥

　　《崔東壁遺書》一九三六年出版之後，顧頡剛在這個學術領域
裏的活動，就暫時告一個段落。

　　一九五四年，顧頡剛恢復了這條學術生命，受托總校《資治通
鑑》；第二年，又開始點校《史記》。三年後，也就是一九五八
年，《史記》點校完畢。《史記》點校本出版後，他一度把研究重
點轉到《尚書》去，在助手協助下翻譯了〈大誥〉。一九七一年，
他受托主持二十四史的點校工作，在許多助手的協力之下，他花了
七、八年的時間，把這件極富意義的工作完成，並且順利地出版
了。這個時候，已是一九七八年了。兩年後，他就謝世，離開這個
多姿多彩的人間。

小　結

　　正如前言所指出的，顧頡剛是晚近六十年來學術生命力裏最旺
盛的少數學者之一。他是「五四運動以後到抗戰以前的二十年
中」，「中國史學進步最迅速的時期」裏的領導人物，影響之深及
遠，至今尚無人出其右。他又將史學上的創見運用到民間文學及民
俗學來，讓這門學問灌滿新的血液，以嶄新的研究方法出現在學術
界裏。為了使古史研究豐收，他開闢古代地理的新疆場，進而直搗

---

❺⑥　錢賓四先生《崔東壁遺書》〈序〉：「而東壁以百年前一老儒，聲名暗淡，
　　乃留遺此數十種書，得身後百年如三君者（胡適、錢玄同及顧頡剛）之推
　　挹，一旦大顯於天下。其遇合之奇，較之當日陳蘭人之叩門拜柩，抱遺書而
　　去者，其為度越又如何耶？」

邊疆地理及邊疆民俗，掀起一股邊疆研究的熱潮。除此之外，他組織出版社，出版古史研究專書、全國及分省地圖、世界地圖、抗日通俗讀物；他創辦學會，包括禹貢學會、民俗學會、西北移墾促進會、邊疆研究學會等等；他主編學報雜誌，著名的有《歌謠週刊》、《國立中山大學語言歷史學研究所週刊》、《圖書館週刊》、《燕京學報》、《禹貢》半月刊、《責善》半月刊及《文史雜誌》等等；到了晚年，他又主持《資治通鑑》及二十四史的點校工作，嘉惠中外學林。

　　總結以上的論證，顧頡剛不但能夠日新又日日新地開發新的學術園地，使他的學術生命的任何一滴血充分地發揮出光和熱，而且，又能夠扣緊時代的命脈和需要，將學術活用到民生社會來，成為一位活生生的大學者。因此，我們應該說，顧頡剛在學術上的貢獻既是學問上的，又是社會性的。

（原刊於《幼獅學志》第十八卷第三期，台北，1985；又見於拙編《顧頡剛學術年譜簡編》內，北京友誼出版公司，1987）

論顧頡剛的性格、思想
與其治學方向的關係

一

　　顧頡剛自小就具有強烈的愛國思想，雖然他自始至終老是維持著學者的身份和地位，不過，在日本軍閥佔領東北及北平的時候，他被列入黑名單，成為日軍逮捕及暗殺的對象；推究其原因，就是他的愛國思想所使然。顧頡剛從小就具有桀驁不馴的性格和脾氣，雖然他外表溫順和平，不過，他的強烈的性格和脾氣卻深藏在內心裡，而且經常展現在他的治學上。顧頡剛推翻傳統的古史，將中國史縮短千餘年；顧頡剛創辦《禹貢》半月刊，成為學術界空前的一份地理學雜誌，迄今還無人超越它；這些震攝遐邇的成就，無不與他的性格、脾氣及思想有關。因此，對他的性格和思想的認識，無疑的，有助於瞭解他的學術興趣和學術方向，更有助於瞭解他在學術上的成就和貢獻。

二

顧頡剛從孩提開始，就擁有一副桀驁不馴的性格，他在《古史辨》首冊的〈自序〉（以下簡稱〈古一·自序〉）裡說：「我的生性是非常桀驁不馴的。」恐怕一點也不誇張。翻開這篇〈自序〉，此類「桀驁不馴」的例子就非常多，試讀下列文字：

> 十七歲時，江蘇存古學校招生，我知道裡面很有幾位博學的教員，也報名應考。出的題目是〈堯典〉上的，現在已記不起了，只記得我的文字中把鄭玄的〈注〉痛駁了一回。發榜不取，領落卷出來，籤條上面披著「斥鄭說，謬」四個大字。

桀驁不馴的性格使他吃了落第的大虧，他說：「我得到了這回教訓，方始知道學術界上的權威是惹不得的。」這個教訓所給與他印象的深刻，恐怕一輩子都無法忘卻。即使在念中學的時候，顧頡剛也經常展現出他這副「德性」，〈古一·自序〉說：

> 我的桀驁不馴的本性又忍不住要發展了，我漸漸的對於教員不信任了。我覺得這些教員對於所教的功課並沒有心得，他們只會隨順了教科書的字句而敷衍。……況且教科書上錯誤的地方，他們也不能加以修正，……都只想編輯了一種講義作終生的衣食，毫不希望研究的進展，使得我一想到時就很鄙薄。

對教科書加以懷疑,對老師的講解表示異議;這些,都是桀驁不馴的表現,顧頡剛說:「翻出幼時所讀的《四書》經文和注文上,就有許多批抹。」顧頡剛四歲開始讀《四書》,第二年讀完《四書》;以四、五歲的童稚年齡,竟經常在書眉批注一些不同的意見,除了說他具有懷疑的精神之外,也應該說他與生俱來就擁有一副桀驁不馴的性格。該〈自序〉說:「我的行事專喜自作主張,不聽人家的指揮。」雖然顧頡剛的家庭教育及私塾教育都非常嚴厲,「在這種的威脅和迫擊之下,長使我戰慄恐怖,結果竟把我逼成了口吃,害得我的一生永遠不能在言語中自由發表思想」,把顧頡剛的外表磨練得十分柔順卑下,但是,卻絲毫無法改變他那種桀驁不馴的性格和脾氣。

擁有這副與生俱來的性格的顧頡剛,從童稚開始,對古籍的記載就不肯輕易相信,這原本是一件很自然的事情。〈古一・自序〉曾記載小時的一樁事:

> 因諡法的解釋不同,想做一種「諡法考」,把《左傳》上的
> 諡法鈔集起來,比較看著。結果,使我知道「靈」、
> 「幽」、「厲」諸諡,孟子所說「孝子順孫,百世不能改」
> 的話,並不十分可靠。有一回偶然在《漢書》上看到漢高祖
> 為赤帝子斬白帝子,心想赤帝、白帝不是和黃帝一樣的嗎?
> 為什麼黃帝為人,而赤帝、白帝為神?又在某書上看見三
> 皇、五帝的名號和《易知錄》上所載的不一致,考查之後,
> 始知三皇、五帝的次序原來有好幾種不同的說法。

小小年紀的顧頡剛，就懂得排比證法資料，比較其使用的情況，進而否決了傳統的說法；又懂得提出「為什麼黃帝為人而赤帝、白帝為神」的問題，並且考查出三皇、五帝的幾種不同的次第；一方面固然是早慧，一方面恐怕就是拜這副性格的賜給了。該〈自序〉又載他十一歲讀《綱鑑易知錄》的一件事，它說：

> 我最厭惡《綱目》的地方，就是它的勢利。例如張良和荊軻一樣的謀刺秦始皇，也一樣的沒有成功，但張良書為「韓人張良」，荊軻便書為「盜」。推他的原因，只因荊軻的主人燕太子丹是斬首的，而張良的主人劉邦乃是做成皇帝的。我對於這種不公平的記載非常痛恨，要用我自己的意見把它改了。

《綱目》固然勢利，顧頡剛卻也桀驁；否則的話，他如何看透《綱目》義法的不公平，更如何「要用我自己的意見把他改了」呢？

除了桀驁不馴的性格，他還擁有另外一種性格——驚求廣博。這層性格，無可置疑的，對他的治學方向也有很大的影響。

顧頡剛早就承認他貪多好博的個性，他十二歲時寫了一本自述，題為〈恨不能〉；第一篇是〈恨不能戰死沙場，馬革裹屍〉，第二篇為〈恨不能游盡天下名山大川〉，第三篇〈恨不能讀盡天下圖書〉，他說：

> 天天遊逛書肆，就恨不能把什麼學問都裝進了我的肚子。我的癡心妄想，以為要盡通各種學問，只需把各種書籍都買下

來，放在架上，隨心翻覽，久而久之自然會得明白通曉。我的父親戒我買書不必像買菜一般的求益，我的祖母笑我買書好像瞎貓拖死雞一般的不揀擇，但我的心中堅強的執拗，總以為寧可不精，不可不博。只為翻書太多了，所以各種書很少從第一字看到末一字的。

顧頡剛明知道這是治學的大忌，但是，「求實效的意志終抵抗不過欣賞的趣味」，結果，正如他對朋友所說的一樣：「拿到一部書想讀下去時，不由得不牽引到第二部上去，以至於第三部、第四部。讀第二第三部書時又要牽引到別的書上去了。試想這第一部書怎樣可以讀得完？」

所謂「牽引又牽引」，正說明顧頡剛讀書多多少少不會太有耐性，好跑野馬。他在〈古一·自序〉說：「我的幼年最沒有恆心。十餘歲時即想記日記，但每次寫不到五六天就丟了。筆記亦然，總沒有一冊筆記簿是寫完的。」早已明確的承認這件事實。實際上，即使到了年長，顧頡剛還是脫不了這副性格，試讀〈自序〉中的供詞：

在北京大學的同學中，毛子水先生是我最敬愛的。他是一個嚴正的學者，處處依了秩序讀書，又服膺太炎先生的學說，受了他的指導而讀書。我每次到他的齋舍裡去，他的書桌上總只放著一種書，這一種書或是《毛詩》和《儀禮》的註疏，或是數學和物理的課本。我是向來只知道翻書的，桌子上什麼書都亂放。「汗漫掇拾，茫無所歸」這八個字，是我

的最確當的評語。那時看見了這種嚴正的態度，心中不住地
說著慚愧。我很想學他；適在讀《莊子》，就用紅圈的戳子
打著斷句，想勉勵把這部書圈完。可是我再不能按著篇次讀
下，高興圈那一篇或那一頁時，便圈到那篇那頁。經過了多
少天的努力，總算把《莊子》的白文圈完了。這是我做有始
有終的工作的第一次，實在是子水在無形中給我的恩惠。白
文圈完之後，又想把郭象〈注〉和陸德明〈音義〉繼續點
讀。但這個工作太繁重了，僅僅點得〈逍遙遊〉的半篇，已
經不勝任了。

顧頡剛務求博覽，所以，他似乎很少有耐性把一部書徹頭徹尾地讀
完，這又是顧頡剛性格的另一面了。

因此，顧頡剛的讀書計劃和撰述目標，向來都是非常龐大無
比，而且一個計劃還沒完成，又興起一個計劃；一個目標還沒達
到，又擬出另一個目標。

一九一五年的前後，顧頡剛發了一個宏願，要編纂《國學志》
一書；這部《國學志》分為七種：

1.仿《太平御覽》例，分類鈔錄材料，為《學覽》。

2.仿《經世文編》例，分類鈔錄成篇的文字，為《學術文
　鈔》。

3.仿《宋元學案》例，編錄學者傳狀，節鈔其主要的著述，
　為《學人傳》。

4.仿《經義考》例，詳列書籍的作者、存佚、序跋、評論，

為《著述考》。

5. 仿《群書治要》例，將各書中關於學術的話按書鈔出，為
　《群書學錄》。

6. 仿《北溪字義》例，將學術名詞詳釋其原義及變遷之義，
　為《學術名詞解詁》。

7. 集合各史的紀傳、年表，以及各種學者年譜，為《學術年
　表》。

這個龐大的計劃，相信任何人一輩子都做不完，「這是學術團體中
的工作，應當有許多人分工做的，不是我一個人可以擔當的責任
了」；然而，顧頡剛卻立刻動手大忙特忙起來，又花錢僱人幫忙抄
寫，這樣地忙了一陣子，完成了《著述考》，另外搜集了一部分的
材料，「其餘諸種，至今還沒有著手」。

　　一九二四年，顧頡剛寫了一篇〈我的研究古史的計劃〉，他準
備把自己的一生分為六個學程：

1. 自一九二五年至一九三零年，讀魏晉以前史書，「將漢人
　的經注、經說和其他著作通讀一過，指出他們的作偽和傳
　誤的種種事實，並把今、古文的黑幕一起揭破，劃絕漢學
　搗鬼的根芽」。

2. 自一九三一年至一九三三年，作春秋戰國秦漢經籍考，
　「把古書的時代與地域統考一過」。

3. 一九三三年，「依據考定的經籍的時代和地域，抽出古史
　料，排比起來，以見一時代或一地域對於古史的觀念」。

4. 自一九三五年到一九三七年，研究古器物學，「把傳世的古器的時代釐正一過，使得它們與經籍相印時，可以減少許多錯誤」。

5. 自一九三八年至一九四零年，研究民俗學，「把漢以後民眾心中的古史鈎稽出來，直到現在家家懸掛的『神軸』為止，看出它們繼續發展的次序。這個研究如能得到一個結果，古史在古代的地位更可確定了。」

6. 最後一個學程自一九四一年至一九四五年，「把以前十六年中所得的古史材料重新整理，著成專書」。

這又是一個龐大無比的計劃，實踐起來談何容易！古器物學、民俗學及經籍整理，都是專門的大學問，又豈是三幾年就可以完成的工作！在這份計劃書的第二段文字裡，顧頡剛也說：

> 我是一個喜歡定計劃的人。從前和傅孟真先生同舍時，他曾笑說：「你老是規劃終身的大計，我覺得你定一件也做不成的！」他的話真不錯，這六七年來我預定的計劃無往而不失敗，激起的煩悶一天重似一天。

傅斯年的批評恐怕有幾分正確，怪不得顧頡剛經常感覺「煩悶一天重似一天」，自己煩苦自己了。

顧頡剛在編纂《古史辨》第一冊的三十多歲時，也知道務求廣博的弊病，希望自此以後縮小研究範圍，一邊做深入的鑽討；然而，他做得到嗎？試讀《自序》中的一段話：「我是一個極富於好

奇心的人，一方面固然是要振作意志，勉勵把範圍縮小，做深入的研究，一方面又禁不住新材料的眩惑，總想去瞧它一瞧。等到一瞧之後，問題就來了；正在試做這個問題的研究時，別種問題又接二連三的引起來了。不去瞧則實為難熬，一去瞧又苦無辦法。這真是是我最感痛苦的一件事。」這一段話，正是前文「牽引又牽引」的翻版；讀書時，「拿到一部書想讀下去時，不由得不牽引到第二部上去，以至於第三部，第四部」；做學問時，「正在試做這個問題的研究時，別種問題又接二連三的引起來了」；顧頡剛務求廣博的性格，使得他讀書及治學都難於拘守一重點，以便做深入的追探，其情形大致如此了。

三

　　顧頡剛既然擁有務求廣博及桀驁不馴的性格，那麼，在他一九二一年接受胡適之先生的付託點校《古今偽書考》時，自然不能只滿足於點校的工作而已。試看他在〈古一・自序〉裡怎樣說：「標點的事是很容易的，薄薄的一本書費了一二天工夫已可完工。但我覺得這樣做下去未免太草率了，總該替他加上註解才是。……不料一經著手，便發生了許多問題……做了一兩個月，註解依然沒做成，但古往今來造偽和辨偽的人物事跡倒弄得很清楚了……因為這樣，我便想把前人的辨偽的成績算一個總賬，我不願意單單註解《偽書考》了，我發起編輯《辨偽叢刊》。」從《古今偽書考》的點校，他牽引出註解；從註解，他又牽引出《叢刊》的編輯；這些，無一不是顧頡剛在學問上發揮他強烈的性格的表現。

　　點校《古今偽書考》不但是顧頡剛一生業績的起點，實際上，這個工作也正是顧頡剛一生重大成就的縮影，因為這部書的內容幾乎完全適合了顧頡剛的性格和脾氣。當胡先生一九二零年十二月寫信給他，請他標點此書時，他說：「這一來是順從我的興趣，二來也是知道我的生計不寬裕。」這裡的「興趣」，當然是因為符合了他的性格。一九三零年顧頡剛曾談起這部書對他的影響，他說：

> 到了十七歲那一年，始借到一部浙江書局的單行本（《古今偽書考》）。不料讀了之後，我的頭腦裡忽然起了一次大革命。這因為我的《枕中鴻寶》、《漢魏叢書》所收的書，向來看為戰國、秦、漢人所作的，被他一陣地打，十之七八都打到偽書堆裡去了。我向來對於古人著作毫不發生問題的，到這時都引起問題來了。……《古今偽書考》只是姚際恆的一冊筆記，並不曾有詳博的敘述，它的本身在學術上的價值可以說是很低微的。但他敢於提出「古今偽書」一個名目，敢於把人們不敢疑的經書（《易傳》、《孝經》、《爾雅》等）一起放在偽書裡，使得初學者對這一大堆材料，茫無別擇，最易陷於輕信的時候，驟然聽到一個大聲的警告，直到故紙堆裡有無數記載不是真話，又有無數問題未經解決，則這本書實在具有發聾振聵的功效。（《古今偽書考》〈序〉）

這部書把「向來看為戰國、秦、漢人所作的」書，「十之七八都打到偽書堆裡去」，其大膽的程度固然使顧頡剛「驟然聽到一個大聲的警告」；但是，我們似乎也可以說，顧頡剛桀驁不馴的性格在這

部書裡找到了滿足感，找到了共鳴的知己朋友，「深深的注定了我畢生的治學的命運，我再也離不開他們的道路了」。

從《古今偽書考》的點校到古史真偽的考辨，原是一條很順暢的方便路子，因為前者是考辨偽書，而後者卻是考辨偽史，對象不同，辨偽則一。因此，務求廣博的顧頡剛，在點校《古今偽書考》之際，很快地就「牽引」出古史辨偽的計劃，他曾在〈古一·自序〉裡敘述當時的想法：

> 有許多偽史作基礎的，如《帝王世紀》、《通鑑外紀》……，有許多偽書使用偽史作基礎的，如《偽古文尚書》……等。中國的歷史，普通都知道有五千年，但把偽史和依據了偽書而成立的偽史除去，實在只有二千餘年，只算得打了一個「對折」！想到這裡，不由得不激起了我的推翻偽史的壯志，到這時連真書中的偽史也要推翻了。

「推翻偽史」、將五千年中國歷史「對折」、推翻「真書中的偽史」，這一連串的火花像秋夜長空裡的流星一樣，不停地在顧頡剛腦海裡閃爍、飛躍和流竄，和顧頡剛桀驁不馴的性格唱雙簧，使得顧頡剛衝動、激情和「忙得真苦」（〈自序〉頁九十九語）。

顧頡剛在大學時代，曾經冒了將近一個月的夜雪寒風去聆聽章太炎的演講；這位桀驁得「從蒙學到大學，一向是把教師瞧不上眼的，所以上了一二百個教師的課，總沒有一個能夠完全攝住我的心神」的顧頡剛，聽了章太炎的演講，竟然「從來沒有碰見過這樣的教師，我佩服極了」。然而，章太炎猛烈攻擊今文學派的言論，卻

又激起務求廣博的顧頡剛的好奇心，「牽引」出他「想尋找今文家的著述，看他如何壞法」。讀過了《新學偽經考》及《孔子改制考》後，顧頡剛對康有為否定三皇五帝的史事的說法，「極愜心饜理」，於是，顧頡剛把欽佩和敬仰的心意轉移到康有為去；自此以後，顧頡剛永遠敬稱他為「康長素先生」，顧頡剛的學生和學派裡的人也都如此。

當顧頡剛腦海裡閃爍、飛躍和流竄著「推翻偽史」、「對折五千年史」及「否定真書中偽史」的火花時，康有為在《孔子改制考》內所發表的「上古茫昧無稽」的推論，立刻成為引爆火花的鑽木和金燧，為顧頡剛心田裡燃起一堆熊熊的火堆來。試讀〈古一·自序〉的一段話：

> 自從讀了〈孔子改制考〉的第一篇之後，經過了五六年的醞釀，到這時始有推翻古史的明瞭的意識和清楚的計劃。計劃如何？是分了三項事情著手做去。第一，要一件一件地去考偽史中的事實是從那裡起來的，又是怎樣的變遷的。第二，要一件一件地去考偽史中的事實，這人怎樣說，那人又怎樣說，把他們的話條列出來，比較看著，同審官司一樣，使得他們的謊話無可逃遁。第三，造偽的人雖彼此說得不同，但終有他們共同遵守的方式，……我們也可以尋出他們的造偽的義例來。

這時候的顧頡剛，已經在學問的領域裡，找到可以發揮他的性格和脾氣的對象了。

顧頡剛雖然非常欽佩康有為，而且一輩子都莫不如此，但是，眼光非常敏銳的顧頡剛卻在展讀康有為的著作不久之後，發現了康有為學問上的罅縫，〈自序〉說：

> 我覺得他們拿辨偽做手段，把改制做目的，是為運用政策而非研究學問。他們的政策，是第一步先推翻了上古，然後第二步說孔子托古作六經以改制，更進而為第三步把自己的改制引援孔子為先例。因為他們的目的只在運用政策作自己的方便，所以雖是極鄙陋的讖緯，也要假借了做自己的武器而不肯丟去。因為他們把政策和學問混而為一，所以在學問上也就肯輕易地屈抑自己的理性於怪妄之說的下面。

將辨偽和治學當作手段，將政治上的改制當作目的，這是康有為著書立說的宗旨；換句話說，康有為著書立說先有個立場和目的橫在心中，而創建起來的各種說法都是環繞這個立場和目的，並且為它們服務。這是顧頡剛所不能接受和容忍的，「我們慚愧沒有這種受欺的度量」，「我們欣快沒有這種奴隸的根性」；桀驁不馴的顧頡剛這個時候又開始要發揮他強烈的性格了，他說：「我們正有我們自己的工作在，我們的手段與目的是一致的。」──顧頡剛一生的古史研究，就建立在這句「目的與手段一致」之上。他發現康有為治學上的罅縫，往後他又發現崔述的罅縫，而他的古史研究，就是往前跨越過他們的罅縫，擺脫橫在心胸的立場和目的，喊出為學問而學問的口號，完成學術史上的時代使命。

一九二一年顧頡剛接觸到崔述的《東壁遺書》，展讀之下，大

感痛快；因為崔述在整理古代歷史時，推翻了「百家謬妄」。顧頡剛在崔述的大著裡找到了自己的蹤影；崔述的一言一語，他都引起極度的共鳴；試讀〈自序〉的一段話：

> 尤其使我驚詫的，是他在〈提要〉中引的「打碎砂鍋問到底」一句諺語。「你又要『打碎烏盆問到底』了！」這是我的祖母常常用來禁止我發言的一句話，想不到這種「過細而問多」的毛病，我竟與崔先生同樣的犯著。

所謂「打碎烏盆問到底」，他的另一面的意思是，不相信任何權威，窮追任何問題，以至到水落石出為止。顧頡剛認為自己所犯的「毛病」，竟然和崔述相同，這種「好惡與夫子同」的共鳴，一定給與顧頡剛莫大的鼓勵。不過，崔述的「打碎烏盆問到底」是有限度的，他心胸之中橫著儒家的立場和衛道的目的，「他信仰經書和孔孟的氣味都嫌太重」；而顧頡剛的「打碎烏盆問到底」，卻是擺脫權威，徹底窮追，徹底推翻，「我們現在要比他進一步，推翻他的目的，作徹底的整理」，不達到全盤破壞偽史不肯甘休──跨越過康、崔的罅縫，這就是顧頡剛在學問上的歷史使命了。

四

顧頡剛一九二二年發現了「層累地造成的古史」說；第二年二月，他寫信給錢玄同，把這個學說告訴了他。三個月後，這封信在胡先生主編的〈努力〉增刊〈讀書雜誌〉第九期裡發表出來，卷端

加一個約莫千言的〈前言〉，卷後加一個簡短的「附啟」。這個學說發表之後，顧頡剛立刻名噪天下，成為古史研究的著名學者，使他三年後以三十三歲的年紀榮登廈門大學研究教授的寶座；然而，顧頡剛只在這封信裡發表了這個轟動學術界的學說，並沒有為它寫過專門的論文或專書，為什麼呢？他在〈前言〉裡說：

> 我很想做一篇〈層累地造成的中國古史〉，把傳說中的古史的經歷詳細一說。這有三個意思。第一，可以說明「時代愈後，傳說的古史期愈長」……第二、可以說明「時代愈久，傳說中的中心人物愈放愈大」……第三、我們在這上，即不能知道某一件事的真確的狀況，但可以知道某一件事在傳說中的最早的狀況……。但這個題目的範圍太大了，向我這般沒法做專門研究的人，簡直做不成功。因此，我想分了三個題目做去：一是「戰國以前的古史觀」，二是「戰國時的古史觀」，三是「戰國以後的古史觀」。後來又覺得這些題目的範圍也廣，所以想一部書一部書的做去，如「《詩經》中的古史」、「《周書》中的古史」、「《論語》中的古史」……。我想，若一個月讀一部書，一個月做一篇文，幾年之後自然也漸漸的做成了。

顧頡剛知道自己務求廣博的性格太強烈了，所以，擬了又擬，縮了又縮，希望於「幾年之後」，「漸漸的做成」上述最小範圍的題目。然而，三年後《古史辨》首冊編成之際，顧頡剛在辨證偽造古史方面的計劃，似乎又變了個樣子了；〈自序〉曾列下那時的研究

項目：

春秋戰國時的神祇和宗教活動。

古代的智識階級的實況。

秦漢以後的智識階級和古史和非智識階級的古史。

春秋戰國間的人才和因了這班人才而生出來的古史。

春秋戰國秦漢間的中心問題和因了這種中心問題而生出來的古史。

春秋戰國秦漢間的制度和因了這種制度而生出來的古史。

春秋時各民族的祖先的傳說和戰國以後歸併為一系的記載。

春秋戰國秦漢人想像中的太古。

戰國秦漢是開拓疆土和想像的地域。

戰國秦漢人造偽的供狀。

漢代人為了「整齊故事」而造出古史。

春秋戰國時的書籍。

漢初的經書和經師。

《尚書》各篇的著作時代和著作背景。

孔子何以成為聖人和何以不成神人。

古史中人物的張揚的等次。

古史與故事的比較。

這個範圍不但比上文最後縮小者來得大，而且，比上文第一次擬定者還要大；它包括了宗教、制度、社會組織、典籍、傳說及神話等範圍，以顧頡剛有限的力量，如何在短期間完成呢？所以，《古史

辨》首冊三年後編成時，顧頡剛在古史研究方面除了給錢玄同那篇書信外，對於其他擬定中的古史題目，幾乎是交了白卷，「但是很可悲的，茌茬兩載，《左傳》還沒有好好地點讀過一頁……這種不切實的讀書，我一想著便心痛」，只有徒歎悲傷了。

實際上，顧頡剛自從在錢玄同的書信裡發表「層累地造成的古史」說後，以至到一九二六年《古史辨》首冊出版為止，兩三年來他所忙的並不止於古史研究這個範圍，他在〈自序〉中就自我供述地說，他忙著研究古史，忙著辨證偽造的古史，又忙著研究民俗學，後者還包括了神道、社會調查和歌謠，雖然他研究考古是為著「在實證上就可以剔出許多偽妄的證據」，研究民俗學是為著「想用了民俗學的材料去印證古史」，但是，這些龐大無比的範圍和計劃，又豈是顧頡剛一人所能完成的呢！〈古一·自序〉說：

> 我心中有許多範圍較廣的問題，要研究出一個結果來，須放下幾個月或幾年的整功夫的，他們老在我的胸膈間亂撞，彷彿發出一種呼聲道：「你把我們悶閉了好久了，為什麼還不放我們出來呢？」我真是難過極了。所以我常對人說：「你們可憐了我吧！你們再不要教我做事情吧！我就是沒有一絲一毫的職務，我自己的事情已經是忙不過來的了！」

所以，顧頡剛似乎只有徒歎人生的短促，徒歎俗務的糾纏，卻無法明白是自己的性格和脾氣在煎熬著自己。

五

一九二六年秋天轉任廈門大學研究教授，對顧頡剛而言，並不是件好事，他在〈古二·自序〉裡就這麼感歎地說：「我真悲傷，難道我的時間是命定的應該這樣耗費嗎？」同年四月二十八日他致函胡先生，也說：「這四個月中，我的生活不安定極了。」（〈胡適來往書信選〉上），因此，第二年夏天，他就轉往廣州中山大學去，和傅斯年共同推動語言歷史學研究所工作。在廣州，顧頡剛發揮了他高度的組織能力和學術熱忱，身兼數職地向民俗學、社會調查、古史及圖書館學同時進軍，然而，剛剛滿任兩年，也就是在一九二九年的秋天，他又離開中大，轉到北平擔任燕京大學歷史系的教授去了。就在他擔任燕大教授時，他的治學方向曾經起了一個很大的轉折，影響他大半生的學術生涯。

顧頡剛從童稚開始，就擁有一股非常強烈的愛國精神。當他還在私塾唸書時，最愛讀的就是梁任公文情並茂的救國文章，他〈古一·自序〉說：

> 我受了這個潮流的湧蕩，也是自己感到救國的責任，常常慷慨激昂地議論時事。《中國魂》中的〈呵旁觀者文〉和〈中國之武士道〉的長序一類文字，是我的最愛好的禮物，和學塾中的屈原〈卜居〉、李華〈弔古戰場文〉、胡銓〈請斬王倫秦檜封事〉等篇讀得同樣的淋漓痛快。在這種熱情的包裹之中，只覺得殺身救人是志士的唯一的目的，為政濟世是學者的唯一的責任。

這股愛國熱忱和意識，經常在顧頡剛的腦海裡迴盪著，成為他的思想的主流。一九零五年他寫了一本叫《恨不能》的自述，第一篇題為〈恨不能戰死沙場，馬革裹屍〉；一九零六年，他參加地方上的一所高等小學的入學試，作文題目是〈徵兵論〉，顧頡剛考得第一；這前後的兩篇文章，光看它們的題目，就可以知道一定是滿紙愛國的言論了。念中學的時候，愛國赤忱催迫顧頡剛加入社會黨，成為「最熱心」的一名黨員，他說：

> 看著徐錫麟、熊成基、溫生才等人的慷慨犧牲生命，真覺得可歌可泣。辛亥革命後，意氣更高漲，以為天下無難事，最美善的境界只要有人去提倡，就立刻會得實現。種族的革命算得了什麼！要達到無政府、無家庭、無金錢的境界時，方才盡了我們革命的任務呢。因為我醉心於這種最高的理想，所以那時有人發起社會黨，我就加入了。在這一年半之中，我是一個最熱心的黨員，往往為了辦理公務，到深夜不眠。

但是，顧頡剛失望了！「他們沒有主義，開會演說時固然悲壯得很，但會散之後竟把這些熱情丟入無何有之鄉了」，「他們閒空時，只會圍聚張桌子坐著談天，講笑話，對於事業的進行毫無計劃。再不然，便是賭錢，喝酒，逛窯子」，於是顧頡剛宣佈「脫黨」，把愛國熱忱狠狠地活埋了。自此以後，「一旦被蛇咬，三日怕草繩」，顧頡剛許久許久地不敢撩起這股思想了。

一九二五年五三慘案爆發，驚動寰宇。這時候的顧頡剛正在北大編輯《歌謠週刊》，埋藏了許久的愛國思想這時又重新點燃起

來。他勇敢地站出來，為《京報》主編〈救國週刊〉，以便激起全國人民的愛國熱心。在〈特刊〉裡，他還發表了〈上海的亂子是怎樣鬧起來的〉及〈傷心歌〉等血紅紅的愛國文章。自童稚就特具愛國思想的顧頡剛，一直到這個時候，才正式感到滿足地將他這股思想發揮出來。這時候的他，已經是三十二歲的中年人了。

顧頡剛一九二九年秋天轉任燕大教授之後，東北局勢一天不如一天，日本軍閥鯨吞中國的意圖已經大白於天下了。這個時候的顧頡剛，當然無法安心於書房及故書堆，「年來的內憂外患為中國有史以來所未有，到處看見的都是亡國滅種的現象，如果有絲毫的同情心，如何還能安居在研究室裡」（一九三四年元月顧頡剛應《東方雜誌》撰〈個人計劃〉語）。一九三三年，他參加燕京大學教職員學生抗日會，辦三戶書社，出版通俗讀物，宣傳團結抗日運動；一九三四年他和譚其驤合編《禹貢半月刊》，並且成立禹貢學會，以學術報國來達到愛國的心願；這些，都是顧頡剛發揮愛國思想的積極表現。

禹貢學會的設立及《禹貢半月刊》的創辦固然是一種學術活動，但是，說他們是顧頡剛基於愛國思想所發揮出來的「學術報國」的活動，似乎更加恰當。換句話說，自禹貢學會成立以後，顧頡剛已經將愛國思想和學術活動緊密地結合在一起，而他本人更以書生報國的新姿態出現在學術界裡，成為一位緊扣現實生活的積極學者。醉心於古史，而且誓志於古史研究的顧頡剛，按不住心胸那股熱熊熊的愛國火焰，終於在日本軍閥加緊掠奪蠶食中國的前夕，洶湧的爆發出來——放棄古史的研究，轉往邊疆地理及開墾西北的學術新方向去。

五

　　顧頡剛一九三一年在北大主講《堯典》及一九三二年在北大、燕大主講《中國古代地理沿革史》這兩件事，是顧頡剛學術轉向愛國主義的路子的機契。在這兩年裡，顧頡剛認識了譚其驤，而且又栽培了許多具有思想的學生，有合作夥伴，有忠實的基層，顧頡剛雖然不組織政黨，不過，卻有許多支持者協助他發揮愛國思想，使他充分地將這股思想貫注到學術研究的園地裡。

　　在顧頡剛主講《中國古代地理沿革史》之初，他似乎還沒有意思將學術推向愛國主義的路子上去，試讀他往後的回憶：

> 頡剛七年以來，在各大學任《中國上古史》課，總覺得自己的知識太不夠，尤其是地理方面，原為研究歷史者迫急的需要，但不幸最沒有辦法……我常常感覺，非有一班人對於古人傳下的原料作深切的鑽研，就無法抽出一點常識作治史學或地學的基礎。因此，我就在燕京和北大兩校中改任《中國古代地理沿革史》的功課，借了教書來逼自己讀書。預計這幾年中，只作食桑的蠶，努力搜集材料，隨時提出問題；希望過幾年後，可以吐出絲來，成就一部比較可靠的《中國古代地理沿革史講義》。

他這時候最大的願望，只是在編撰一部和古史研究有關的《中國古代地理沿革史》；換句話說，他開設《中國古代地理沿革史》，充其量也不過是他古史研究的一個環節而已。

　　然而，第二年（1933）的三月，顧頡剛與鄭德坤在《東方雜誌》第三十五卷第五號聯名發表了一篇〈研究經濟地理計劃芻議〉，顧頡剛立刻將他強烈的愛國思想表達出來，試讀開首的兩段話：

> 凡是中華民國的國民都記得北伐的時代，那是為國為民的口號得到整個民眾的參加，自廣東出發浩浩蕩蕩殺到北京來，它們用極熱烈的鮮血來統一全國，建設國民政府，這是民國以來最可歌可泣的一事件。他們希望他們所建設的政府可以真的為國為民，將這快要傾覆的國家好好地放在軌道上。但是北伐成功，政府成立了五年，而這五年中的建設在那裡，除政黨的紛爭，軍人的把持，還有什麼值得注意的事跡？
> 我們國民不應責問政府，應該責問自己：我們也應該參加建設，督責政府向建設的道上走。政府為黨，不為國為民，我們應該督促其以國以民為前提。政府重三民主義，不注重「建國方略」，這完全是錯誤，因為主義可以改變，而建國計劃不可改變；求中國的富強而不施行「建國方略」是不成功的。我們應該想法子幫助政府向「建國方略」的道上走去。

一股大義凜然的愛國思想，像冬夜裡的暖流一般，立刻烘熱我們週身的血液，接著他們又說：

> ……交通、商業、工業、礦業以至於農業，我們處處不如

人，這還不足傷心，最令人傷心的是我們自己還不知道處處
不如人，猶處處以地大物博來騙自己，安慰自己。……當這
國難近迫眉睫的時代，我們不要再空談了，我們要切切實
實，根據事實，向建設的方向努力幹去。……經濟是一國的
中心，經濟問題解決，則民生問題、國防問題一切可以迎刃
而解。但是計劃不是可以憑空造出來的，我們要聯合全國有
為的人才，實地調查研究，實驗，得了結果之後再去實行，
方不致浪費有用的金錢與力量。

最後，他們建議傲傚中央研究院地質調查所，成立一個國立的經濟
地理研究院，其宗旨是在調查及研究中國的經濟地理，提倡生產的
合作，謀富國安民之道及增進社會的福利。這個研究院將分十個研
究所，即土地、人口、農業、漁業、工業、水利、交通、原動力、
商務及外國經濟制度，他們將負責各有關的調查和研究，並搜集各
有關的檔案、資料和圖書。「當此生死關頭，我們要鼓起我們參加
北伐的精神來研究改造，庶幾可以完成我們的國民革命，而挽回這
千鈞一髮的危機。願政府注意，願國民努力！」

這是一篇熱血奔騰的宏文，也是一個考慮周密的大計劃，如果
瞭解顧頡剛過去愛國的「歷史」的話，那麼，就不會對他與他的學
生聯名發表這篇長文感到意外和驚訝了。顧頡剛十三歲可以〈恨不
能戰死沙場，馬革裹屍〉，十六、七歲可以是社會黨「最熱心的黨
員」，這個時候怎麼不可以是一篇熱血奔騰、計劃龐大的大文章的
合撰者呢！

一九三四年春天，《禹貢半月刊》在顧頡剛及譚其驤兩人的通

力合作下，終於與學術界見面了。這不但是中國學術界的一件盛事，也是中國出版界一件了不起的嘗試；我們有無數的文藝雜誌，也有很多的學術期刊，但是，在此之前以及在此之後，甚至到今天為止，我們似乎就沒有一份有份量的地理學的半月刊雜誌。在這份雜誌裡，不但學術論文必須局限於地理研究的範圍，甚至於新聞、廣告及報道等等，也必須與地理有關連。從這裡，我們就可以瞭解這份雜誌的意義了。

《禹貢半月刊》的〈發刊詞〉，強烈的表達了顧頡剛的愛國思想，它說：

> 這數十年中，我們受帝國主義者的壓迫真夠受了，因此，民族意識激發得非常高。……民族與地理是不可分割的兩件事，我們的地理學既不發達，民族史的研究又怎樣可以取得根據呢？不必說別的，試看我們的東鄰蓄意侵略我們，造了「本部」一名來稱呼我們的十八省，暗示我們邊陲之地不是原有的；我們這群傻子居然承受了他們的麻醉，任何地理教科書上都這樣地叫起來了。這不是我們的恥辱？……研究地理沿革在前清曾經盛行過一時，可是最近十數年來此風衰落已到了極點。各種文史學報上找不到這一類的論文，大學歷史系裡也找不到這一類的課程，而一般學歷史的人，往往不知〈禹貢〉九州、漢十三部為何物，唐十道、宋十五路又是什麼。這真是我們現代中國人的極端的恥辱！在這種現象之下，我們還配講什麼文化史、宗教史；又配講什麼經濟史、社會史；更配講什麼唯心史觀、唯物史觀！……

當民族國家面臨生死存亡的關鍵時，知識分子應該做些什麼？顧頡剛就是一個好答案。〈禹貢學會募集基金啟〉說：「今日國事之屯邅，為有史以來所未覯，崩壓之懼，陸沉之危，儳然僾然，不可終日，吾人所負之責任，遂極有史以來之艱巨。夫救國之道千端萬緒，而致力於地理，由認識國家民族之內涵，進而謀改造之方術，以求與他國方駕馳騁於世界，固然其最主要之一端也。」禹貢學會〈三年來工作略述〉說：「強鄰肆虐，侵略不已，同人謀以沿革地理之研究，俾補民族復興之工作，俾盡書生報國之志。」這些文字，都無一不包含著血和淚，都無一不貫滿著愛國思想。即使是今天，讀起來還是令人肅然起敬，感泣流涕的。

自此以後，顧頡剛幾乎把全部的時間和精力都貢獻在愛國的學術工作上，教書、審稿、編輯、策劃、研究，甚至於校稿、募款及採購圖書等等，無一不環繞著這股愛國思想，歌謠、民俗甚至於古史，都暫擱一旁。顧頡剛童年未能發揮的愛國熱忱，這個時候，像一條決了堤的大江一樣，洶湧怒爆地向兩岸奔騰急馳而去，有不願回頭一顧的形勢了。

禹貢學會創設以後，愛國的學術活動佔了顧頡剛絕大部分的時間，過去那種閉門研究及撰述的生活幾乎少之又少。試讀下列的簡表：

1934.4.　先生與鄭德坤聯合編撰《地圖底本》已經完成，由《禹貢半月刊》出版。

1934.7.　先生再游綏遠及察哈爾，為期約一個月。回來後，撰成〈王同春開發河套記〉。

1935.1.　修訂〈王〉文，並發表於《禹貢半月刊》。

1935.11. 先生撰成〈介紹三篇關於王同春的文字〉，刊於《禹貢半月刊》內。

1936.5. 禹貢學會假燕京大學舉行成立大會，先生當選為理事，其他理事尚有錢穆、馮家升、譚其驤、唐蘭、王庸、徐炳旭，監視有于省吾、容庚、洪業、張國淦及李書華。

1936.6. 先生開始將北大薪俸捐贈禹貢學會，往後經常如此。

1936.8. 禹貢學會舉行第一屆理事第一次會議，先生榮理事會理事長，于思泊為監事長。

1936.11. 先生與徐旭生、李書華游峽，出席陝西考古學第三次會議，並參加北平研究院與西北農林專科學校合辦之中國西北植物調查所之開幕典禮。

1936.12. 先生於《獨立評論》二二七期發表〈回漢問題和目前應有的工作〉，對漢回二族之關係以及回族文化的發揚，提供建設性之意見。

1937.2. 先生於《蒙藏旬刊》一二九期發表〈中華民族的團結〉。又赴南京參觀蒙藏學校，深受感動，贊為「這是復興我們國家的原動力。」

1937.4. 《禹貢半月刊》發表〈此後三年中工作計劃〉，建議設立邊疆民族博物院及邊疆文化研究所，云：「蓋國內學人諳達邊族語言者甚少，所有調查記錄率皆耳食皮毛之事，求其能深通某族文化者絕無僅有，以此而欲求與邊地民族有深切之結合，恐不可能，故此種研究所之設立為急需。」
其後，先生乃創設邊疆研究會。

1937.4. 與段承澤組織西北移墾促進會，被舉為理事長。

1937.6. 與段承澤合辦西北考察團，被選為團長，以病未往。

1937.8. 先生擔任中英庚款董事會補助西北教育設計會之委員。

1937.9. 赴蘭州，任甘肅旅外學生會主辦之「老百姓社」之社員。

1937.11. 赴甘肅，初至臨兆。

1938.1. 赴臨兆，參加講習會，為時三周。先生又考察西北邊疆地理、民族、風俗及文化建設等，為期約半年。

這張簡單的年表，顯示出顧頡剛在中國抗戰之前，已經一心一意的涉入邊疆地理的研究及西北移墾的推展的活動中；他創辦雜誌，主持講習班，組織團體，考察民風，提出計劃，撰述文章等等，都莫不環繞著這一主題，而催促他如此全力以赴的，就是他那股熱騰騰的愛國思想。

（原刊於《鄭因百先生八十壽慶論文集》，葉慶炳主編，台北商務印書館，1985）

論錢賓四先生的子學

　　錢賓四先生是中國近代罕見的大儒,他學通經、史、子、集四部,不但對各部的研究有很深的造詣,而且都能自成體系,成一家之言。我在中學的時代,讀了錢先生三本書──《中國歷史精神》、《中國歷代政治得失》及《國史新論》,就對錢先生非常景仰和欽佩;後來,又讀《國史大綱》、《中國近三百年學術史》等書,不但佩服他的學問,他對傳統文化的真誠和愛心,令我感動不忘。十幾二十年前,我還噙著熱淚讀了《雙溪獨語》、《師友雜憶》及《湖上閒思錄》。我中學時代能夠免於當時流行的政治思潮的影響,錢先生的書給我很大的力量和啟發。在我一生中,從年輕到現在,凡是我的文章裡提到錢先生,我絕不提他的大名,一定尊稱為「錢賓四先生」;今天,我也以同樣虔誠的心來討論錢先生的子學,並且以能討論錢先生一部分學問為榮。

　　錢先生在子學方面,有三本書值得我們重視──《先秦諸子繫年》、《莊老通辨》及《莊子纂箋》。

　　　　　　※　　　　　※　　　　　※　　　　　※

　　首論《先秦諸子繫年》。

　　根據錢先生的〈自序〉,此書創稿於 1923 年的秋天,那時

候，他還在家鄉師範學校教書，花了四、五年的時間，寫了一百六
十篇，計三十萬言。錢先生說，有的單篇費時十來天一個月，有的
一年；有的易稿三、四次，有的十多次，然後才完全寫定。在
1935 年 12 月交由商務印書館出版之前，錢先生曾經抽一些單篇去
發表；這些單篇，收羅在羅根澤主編的《古史辨》第四冊內，有孔
子、荀卿、墨子、魏牟、田駢、接子及慎到等的考辨。單篇刊布之
後，驚動學界，錢先生 1930 年被燕京大學延聘❶，第二年夏天轉
入北京大學，擔任史學講席。1935 年，日本侵華前夕，錢先生深
恐諸稿散失，乃結集成書，由商務出版。1956 年，香港大學出版
社重版。

本書共分四卷一百六十三篇，每卷篇數多寡不一，始於孔子生
年的考訂，最後研究的一位諸子是尉繚子，春秋及戰國兩代的大部
分思想家，舉凡生卒年、一生行誼及言論、學派的分合等等，都在
研究考訂的範圍內，是近代研究先秦諸子非常重要的一部大書。

錢先生在〈自序〉裡曾批評過去研究諸子的三個弊病：第一、
只專治一家，無法旁通其他各家；第二、偏重於研究大家，忽略小
家；第三、所依據的史籍，未加細勘，以至錯誤相沿。為了匡救此

---

❶ 錢先生《師友雜憶》第九章說：「余……讀康有為《新學偽經考》，而心
疑，又因顧剛方主講康有為，乃特草〈劉向歆父子年譜〉一文與之。然此文
不啻特與顧剛爭議，顧剛不介意，即刊余文，又特薦余至燕京任教。此種胸
懷，尤為余所欣賞，故非專為於私人之感知遇而已。」東大圖書公司，頁
132，1983。筆者編《顧頡剛學術年譜簡編》亦嘗言及此事，北京友誼出版公
司，1987。

三弊病，錢先生採用三種新的治學方法❷：

> 第一、他上自孔子，下至李斯，上下數百餘年間的諸子，全
> 盤疏理考訂，一子有動，全身皆動，如此牽一髮而動全身的
> 研究方法，可謂前無古人，後亦難有來者。
> 第二、錢先生固然研究孔子、墨子、孟子及荀子等重要的大
> 家，卻也研究其他不太著名的思想家，包括一些學派邊緣的
> 學士，使諸子學術全面及完整地展現在我們的眼前，似此大
> 家小家全面考治的研究方式，亦前無古人，後難有來者。
> 第三、錢先生在研究諸子之同時，也對史籍裡的年表作「訂
> 誤正繆」的考辨，並且製成通表，使依附在年表裡的諸子，
> 不會出現「踵誤襲繆」的弊病，似此綱正網張的研治方法，
> 也是前無古人，後難有來者。

錢先生就用這三種全新的研治方法，來匡救過去的弊病。筆者相
信，過去學者並不是不知道這幾種方法，他們應該是知道的，只是
工程太浩大，牽涉面太廣，難度非常高，沒人敢嘗試。從創稿到出
版，錢先生用了十二年的時間；此中艱難，閉目可以想見。

　　筆者認為，錢先生研究諸子，實際上是結合經學、史學及集部
研究的；也就是說，《先秦諸子繫年》固然是子學專著，卻也是經
學、史學及集部研究的專書。試讀「《先秦諸子繫年》經、史、集

---

❷　此三種新的治學方法，錢先生非常謙虛，只說是自己「差勝於昔人者」，並
　　不說是「優點」。

部考辨諸節一覽」：

《先秦諸子繫年》經、史、集部考辨諸節一覽
經學 1.孟懿子南宮敬叔學禮孔子考 2.孔子與南宮敬叔適周問禮老子辨 3.孔子五十學易辨 4.孔門傳經辨（以上卷一） 5.吳起傳左氏春秋考（卷三）
史學 1.魏文滅中山考 2.中山武公初立考 3.魏武侯元年乃周安王六年非十六年辨 4.田和始立為侯考 5.韓哀侯懿侯昭侯三世名謚年數考（以上卷二） 6.魏圍邯鄲考 7.齊魏戰馬陵在梁惠王二十八年非周顯王二十八年辨 8.楚威王與齊威王同時考 9.宋偃稱王為周顯王四十一年非慎靚王三年辨 10.戰國時宋都彭城證 11.秦始稱王考 12.韓始稱王考（以上卷三）
集部 1.屈原生卒考 2.屈原於懷王十六年前被讒見絀十八年使齊非即放逐辨 3.屈原居漢北為三閭大夫考 4.屈原沉湘在江北不在江南考（以上卷三）

孔子問禮於老子、孔子五十學易、孔門經傳以及吳起傳《左傳》；這些，都是經學上的重要課題。魏文侯滅中山、馬陵之戰的年代及戰國宋都彭城，都是史學上的問題；至於屈原的一些事跡的考訂，當然和文學關係比較密切。然而，合攏起來，他們或多或少都和子學有關係，吳起是兵家人物，老子是道家先祖，甚至於傳經的孔門子弟，也可算為諸子的一份子。因此，《先秦諸子繫年》所討論的不但是諸子的課題而已，它和經、史及集部牽一髮而動全身，所以，錢先生採取四結合的方式，將春秋、戰國數百年的學術作通盤性的大清理，而以諸子為貫穿的脈絡。本書不但工程浩大，也可以想見錢先生當年在創稿時，氣度之大，胸襟之廣，當代學人難以望其項背。

考訂諸子的言行及著作，除非有直接的材料和證據，光靠古籍文獻來推測，有時是相當危險的事。民國初年有些學者考證出夏禹是一條大蟲、《戰國策》的作者是西漢初年的蒯通，足以作為殷鑑。❸《先秦諸子繫年》撰寫的時代，除了甲骨文及金文可資徵用之外，晚近大批竹簡帛書都還沒出土，所以，錢先生靠的基本上還是古籍和文獻。在這樣的情形之下，一些結論未免有美中不足的地方。

關於孫武著《孫子兵法》的考訂，就是一個例子。

---

❸ 有關夏禹為大蟲的考證，詳見顧頡剛〈討論古史答劉、胡二先生〉，在《古史辨》第一冊內。《戰國策》作者為蒯通的考訂，見羅根澤的〈《戰國策》作始蒯通考〉及〈補證〉，俱在羅著《諸子考索》內。有關這方面的課題，可參考拙作《古籍辨偽學》（台北學生書局）及《戰國策研究》（學生書局）。

　　錢先生懷疑吳之孫武實際上就是齊之孫臏，「以其臏腳而無名，則武殆即臏名耳」，他更認為司馬遷所說的《孫子》十三篇，實際上就是齊孫臏所寫的，「其著《兵法》，或即在晚年間居吳時，吳人炫其事，遂謂見闔盧而勝楚焉。後人說《兵法》者，遞相附益，均托之孫子。或曰吳，或曰齊，世遂莫能辨，而史公亦誤分以為二人也」❹。錢先生不但認為十三篇是孫臏所作，否定孫武其人的存在，而且進一步認為孫臏早年居齊，晚年居吳❺。

　　錢先生這節考訂有太多推測之詞：孫臏因為臏腳，為什麼就「無名」呢？為什麼就一定取名為「武」呢？我們怎麼知道他早年居齊，晚年居吳呢？為什麼一定在晚年才寫《兵法》十三篇呢？我們怎麼知道吳人以此為炫耀呢？總而言之，這段考證有過多推測之詞，而且缺乏支持的證據，是相當危險的。

　　上個世紀七十年代，山東臨沂銀雀山一號及二號漢墓同時出土了《孫子》十三篇及《孫臏兵法》，對這個千餘年來懸而未決的疑案，起了決定性的影響。司馬遷在《史記》裡❻，明明說得很清楚，孫武和孫臏是兩個不同時代的人物，他們都各自著有兵書，而且也確有其人。對於這樣的說法，宋以後學者開始提出異議，認為《孫子》十三篇不是孫武所作，而是後人所偽托；有些學者連孫武其人也加以否定；錢先生繼承過去學者的看法，更認為《孫子兵法》十三篇是孫臏所寫的，孫臏就是孫武，早年居齊，晚年居吳。

---

❹　見《先秦諸子繫年》，卷三，節八十五，頁 260-263。

❺　參見拙作〈論孫子的作成年代〉，在拙作《竹簡帛書論文集》內，北京中華書局，1982。

❻　見《史記》〈孫子列傳〉。

銀雀山同時出土竹簡本《孫子兵法》及《孫臏兵法》，證明司馬遷所說的完全有根據，也否定了宋以來學者的考訂，包括錢先生的。

　　儘管如此，《先秦諸子繫年》還是一部了不起的大作，特別是年代的考訂，許多地方幾乎已經成為定案了。研究舊學，不管是哪方面，案頭上必備此書。

※　　　　※　　　　※　　　　※

　　其次論《莊老通辨》。

　　《莊老通辨》是錢先生上個世紀五十年代在香港（新亞書院）出版的重要著作。錢先生幾乎在《先秦諸子繫年》創稿的同時，寫成了〈關於老子成書年代之一種考察〉；七年後（1930），他在《燕京學報》第八期發表，羅根澤《古史辨》第四冊收羅了這篇論文。兩年後，錢先生又完成了〈再論老子成書年代〉。這兩篇文章，就構成新亞版《莊老通辨》的重要部分。

　　《先秦諸子繫年》有〈孔子與南宮敬叔適周問老子辨〉，已開始流露錢先生「莊前老後」的想法；後來，錢先生又寫了〈老子雜辨〉，對《老》書晚出於《莊子》更加堅定。錢先生完成了前文所說〈一種考察〉及〈再論〉之後，1947 年又完成〈三論老子成書年代〉。這三篇論文，再加上〈雜辨〉，可以說是錢先生討論「莊前老後」的重要文章。台北三民書局及北京三聯書店出版的《莊老通辨》，都把這三篇論文收羅進去，獨缺〈雜辨〉。

　　錢先生此一系列論文，乃係從學術思想系統來論證《老子》書

當在《莊子》內篇之後；錢先生考辨的理論根據是❼：

> 大凡一學說之興起，必有此一學說之若干思想中心，而此若
> 干思想中心，絕非驟然突起。蓋有對其最近較前有力之思
> 想，或為承襲而闡發，或為反抗而排擊，此則必有文字上之
> 跡象可求。……一思想之表達與傳佈，又必有所藉以表達與
> 傳佈之工具。如其書中所用之術語，與其著書之體裁與作
> 風，是也。

錢先生認為思想的興發及流傳，有其軌跡可尋，所以，藉其所用術
語之內涵，於前後思想家相互比較，即可在此軌跡中尋出其位置。
於是，錢先生考察《老子》首章「道」及「名」兩大觀念所用的術
語，包括帝、天、地、物、大、一、陰陽一氣、德、有無、自然、
象及法等等；最後，錢先生說：

> 以上凡舉《老子》書中所用重要各名詞，一一指陳分析其涵
> 義，與其問題產生之背景，又推論其在思想史上展衍遞進之
> 層次與線索，而《老子》書之晚出，顯然可見矣❽。

其他〈再論〉及〈三論〉，所用研究方法，與此相同。

---

❼　見〈關於老子成書年代之一種考察〉，在《莊老通辨》內，北京三聯書店，
　　2002 新版。

❽　同上，頁 54。

　　主張《老子》不是老聃所作，成書應在戰國時代的並不是始於錢先生，早在清代的畢沅《道德經考異》、汪中《老子考異》及崔述的《洙泗考信錄》，就已經提出《老子》「晚出論」的看法。即以近代而言，梁啟超 1922 年發表了〈論老子書作於戰國之末〉❾，認為《老子》處於戰國末，其時代也在錢先生之前。

　　繼梁啟超之後，錢先生在 1923 年完成了主張「晚出論」的大作，使「晚出論」多了一名支持者。雖然錢先生的論點基本上是根源梁啟超，不過，他將《老子》成書時代推晚到《莊子》內篇之後，卻是他大膽的地方。一直到五十年代的中期，錢先生依然堅信此一說法；在《莊子纂箋》內，錢先生就時而透露出這個意思。比如：

1. 〈齊物論〉「一與言為二，二與一為三」下，錢〈箋〉曰：「《老子》云：『道生一，一生二，二生三，三生萬物』即本此。」❿

2. 〈大宗師〉「夫道，有情有信」下，錢〈箋〉曰：「《老子》云：『恍兮惚兮，其中有物。杳兮冥兮，其中有精。其精甚真，其中有信。』本此。」⓫

這兩條箋文，正表示《老子》在《莊子》內篇之後，否則就不會如

---

❾　原刊於《哲學》第七期；羅根澤編《古史辨》第四冊收有此文。

❿　見《莊子纂箋》，頁 17。

⓫　同上，頁 51。

此下注。錢先生另一重要著作《國學概論》，在第二章〈先秦諸子〉裡說⑫：

> 老子史實之不可信，昔人已多言之。今按其思想議論，實出戰國晚世。大要在於反奢侈，歸真樸，承墨翟、許行、莊周之遺緒，深言奢侈之有害無益，及其不可久。

也持相同的主張，認為《老子》書在《莊子》內篇之後。

根據思想來研判古籍成書時代固然有其依據，但是，卻也有其不可靠的缺點⑬。針對錢先生這篇論文，胡適之先生曾提出批評⑭；他說：

> 此文的根本立場是「思想上的線索」。但思想線索實不易言。希臘思想已經發展到很「深遠」的境界了，而歐洲中古時代忽然陷入很粗淺的神學，至近千年之久。後世學者豈可據此說希臘之深遠思想不當在中古之前嗎？又如佛教之哲學已到很「深遠」的境界，而大乘末流淪為最下流的密宗，此又是最明顯之例。

---

⑫ 見《國學概論》，頁 52-54，台北商務印書館，1956。

⑬ 拙著《古籍辨偽學》第六章〈方法的檢討〉曾論及此課題，可參考：台北學生書局，1986。

⑭ 胡適是當日革新派的主將，但是，他在《中國哲學史》裡對《老子》的看法卻極端保守，認為《老子》是老聃所作，在孔子之前。梁啟超及錢先生的文章，實際上是針對胡先生而發的。

正因為有「兩可」的可能，所以，胡先生「始終覺得梁任公……之論證無一可使我信服」，「若有充分的證據使我心服，我決不堅持《老子》早出之說」。

　　《莊子》外、雜篇亦頗多《老子》語，是《莊》襲《老》？還是《老》襲《莊》？我們來考察錢先生是怎麼下注的。試讀下列：

1. 〈胠篋〉「當是時也，民結繩而用之，甘其食……民至老死不相往來」下，錢〈箋〉曰：「『結繩』以下至此，語見《老子》。」

2. 〈在宥〉「至道之精，窈窈冥冥」下，錢〈箋〉曰：「《老子》曰：窈兮冥兮，其中有精。」

3. 〈知北遊〉「夫知者不言，言者不知，故聖人行不言之教」下，錢〈箋〉曰：「三語見《老子》。」同篇「失道而後德，失德而後仁，失仁而後義，失義而後禮；禮者，道之華而亂之首也」下，錢〈箋〉曰：「五語見《老子》。」同篇「故曰：為道者日損，損之又損之，以至於無為。無為而無不為也」下，錢〈箋〉曰：「三語見《老子》。」

在這些老、莊互見的句子下，錢先生除了引述《老子》語以示互見之外，從未有任何表示；我們推測，錢先生是認為《老子》在《莊子》外、雜篇之前。這個推測是符合錢先生「《老》書在《莊子》內篇之後」的。如果是如此的話，我們不禁要問：若如錢先生所說，《老子》成書於《莊子》內篇之後，外雜篇之前；那麼，在內

篇與外雜篇之間，有多少時間來成就《老子》這本書呢？《先秦諸子繫年》將莊周訂為公元前 358 至 298 年之間的人物❶，為戰國中期人物；那麼，若如錢先生所推斷的，《老子》當成書於戰國中期以後的很短暫的時間內。像《老子》這麼一本充滿大智大慧的書，有可能在此短暫的時間內匆促完成的嗎？筆者甚感懷疑。

實際上，根據筆者的考察，《莊子》內篇從來沒有明引《老子》，僅暗用《老子》一些詞語和文句而已；試見下列諸例：

1. 〈齊物論〉曰：「夫大道不稱，大辯不言，大仁不仁，大廉不謙，大勇不忮」案：《老子》四十五章曰：「大辯若訥。」此〈齊物論〉「大辯不言」之出處。《老子》第五章曰：「天地不仁。」此亦〈齊物論〉「大仁不仁」之依據。〈齊物論〉作者暗用《老子》，於此可見矣。

2. 〈德充符〉曰：「常季問於仲尼曰……固有不言之教，無形而心成者邪？」案：《老子》第二章曰：「是以聖人治，處無為之行，行不言之教。」此〈德充符〉「不言之教」之依據，其作者暗用《老子》明矣。

3. 〈大宗師〉曰：「夫道，有情有信，無為無形……神鬼神帝，生天生地……先天地生而不為久，長於上古而不為老。」案：《老子》第二十一章曰：「窈兮冥兮，其中有精。其精甚真，其中有信。」〈大宗師〉「有情有信」，蓋合《老子》「其中有精」及「其中有信」而化用之也。

---

❶ 見錢先生編〈諸子生卒年世先後一覽表〉，在《繫年》內。

又案：《老子》第二十五章曰：「有物混成，先天地
生。」〈大宗師〉「先天地生而不為久」，蓋用《老子》
而延伸其意也。

4. 〈應帝王〉曰：「陽子居見老聃……老聃曰：明王之治：
功蓋天下而似不自己，化貸萬物而民弗恃……。」案：
《老子》第十章曰：「生而不有，為而不恃，長而不
宰。」第三十四章曰：「萬物恃之以生而不辭，功成而不
居，衣被萬物而不為主。」案：〈應帝王〉「功蓋天下而
似不自己，化貸萬物而民弗恃」二句，蓋化用《老子》此
二章之意語而成者。

5. 〈應帝王〉又曰：「雕琢復樸，塊然獨以其形立。」案：
《老子》二十八章曰：「為天下谷，常德乃足，復歸於
樸。」〈應帝王〉「雕琢復樸」，蓋化用《老子》語。

上舉諸例，都是內篇暗用、化用《老子》的語詞、句子；這種情
形，正說明莊周在撰寫內篇時，確實是見過《老子》這本書；他不
明言出自《老子》，極可能是當時引書用書的一種習慣。到了外雜
篇的時代，明言的習慣依然不完全出現，不過，卻大塊大塊地因襲
了。如此說來，在《莊子》內篇撰寫前，文化界已經有一本《老
子》在流傳著了；那麼，其作者時代當然在《莊子》之前了。

晚近郭店出土有竹簡《老子》三種。根據這批簡片，學者認為
「至晚在戰國中期，已經有《老子》『五千言』在社會上流傳

了」。⓰這個看法，和筆者的推斷相合。

　　※　　　　※　　　　※　　　　※

　　最後，我們討論《莊子纂箋》。

　　錢先生自少年起，就好讀《莊子》書。他說過，在他十七歲負笈南京的時候，常常「深夜倚枕」，獨自秉燭夜讀。他的同窗某君，見錢先生好讀此書，乃告訴錢先生說，他曾經夜宿山寺，寺裡高僧為他講解〈逍遙遊〉「水擊三千里」、「搏扶搖而上者九萬里」二語，使他大開眼界。錢先生聞畢，神嚮往之良久。自此以後，錢先生立志搜遍《莊子》古今各註疏家；每得一家，必定「首尾循誦，往復不厭」，四十年來，從未間斷。這是錢先生在前言裡的自供詞；從這段話中，可知錢先生一生雖以儒家為宗，但是，也和傳統知識分子一樣，嗜愛《莊子》。

　　雖然如此，錢先生認為《莊子》並不是一部健康的書，而是一部「衰世之書」；換句話說，是天下衰蔽、人心散渙的時代的書。因此，錢先生認為，研治《莊子》的著名學者，都莫不出現在衰世，如魏、晉的阮籍和向秀，又如晚明的焦竑以及王夫之父子等。這裡，錢先生無疑就帶出一個令人深思反省的問題：錢先生您窮數十年研治及註解《莊子》，是不是也在告訴我們，您所處的時代也是「衰世」呢？

　　試讀錢先生在前言裡敘述他所處的年代：

⓰　見裘錫圭〈郭店老子簡初探〉，在陳鼓應主編《道家文化研究》第十七輯內，頁 29，三聯書店，1999。

> 戊子冬，赤氛披猖。由遼瀋，而平津，而徐蚌。血戰方殷。
> 時居無錫江南大學，濱大湖，有風濤滌蕩之勝。回念昔遭浙
> 奉興闋，時亦居無錫。京滬線上，一夕數驚。

錢先生所處的時代，前有軍閥內鬥，後有國共相爭，未幾而大陸赤
化，是一個兵荒馬亂，狼煙四起的黑暗時代；錢先生又說：

> 版垂竟，報載平津大學教授，方集中思想改造、競坦白者逾
> 六千人，不禁為之廢書擲筆而歎！……此六千教授之坦白，
> 一言蔽之，無亦曰墨翟是而楊朱非則已。

當《纂箋》排版告竣時，神州各種運動風起雲湧，令人魂消魄散；
原來錢先生所處的年代，更是一個無是非、無尊嚴、無人性的年
代。

像這麼一個「衰世」，錢先生有一段很有文學家氣質的感歎；
他說：

> 念曠叟復生，亦將何以自處？作逍遙之遊乎？則何逃於隨群
> 蝨而處褌？齊物論之芒乎？則何逃於必一馬之是期？將養其
> 生主乎？則游刃而無地。將處於人間乎？則散木而且剪。儵
> 忽無情，混沌必鑿。德符雖充，桎梏難解。計惟鼠肝蟲臂，
> 惟命之從。曾是以為人之宗師乎？又烏得求曳尾於塗中？又
> 烏得觀魚樂於濠上？天地雖大，將不容此一人，而何有乎所
> 謂與天地精神相往來！

錢先生認為生當這麼一個衰世，無法逍遙，更不必談齊物，至於養生於人間，更是渺茫無際；上至為人宗師，觀魚樂濠樑上，下至於曳尾塗中，混跡求生，亦無法容此一人！錢先生這個時候客居於香港，雖然有英國殖民地政府的蔽護，暫時可以免於各種慘無人性的災禍，不過，令人「廢書擲筆」的消息屢屢擦耳而過，怎麼不令錢先生有「天地雖大，將不容此一人」的感觸呢！錢先生為學精通四部，而歸宗於儒家，對中華文化的續絕，自有深層的領悟和認識；然而，一生好《莊》、注《莊》，晚年刊行《纂箋》，蓋有感於此劃年代之衰世，更有感於大陸對他「溫情主義」的清算。錢先生治《莊》、注《莊》，本身原來就是諸子精神和諸子行徑，充滿著對時代批判、對政局抨擊的苦心。

《莊子纂箋》創稿於國共酣戰將結束的四十年代末期。1949年4月，錢先生來香港，其後又去了台灣，在中央研究院借得七、八種《莊子》書，一個多月後閱畢，《纂箋》書成，1951年12月在香港由新亞研究所出版。錢先生說：「天不喪斯文，後有讀者，當知其用心之苦，實甚於考亭之釋〈離騷〉也。」生當戰亂時代，亡命逃生都來不及，而錢先生注此「衰世之書」，並將它保存下來，背後大有「苦心」在。《莊子纂箋》並不是一本普通的書，它是一部包含了錢先生子學精神和子學行徑的重要著作。

此書刊布後，流傳甚廣，1955年增訂第二版，1957年又增訂，並發行第三版。如果和郭慶藩的《莊子集釋》相較的話，郭著廣，錢著精，都是研治《莊子》必備必讀的參考書。

※　　　※　　　※　　　※

　　《先秦諸子繫年》是錢先生對先秦學術大整理的成績，鴻篇巨構，體大思精，展現錢先生磅礴的胸襟和恢宏的氣度，是錢先生子學方面不朽的傑作。《莊老通辨》是錢先生對一個學派的學術研究的成績，儘管結論尚有待斟酌，不過，卻也顯現錢先生在子學方面的用功。至於《莊子纂箋》，是錢先生對一個時代的批判，是錢先生對一個政權的答覆，展現錢先生對大時代的大智、大仁及大勇的精神；這般精神，是諸子的，也是儒家的。整體來說，錢先生的子學成績是有述有作，處處充滿著一個學者高度的智慧，以及一個儒者對時代的批判和誅伐。

王叔岷教授與新、馬

一

王師是傅孟真（斯年）的學生，他自考入北大文科研究所之後，就跟隨傅先生做學問，從未間斷。一九四九年中央研究院史語所遷台，王師跟隨傅先生到台灣，並且奉傅先生之命來國立台灣大學授課；自此以後，王師既是史語所的研究員，也是台大的教授，一生從未更易身份。

王師除了在史語所任研究員、在台大授課發揮他的學術影響之外，實際上，王師還有一段不算短的日子在新加坡及馬來西亞傳播中華文化，播種漢學研究的種子，造就英才，影響新、馬兩地；因此，要瞭解王師整個學術生命，新、馬這一環節是不容忽略的。王師 1994 年八十大壽時，筆者邀約新、馬、港三地學者撰稿，承學生書局發行人丁文治先生慨然允諾，以《書目季刊》第二十七卷第四期作為壽慶專號；諸稿之中，新、馬作者佔大部分，正說明王師這一環節的學術生命的重要。

王師 1963 年夏，得洪威廉（業）教授的推薦，應新加坡大學之聘，前往擔任客座教授；是為首次踏足新、馬。兩年後（1965）暑假任滿回台大。兩年後（1967），王師應吉隆坡馬來亞大學之聘，

前往擔任客座教授，接替錢賓四（穆）先生。1972 年春，在黃麗松校長的禮邀之下，王師離開馬來亞大學，赴新加坡，出任南洋大學講座教授。1980 年 7 月，南洋大學與新加坡大學合併，成為新加坡國立大學，王師受邀出任這所新大學的講座教授及首任系主任。一年後任滿，王師即告退休；返回台北，並在台大兼課。總計自 1963 年至 1981 年夏，除中間兩年回台大，王師在新加坡得十年半，在馬來西亞五年半，共十六年之久。十六年的關係，不可謂不深了。

除此之外，方王師任職南洋大學之時，王師母 1977 年仙逝於新加坡，王師千金王國瓔師姐自 1974 年即任職於新加坡國立大學，其後又取得該大學的博士學位；夫婿蕭啟慶博士也任教授職於該大學歷史系；凡此種種，無不說明王師與新、馬關係之深。

二

在這十六年的教學中，王師對當地的學界、文化界及華族社會都有影響，特別是學界。

經王師栽培，後來在新、馬界崢嶸露角的學生，為數並不少。

在馬來西亞方面，有洪天賜、楊清龍、林長眉、陳徽治、鍾秋生及黃碧雲等等。其中，洪後來榮升教授，並出掌系務一職。楊、林都是王師的入室弟子，在王師指導下完成碩士論文；楊研究張衡，林研究劉晝，兩篇碩士論文皆獲得校外考委的佳評，楊的《張衡研究》並且獲得出版獎，得以出版面市。兩人畢業後都留校任教，後來都取得博士學位，榮升副教授。退休後，楊若干年前專任

新紀元學院中文系主任，林則赴澳與子女團聚。兩人皆王師得意門生，他們一生數十年站穩學界，作育英才，傳播文化，貢獻良多。

至於陳、鍾及黃諸君，在王師的熏陶下，或取得博士學位，或擔任副教授，或兼任系務乃至於副院長，表現出眾，貢獻至多。

王師在新加坡任教的時間更長，培養出來的學生更多。從執教二年的新加坡大學，到任教八年半的南洋大學及一年的國大，在這十年的從無間斷的教學中，堂堂入室的學生以及間接受熏陶影響的，為數更多。

在高級學位的學生中，王師培養出兩位傑出的學者——翁世華及蘇新鋈二先生。翁是南大第一屆畢業生，以優異成績赴英國杜翰大學（University of Durham）深造，其後返校任講師；王師七十年代初期赴南大時，翁追隨王師研究《楚辭》，並以此撰寫博士論文。得博士學位後，繼續留校任教，並榮升助理教授，兼任系主任職。博士論文《楚辭考校》1987 年由台北文史哲出版社出版，為新、馬《楚辭》專家。南大與新大合併之際，翁適擔任系主任職，對於兩系合併之協調工作，出謀獻計，貢獻良多。蘇新鋈先生是南大第三屆畢業生，一生醉心於新儒家的研究，在王師悉心指導下，以《郭象莊學平議》取得博士學位後，更致力於弘揚儒家的學說及思想，除經常出席國際學術研討會之外，在新加坡政府提倡儒家思想之際，他備受朝野諮詢，並且提供新建議，在弘揚中華文化方面，建樹獨多。翁、蘇二先生年前才從新加坡國立大學退休。

王師新、馬十六年，默默地培養了一批學生；這批第一代的學生，都能堅守自己的崗位，十幾二十年來為學術及中華文化而獻身，也都卓爾有成就。今天，這第一代的學生大部分已退休了，不

過，第二代及第三代的學生也已站穩腳步，繼續為中華文化而努力，成為新、馬漢學界的重要份子。

三

除教學之外，在這十六年的歲月中，王師著述甚勤，從無間斷，是學者最好的榜樣。無論週末或公共假期，除了兩、三天的農曆新年之外，王師從來沒有一天休假停筆，王師不經意地為新、馬樹立起新的楷模。新、馬大學學年長假都在春、夏之交，在這漫長的兩、三個月長假中，許多教職員紛紛出外旅行或返國省親，王師卻一個人呆在寧靜的校園裡，伏案筆耕不輟，為學術獻上精力和時光。王師在《史記校證》的〈序〉裡說：「到了長假期間，朋友們都休息或旅遊去了，我卻以為我的時間到了，這是全屬於我的時間，更加倍利用，加倍寫《校證》。」王師「全面擁抱」時間及「全面擁抱」學術的心意，完全表露無遺。十六年的新、馬生活，除了病假，王師沒拿過年假，更沒申請過任何應得的休假，他用盡了所有的時間，只在學術這件事上。

從 1963 年夏至 1981 年夏，共計十八年，王師主要的精力都用在《史記校證》這部大書上；當中 1965 年至 1967 年兩年在台大任教，其他十六年都在新、馬。換句話說，王師《史記校證》這部大書絕大部分都在新、馬高等學府中完成。王師〈序〉文說：

> 我正式撰寫《史記校證》始於民國五十四年（1965）一月，
> 至三月二十四日，寫成〈史記校證導論〉一篇……以後，我

輾轉在台灣大學、馬來亞大學、南洋大學和最後一年（1980
－81）在新加坡國立大學中文系執教，教書、指導，或處理
系務及應付一切瑣事之暇，大部分心力都在繼續撰寫《史記
校證》。每年大約平均寫二十萬字……預期在今年年底全部
脫稿，整整寫十七年。

王師《史記校證》開筆於新加坡，然後，絕大部分以吉隆坡及新加
坡為撰述地點，最後，完成於南港史語所。新、馬幾所大學提供了
撰述的時間和空間，讓王師完成這部大書，可以說是王師和新、馬
關係的一段佳話，新、馬何其有幸呀！方王師在南洋大學校證《史
記》睏倦之際，曾在南大湖邊口占絕句遣懷，曰：「校證遷書年復
年，服知勤考毫毛顛，及時領略生生意，喜看秋湖出水蓮。」王師
《史記校證》和新、馬有不可解之關係，此是詩證矣。

　　《史記校證》全書超過百萬言，體大精思，是王師重要著作之
一。王師〈序〉說：「每天教書、指導、應付瑣事之暇，便伏案撰
寫，集中心力，不知厭倦，但一放下筆，就感到疲睏不支了！經過
一晚休息，第二天一有空，又繼續撰寫。」可知王師寫得相當辛
苦，然而，王師竟支持了十八年！若無超人的毅力和崇高的目標，
恐難以如此！王師於學術，可謂鞠躬盡力矣。在這超百萬言的大書
中，大部分的〈世家校證〉完成於兩年的台大及五年的馬大的首七
年中；根據王師發表的先後，它們是：

世家--吳太伯、齊太公、魯周公、宋微子、晉、燕召公、管
　　　蔡、陳杞、衛康叔、楚、越王勾踐、鄭、趙、魏、韓、
　　　田敬仲、孔子、陳涉、外戚、楚元王、荊燕、齊悼惠

　　　　王、蕭相國、曹相國、留侯、陳丞相、絳侯周勃、梁孝
　　　　王、五宗、三王。

至於在這首七年所撰寫的〈本紀校證〉及〈列傳校證〉，根據發表
的日期來推測，先後有：

　　　本紀─五帝、夏、殷、周、秦、秦始皇、孝文、孝景、孝武、
　　　　　　項羽、高祖、呂后。

　　　列傳─孟荀、伯夷（重訂）、司馬穰苴、管晏、老子韓非、孫
　　　　　　子吳起、伍子胥、仲尼弟子、商君、蘇秦、朝鮮、張
　　　　　　儀、樗里子甘茂、穰侯、白起王翦。

七年之間，共計完成校證〈本紀〉十二篇、〈世家〉三十篇、〈列
傳〉十四篇（包括一篇重訂）。到了新加坡後，王師集中精力撰寫
〈列傳校證〉；根據發表的先後來推測，它們是：

　　　列傳─孟荀、孟嘗君、平原君虞卿、魏公子、春申君、范睢蔡
　　　　　　澤、樂毅、廉頗藺相如、田單、魯仲連鄒陽、屈原賈
　　　　　　生、呂不韋、刺客、李斯、蒙恬、張耳陳餘、傅靳蒯
　　　　　　成、劉敬叔孫通、季布欒布、魏豹彭越、黥布、淮陰
　　　　　　侯、韓信盧綰、田儋、樊酈滕灌、袁盎晁錯、張釋之馮
　　　　　　唐、萬石張叔、扁鵲倉公、吳王濞、魏其武安、韓長
　　　　　　儒、李將軍、淮南衡山、循吏、汲鄭、儒林、酷吏、匈
　　　　　　奴、魏將軍驃騎、平津侯主父、南越、東越、西南夷、
　　　　　　遊俠、司馬相如、龜策、貨殖、大宛、佞幸、滑稽、日
　　　　　　者。

上述諸篇的〈校證〉，都發表於 1974 年以後，除〈孟荀列傳校
證〉1967 年發表，此次重訂之外，其他各篇的寫作地點都應該在

新加坡。王師〈序〉說：「我校證《史記》的次序，是先〈本紀〉，次〈世家〉，再次〈列傳〉，及最後一篇太史公〈自序〉。」根據上文，可知三十篇〈世家〉以及十二篇〈本紀〉的校證完成於台大及馬來亞大學，大約五分之一的〈列傳〉的校證也完成於這段時間內；總計王師在台大、馬大完成了五十七篇《史記校證》❶，平均每年完成八篇有餘，每個月平均完成 0.67 篇。如果以平均的數字來計算的話，那麼，在短短的五年的大馬生活中，王師完成的《史記校證》是四十餘篇。

接下來在南大及國大的九年半中，王師完成了五十三篇〈列傳〉的校證，平均每年完成五、六篇。王師〈序〉說：「我作事總比預期快。」此固然是王師的性格，卻也看出王師撰述時精神之高度集中，更可看出王師耗神之巨了。

除《史記校證》，在十六年的新、馬歲月中，王師也撰述其他學術著作；其中，最應該提的是關於陶淵明的研究了。王師〈序〉說：「《莊子》、《史記》、《陶淵明集》，是我年輕時就喜歡的三部書。」因此，王師研究《陶集》，自是順理成章的事。根據發表的時間來推測，在新、馬撰成《陶集》研究的論文有：

---

❶ 王師七年中，兩年在台大，兩年在馬大。王師〈序〉說：「那時我在新加坡大學中文系教書，在最惡劣的環境中分出部分時間，完成這篇作為校證《史記》基礎的〈導論〉。發表於民國五十七年（1968）的史語所《集刊》第三十八本。以後，我輾轉在台灣大學、馬來亞大學……。」雖然在赴馬來亞大學之前，王師曾先到新加坡大學任教二年，不過，從王師這段語氣中，在新加坡大學的那二年中，王師只完成了一篇〈導論〉，其他《校證》應該是此年以後才開始撰述的。

〈陶詩的校勘問題〉：發表於 1967.12

〈陶淵明飲酒詩第五首箋證〉：發表於台北 1968.10

〈陶淵明擬古詩九首箋證〉：台北 1968.11

〈陶淵明雜詩十二首箋證〉：新加坡 1968.12

〈陶淵明飲酒詩十二首並序箋證〉：吉隆坡 1968

〈陶淵明歸園田居五首箋證〉：新加坡 1969.12

〈陶淵明詠史詩三首箋證〉：台北 1970 春

〈陶淵明詠貧士詩七首箋證〉：新加坡 1970.12

〈論鍾嶸評陶淵明詩〉：新加坡 1972

〈陶淵明及其詩〉：韓國 1972

〈陶淵明四言詩箋證〉：吉隆坡 1972

〈陶淵明讀山海經十三首箋證〉：新加坡 1973.12

〈陶淵明形影神詩三首並序箋證〉：新加坡 1973

〈陶淵明桃花源詩並記箋證〉：吉隆坡 1974

〈陶淵明歸去來兮辭並序箋證〉：台北 1976.12

這些論文，即使小部分發表於台北，相信也撰成於新、馬。這十五篇稿，大部分後來匯成王師另一本重要的著作《陶淵明詩箋證稿》，於 1975 年由台北藝文印書館出版。換句話說，和《史記校證》一樣的，《陶淵明詩箋校證》大部分也都完成於新、馬。

此外，〈老子臆義〉（台北 1966）、〈類書薈編序〉（台北 1968）、〈文心雕龍綴補〉（吉隆坡 1969）、〈世說新語文學篇補箋〉（新加坡 1974）、〈黃老考〉（香港 1975）、〈惠施與莊周〉（新加坡 1975）、〈司馬遷與莊子〉（新加坡 1975）、〈韓非子與莊子〉（新加坡 1978）及〈司馬遷與黃老〉（台北 1981）等，也都應該是新、

馬完成的。

四

王師在新、馬期間，雖說每天忙於教學和撰述，絕大部分時間都躲在校園內，但是，他對當地的華社仍然非常關心，尤其是華族的文化和教育。他幾次向筆者說過：「沒有華文教育，就沒有中文系；沒有華文教育，就沒有華社。」至今記憶猶新。可見王師對華族文化及教育的關係了。

這種心意反映出來的，就有下列幾種行動：

(一)演講

在馬來亞大學期間，王師每年皆應吡叻文藝學會的邀請，在學會理事會的往返陪伴下，前往怡保作一場學術演講，五年來從無間斷，可惜講題及講稿都沒保存下來。期間，也曾受師訓學院邢廣生講師之邀，到師訓學院作學術講座，講題及講稿也沒有保存下來。這些校外學術演講，聽眾不但多，影響也大，對社會的助益更大。

在新加坡方面，根據王師〈著作目錄〉，可知有下列幾場演講：

〈培養實事求是的學風〉：1975.11 南大學術人員協會演講

〈談「池塘生春草」〉：1976.12 南大中文學會演講

〈論「好讀書不求甚解」〉：1978 新社演講

〈論「荒塗橫古今」〉：1978.10 新加坡中華總商會演講

〈中國文學與其他學科的關係〉：1978 新加坡演講

王師在新加坡教學了十年，所作演講，無論校內、校外，肯定不止
此數；《慕廬演講稿》的一些講稿，都應該是這個時期寫的。

(二)寫稿

王師雖然在高等學府，偶爾也應華社文教團體之邀，撰寫一些
學術文章，在報章、期刊上發表；試讀下列諸篇：

〈論語「傷人乎不問馬」新解〉：1972《南洋商報》新年刊

〈論校書之難〉：1973《南洋商報》新年刊

〈陶淵明桃花源詩並記箋證〉：1974《教師雜誌》吉隆坡

稿雖不多，卻也可以看出王師對華社文教界的有求必應了。

(三)保持聯繫

王師 1972 年春離開大馬，1981 年離開新加坡，然而，王師的
心並沒有離開新、馬，在學術上也經常支援新、馬。王師常說：
「在本土之外，中華文化可以站得住腳的，恐怕只有這兩個地方
了。」王師學術支援新、馬的心意，一目瞭然。例子甚多，茲舉其
三。

比如 1977 年馬大中文系準備出版《學術論文集》，王師立刻
送上〈校書的甘苦〉一稿，為《論文集》增添光彩。比如 1987
年，新加坡國立大學東亞哲學研究所禮邀王師擔任榮譽講座一個
月，王師立刻前往作兩場有關「先秦道法與儒家關係」的演講，對
海內外文史哲學之研究與發揚，影響至深。比如 1993 年，馬來亞
大學中文系慶祝創系三十週年，舉辦國際漢學研討會，王師無法赴
會，卻也送上論文〈陶淵明五柳先生傳箋證〉一篇，為大會增添許

多光彩。王師有心於新、馬，於此可以概見矣。

五

王師 1963 年初度遊新、馬，那時他正好四十八歲；1981 年他離開新加坡國立大學，正屆六十七歲；對人文科學的學者來說，五十至七十之間，正是精力和腦筋最旺盛、最成熟的階段；而王師，就把人生最美好的這個階段貢獻給新、馬社會。

港、台學者赴新、馬漢學界擔任教席者，為數不少，然而，能像王師逗留這麼長久，並且貢獻這麼多的，恐怕沒有第二位。在討論王師的學術生命時，新、馬這十六年肯定是王師不可缺的重要部分；然而，在討論新、馬漢學的過去、現狀及未來時，王師這十六年的貢獻，在新、馬漢學界內更具有重要的地位和影響，而且，也成為新、馬漢學界最重要的構成部分。

（原刊於台北《書目季刊》第三十五卷第三期 2001）

物為我用

——論學術研究的客觀和主觀

　　學術研究貴在客觀，無論是自然科學和人文科學，都必須堅持理性主義，才能得到正確的結論和可靠的答案。當我們從事自然科學研究的時候，比如做物理、化學實驗，或者考察動植物，甚至於演算幾何、微積分，我們都知道不可以帶入個人主觀的成分，或者感情用事任意操作；但是，我們在從事人文科學研究的時候，是不是也如此呢？

　　當我們從事社會調查的時候，我們知道要深入、要全面兩個守則；當我們在從事歷史的撰述時，我們也知道要把歷史建立在材料及事實上；但是，事實是如此嗎？我們的能力作得到嗎？以報紙的編輯和刊行來說，如果我們嚴守客觀的準則，並且以科學的精神來編撰，理論上每份報紙內容應該完全相同；但是，我們每天翻開報紙，頭條新聞不相同，同一條新聞也出現不同的報道，「此有彼無」或「此無彼有」的情況更是常見；你說，這是客觀嗎？這是理性主義嗎？記者、審閱者及編者都有可能「感情用事」，他們左右了報紙的科學性，使報紙成為可帶感性主義的產品。報紙的編輯和刊行是如此，學術研究難道就不會嗎？

※　　　※　　　※　　　※

「感情用事」有時是個人的，有時是學派的，有時是時代的；「感情」雖然不相同，但是，當他氾濫的時候，卻貽害學術，影響學術。這裡，就讓我從個人、學派及時代不同角度，各舉一例以論證學術研究有時也感情用事。

在個人方面，我想舉孟子討論《春秋》的作者做例子。

《春秋》是儒家重要經典之一，按照今文經學派的說法，《春秋》含有孔子的微言大義，包含著孔子許多哲學思想，因此，這部書的作者是經學上非常重要的課題。三傳（《左傳》、《公羊傳》、《穀梁傳》）雖然都在解說《春秋》，但是，對這部書的作者卻從不明說。《公羊傳》有三個地方❶提到其作者；其中，一次說「君子修之」、一次說「君子為之」，最後一次說「其詞則丘有罪焉」。換句話說，前面兩次《公羊傳》都說《春秋》的作者是「君子」，無名無姓，是個有道德的知識分子。後面一次引述孔子的話，說《春秋》文字的「革」和「不革」❷，孔子自認責任在他身上；根據《公羊傳》這個說法來看，孔子頂多也只不過修訂、改易過《春秋》的文字，不曾寫過《春秋》。《左傳》有兩條材料❸也涉及這個課題；但是，第一條因為斷句的問題，我們無法判定《左傳》的作者是不是在告訴我們《春秋》的修作者就是孔子；第二條則引述君子的話，以肯定帶猶豫的口氣說《春秋》的修作者不是「聖

---

❶　即莊公七年、昭公十二年及哀公十四年。

❷　革，改易、修訂。

❸　見僖公二十八年及成公十四年。

人」，還會是誰呢？

綜合來說，三傳對有關孔子修作《春秋》的說法還不十分定型，有時採取不同程度的暗示手法，有時採用推論的口吻，沒有一條材料很肯定地從正面來敘述這件事。究其原因，大概這個時期「孔子作《春秋》」說還在醞釀之中，還沒完全形成；即使略已形成，也還不十分鞏固。

到了孟子，情形完全不同了。

孟子是第一位很明確及很肯定地指出《春秋》的作者是孔子的思想家。他說❹：

> 世衰道微，邪說暴行有作，臣弒其君者有之，子弒其父者有之。孔子懼，作《春秋》。《春秋》者，天子之事也。是故，孔子曰：「知我者，其惟《春秋》乎！罪我者，其惟《春秋》乎！」……孔子作《春秋》，而亂臣賊子懼。

孟子很清楚、肯定地告訴我們，《春秋》是孔子「作」的，似此明確的態度及提法，是過去所未曾有的。在另外一個場合裡，孟子又說❺：

> 王者之跡熄而《詩》亡，《詩》亡然後《春秋》作，晉之《乘》、楚之《檮杌》、魯之《春秋》，一也。其事則齊

---

❹　見《孟子》〈滕文公〉下。
❺　見《孟子》〈滕文公〉下。

桓、晉文，其文則史。孔子曰：「其義則丘竊取之矣。」

孟子在這段文字內雖沒有明說孔子作《春秋》，不過，正唯孔子承認他「竊取」《春秋》之意，所以，才有「知我」、「罪我」都只有《春秋》，那麼，孟子腦裡始終都認為孔子作《春秋》可知矣。

筆者認為，孟子主張孔子作《春秋》的態度，其思想性、情感性比真實性、理智性來得強。

孟子非常推崇孔子，認為孔子是自有生民以來最偉大的人物。在〈公孫丑〉上篇裡，他曾假借宰我、子貢及有若，極力禮讚孔子——宰我認為孔子比堯、舜賢；子貢進一步認為，自百世之後去批評百世以前的禮制，沒有人可以違背孔子之道，所以，自有人類以來，孔子的禮制最興盛；有若更加認為，孔子不但是聖人，而且還是聖人中的聖人，是有人類以來最偉大的聖人。朱熹《集注》說：「言自古聖人固皆異於眾人，然未有孔子之尤盛者也。」在孟子心目中，孔子是聖人中之聖人，是聖人中的「尤聖者」，所以，孟子說他「乃所願，則學孔子也」。

孟子要學習孔子什麼事跡呢？孟子認為，自有生民以來，人類出現過三件偉大的事件❻：第一是大禹治水，第二件是周公平治天下，第三件是孔子作《春秋》。堯的時代大水氾濫，荼毒生靈，大禹治之，使人類得以「平土而居之」，所以禹的功勞最大，值得垂名青史。到了商紂，天下又「大亂」，周公乃協助武王平定天下，使老百姓「大悅」，可以安居；孟子認為這是人類史第二件偉大的

---

❻　見《孟子》〈滕文公〉下。

事業。最後一件大事業便是孔子作《春秋》；根據他的說法，到了孔子的時代，世衰道微，邪說暴行，天下又大亂了，於是，孔子起而作《春秋》。孟子說，《春秋》成而亂臣賊子懼；易而言之，《春秋》面世後，天下乃安寧，百姓乃得以安居，所以，功與治水及平天下相等。

儘管後人並不相信孟子「《春秋》作，亂臣賊子懼」的說法❼，但是，孟子是完全相信這件事的。孔子以一介布衣，幹出「天子之事」，而且影響亂臣賊子那麼深，所以，孟子認為孔子寫《春秋》可以和大禹治水、周公平天下媲美。

孟子為什麼如此推崇孔子呢？這固然和自己的「家法」有關係，但是，他還有他自己的原因。在〈滕文公〉裡，孟子曾論述自己要向孔子學習的原因；原來到了孟子的時代，邪說淫辭又到處橫行，他認為他必須學大禹、周公及孔子的榜樣，提倡仁義，端正人心，才能使百姓寧居。他推崇孔子，原來和他自己要繼承孔子的「大志」有密切的關係。

試問，以這樣的邏輯來論述孔子和《春秋》，孔子還能夠不是《春秋》的作者嗎？有什麼事業比他寓一字褒貶的《春秋》的寫作更偉大呢？有什麼事業能夠使孔子和大禹治水、周公平天下相媲美呢？孔子不過一介書生，能夠和大禹、周公媲美的，除了作《春秋》外，恐怕「身無長物」了。孟子在自許自己抗拒邪說、排拒楊墨，也為了禮讚孔子偉大的情勢下，不得不認定《春秋》是孔子所作的。因此，筆者認為孟子此說，思想性、情感性比真實性、理智

---

❼　如劉知幾《史通》〈惑經〉就不相信孟子此說。

性來得多；經過孟子的確定，孔子作《春秋》卒「鐵證如山」。

這個例子告訴我們，個人的「感情用事」有時會影響學術的成果；《春秋》的作者明明是不肯定、未清楚的，但是，到了孟子手中，憑其個人的需要和感情，於是斬釘截鐵地認定是孔子所寫的，終於使這一學術課題未經謹慎地論證就成定案，實在有些「倉促成事」之感。

※　　　※　　　※　　　※

接下來我們討論學派的「感情用事」，我們以「老子」的一段文字為例。

《老子》第三十七章有一段文字說：「道常無為而無不為，侯王若能守之，萬物將自化。」王本、傅本及其他通行本都與此相同，文字上沒有差別。然而，帛書甲、乙本首句「道常無為而無不為」都只作「道恆無名」（恆、常，古通），「無為」作「無名」，更重要的是甲、乙本沒有「而無不為」四個字。再看郭店本，郭店甲本此句也只作「道恆無為也」，也沒有「而無不為」四字，與帛書合。這四個字關係太大了！根據今本，《老子》主張「無為而治」；根據這句話，原來《老子》是無為而無不為！他的「無為」是假的，他的「無不為」才是真的！所以，馮友蘭說❽：

> 故「帝王之德」，必以「無為為常」，一切事皆使人為之，
> 則人盡其能而無廢事，此所以「無為」則「用天下而有餘」

---

❽　見馮著《中國哲學史》老子部分。

也。

認為《老子》的「無為」，實際上是「一切事皆使人為之」，「人盡其能而無廢事」，奴役下人盡力為之，達到自己「無為」的目的。錢賓四先生❾說：

> 「無為而無不為」，「後其身而身先」，此乃完全在人事利害得失上著眼，完全在應付權謀上打算也。

說《老子》「無為」而又「無不為」，富權謀，多利害，完全是陰險人物，是一套很會「自我打算」的思想。一個主張「無為」的人，竟變成陰險多端，無所不為、無所不用其極的人！真出我們意料之外了。

實際上，根據出土的材料，無論帛書甲、乙本，或時代更早的郭店本，此處完全沒有「而無不為」四個字！誠如高明所說的❿，「無為」是老子哲學中最重要的觀念，被讚譽為人類最高的德性。《老子》書中提到此觀念者，除三十七章本條之外，尚有下列十一條：

> 第二章：是以聖人處無為之事，行不言之教。
>
> 第三章：使夫智者不敢為也，為無為，則無不治。

---

❾　見錢先生著《莊老通辨》卷中〈道家政治思想〉。

❿　見高明著《帛書老子校注》，頁 422，北京中華書局，1996。

第二十四章：天下神器也，不可為也；為者敗之，執者失之。

第三十八章：上德無為而無以為。

第四十三章：吾是以知無為之有益，不言之教，無為之益，天下希及之。

第四十八章：為學日無不為，為道日損。損之又損，以至於無為，無為而無不為。

第五十七章：我無為而民自化，我好靜而民自正，我無事而民自富，我無慾而民自樸。

第六十三章：為無為，事無事，味無味。

第六十四章：為者敗之，執者失之。是以聖人無為，無執，故無失。

第六十四章：……是以聖人欲不欲，不貴難得之貨；學不學，復眾人之所過；以輔萬物之自然，而不敢為。

這十一條文字，與「無為」觀念相同相近的詞有：

　(1)「無為」，共十一見；

　(2)「不敢為」二見，「不可為」一見，「不為」也一見；

　(3)「不欲」與「無慾」各一見；

　(4)「不學」及「不言」各一見；

　(5)「無事」、「無味」、「無執」各一見。

在十一處的「無為」中，只有十處都只作「無為」，從無一處說到「無不為」；另一處在第四十八章，今本「以至於無為，無為而無不為」，帛書甲本兩句全部殘毀，乙本「為。無為而無不為」也毀

損，學者推斷帛書二本都沒有「無為而無不為」一句⑪。《老子》也屢言「不敢為」，「不可為」及「不為」，不言「無不為」。至於「不欲」、「不學」及「無事」等，也同此「無為」之觀念。

根據這些材料來觀察，可知《老子》原來之講「無為」，最多只講「無為而無以為」，從來不講「無為而無不為」。「無為而無不為」的思想並非《老子》所有，大概是戰國末年出現的一個新思潮⑫，為另一學派所發展，他們自《老子》學派衍生而出，對《老子》學派的思想進行改造，或者另作詮釋。《莊子》〈至樂〉說：「天地無為也而無不為。」〈庚桑楚〉說：「虛則無為而無不為。」〈則陽〉說：「道……無名，放無為而無不為。」在《莊子》外、雜篇以及《韓非子》、《呂氏春秋》等書內，都可以看到這一新學派的思想。郭店本《老子》為戰國中期偏晚的材料，第四十八章有「亡為而亡不為」句，正是受此新學派的影響。在他們的解說之下，《老子》變成一個權謀家、陰謀家了。

這個例子告訴我們，學派在敘述、詮釋或者創新時，有時也會「感情用事」，對舊有的說法加以曲解和歪說；後人不察的話，就會對歷史產生誤解了。

　　　　　　※　　　　　※　　　　　※　　　　　※

個人及學派產生「情感用事」影響還不算大，因為發動者不過

---

⑪　郭店乙本作「以至於亡為也，亡為而亡不為」。

⑫　參見高明前揭書，頁 425。此部分可參見拙著《老子新校》，台北學生書局，1997。

一個人，或者是一些人，影響局面有個局限。如果是時代產生「感情用事」，那它的影響可就大了，因為它是一個時代所有的人，集體地、有計劃地，而且絕大部分的人都不加思考地「感情用事」，而其影響不但層面度廣，並且深遠持久。這裡，我們舉兩部書對上古史的撰述來作例子。這兩部書由不同地區出版；一部是台北陳致平的《中國通史》，第二部是北京劉澤華等人合著的《中國古代史》。首先，我們對比它們的第一章：

陳致平《中國通史》	劉澤華《中國古代史》
第一章：史前時代	第一章：原始社會
第一節：史前時代的先民生活與文化概況 一、在中國本土所發現的原始人類化石	一、原始人群 我國歷史的開創者——中國猿人 古人階段 人類體質和文化的發展新人時代的文化與氏族的產生
二、舊石器時代文化的發現	二、以婦女為中心的母系氏公社 母系氏族公社的出現 母系氏族公社的經濟生活 氏族的族徽——圖騰
三、新石器時代文化的發現	三、父系氏族公社——男子變成社會的主宰 從母系氏族公社到父系氏族公社的轉變 父系氏族公社的經濟發展…… 氏族公社的瓦解和私有制的出現 部落戰爭使氏族公社進一步解體
第二節：五帝傳疑	

對比這兩部書的「史前時代」之後，我們可以發現：第一、《通史》有「五帝傳疑」一節，保留了五帝的傳說，《古代史》完全刪除傳說歷史。第二、《通史》有「原始人化石」、「舊石器時代」及「新石器時代」；《古代史》也有這一部分，不過轉化為「母系氏族」及「父系氏族」。第三、《古代史》將整個史前史納入公社制內。

　　《通史》和《古代史》無疑的是兩部截然不同的書：《通史》是史前資料的敘述、描寫及說明，資料所展現出來的「歷史文化」則由讀者自己去建構；《古代史》恰好相反，作者早已有一套歷史演進史，由古猿人而母系氏族公社，再由母系氏族公社而父系氏族公社，而「原始化石人」、「舊石器時代」及「新石器時代」恰好套進這三個階段，成為公社的演進史。實際上，史前史的發展是不是如此？筆者頗有保留。我們只感覺到，這樣的說法背後有一股思想在支配著。

　　如果我們再對比夏、商、周以及以後的朝代的歷史的話，我們就會發現，似此的情形也相同的嚴重。比如說，夏、商、周被解釋為奴隸社會，被解釋為奴隸與奴隸主兩大階級的對立和鬥爭的歷史；比如說，歷史上的一些騷動及動亂都被解釋為「奴隸起義」、「役人、工匠等奴隸的反抗鬥爭」及「農民的反抗鬥爭」等；這樣的解釋，筆者亦頗有保留。東漢末年黃巾亂天下，殺人無數，破壞經濟；他們也是「農民大起義」嗎？清季太平天國亂天下，殺人也無數，天國內更是自鬥自殘；他們也是「農民大起義」嗎？我們深深感覺到，這樣的學術研究是時代的「感情用事」，不符合理性主義。

※　　　　※　　　　※　　　　※

　　根據上文的討論，即知不少學術研究其實並非建立在客觀的理性主義之上，相反的，「感情用事」經常氾濫，影響了研究成果的標準性和科學性。學術資料變成被利用的一堆材料，用來建立自己主觀的說法的一堆材料；試想，康有為在寫《新學偽經考》及《孔子改制考》時，他真的是客觀地運用學術材料嗎？他真的是在重構孔子改制的歷史嗎？還是利用材料，假借孔子改制來為自己的政治改革鋪路、打先鋒呢？當顧詰剛等人在推翻古史系統，甚至於說治理黃河的夏禹是一條大爬蟲時，難道沒有時代「感情」嗎？物為我用，學術的專橫、主觀盡顯；試問，如此之下，學術能進步嗎？

　　今天，一個舊時代已經過去了，一個嶄新的時代已經來臨了。我們的史學家應該拋棄舊感情，卸下那有色的眼鏡，讓學術還我尊嚴，用客觀的、理性的史筆，重新撰寫歷史。最近，中國大陸政治圈承認國民黨在抗日戰爭中所作的貢獻及主導地位，也許是學術還我尊嚴的第一步；往下應該做的還有很多，我們誠懇地期待著。

（第二屆馬來西亞傳統漢學研討會〔2005.9.17-18 吉隆坡〕主題演講講稿）

鄭良樹主要著作表

㈠漢學

1.戰國策研究（台北學生書局，1973；1982 增訂三版）
2.孫子校補（台北學生書局，1974）
3.竹簡帛書論文集（北京中華書局，1982）
4.老子論集（台北世界書局，1983）
5.古籍辨偽學（台北學生書局，1986）
6.顧頡剛學術年譜簡編（北京友誼出版社，1987）
7.商鞅及其學派（台北學生書局，1987；上海古籍出版社 1989）
8.韓非之著述及思想（台北學生書局，1992）
9.老子新校（台北學生書局，1997）
10.辭賦論集（台北學生書局，1998）
11.商鞅評傳（南京大學出版社，1998）
12.諸子著作年代考（北京圖書館出版社，2001）

㈡海外華人研究

1.馬來西亞華文教育發展史（共四冊，吉隆坡教總，1998－2003）
2.馬來西亞華社文史論集（南方學院出版社，1999）
3.柔佛州潮人拓殖與發展史稿（南方學院出版社，2004）

4.寬柔紀事本末（南方學院出版社，2005）

5.林連玉評傳（吉隆坡教總，2005）

㈢文學創作

1.說因緣（散文，吉隆坡上海書局，1976）

2.中央之國（散文，蕉風出版社，1985）

3.迴蕩在馬大校園的師生曲（散文，吉隆坡十方出版社，1992）

4.香港大學（短篇小說，十方出版社，1993）

5.愛山的民族（遊記，中大海外華人研究社，1994）

6.我情我懷（散文，十方出版社，1996）

7.春城無處不飛花（遊記，中大海外華人研究社，1998）

8.青雲與石叻（南洋華族歷史小說，南方學院出版社，2000）

9.柔佛的新曙光（南洋華族歷史小說，南方學院出版社，2000）

10.吉隆坡的誕生（南洋華族歷史小說，南方學院出版社，2005）

㈣書畫

1.百年書畫選（香港中文大學海外華人研究社，1997）

2.百年書畫二選（香港中文大學海外華人研究社，2002）

3.百年書畫三選（馬來西亞創價學會，2003）

後　記

　　本集所搜的論文，一部分是旅港的最後幾年所撰述的，一部分是南返家鄉後所執筆的；這些論文，絕大部分都發表於海內外各學報、期刊及學術研討會上，今搜集為一冊，用以見證筆者晚近三、五年內的治學方向及小小成果，並且藉此就教於海內外高明之士。

　　承周勛初先生為這本小書撰寫序文，並蒙他美言鼓勵，愧不敢當，謹致萬份謝忱。

丙戌年四月後記於馬來亞大學，

時任中文系客座教授。

國家圖書館出版品預行編目資料

百年漢學論集

鄭良樹著. – 初版. – 臺北市：臺灣學生，
2007[民 96]
面；公分

ISBN 978-957-15-1340-9(精裝)
ISBN 978-957-15-1341-6(平裝)

1. 漢學 – 論文，講詞等

030.7   96001259

百 年 漢 學 論 集（全一冊）

著　作　者：鄭　　　良　　　樹
出　版　者：臺 灣 學 生 書 局 有 限 公 司
發　行　人：盧　　　保　　　宏
發　行　所：臺 灣 學 生 書 局 有 限 公 司
　　　　　　臺 北 市 和 平 東 路 一 段 一 九 八 號
　　　　　　郵 政 劃 撥 帳 號 ： 00024668
　　　　　　電　話 ：（ 0 2 ）2 3 6 3 4 1 5 6
　　　　　　傳　眞 ：（ 0 2 ）2 3 6 3 6 3 3 4
　　　　　　E-mail : student.book@msa.hinet.net
　　　　　　http : //www.studentbooks.com.tw
本書局登
記證字號　：行政院新聞局局版北市業字第玖捌壹號
印　刷　所：長 欣 印 刷 企 業 社
　　　　　　中 和 市 永 和 路 三 六 三 巷 四 二 號
　　　　　　電　話 ：（ 0 2 ）2 2 2 6 8 8 5 3

定價：精裝新臺幣七○○元
　　　平裝新臺幣六○○元

西 元 二 ○ ○ 七 年 二 月 初 版

臺灣 學生書局 出版

國學研究叢書